Kohlhammer

Beiträge zur Wissenschaft
vom Alten und Neuen Testament
Achte Folge

Herausgegeben von

Walter Dietrich und Horst Balz

Heft 12 · (Der ganzen Sammlung Heft 152)

Susanne Otto

Jehu, Elia und Elisa

Die Erzählung von der Jehu-Revolution und die Komposition der Elia-Elisa-Erzählungen

Verlag W. Kohlhammer

Die Deutsche Bibliothek – CIP-Einheitsaufnahme

Otto, Susanne:
Jehu, Elia und Elisa : die Erzählung von der Jehu-Revolution
und die Komposition der Elia-, Elisa-Erzählungen /
Susanne Otto. – Stuttgart ; Berlin ; Köln : Kohlhammer, 2001
(Beiträge zur Wissenschaft vom Alten und Neuen Testament ; H. 152 = Folge 8, H. 12)
Zugl.: Münster , Univ., Diss., 2000
ISBN 3-17-016764-2

Gedruckt auf alterungsbeständigem Papier.
Gedruckt mit Unterstützung der Deutschen Forschungsgemeinschaft.
D 6

Stuttgart Berlin Köln
Verlagsort: Stuttgart
Umschlag: Gestaltungskonzept Peter Horlacher
Gesamtherstellung:
W. Kohlhammer Druckerei GmbH + Co. Stuttgart
Printed in Germany

Inhaltsverzeichnis

Vorwort

Die vorliegende Publikation ist die für den Druck überarbeitete und punktuell ergänzte Fassung meiner im September 1999 abgeschlossenen und im Sommersemester 2000 von der Evangelisch-Theologischen Fakultät der Westfälischen Wilhelms-Universität Münster angenommenen Dissertation.

Die redaktions- und religionsgeschichtliche Fragestellungen miteinander verknüpfende Untersuchung der Elia-Elisa-Erzählungen ist entstanden durch Anregung von Herrn Professor Dr. Rainer Albertz. Ihm danke ich an dieser Stelle von Herzen für seine engagierte Betreuung, seine stete Gesprächsbereitschaft, seine Geduld und für seinen Mut, sich auch auf das Ungewisse einzulassen. Mein Dank gilt auch Herrn Professor Dr. Karl-Friedrich Pohlmann für die Übernahme des Zweitgutachtens.

Herrn Dr. Ingo Kottsieper danke ich herzlich für seine freundliche Hilfsbereitschaft sowie für vielfältige Anregungen, insbesondere in Bezug auf die Funde von Tel Dan, Herrn Christian Fabritz für seine Literaturtips, Frau Dr. Hiltraud Strunk und meinem Mann, Herrn Dr. Wolfgang Otto, für die Übernahme der Korrekturarbeiten.

Herr Dr. Bernhard Lehnart und Herr Dr. Werner Gugler waren so freundlich, mir das Manuskript bzw. die Publikation ihrer Dissertationen zur Verfügung zu stellen, auch ihnen sei auf diesem Wege nochmals gedankt.

Schließlich gilt mein Dank Herrn Professor Dr. Dr. h.c. Walter Dietrich für die Aufnahme der Dissertation in die Reihe »Beiträge zur Wissenschaft vom Alten und Neuen Testament« und der Deutschen Forschungsgemeinschaft, deren Druckkostenzuschuß die Publikation in dieser Form ermöglichte.

Widmen möchte ich dieses Buch meinen Eltern, Anneliese und Karl-Friedrich Düsberg, die mich stets liebevoll unterstützt haben.

Aalen, im Januar 2001 Susanne Otto

Abkürzungsverzeichnis

Zu den in dieser Arbeit verwendeten allgemeinen und bibliographischen Abkürzungen vgl. S.M.Schwertner, Internationales Abkürzungsverzeichnis für Theologie und Grenzgebiete, Berlin/New York ^{2}1994; zu den textkritischen Abkürzungen den Schlüssel der BHS.

Darüber hinaus bzw. davon abweichend werden folgende Abkürzungen gebraucht:

BE1	Erste nachdeuteronomistische Bearbeitung im Bereich der Elia-Erzählungen
BE2	Zweite nachdeuteronomistische Bearbeitung im Bereich der Elia-Erzählungen
BHK	Biblica Hebraica, ed. R.Kittel, ^{3}1937.
BHS	Biblica Hebraica Stuttgartensia, ^{3}1987.
BK	Bearbeitung, die die Kriegserzählungensammlung in das DtrG einfügte
dtr.	deuteronomistisch
Dtr	Deuteronomisten
DtrG	Deuteronomistisches Geschichtswerk
hi.	Hif'il
hištaf.	Hištafel
hitp.	Hitpa'el
JerD	deuteronomistische Bearbeitung des Jeremiabuches
KAI	H.Donner/W.Röllig, Kanaanäische und aramäische Inschriften, Band I-III, Wiesbaden ^{2}1966-^{2}1969.
KBL	L.Koehler/W.Baumgartner/J.J.Stamm/B.Hartmann, Hebräisches und Aramäisches Lexikon zum Alten Testament, Lieferung I-V, Leiden ^{3}1967-^{3}1995.
K^{D}	vor-priesterliche Komposition des Pentateuch
K^{P}	priesterliche Komposition des Pentateuch
LXX	Septuaginta
MT	Masoretischer Text (Codex Leningradiensis)
ni.	Nif'al
Pers.	Person
pi.	Pi'el
plur.	Plural
sing.	Singular
stat.abs.	Status absolutus
stat.cstr.	Status constructus
Verf.	Verfasserin

I Einleitung

1 Die Elia-Elisa-Erzählungen in der Forschung – ein Überblick

Die Erzählungen von Elia und Elisa sind mit H.Gunkel sicherlich als „Meisterwerke hebräischer Erzählkunst“ zu betrachten.[1] Sie nehmen in den Königsbüchern innerhalb der Darstellung der Epoche von Ahab (1.Kön 16,29) bis Jehu (2.Kön 10,36) einen ungewöhnlich breiten Raum ein, wobei die Elisa-Überlieferung zwischen 2.Kön 2 und 2.Kön 9/10 einen, lediglich durch die Königsrahmen 2.Kön 3,1-3; 8,16-29 unterbrochenen, geschlossenen Block bildet,[2] während die Elia-Überlieferung in drei, durch die von anderen Propheten handelnden Erzählungen 1.Kön 20; 22,1-38 voneinander getrennten Textbereichen vorliegt (1.Kön 17-19; 21; 2.Kön 1). Umfang und Anordnung der Texte werfen seit Einsetzen der historisch-kritischen Forschung,[3] spätestens aber seit M.Noths Entdeckung des Deuteronomistischen Geschichtswerks,[4] die Frage auf, in welcher Form die Elia- und Elisa-Überlieferung vor ihrer Einfügung in die Königsbücher vorlag und in welcher Weise der Einbau in das DtrG ablief.

Nach *M.Noth*[5] lag den Deuteronomisten ein in vordeuteronomistischer Zeit entstandener „Zyklus der Elia- und Elisageschichten“ vor, der aus „voneinander ursprünglich unabhän-

---

1 H.Gunkel, *Elias*, 1906; vgl. auch ders., *Geschichten*, 1922.

2 Eine Ausnahme stellen lediglich die den Abschluß der Elisa-Überlieferung bildenden Anekdoten 2.Kön 13,14-19.20f. sowie 1.Kön 19,19-21 dar.

3 Nach O.Thenius, *Bücher*, (1849) ^{2}1873, XVIIIf., lagen dem „Concipienten“ der Königsbücher die von zwei verschiedenen Verfassern stammenden Geschichten Elias und Elisas in einem „Prophetenspiegel“ vereinigt und 1.Kön 20; 22; 2.Kön 3; 9/10 in einer historischen Quelle vor; vgl. A.Klostermann, *Bücher*, 1887, XXXI. C.F.Keil, *Bücher*, 1865, 194, geht davon aus, daß die „Mitteilungen über das Wirken“ Elias und Elisas „Excerpte aus biographischen Quellenschriften“ sind. J.Wellhausen, *Composition*, ^{3}1899, 278ff., rechnet mit einer nordisraelitischen Quelle von Elia-Erzählungen (1.Kön 17-19; 21), einer samarischen Historienquelle (1.Kön 20; 22; 2.Kön 3,4ff.; 6,24-7,20; 9/10) und einer Gruppe lose verbundener Elisa-Erzählungen, wobei die Zuordnung von 2.Kön 1 und 2,1-18 ungewiß bleibt. I.Benzinger, *Bücher*, 1899, IX.104ff., unterscheidet die aus dem 8.Jh. stammenden „Elia-Geschichte“ (1.Kön 17-19.21; 2.Kön 1), die gegen Ende des 9. Jahrhunderts entstandene „Ahabgeschichte“ (20.22) und eine die Elisa-Geschichten umfassende Anekdotensammlung. Diese lagen dem zweiten, exilischen Redaktor der Königsbücher zu einer Quelle vereinigt vor. Ähnlich R.Kittel, *Bücher*, 1900, X.137ff., nach dem die Elia- und Elisa-Erzählungen vor ihrer Zusammenstellung zu einer, vom Redaktor des Königsbuchs verwandten Quelle (israelitische und judäischen Königsgeschichte) zunächst in vier Überlieferungssträngen weitergegeben wurden: der „Eliageschichte“ (1.Kön 17-19.21; 2.Kön 1), der „Ahabgeschichte“ (1.Kön 20; 22), der Jehuerzählung (2.Kön 9/10) und der aus zwei Quellen (Prophetengeschichten mit politischem Hintergrund, Wundergeschichten) zusammengesetzten Geschichte des Propheten Elisa. H.Gunkel, *Elias*, 1906, 1-7; ders., *Geschichten*, 1922, 2f., rechnet mit zwei verschiedenen, der Redaktion der Königsbücher vorliegenden Quellen, dem Elia- und dem Elisa-Kranz. A.Šanda, *Bücher* I, 1911, XXX, wiederum ermittelt fünf, vom Redaktor der Königsbücher weitgehend unverändert übernommene Quellen der Elia- und Elisatradition: die „alte Eliasgeschichte“ (1.Kön 17-19), die „Ahabgeschichte“ (1.Kön 20; 22; 2.Kön 3,4ff.), die „jüngere Eliasgeschichte“ (1.Kön 21; 2.Kön 1), die „Elisäusgeschichte“ (2.Kön 2; 4,1-8,15; 13,14-21), die ihrerseits aus einem längeren Kompositionsprozeß hervorging, und die Jehugeschichte (2.Kön 9/10). Nach G.Hölscher, *Buch*, 1923, 184-195, lagen die Elia- und Elisa-Erzählungen sowie die Kriegs- und Geschichtserzählungen (1.Kön 20; 22*; 2.Kön 3,4ff; 6,24ff.; 9,1-10,28) in einer Quelle von Prophetenerzählungen gesammelt vor. Sie gehörten nicht zum Werk des Verfassers des „deuteronomistischen Geschichtsbuchs“, sondern wurden später nachgetragen.

4 M.Noth, *Studien*, (1943) ^{3}1967; siehe dazu S.25-27.

5 a.a.O. 79ff.

gigen Einzelerzählungen und kleinen Anekdotenreihen aufgebaut" war.[6] Dieser Zyklus sei weitgehend unverändert in das DtrG aufgenommen worden. Auf deuteronomistische Redaktionsarbeit gehen nach Noth lediglich die Einfügung des Namen „Horeb" in 1.Kön 19,8, die Überleitung von 1.Kön 20 zu 1.Kön 21 mittels 20,43aß, der Anhang an die Erzählung von Naboths Weinberg (1.Kön 21,21.22.24-26)[7], der Bezug der ursprünglich ohne Königsnamen überlieferten Erzählung von der Baalsbefragung auf Ahasja, die vorangestellte Notiz 2.Kön 1,1 und der Name Joas in 2.Kön 13,14 zurück.[8] Die Erzählung von der Jehu-Revolution (2.Kön 9,1-10,27) war, so Noth, nicht Bestandteil des Elia-Elisa-Zyklus. Sie entstamme, wie auch 1.Kön (20.)22, vielmehr einem Zyklus über das „Eingreifen von Propheten in die Aufeinanderfolge von israelitischen Königen und Dynastien"[9]. Auch hier habe „Dtr nur leicht durch die Wiederholung von 1.Kön 21,21.22a in 9,8b.9, durch den Hinweis auf 9,36 in 9,10a sowie durch Nennung des Namens Elia in 10,10b eingegriffen".[10] In 1.Kön 22 geht nach Noth der Erfüllungsvermerk V.38 auf den Deuteronomisten zurück.

Die These Noths von der Aufnahme des gesamten Elia- und Elisazyklus durch den Deuteronomisten birgt das grundsätzliche Problem in sich, daß das Deuteronomistische Geschichtswerk unter dieser Voraussetzung im Bereich von 1.Kön 16,29-2.Kön 10,36 einige schwerwiegende inhaltliche Widersprüche enthält: So steht der gewaltsame Tod Ahabs in 1.Kön 22,34-38 weder im Einklang mit der angekündigten Gerichtsverschonung Ahabs in 1.Kön 21,29 noch mit der deuteronomistischen Notiz in 1.Kön 22,40, die einen friedlichen Tod des Königs voraussetzt.[11] Die Elia-Komposition (1.Kön 17-18), die von einem Sieg Elias über den Baalskult handelt, bildet eine weitere Verwerfung innerhalb des deuteronomistischen Geschichtsbildes, das von der Vorstellung geprägt ist, daß Ahab den Baalskult in Israel einführte (1.Kön 16,31f.; vgl. 22,53f.; 2.Kön 3,2) und erst Jehu ihn wieder ausrottete (2.Kön 10,28).[12]

G.Fohrer[13] entwirft eine dreistufige Entwicklungsgeschichte der Elia-Überlieferung, die sich mit den Begriffen „Entstehung der Einzelerzählungen" – „Konsolidierung und Ausschmückung der Überlieferung" – „Einfügung in das Deuteronomistische Geschichtswerk" grob skizzieren läßt: Bald nach den Ereignissen selbst, das heißt noch im 9. Jahrhundert, entstanden in prophetischen Kreisen sechs Einzelerzählungen, die Erzählungen von Dürre und Regenspenden (1.Kön 17,1; 18,1aß-2a.17.41-46), vom Gottesurteil (1.Kön 18,19.20-

6 a.a.O. 79. Vgl. G.Hentschel, *Elijaerzählungen*, 227, der die Nothsche These eines vordeuteronomistischen Elia-Elisa-Zyklus aufnimmt, ohne jedoch näher auf die Elisa-Überlieferung einzugehen. Auch F.Crüsemann, *Elia*, 15, rechnet damit, daß „im wesentlichen die gesamten Elia-Erzählungen, also 1Kön 17-19; 20-22 (wo nur in Kaptitel 21 Elia auftritt) und 2Kön 1; 2, den Deuteronomisten als bereits schriftlich vorgegebenes Quellenmaterial vorgelegen hat."

7 Bei 1.Kön 21,20.23 handelt es sich nach M.Noth, a.a.O. 83 Anm. 1, um spätere Zusätze.

8 Der Name Joram in 2.Kön 3,6 und der Name Josaphat in 3,7.11.12.14 sind, so M.Noth, a.a.O. 83 Anm. 7, sekundär. Daß auch hier die Benennung der Könige auf den Deuteronomisten zurückzuführen ist, macht M.Noth nicht explizit deutlich.

9 a.a.O. 80.

10 a.a.O. 84.

11 Siehe dazu S.125f.197f.

12 Zu weiteren Unebenheiten im Bereich der Elia und Elisa-Geschichten siehe S.151-154.197-201.

13 G.Fohrer, *Elia*, (1957) ^{2}1968; vgl. auch ders., *Prophetenerzählungen*, 1977, 43ff.; ders., *Art. Elia*, 424-427 und ders., *Art. Elisa*, 429-431.

40), von der Gottesbegegnung auf dem Horeb (1.Kön 19,3b.8b*.9-12.13a-bα), von der Berufung Elisas (1.Kön 19,19-21), vom Justizmord an Naboth (1.Kön 21,1-9.11-20bα) und die Erzählung von Ahasjas Orakelbefragung (2.Kön 1,2-8.17aα).[14] Dann teilte sich die Überlieferung in zwei Stränge: Während die Erzählungen vom Justizmord an Naboth und von Ahasjas Orakelbefragung auch weiterhin als Einzelerzählungen tradiert wurden, so wurden die übrigen Erzählungen „nicht lange nach ihrer schriftlichen Niederlegung“[15] und diversen Erweiterungen[16] zu einer Sammlung vereinigt.[17] Die zu den beiden Strängen der Elia-Überlieferung neu hinzutretenden Anekdoten 1.Kön 17,17-24; 18,1aα und 2.Kön 1,9-16 stellten zwar eine lose Verknüpfung zwischen Einzelerzählungen und Sammlung her, ein geschlossener Erzählungszyklus entstand nach Fohrer jedoch nicht. Bei der Aufnahme der Elia-Überlieferung durch die deuteronomistischen[18] Verfasser der Königsbücher kam es – in Abhängigkeit von Jeremia und Ezechiel und unter Aufnahme der spätvorexilischen Worttheologie – zu einer weiteren Bearbeitung der Texte: Neben der – scheinbar willkürlich erfolgenden – Zufügung von einzelnen Ausdrücken und Redeweisen[19] wurde zum Zwecke der Eingliederung des Erzählguts in das DtrG die Begründung des Drohwortes in 1.Kön 17,1 ausgelassen, die Einleitungsformel „Es geschah nach diesen Ereignissen“ in 1.Kön 21,1 zugefügt und 2.Kön 1,2-17aα* durch 1,1.17aß.b gerahmt. Die Naboth-Erzählung erfuhr nach Fohrer eine zweifache deuteronomistische Bearbeitung: 1.Kön 21,20bß-22.24 stammen vom deuteronomistischen Verfasser der Königsbücher, während 21,25-26 auf den „zweiten Verfasser und Bearbeiter der Königsbücher im Exil“ zurückgeht.[20]

Die literarkritisch geprägte Methode Fohrers führt indes nicht zu Erkenntnissen hinsichtlich eines deuteronomistischen Geschichtskonzepts für die Epoche von Ahab bis Jehu. Die Arbeit der Redaktion scheint sich nach Fohrer vielmehr auf ein unplanmäßiges „Einstreuen“ bestimmter Formulierungen beschränkt zu haben.[21]

Die deutlich erkennbare Abstimmung zwischen Elia- und Elisa-Überlieferung (vgl. nur 1.Kön 17,17-24 mit 2.Kön 4,8-37) erklärt Fohrer nicht. Er sieht in der Elisa-Überlieferung eine eigenständige, sich von der Elia-Überlieferung formal und sachlich unterscheidende Traditionsbildung vorliegen und schließt im Unterschied zu Noth die Vorstellung eines Zusammenflusses der Traditionen zu einem Elia-Elisa-Zyklus aus.[22] Die Wachstumsgeschichte der Elisa-Erzählungen wird daher von ihm gesondert betrachtet:[23]

Wie die Elia-Überlieferung, so verlief auch die Elisa-Überlieferung zunächst in zwei Strängen. Der erste Strang wird gebildet von ursprünglich selbständigen Anekdoten, die

---

[14] G.Fohrer, *Elia*, 33-50.

[15] a.a.O. 51.

[16] 1.Kön 17,7-16; 18,2b-3a.5-9.12.14-15; 19,4a.5a.7-8a.15-18; vgl. a.a.O. 50 Anm. 13.

[17] Die Verknüpfung der vier kleinen Einheiten erfolgte über 1.Kön 17,2-16; 18,10-11.13; 18,18; 19,1-3a.4b. 5b-6.8b*.13bß-15aα.

[18] Bei G.Fohrer, a.a.O. 53, „deuteronomisch“.

[19] Hier geht es um Wendungen, die sonst gehäuft bzw. ausschließlich in späteren Texten, insbesondere bei Jeremia und Ezechiel, anzutreffen sind, siehe a.a.O. 53f.

[20] a.a.O. 29.

[21] Ähnlich W.Thiel, *Redaktionsarbeit*, 151.

[22] a.a.O. 53.

[23] ders., *Art. Elisa*, 429-431.

von einem Sammler zu einem geschlossenen Erzählungskranz volkstümlicher Wundergeschichten vereinigt wurden (2.Kön 2,1-18.19-22.23-25; 4,1-7.8-17.18-37.38-41.42-44; 6,1-7), wobei der Abschluß des Kranzes, die Erzählung 2.Kön 8,1-6, auf den Sammler der Wundergeschichten zurückgeht. Der zweite Strang wird gebildet von den selbständigen Einzelerzählungen 1.Kön 20; 22; 2.Kön 3,4-27; 5; 6,8-23; 6,24-7,20; 8,7-15; 9,1-10; 13,14-19. Die beiden Stränge der Überlieferung wurden vor ihrer Aufnahme in die Königsbücher zu einem Gesamtkomplex verbunden. Ein Problem bleibt die Zuordnung von 2.Kön 13,20f., einer Einzelüberlieferung, die nach Fohrer „nur inhaltlich zum Erzählungskranz"[24] gehörte.

Wie G.Fohrer rechnet auch *O.H.Steck*[25] damit, daß der Überlieferungsprozeß mit der Bildung von Einzelerzählungen[26] noch zu Lebzeiten Elias einsetzte und am Ende des 9. Jh. weitgehend abgeschlossen war. Die dazwischenliegende Wachstumsgeschichte wird von Steck durch ein mehrstufiges Modell detailliert beschrieben. Dabei stellt er die von Fohrer noch vernachlässigte Frage nach der Verankerung der einzelnen Bearbeitungsstufen in ihrem zeitgeschichtlichen Kontext und der Intention der jeweiligen Bearbeiter in den Vordergrund: In der durch eine prokanaanäische Religionspolitik[27] geprägten Omridenzeit wurden die – um die Szene Elia-Obadja erweiterte – Dürreerzählung (1.Kön ... 17,1-6; 18,1-3a.5-12.14-18a ... 41-46*) und die Erzählung vom Gottesurteil auf dem Karmel (18, ... 21-39*) durch einen „Sammler" mittels 1.Kön 18,18b.19f.* vereinigt. Zur Zeit Jehus erfolgte, unter dem Eindruck des Vorgehens der verwitweten Isebel gegen den Jahweglauben und der sich daran entzündenden Jehu-Revolution, die nächste Bearbeitung: Ein Redaktor erweiterte die vereinigte Dürre-Karmel-Erzählung um 1.Kön 18,13.19*.40 und um das Traditionsfragment 1.Kön 19,3aß-6, welches er über 1.Kön 19,1-3aα mit 1.Kön 17-18 verknüpfte.[28] Zur selben Zeit wurde der Kern der Naboth-Erzählung (1.Kön 21,17-18a.19-20abα) um 1.Kön 21,1-16.18b.23 sowie um V.27-29 erweitert. Die Infragestellung der Existenz Israels durch die Aramäerkriege gab dann den Anstoß zur Ausgestaltung von 1.Kön 19 durch die Anfügung der redaktionell gestalteten Horebszene (1.Kön 19,9*.11*.12-18) mittels 19,7f. Die Erweiterung von 1.Kön 17-19 um die Wundergeschichten 17,7-16.17-24 und um die sekundären Zusätze 18,3f.*; 19,9ff.* sowie die Ergänzung der Ahasjageschichte um 2.Kön 1,9-16 werden von Steck nicht genauer in den Wachstumsprozeß der Elia-Überlieferung eingeordnet.[29] Die Stecksche Auffassung hinsichtlich der Einfügung der Elia-Erzählungen in das DtrG gleicht wiederum der Fohrerschen, der Anteil der deuteronomistischen Bearbeitung wird jedoch noch geringer eingeschätzt: Die deuteronomistischen Verfasser der Königsbücher nahmen die ihnen vorliegen-

---

24 ders., *Art. Elisa*, 430.

25 O.H.Steck, *Überlieferung*, 1968.

26 Die Erzählung von der Dürre und vom Wiederkommen des Regens (... 1.Kön 17,1-6; 18,1-2a.17-18a ... 41-46*), die Erzählung vom Gottesurteil auf dem Karmel (18, ... 21-39*) und die Elia-Ahab-Szene in der Erzählung von Naboths Weinberg (1.Kön 21,17-18a.19-20abα); siehe a.a.O. 29.43. Zur Ahasjageschichte (2.Kön 1,2-8.17*) siehe a.a.O. 132 und vor allem O.H.Steck, *Erzählung*, 546-556.

27 O.H.Steck, *Überlieferung*, 132.

28 a.a.O. 28-31.

29 a.a.O. 132 Anm. 1.

den Elia-Erzählungen nahezu unverändert auf, lediglich 1.Kön 21,(20bßγ.)21-22.24-26 ist als deuteronomistischer Zusatz zu identifizieren.[30]

Die konsequente Frühdatierung der Eliatradition durch Steck bereitet allerdings einige Schwierigkeiten,[31] vor allem das monotheistische Bekenntnis 1.Kön 18,39, aber auch die in der Nähe der rationalistischen Götzenpolemiken Deuterojesajas anzusiedelnde Verspottung Baals (18,27) sind vorexilisch, zumindest aber vor Hosea kaum denkbar.[32]

W.Dietrich[33] stellt, im Unterschied zu Steck, die Frage nach der deuteronomistischen Bearbeitung der Königsbücher wieder in den Vordergrund. Mit der These, Teile der Elia-Überlieferung sowie die Kriegserzählungen 1.Kön 20*; 22* seien erst durch einen nach dem Verfasser der Grundschrift des Deuteronomistischen Geschichtswerks (DtrG) arbeitenden prophetisch orientierten Redaktor (DtrP) in die Königsbücher eingefügt worden, gibt Dietrich den seit Noth bestehenden Konsens einer geschlossenen Übernahme der Elia- und Elisa-Überlieferung durch den deuteronomistischen Verfasser der Königsbücher auf. Im DtrG waren nach Dietrich 1.Kön 17,1; 18,2b-19,21; 21,1-19a.20bα, der gesamte Elisa-Zyklus und die Jehu-Erzählung enthalten,[34] während 1.Kön 17,2-24* von DtrP mit Hilfe der Wortereignisformel komponiert und durch 1.Kön 17,2; 18,1.2a in den Kontext der Königsbücher eingefügt wurde.[35] Auch die Einfügung von 2.Kön 1; 1.Kön 20*; 22* (V.38 stammt von DrP) sowie die Erweiterung der Erzählung von Naboths Weinberg um 1.Kön 21,19b.20bß-24.27-29 und der Erzählung von der Jehu-Revolution um 2.Kön 9,7-10a.36; 10,17 sind nach Dietrich auf DtrP zurückzuführen. 1.Kön 21,25f. wurde von dem nomistischen Deuteronomisten (DtrN) ergänzt.

Die Redaktionsgeschichte Dietrichs weist allerdings einige Unklarheiten auf:[36] So führt er die Einfügung des unerfüllten Jahwespruchs gegen Ahab (1.Kön 21,19b), des Erklärungsversuchs seiner Nichterfüllung an Ahab (1.Kön 21,27-29) und die Notiz von seiner Erfüllung an Ahab (1.Kön 22,38) auf ein und den selben Redaktor zurück. Die Einfügung von 1.Kön 1 durch DtrP ist angesichts der Einbettung der Erzählung in den Rahmen des DtrG und des Fehlens einer deutlichen deuteronomistischen Bearbeitung nicht zu rechtfertigen.[37] Überhaupt scheinen die Kriterien für die Zuweisung eines Textes zu DtrP äußerst schwammig zu sein, denn Worttheologie und insbesondere die Wortereignisformel sind auch in Texten anzutreffen, die Dietrich nicht DtrP zuweist (1.Kön 19,9; 21,17).

H.-Chr.Schmitt[38] rückt in seiner literarkritisch bzw. traditionsgeschichtlich orientierten Untersuchung der Elisa-Erzählungen von der auch noch von Dietrich geteilten Auffassung ab, die Elisa-Tradition sei noch im Nordreich abgeschlossen und vom deuteronomistischen

---

30 a.a.O. 41.

31 Zur Kritik der Frühdatierung der Elia-Tradition vgl. H.-Chr.Schmitt, *Elisa*, 119ff., zu 1.Kön 18 E.Würthwein, *Opferprobe*, 277-284 und zu 1.Kön 17-19 E.Blum, *Prophet*, 288-292.

32 Siehe dazu S.174f.

33 W.Dietrich, *Prophetie*, 1972.

34 a.a.O. 48-51.127 Anm. 73.145.

35 a.a.O. 122-125.

36 Zum Ganzen siehe auch W.Thiel, *Redaktionsarbeit*, 151f.

37 Siehe auch S.144-147.

38 H.-Chr.Schmitt, *Elisa*, 1972.

Verfasser der Königsbücher weitgehend unverändert in dieses aufgenommen worden.[39] Nach Schmitt enthielt die DtrG-Grundschrift im Bereich des Elisa-Zyklus lediglich die Erzählung von der Jehu-Revolution (2.Kön 9/10). Die Aufnahme der in einer Sammlung vorliegenden Kriegserzählungen (1.Kön 20; 22,1-38; 2.Kön 3,4ff.; 6,24ff.) sei in exilisch-nachexilischer Zeit erfolgt, während die übrige Elisa-Tradition (1.Kön 19,19-21; 2.Kön 2,1-25; 4,1-6,23; 8,1-15; 13,14-19) in der ersten Hälfte des 5. Jahrhunderts von einer Gottesmannbearbeitung[40] in die Königsbücher eingebaut worden sei. Anschließend habe noch eine nachträgliche Bearbeitung stattgefunden.[41]

Vor ihrer Einfügung in die Königsbücher haben die einzelnen Texte nach Schmitt bereits eine längere, zum Teil recht komplizierte Wachstumsgeschichte durchlaufen: Die im 9. Jh. entstandene Erzählung von der Jehu-Revolution erfuhr lediglich gegen Ende der Zeit Jerobeams II. eine „apologetische Bearbeitung“[42], bevor sie von den Deuteronomisten bearbeitet[43] und aufgenommen wurde. Anschließend ist noch mit einer „annalistischen“ Bearbeitung zu rechnen.[44] Die aus der ersten Hälfte des 8. Jh. stammenden Kriegserzählungen wurden in exilisch-frühnachexilischer Zeit von einer Prophetenbearbeitung[45] zu einer Sammlung vereinigt und im Laufe der Zeit von nachfolgenden, ebenfalls prophetischen Bearbeitungen beträchtlich erweitert.[46] In der Zeit vom Ende des 9. Jh. bis zur Mitte des 8.Jh. entstanden die als Einzelerzählungen überlieferten Aramäererzählungen (2.Kön 5,1-14*; 8,7-15; 13,14-17*),[47] während die Wundergeschichten (4,1-7*.8-37*.38-41; 6,1-7.8-23*) in einer zur Zeit Jerobeams II. zusammengestellten Sammlung tradiert wurden.[48] Die „Sukzessorensammlung“ (1.Kön 19,19-21*; 2.Kön 2,1-24*) entstand nach Schmitt erst im Südreich des 7.Jahrhunderts[49] und wurde in der Exilszeit durch eine „Jahwebearbeitung“ mit der Wundergeschichtensammlung vereinigt.[50]

Die Position Schmitts muß als wesentlicher Fortschritt in der Elisa-Forschung erkannt werden. Dennoch ist sie mit einigen Problemen behaftet. Dazu zählen neben der Annahme einer Vielzahl am Entstehungsprozeß der Elisa-Überlieferung beteiligten Bearbeitungen, die Klassifizierung von 2.Kön 6,8-23 als Wunder- statt als Aramäergeschichte und das

---

[39] Eine Ausnahme bilden hier die Überlegungen von J.M.Miller, *Elisha*, 450f., der bereits 1966 eine zeitlich nach der grundlegenden Redaktion der Königsbücher stattfindende Einfügung der Elia-Elisa-Tradition und der Kriegserzählungen 1.Kön 20; 22,1-38 in Erwägung zog.

[40] Auf die Gottesmannbearbeitung geht nach H.-Chr.Schmitt, *Elisa*, 89.101.107, 1.Kön 19,19*; 2.Kön 2,1a. 11b.12aαßγ.21*.24*.25b; 4,42-44; 5,1aß.8aα*.11bß*.14aγ.15a.17*.19a; 6,23b.24aα.25aα; 7,2.16bß*. 17abα; 8,2aß.4aγ*.11b-13a; 13,14bα*.18f. zurück.

[41] Diese umfaßt (siehe a.a.O. 48f.89.107) die Verse 1.Kön 20,35-43; 2.Kön 2,16-18aαb; 5,5b*.15b.16. 17aα*.19b-27; 8,9a*; 13,20f.

[42] a.a.O. 24ff. Die apologetische Bearbeitung fügte 2.Kön 9,21bßγδ.25f.; 10,19b.23 ein.

[43] Auf die deuteronomistische Bearbeitung gehen 2.Kön 9,7-10a.36f.; 10,10f.17aßb zurück (a.a.O. 19ff.).

[44] 9,14.15a.28f.; siehe a.a.O. 23f.

[45] Von der Prophetenbearbeitung stammen 1.Kön 20,22-25.28; 22,1b.5-9.13-18.26-28a; 2.Kön 3,9b-12.14-19; 6,27.31-7,1 (a.a.O.51).

[46] 1.Kön 20,2a*.13-20; 22,10-12.19-23.24-25; 2.Kön 3,13, siehe a.a.O. 32-51.

[47] a.a.O. 77-89.

[48] Auf den Redaktor, der die Wundergeschichtensammlung erstellte, gehen die Verse 2.Kön 4,13-15.29-33a. 35.38aα*; 8,1-2aα.2b-4a*.4b-6 zurück; siehe a.a.O. 89-101.

[49] a.a.O. 102-107.

[50] Der Jahwebearbeitung (a.a.O. 101.107.126f.) ist 2.Kön 2,2-6.14*.15*.22b.25a; 4,1aγδε.17bß.27bγδ.33b; 6,15b-17.18*.20 zuzurechnen.

Fehlen einer Erklärung für die Verwendung des Ehrennamens „Wagen Israels und seine Gespanne“ sowohl in 2.Kön 2,12 als auch in 2.Kön 13,14.

R.Smend[51] knüpft mit seiner Frage nach der deuteronomistischen Redaktion in 1.Kön 17-19 an die Überlegungen Dietrichs hinsichtlich der Wort-Jahwe-Theologie an, ohne jedoch das Problem der Einfügung der Tradition in die Königsbücher explizit zu behandeln. Ausgehend von drei Doubletten (1.Kön 19,9b.10 // 19,13b.14; 18,36* // 18,37; 18,30b // 18,31. 32a) ermittelt Smend eine 1.Kön 17,2-5a.8-9.14b.16.24b; 18,1aßγb.31.32a.36*; 19,9b.10 umfassende, das Wort Jahwes betonende Redaktionsschicht, die er „probeweise“ der deuteronomistischen Redaktion zuordnet. Die Redaktoren beschränkten sich jedoch nicht nur auf die punktuelle Eintragung der Wort-Gottes-Theologie, sie fügten die – von ihnen bearbeiteten – Episoden 1.Kön 17,8-16 und 17,17-24 als Ganze in die Elia-Erzählung ein.[52]

Die Smendsche These von der Wort-Gottes-Bearbeitung führt erneut zu der Frage nach den Kriterien für den Nachweis deuteronomistischer Redaktionsarbeit: Ist die in 1.Kön 17 anzutreffende Vorstellung vom Wort Jahwes und seiner Erfüllung überhaupt mit den deuteronomistischen Verheißungs- und Erfüllungsschemata vergleichbar oder werden hier nicht vielmehr die gleichen Formeln in einem gänzlich anderen Kontext und mit einer anderen Intention verwandt?[53]

In seiner letzten Arbeit zum Thema rechnet Smend[54] auch 1.Kön 18,3b.4; 19,15ff. der deuteronomistischen Redaktion zu. Weiterhin nimmt er an, daß die Erzählung von Naboths Weinberg erst durch die deuteronomistische Redaktion mittels des in einem mehrstufigen Prozeß entstandenen Abschnitts 2.Kön 21,17-26 mit Elia verbunden wurde.

G.Hentschel[55] betrachtet im Unterschied zu Smend den Anteil der Deuteronomisten an der Entstehung der Elia-Überlieferung als äußerst gering (18,(18bß.)36b; 21,20bß-22.24-26)[56] und richtet sein Augenmerk wieder auf deren vordeuteronomistisches Wachstum. Allerdings geht Hentschel davon aus, daß die Elia-Überlieferung nicht von den deuteronomistischen Verfassern der Königsbücher, sondern von einer späteren deuteronomistischen Redaktion[57] (DtrP)[58] in die Königsbücher aufgenommen wurde, da sie die deuteronomistischen Rahmenschemata für Ahab und Ahasja auseinanderreiße, in literarischer Hinsicht nicht zu den Quellen des „Rahmenredaktors“ passe und überdies „streng dtr Maßstäben“[59]

[51] R.Smend, *Wort*, 1975, 525-543. Die These Smends wird aufgenommen und weiterentwickelt von Chr.Levin, *Erkenntnis*, 1992, 329-342, der eine der Jahwewortbearbeitung vorangehende „Gottesmannbearbeitung“ (analog zur Schmittschen Gottesmannbearbeitung der Elisa-Erzählungen) der Elia-Elisa-Erzählungen annimmt. Anders als Schmitt geht Levin allerdings davon aus, daß die „in der zweiten Hälfte der persischen Epoche“ (a.a.O. 341) stattfindende Gottesmannbearbeitung die Elia- und Elisa-Erzählungen als Bestandteil des Deuteronomistischen Geschichtswerks bereits voraussetzt.

[52] Zur Schwierigkeit der Annahme, die Deuteronomisten hätten an ein und demselben Erzählstück in unterschiedlichen Stilen gearbeitet, vgl. W.Thiel, *Redaktionsarbeit*, 152.

[53] Siehe dazu auch S.155f.

[54] R.Smend, *Elijah*, 1986, 28-45.

[55] G.Hentschel, *Elijaerzählungen*, 1977.

[56] Er modifiziert seine Auffassung in den neueren Arbeiten zum Thema (*1 Könige*, 1984; *2 Könige*, 1985; *Elija*, 1985, 54-90) geringfügig und teilt die deuteronomistische Bearbeitung der Naboth-Erzählung auf DtrP (21,20bß-22.24.29*) und DtrN (21,25f.) auf.

[57] *Elijaerzählungen*, 228-237.332f.

[58] *Elija*, 54f.63; *2 Könige*, 5.

[59] *Elijaerzählungen*, 333.

widerspreche. In der literarkritischen Analyse ermittelt Hentschel sechs „kleine Einheiten" der Eliatradition: die Ahasjaerzählung (2.Kön 1,2-8.17aα), die noch in vordeuteronomistischer Zeit um V.9.15f. und anschließend um V.10-14 erweitert wurde, die Nabotherzählung (1.Kön 21,1-20bα), die ebenfalls eine vordeuteronomistische Bearbeitung (V.23.27f.29*) erfuhr, die ältere Dürreeinheit (17,1; 18,2b-46*), die Speisungsszenen (17,5b-7.10-15), die Erweckungserzählung (17,17aß-19.21aα.bß.22b-24a) und die Horebtradition (19,3aß-9a.11aß-15a*.18). Der Zusammenschluß der vier letztgenannten kleinen Einheiten zur Komposition 1.Kön 17-19 verlief nach Hentschel in einem mehrstufigen Prozeß, der zur Zeit der Aramäerkriege unter Joahas von Israel (818-802) bereits abgeschlossen war: Die Horebtradition wurde um ein einleitendes Gespräch zwischen Jahwe und Elia (19,9b-11aα) ergänzt, während die Dürreeinheit über 17,2-5a.8f.16; 18,1aß-2a mit der Erweckungserzählung und den Speisungsszenen verknüpft wurde. Danach fügte eine Isebel-feindliche Redaktion[60] die beiden nun entstandenen Einheiten zusammen. Anschließend wurde die Komposition um die Aufträge Jahwes an Elia (1.Kön 19,15aß^2.b.16f.) und die Elisa-Tradition 1.Kön 19,19-21 erweitert.[61] Die im Rahmen der Literarkritik gewonnenen kleinen Einheiten haben nach Hentschel bereits eine längere, im Rahmen der traditionsgeschichtlichen Analyse herausgearbeitete Entwicklungsgeschichte hinter sich, die bis in die Frühzeit Ahabs von Israel zurückreicht und verschiedene Stadien des Verhältnisses zwischen Ahab und Elia erkennen läßt:[62] Zeugnis von der in der Anfangsphase existierenden ungetrübten Beziehung zwischen Elia und dem omridischen Königshaus geben die Erzählung über die Entscheidung auf dem Karmel (1.Kön 18,21-40), deren ältester Kern von 1.Kön 18,21.30.(33.)40 gebildet wird, die Erzählung vom Ende der Dürre (1.Kön 18,42-46), die sich aus dem Grundbestand 18,42b.45f. entwickelte, und das Verheißungswort 17,14a, auf dem die Sareptaerzählung beruht. Die ältesten Partien der Naboth-Erzählung (21,16.20abα) und der Ahasjaerzählung (2.Kön 1,2.5-8) reflektieren jedoch bereits ein feindliches Verhältnis zwischen König und Prophet. Mit dem wachsenden Einfluß Isebels auf die Politik rückt die Isebel-Figur auch auf literarischer Ebene immer mehr in den Vordergrund (1.Kön 21,7a.8/ 21,7b.9f.14f.). Die Horebszene (1.Kön 19,9a.11aß-15aß^1.18) stammt aus der letzten Phase des Wirkens Elias und zeigt einen ob des allgemeinen Abfalls Israels resignierten Propheten.

Die Frühdatierung der Eliatradition durch Hentschel ist, wie bereits oben anläßlich der Untersuchung Stecks ausgeführt, kaum zu halten. Damit aber erweist sich der unmittelbare Zusammenhang, den Hentschel zwischen Zeitgeschichte und Traditions- bzw. Literaturentstehung herstellt, als zu vereinfachend.

Auch *H.Seebaß*[63] tendiert zu einer Frühdatierung der Elia-Tradition. Der Grundbestand der „Dürre-Komposition" (1.Kön 17,1.5b-6; 18,1aß-3a.5-12.15-20.22f.24b.30a.36a.38a.40-46), den er anders als die meisten Forscher nicht als Kombination mehrerer, ehemals unabhängiger Episoden, sondern als ursprüngliche Einheit auffaßt, sei, ähnlich wie die ehemals unabhängige Heiligtumslegende (1.Kön 18,21.26-29.30b-35.37.38b-39), bereits in der Ge-

---

60 Auf diese sind die Verse 1.Kön 18,3b-4.12b-14.19bß; 19,1-3aα zurückzuführen.

61 a.a.O. 324f.

62 Siehe a.a.O. 327ff.

63 H.Seebaß, *Art. Elia*, 1982, 498-502; ders., *Art. Elisa*, 1982, 506-509.

neration nach der Dürre entstanden. Ebenfalls zu den ältesten Elia-Traditionen gehöre die Ahasja-Erzählung (2.Kön 1,2-3a.5-8.17a), während die Naboth-Erzählung (1.Kön 21,1-20bα.23.27.28f.(?)) als Rechtfertigung der Jehu-Revolution später, wohl im 8. Jh., entstanden sei. Aus dem 8. Jh. stamme auch die den Niedergang Israels unter Joahas reflektierende Erzählung 1.Kön 19,3aß-18.

Im Unterschied zur Elia-Tradition, die nach Seebaß bereits Bestandteil der Grundschrift des Deuteronomistischen Geschichtswerkes (DtrH) war, wurde ein großer Teil der Elisa-Überlieferung – hier folgt Seebaß Schmitt – erst nachdeuteronomistisch in die Königsbücher aufgenommen. Dazu zählt die um die Kriegswundergeschichte 2.Kön 6,8-23 erweiterte Sammlung von Wundergeschichten (2.Kön 4; 6,1-7; 8,1-6), die gemeinsam mit 2.Kön 13,14-21 eingefügt worden sei, ebenso wie 2.Kön 2 und 2.Kön 6,24-7,20. Außer der Erzählung von der Jehu-Revolution enthielt das DtrH nach Seebaß – im Unterschied zur These Schmitts – auch die Elisa-Traditionen 1.Kön 19,19-21; 2.Kön 3,4-27; 5; 8,7-15.

Mit seiner neuen Aufteilung der Elisa-Tradition wird Seebaß allerdings der inhaltlichen wie terminologischen Zusammengehörigkeit von 1.Kön 19,19-21 und 2.Kön 2,1-15 einerseits und von 2.Kön 5* und 2.Kön 6,8-23 andererseits nicht gerecht.[64]

S.Timm[65] betont im Unterschied zu Seebaß den Kompositionscharakter von 1.Kön 17-19 und bestreitet erstmals explizit die Existenz einer eigenständigen „Dürreerzählung".[66] Das Dürremotiv gehe vielmehr auf den Bearbeiter zurück, der die einzelnen, älteren Traditionen[67] mittels 1.Kön 17,1; 18,1.2a.15-16.18b zu einer Erzählung zusammenfügte. Auch die Erzählung 1.Kön 19, die nachträglich durch die Überleitung 19,1-3a an die Erzählung 1.Kön 17-18 angefügt wurde, setzt sich, so Timm, aus verschiedenen älteren Traditionen[68] zusammen, wobei 1.Kön 19,19-21 der Elisa-Überlieferung entstammt. Die ursprüngliche Naboth-Erzählung umfaßte nach Timm[69] 1.Kön 21,1-16. Diese sei nachträglich durch 1.Kön 21,17.18.19aα.bα.20abα mit dem bis dahin frei umlaufenden, anonymen Prophetenwort 1.Kön 21,19aß.bßγ verbunden worden. Beim Einbau in das DtrG wurde der Schluß der Naboth-Erzählung um 1.Kön 21,20bß-22.23.24.25-26 erweitert. V.27-29 geht auf eine spätere Ergänzung zurück.

Die bis dahin in der Forschung vorherrschende Auffassung einer frühen, auf jeden Fall noch im Nordreich stattfindenden Abfassung der Elia-Tradition,[70] die dann von den Deuteronomisten (DtrH bzw. DtrP) unter geringfügigen oder etwas stärkeren Veränderungen in die Königsbücher aufgenommen wurde, revidierte *E.Würthwein*[71] in entscheidender Weise. Zwar gibt es auch nach Würthwein älteres, das heißt vordeuteronomistisches Material in-

[64] Zu 1.Kön 19,19-21 und 2.Kön 2,1-15 vgl. nur H.-Chr.Schmitt, *Elisa*, 75f.102ff.; die Zusammengehörigkeit von 2.Kön 5* und 2.Kön 6,8-23 betont zu Recht H.-J.Stipp, *Elischa*, 368ff. Zum Ganzen siehe auch unten S.221 Anm. 300 bzw. S.230-233.

[65] S.Timm, *Dynastie*, 1982.

[66] a.a.O. 66. Zum Ganzen siehe a.a.O. 54-111.

[67] Diese sind zu finden in 1.Kön 17,2-6.(7.)8-13.(14.)15-16; 17,17-24; 18,2b-14*; 18,17b.18a; 18,(19-20.) 21-39*(.40); 18,41-46.

[68] 1.Kön 19,3b.4-6a, Theophanietradition, Salbungsaufträge, 1.Kön 19,19-21.

[69] a.a.O. 111ff.

[70] Vgl. aber die Spätdatierung der Horebszene (Exilszeit) durch H.-Chr.Schmitt, *Elisa*, 119-126.

[71] E.Würthwein, *Bücher*, 1984, 269-272.

nerhalb der Elia-Erzählungen, so die vordeuteronomistische Dürreüberlieferung (17,5b-7.10-13.14a*.15.16a; 18,2a.17abα.41-45), die Erzählung von der Wallfahrt Elias zum Gottesberg (1.Kön 19,3aα*ßb.4a.5-7*.8abα*ß.9abß.11aα*.13*) und die Nabotnovelle (1.Kön 21,1-16),[72] ihre maßgebliche Ausgestaltung erfuhr dieses jedoch erst durch die Deuteronomisten.[73] Ein Blick auf den historischen Elia[74] scheint kaum mehr möglich: Elia als Kämpfer gegen den Baalskult bzw. den Absolutismus der Omriden erweist sich als rein deuteronomistisches Produkt. In Aufnahme des Smendschen Schichtenmodells[75] entwickelt Würthwein ein äußerst diffiziles Modell der Einfügung der Eliatradition in die Königsbücher: In der deuteronomistischen Grundschrift (DtrG), die lediglich aus den Rahmenschemata für die Könige und wenigem erzählenden Material bestand, waren die Elia-Erzählungen noch nicht enthalten; ihr Großteil wurde durch zwei prophetische Deuteronomistenkreise (DtrP) eingebaut und der entscheidenden Bearbeitung unterzogen: Ein erster prophetischer Deuteronomistenkreis fügte die Dürrekomposition ein und zeichnete Elia als einen vom Wort Jahwes geleiteten Propheten (1.Kön 17,2.8; 18,1*), ein zweiter nahm die Erzählung von der Opferprobe auf und verband sie – in erweiterter Form – mit der Erzählung von der Wallfahrt Elias zum Gottesberg (1.Kön 19,1-3aα*). Dabei wurde auch das Motiv von der Überzahl der Baalsanhänger und der Verfolgung Elias durch Isebel eingeführt (18,19b*.22aßb; 19,1.2.3aα*). Auch die Nabot-Novelle wurde von DtrP-Kreisen in die Königsbücher aufgenommen und bearbeitet, wobei 1.Kön 21,17-19a.21.22.24 auf einen dynastisch orientierten und V.23 auf einen individuell denkenden DtrP zurückgeht. Verschiedene gesetzlich orientierte Deuteronomistengruppen (DtrN) nahmen anschließend weitere Bearbeitungen vor (1.Kön 18,18b; 19,4.14; 21,20.25.26).

Erstmals geht Würthwein auch von einem bis in „nachdeuteronomistische“ Zeit anhaltenden Wachstum des Elia-Zyklus aus und stuft – abgesehen von kleineren Nachträgen – 1.Kön 17,1.17-24; 18,2-16*; 19,15-18; 2.Kön 1,2.5-8.17aα* als nachdeuteronomistische Ergänzungen ein.

In Bezug auf die Entstehung und den Einbau der Elisa-Tradition in das DtrG folgt Würthwein weitgehend den Darlegungen Schmitts.[76] Allerdings ordnet er, formal und inhaltlich passender, 2.Kön 6,8-23 den als Einzelerzählungen überlieferten Aramäererzählungen und das Anekdotenpaar 2.Kön 2,19ff. der Wundergeschichtensammlung zu. Ohne Angabe von Gründen vertauscht er gegenüber Schmitt die angenommene Reihenfolge der Einfügung der Elisa-Tradition in die Königsbücher, so daß der Einbau der Kriegserzählungen deren Abschluß bildet. Wie Schmitt, so identifiziert auch Würthwein eine Gottesmann-Redaktion (2.Kön 5,15-19*; 8,11b-13a; 13,18-19), die er aber, anders als Schmitt, nicht mit der Redaktion, die die Elisa-Erzählungen nachdeuteronomistisch in die Königsbücher einbaute,

[72] Die Erzählung von der Opferprobe 18,21-39* ordnet E.Würthwein, *Opferprobe*, 1986, 277-284, anders als in seinem Kommentar spätdeuteronomistischen Kreisen zu; sie wurde daher bei der obigen Aufstellung des vordeuteronomistischen Materials nicht erfaßt.

[73] Vgl. hier auch die in den Grundzügen der Würthweinschen Position recht nahekommende Darstellung von P.Weimar, *Elija*, 1991, 516-520.

[74] Vgl. z.B. H.Gunkel, *Elias*, 45ff.; aber auch G.Hentschel, *Elijaerzählungen*, 275ff.

[75] Siehe S.25f.

[76] E.Würthwein, *Bücher*, 366-368.

gleichsetzt. Als Nachträge zu den Elisaerzählungen sind nach Würthwein 2.Kön 2,16-18*, 5,5b*.15b-17a.19b-27; 8,4-5.9*; 13,20f. zu beurteilen.

Die Erzählung von der Jehu-Revolution (2.Kön 8,28-10,17) wurde nach Würthwein von DtrP unter Verwendung alten nordisraelitischen Erzählgutes[77] komponiert und in das Deuteronomistische Geschichtswerk eingefügt.[78] Anschließend kam es zu weiteren deuteronomistischen und nachdeuteronomistischen Bearbeitungen.[79] Die Darstellung der Vernichtung der Baalsanhänger geht nach Würthwein auf einen zweiten DtrP zurück; sie wurde anschließend von DtrN erweitert.[80]

Die literarkritisch orientierte Analyse Würthweins erweist sich insofern als problematisch, als sich aus ihr kein konzises Bild der Arbeit der deuteronomistischen Redaktoren ergibt. Dieses verschwimmt vielmehr in der Vielzahl der angenommenen Deuteronomistenkreise, die kaum noch durch gruppenspezifische Merkmale voneinander zu unterscheiden sind.

Zur Frühdatierung der Eliatradition kehrt *A.F.Campbell*[81] 1986 zurück. Er stellt die These eines im 9. Jh. in den Kreisen der Prophetenjünger Elisas entstandenen „prophetic record“ auf, zu dem neben 1.Kön 16,31b-32 große Teile der Elia-Erzählungen sowie die Erzählung von der Jehu-Revolution,[82] erstaunlicherweise aber nicht der Elisa-Zyklus[83] gehörten.

H.-J.Stipp[84] rechnet wie E.Würthwein mit einem nachdeuteronomistischen Wachstum des DtrG im Bereich der Elia- und Elisaüberlieferung, er kommt jedoch zu einer anderen Beurteilung des Umfanges der Grundschrift des Deuteronomistischen Geschichtswerkes. Dieses umfaßte nach Stipp die Erzählungen von Naboths Weinberg (1.Kön 21) und der Jehu-Revolution (2.Kön 9/10), deren Einbau Würthwein auf DtrP zurückführte, sowie die Erzählung von der Baalsbefragung Ahasjas (2.Kön 1*), die laut Würthwein erst nachdeuteronomistisch in die Königsbücher aufgenommen wurde, nicht aber die Dürrekomposition (17-18*) oder die Horeberzählung (1.Kön 19*), die Würthwein dem Werk von DtrP I/II zurechnete.

Auf der Grundlage einer text- und literarkritischen Analyse von 1.Kön 20.22; 2.Kön 2-7 gelangt H.-J.Stipp zu einem komplizierten kompositionsgeschichtlichen Wachstumsmodell des Elisa-Zyklus innerhalb des DtrG, in welches er einen Ausblick auf den Elia-Zyklus einfließen läßt. Dieses soll hier nur in seinen Grundzügen wiedergegeben werden:[85] Den Auftakt zum Einbau des Elisa-Zyklus in das DtrG bildete die in der Zeit nach der josianischen Reform stattfindende Aufnahme der aus nicht identifizierten „Quellen“ stammenden, nicht zusammengehörenden Prophetenerzählungen 1.Kön 20,1-34*; 22,1-38* durch den

---

[77] Dieses umfaßte die Verse 2.Kön 8,28f.; 9,14a.15b.16aα.17-22*.23-24.27.30-35; 10,1b-6a.7-9.12a.(12b-14bα.)17aα.

[78] 2.Kön 9,1-6*.10b.(11-13.)22bß.36; 10,11.14bß.17aßb gehen auf DtrP zurück.

[79] DtrN: 2.Kön 10,10; nachdeuteronomistisch: 9,7-10a.14b-15a.16aßb.21bßγ.25-26.28f.37; 10,1a.6b.15-16.

[80] Von DtrP stammt 2.Kön 10,18aαß.19aα.20.23a.24a.25abα, von DtrN 2.Kön 10,18aγb.19aßb.21-22.23b.24b.25bß.26f.

[81] A.F.Campbell, *Prophets*, 1986.

[82] 1.Kön 17,1; 18,2b-3a.5-12a.15-18a.19abα.20-36a*.37-40.42b.45-46; 1.Kön 21,1-7a.8.11a.14-19a.21-22a*.24; 22,40; 2.Kön 1,2-8.17aα; 9,1-7a.8-9a.10b.11-13.14-16*.17-27.30-35; 10,1-9.12-28, siehe a.a.O. 93-99.

[83] a.a.O. 99 Anm. 85.

[84] H.-J.Stipp, *Elischa*, 1987.

[85] Vgl. die kompositionsgeschichtliche Synthese a.a.O. 463-480.

Autor von 1.Kön 13*; 20,35ff.,[86] der von einer kritischen „Reserve gegen das Nordreichkönigtum erfüllt und insbesondere am Gehorsam gegenüber dem *dābar YHWH* interessiert war".[87] Anschließend wurde 2.Kön 3,4/6-27 unter Verwendung älterer Quellen in das DtrG „hineingeschrieben". Auf den Verfasser von 2.Kön 3* geht auch die „Josaphat-Bearbeitung" von 1.Kön 22* zurück.[88] Den dritten Wachstumsschub erfuhr das DtrG mit der Einfügung der „Sukzessions-Frauen-Sammlung" (2.Kön 2,1-25a; 4,1-44*), die ihrerseits zuvor ein mehrstufiges Wachstum durchlaufen hatte: Aus der ehemals selbständigen Wundergeschichte 2.Kön 4,1-7 entstand, nach Anfügung der (unselbständigen) Erzählung von der Sunamitin (4,8-37*), die „Frauensammlung", in der Elisa den Titel Gottesmann trägt und sich als Wundertäter hervortut. Diese wiederum wurde mit der vermutlich schon um die Gottesmanngeschichten 2.Kön 4,38b-44 erweiterten Sukzessionseinheit (2.Kön 2,1-15.19-24; 4,38a), in der Elisa ursprünglich keinen Titel trägt, zur Sukzessions-Frauen-Sammlung verbunden. Möglicherweise gleichzeitig mit der Sukzessions-Frauen-Sammlung wurde die bereits in weitem zeitlichem Abstand zu den Aramäerkriegen entstandene „Prophet-Elischa-Sammlung" (2.Kön 5 + 6,8-23), in welcher Elisa der Prophetentitel zugeschrieben wird, in das DtrG eingebaut und nachträglich durch die Wundergeschichte 2.Kön 6,1-7 „aufgesprengt".[89] Die danach stattfindenden Erweiterungen des DtrG um 2.Kön 6,24-7,20*; 4,13-15 + 8,1-6; 8,7-15 und 2.Kön 13,14-21 werden von Stipp nicht genauer in der Chronologie des Wachstums verortet. Aufgrund der „sprachlichen Anlehnungen" der Dürreeinheit (1.Kön 17-18) an den Elisa-Zyklus[90] wurde diese frühestens nach dem Einbau der Sukzessions-Frauensammlung in das DtrG hineingeschrieben und anschließend um 1.Kön 17,17-24 erweitert. Noch später wurde 1.Kön 19 unter Aufnahme der Elisa-Tradition 1.Kön 19,19-21 in Kenntnis von 2.Kön 8,7-15 und 2.Kön 9,1-4 für den Kontext des DtrG verfaßt.

Die Darstellung Stipps läßt vor allem eine zeitliche, aber auch intentionale Einordnung der verschiedenen Wachstumsschichten des Traditionsgutes bzw. des Deuteronomistischen Geschichtswerks vermissen. Problematisch ist auch die Annahme der Einzelüberlieferung/-einfügung der Erzählungen 2.Kön 6,1-7 und 2.Kön 13,14-21, die deren Einbindung in den Kontext des Elisa-Zyklus nicht gerecht wird. Als nicht weiterführend gegenüber der Position Schmitts hat sich m. E. der Versuch erwiesen, die Texte nach dem Gebrauch des Propheten-, des Gottesmann-Titels oder nur des Namens Elisa zu Sammlungen zu ordnen. Auch trägt die Annahme, eine Fülle von Texten sei in das DtrG hinein- bzw. an bestehende Sammlungen drangeschrieben worden, nicht zur Plausibilität des kompositionsgeschichtlichen Modells Stipps bei.[91]

Gegenüber der starken Betonung des deuteronomistischen Anteils an der Eliatradition durch die redaktionskritische Forschung im Gefolge Dietrichs, Smends und vor allem

---

[86] Ein zweites, weniger wahrscheinliches Modell ist nach Stipp, a.a.O. 464ff., der gleichzeitige Einbau von 1.Kön 22* und 2.Kön 3*.

[87] a.a.O. 464.

[88] 1.Kön 22,2b.4.5.7-8.10.18.29*.30a-d.32-33, siehe a.a.O. 228.

[89] a.a.O. 475.

[90] a.a.O. 477; zu den Übereinstimmungen zwischen 1.Kön 17-18 und dem Elisa-Zyklus siehe a.a.O. 451ff.

[91] Vgl. auch die Kritik bei B.Lehnart, *Prophet*, 343; W.Thiel, *Rezension*, 304-306.

Würthweins versucht *W.Thiel*[92] diesen auf ein geringeres, sich der Einschätzung Noths wieder annäherndes Maß zurückzuschrauben, indem er auf konsequente, möglichst gemeinsame Anwendungen der Kriterien von Sprache, Stil und Theologie dringt. Die Arbeit der deuteronomistischen Redaktoren in den Elia-Erzählungen beschränkte sich nach Thiel im wesentlichen auf das Anbringen einiger „Retuschen“ und das Aufsetzen von „Glanzlichtern“,[93] die Verbindung des ihr überkommenen Erzählstoffes mit der zum Teil von ihr formulierten Beurteilung Ahabs[94] und das Einbringen ihres Prophetenbildes (18,36aßb). Die Redaktoren, deren Identität sich im Gewirr der vielfältigen deuteronomistischen Strömungen verwischt hat, werden hier – als Bearbeiter der historisch gewachsenen Elia-Tradition – wieder greifbar. Anders ausgedrückt, die Deuteronomisten kehren – wenn auch mit notwendigen, inhärenten Korrekturen – in den Rahmen der Nothschen Modellvorstellung zurück.

Wie E.Würthwein und H.-J.Stipp, so rechnet auch *S.L.McKenzie*[95] mit einem nachdeuteronomistischen Wachstum des DtrG im Bereich der Elia-Elisa-Erzählungen: Während 1.Kön 21 und 2.Kön 9/10 bereits Bestandteil der Grundschrift des DtrG waren, so wurden 1.Kön 17-19; 20; 22,1-38; 2.Kön 1,2-17aα; 2; 3,4-8,15; 13,14-21(+22-25) erst nachdeuteronomistisch *en bloc* in dieses aufgenommen.[96]

B.Lehnart[97] verwendet den Begriff „nachdeuteronomistisch“ nicht; er operiert vielmehr mit dem Modell zweier deuteronomistischer Redaktionen, deren erste – hier folgt er F.M.Cross[98] – zur Zeit Josias die Königsbücher erstellt habe. Die zweite, in exilisch-nachexilischer Zeit arbeitende deuteronomistische Redaktion ist allerdings, so Lehnart, nicht als einheitliche Redaktion, sondern vielmehr als ein Sammelbecken mehrerer Redaktionen aufzufassen und auch nur unter Vorbehalt deuteronomistisch zu nennen.[99] Auch wenn Lehnart in seiner Studie zur vorklassischen Prophetie naturgemäß die Frage nach den vordeuteronomistischen Überlieferungen in den Vordergrund stellt, so fordert seine Überdehnung des Paradigmas der „Deuteronomisten“ bzw. seine Begriffswahl doch Kritik.

Er eruiert folgende vordeuteronomistische Überlieferungseinheiten: Die aus verschiedenen älteren Einzelüberlieferungen zusammengeschmolzene Dürre-Karmel-Komposition,[100] die Grundkomposition von 1.Kön 19*, deren ursprünglicher Anfang nicht erhalten ist,[101] und 2.Kön 1,2-8.17aα sind originale Elia-Traditionen, die im Zeitraum zwischen der Jehu-Revolution und dem Ende des Nordreichs in Kreisen der Gruppenpropheten um Elisa ent-

---

[92] W.Thiel, *Redaktionsarbeit*, 1989, 148-171.

[93] So die Einfügung des Namen Horeb in 1.Kön 19,8 und der Nachtrag von 1.Kön 21,20b-22.24.29; siehe a.a.O. 171.

[94] Auslassung des Königstitels und der Ortsangabe in 1.Kön 17,1; Einfügung von 1.Kön 18,18bß; 21,20bß. 22b. 1.Kön 21,25f. geht auf eine spätere deuteronomistische Hand zurück, siehe a.a.O. 171.

[95] S.L.McKenzie, *Trouble*, 1991, 81ff.

[96] Siehe dazu auch S.201.

[97] B.Lehnart, *Prophet*, 1996, 162-373. Zu der m. E. forschungsgeschichtlich nicht weiterführenden Arbeit von J.Rentrop, *Elija*, 1992, zu 1.Kön 17-19 siehe a.a.O. 175-177.

[98] Siehe S.25.

[99] a.a.O. 8-11.247ff.347.

[100] Siehe a.a.O. 237ff. Die Dürre-Karmel-Komposition umfaßte 1.Kön 17,1*.5b-7.10a.11b-14a*b.15a.16a; 18,1aα.2b-3a.5-8.16-18a.19abα.20-23.24aγb.25a.26aα*ß*γ.28.29b.30.33-34a.35a.36aß.37.38aαß.39.40-42.45a.

[101] 1.Kön 19,3aßb.4abα.5b.6a.8abα*ß*.9a*.11aßγ.13abα.15aß*.18-21; siehe a.a.O. 241f.

standen. 1.Kön 21,1-16 ist nicht als Elia-Überlieferung, sondern als Novelle mit weisheitlichem Hintergrund aufzufassen. Die Elisa-Tradition lag nach Lehnart relativ geschlossen in der Elisa-Komposition (2.Kön 2,1-15.19-25a; 4,1-44*; 5,1-14; 6,1-7.8-23; 8,1-6.7-15; 13,14-21) vor, die in der Mitte des 8. Jh. in den Kreisen der Gruppenpropheten um Elisa aus älteren Einzelgeschichten, die dem gleichen Milieu zuzuweisen sind, zusammengefügt wurde.[102] Auch die aus der Zeit der Dynastie Jehu stammende Erzählung von der Jehu-Revolution[103] entstand, ebenso wie die Einzeltradition 6,24-30.32a.33; 7,1-20, in den Kreisen der Prophetenjünger. Für 2.Kön 3,4ff. ist eine spätere Entstehung in Juda anzunehmen.

Die erste deuteronomistische Redaktion (Dtr I) nahm, so Lehnart, lediglich die Dürre-Karmel-Komposition, die Erzählung von Naboths Weinberg, die Erzählung von der Jehu-Revolution und 2.Kön 6,24-7,20 in ihr Geschichtswerk auf.[104] Anschließend wurden 1.Kön 20*; 22*, 2.Kön 3 eingebaut, wobei sich Lehnart weder auf Zeit noch Art der Redaktion festlegt. Der Einbau der Elisa-Komposition geht auf die zweite „deuteronomistische" Redaktion zurück,[105] die auch die Erzählung von der Jehu-Revolution um eine Isebel-feindliche Schicht (2.Kön 9,7b.10a.29?.36b-37) ergänzte.

Eine andere zweite „deuteronomistische Redaktion" erweiterte die Dürrekomposition um 1.Kön 17,1*.15b.17-24; 18,3b-4.12-15.18b.19b*.43-44.46 und fügte 1.Kön 19* unter Verknüpfung mit 1.Kön 18, Neugestaltung der Aufträge Jahwes an Elia (19,15*-17), Lokalisierung der Theophanie auf dem Horeb und Überarbeitung der Theophanieschilderung in das Geschichtswerk ein. Außerdem wurde die Erzählung von Naboths Weinberg unter Einbeziehung Isebels und unter Verlagerung des Naboth-Vorfalls nach Samaria mit 1.Kön 22* ausgeglichen[106] und 2.Kön 1* um V.9-16 erweitert.[107]

Der Entwurf Lehnarts ist insofern problematisch, als er die Einfügung der Erzählung von Elia auf dem Karmel und der Erzählung von der Jehu-Revolution ein und derselben Redaktion zuordnet.[108] Die Zuweisung (fast) der gesamten, inhaltlich und formal doch sehr disparaten Elia- und Elisaüberlieferung[109] zu einem einzigen Überlieferungskreis und die Frühdatierung der Karmelszene[110] werfen weitere Fragen auf.

Der Würthweinschen Linie folgend rechnet auch *M.Beck*[111] in der neusten Untersuchung zum Thema „Elia" mit einem nachdeuteronomistischen Anwachsen der Elia-Tradition: Nach Aufnahme der vorexilischen „Personensagen" 1.Kön 17,5b-6; 17,10aα.11bß.12-13. 14aßγ.15; 18,41-45.46aßb, der „Prophetenerzählung" 2.Kön 1,2.5-8.17aα und der „Erzäh-

[102] a.a.O. 314-341.
[103] Mit dem Umfang 2.Kön 9,1-4*.5-6*.10b-27.30-36a; 10,1-9.12-17abα.18-28*; siehe a.a.O. 339.
[104] Auf Dtr I gehen 1.Kön 17,2-5a.8-9.14a*.16b; 18,1aßγ.2a.9-11.24aß.25b.26aα*ß*b.27.29a.31a.32.35b. 38aγb.45b (a.a.O. 243); 21,17-18a*.19a.20-22.24.27-29 (a.a.O. 231); 2.Kön 6,31.32b (a.a.O. 330f.); 9,6*.7a.8-9.28; 10,10-11.17bß (a.a.O. 339) zurück.
[105] Sie erweiterte die Elisa-Komposition leglich um 2.Kön 2,16-18; 5,15-27 (a.a.O. 344ff.).
[106] 1.Kön 21,18*.19*.23.25-26 gehen auf die zweite deuteronomistische Redaktion zurück.
[107] a.a.O. 247ff.
[108] Siehe S.151-153.
[109] Vgl. hier nur die formgeschichtliche Analyse von A.Rofé, *Stories*.
[110] Siehe S.174f.
[111] M.Beck, *Elia*, 1999; vgl. die Zusammenfassung a.a.O. 156-158.

lung vom Fall Naboth“ (1.Kön 21,1aß-16) in das DtrG[112] sei dieses in nachexilischer Zeit von einer „Feindschaftsbearbeitung“[113] um die beiden ebenfalls nachexilischen Lehrerzählungen 1.Kön 18,21-30.33-35a.36aα.37.38aα.39-40 und 19,3aß-18 erweitert und anschließend von „spät-dtr. Redaktion(en)“[114] bearbeitet worden.

Der knappe Abriß des Forschungsstandes zeigt, daß die Forschung sowohl hinsichtlich des vordeuteronomistischen Bestandes und des Wachstums der Elia- und Elisa-Überlieferung als auch in Bezug auf deren Eingliederung in das DtrG von einem Konsens weit entfernt ist. Breite Übereinstimmung herrscht lediglich darin, daß die Erzählung von der Jehu-Revolution und auch die Erzählung von Naboths Weinberg zum Bestand des Deuteronomistischen Geschichtswerks gehörten,[115] wobei der Umfang der deuteronomistischen Bearbeitung nach wie vor strittig ist. Weiterhin zeichnet sich seit Schmitt und Würthwein eine Tendenz zur Annahme eines nachdeuteronomistischen Wachstums der Königsbücher im Bereich der Elia- und Elisaüberlieferung ab,[116] wobei die Vorstellungen über dessen Dauer und Bandbreite jedoch enorm schwanken.

2 Zum Problem des Deuteronomistischen Geschichtswerks

Kontrovers diskutiert wird in der Forschung nicht nur das Modell des Wachstums und der Einfügung der Elia-Elisa-Tradition in das DtrG, sondern auch die grundlegende Frage nach der Entstehung des Deuteronomistischen Geschichtswerks. Die These M.Noths[117] eines von Dtn 1 bis 2.Kön 25 reichenden, einheitlichen, in der Exilszeit entstandenen Geschichtswerks ist zwar von der Forschung fast allgemeinhin aufgegriffen, jedoch in stark divergierende Richtungen weiterentwickelt bzw. modifiziert worden, so daß von einem Forschungskonsens hinsichtlich der Einheitlichkeit, des Umfanges und der Datierung keine Rede mehr sein kann.[118] Das auf R.Smend[119] zurückgehende Schichtenmodell, nach dem ein exilisches DtrG/DtrH[120] zunächst von einem prophetisch orientierten DtrP und anschließend von einem nomistischen DtrN[121] überarbeitet wurde, und das von F.M.Cross[122] entwickelte Blockmodell einer vorexilischen, mit 2.Kön 23,25 endenden ersten und einer exilischen, zweiten Fassung des DtrG[123] stehen sich unversöhnt gegenüber. Daneben existieren

---

[112] Auf deuteronomistische Bearbeitung gehen 1.Kön 17,2-5a.8-9.14aαb.16; 18,1aßγb.46aα; 21,1aα.17-19. 20bß-24.27-29 zurück.

[113] Auf die Feindschaftsbearbeitung ist 1.Kön 17,17-24; 18,2b-16.17-20; 19,1-3aα; 21,20abα; 2.Kön 1,9-14. 15b-16 zurückzuführen.

[114] Diese fügten 1.Kön 18,31-32.35b.36aγδb.38aßb; 21,25-26 und 2.Kön 1,3-4.15a ein.

[115] Anders E.Würthwein, *Bücher*, 245-253.324-343.

[116] Für die Eliaüberlieferung zuletzt M.Beck, *Elia*, 39f.

[117] M.Noth, *Studien*.

[118] Zur Forschungsgeschichte siehe H.Weippert, *Geschichtswerk*, 213-249 und H.D.Preuß, *Geschichtswerk*, 229-264.341-395.

[119] R.Smend, *Gesetz*, 494-509; ders, *Entstehung*, 110-125.

[120] Die zeitliche Ansetzung variiert bei Smend und seinen Schülern von 580 (W.Dietrich, *Prophetie*, 143; ähnlich E.Würthwein, *Bücher*, 503) über 550 (R.Smend, *Entstehung*, 73.124) bis zum Ende des 6. Jahrhunderts (Levin, *Sturz*, 95).

[121] Zu DtrN vgl. zuletzt W.Dietrich, *Niedergang*, 45-70.

[122] F.M.Cross, *Themes*, 274-289.

[123] Zum Blockmodell siehe auch H.Weippert, *Beurteilungen*, 301-339; R.B.Nelson, *Redaction*. Die Auffassung einer vorexilischen Fassung des DtrG scheint in der neueren Forschung zunehmend an Popularität zu

Ansätze, das DtrG wieder als ein weitgehend einheitliches, in der Exilszeit entstandenes Geschichtswerk aufzufassen, das allerdings nicht, wie Noth postulierte, auf einen einzelnen deuteronomistischen Verfasser, sondern auf eine, in einem internen Diskussionsprozeß an ihrem Werk arbeitende Gruppe von Deuteronomisten zurückzuführen sei.[124]

Da meines Erachtens nichts für eine Ansetzung des DtrG vor 562, dem letzten in den Königsbüchern datierten Ereignis, der Rehabilitierung Jojachins (2.Kön 25,27-30), spricht[125] und sowohl das Blockmodell[126] als auch das Schichtenmodell[127] keine umfassende Entstehungshypothese bieten, die geeignet wäre, das Nothsche überlieferungsgeschichtliche Modell in seinen Grundzügen abzulösen, wird in dieser Arbeit die These Noths in der oben beschriebenen Modifikation aufgenommen.

Indem der Blick aber wieder auf die „Autoren" des Deuteronomistischen Geschichtswerks gelenkt wird, rückt die Frage nach den Beurteilungskriterien des „Deuteronomistischen" in den Vordergrund.[128] Hier muß – angesichts der extremen Variation des den Deuteronomisten zugewiesenen Materials[129] und der daraus resultieren zunehmenden Verwischung eines klaren Deuteronomisten-Bildes – mit W.Thiel[130] eine „Paradigmenkrise" der Forschung an der deuteronomistischen Literatur konstatiert werden. Die Anwendung der „Kriterien von Sprache, Stil und Theologie"[131] sind, so Thiel, für die Zuweisung eines Textes zur deuteronomistischen Literatur unaufgebbar. Da aber das Ziel der Deuteronomisten die Erstellung einer zusammenhängenden, die Vergangenheit deutenden, den Weg in die Zukunft weisenden Darstellung der Geschichte Israels von der Landnahme bis zur Exilierung war, sollte meiner Ansicht nach das Kriterium der Stringenz des Geschichtsentwurfs als Viertes hinzutreten: Als Deuteronomisten werden in dieser Arbeit diejenigen aufgefaßt, auf die Königsrahmen sowie deutlich an Sprache, Stil und Theologie identifizierbare Bearbeitungen der aufgenommenen Erzählungen zurückgehen und für die sich ein logisch stringentes, *einem* Geschichtsbild verhaftetes Arbeitsschema erkennen läßt.[132] Deuteronomistische Sprache und Stil sind dabei insofern lediglich als notwendige, aber nicht hinreichende Kriterien aufzufassen, als sie auch von anderen Theologengruppen nachahmend übernom-

---

gewinnen; vgl. nur E.Cortese, *Theories*, 182; S.L.McKenzie, *Trouble*, 117ff.; A.Moenikes, *Redaktionsgeschichte*, 333-348; H.D.Preuß, *Geschichtswerk*, 393f.; B.Lehnart, *Prophet*, 8-11 und auch H.-J.Stipp, *Elischa*, 464.479.

[124] Vgl. H.-D.Hoffmann, *Reform*, 15ff.; R.Albertz, *Religionsgeschichte*, 398; J.Van Seters, *History*, 292-321; B.O.Long, *I Kings*, 11ff.

[125] Siehe dazu E.Zenger, *Interpretation*, 16-30; R.Albertz, *Religionsgeschichte*, 398.

[126] Zur Kritik vgl. B.O.Long, *I Kings*, 14ff.

[127] Zur Auseinandersetzung mit dem Schichtenmodell vgl. H.-D.Hoffmann, *Reform*, 15-21 und auch H.Weippert, *Geschichtswerk*, 226.231-235; zur Problematik der Differenzierung zwischen DtrH und DtrP vgl. M.Beck, *Elia*, 38-49, der jedoch grundsätzlich dem Schichtenmodell folgt.

[128] Vgl. hier vor allem die richtungsweisende Arbeit von W.Thiel, *Redaktionsarbeit*, 148-171, aber auch N.Lohfink, *Bewegung*, 313-381.

[129] Vgl. für den Bereich der Elia- und Elisa-Erzählungen nur die Ansätze E.Würthweins, *Bücher*, 205ff. und M.Noths, *Studien*, 82-84.

[130] a.a.O. 154f.

[131] a.a.O. 155.

[132] Zur sozialgeschichtlichen Verortung sowie zu Theologie und Geschichtsbild der Deuteronomisten siehe R.Albertz, *Deuteronomisten*, 319-338; ders., *Intentionen*, 37-53; ders., *Milieu*, 377-407; ders., *Religionsgeschichte*, 397ff.; zum Phänomen des Deuteronomismus als Reaktionsbildung auf geschichtliche Unheilserfahrungen vgl. auch J.Assmann, *Ägypten*, 418-430.

men werden können.[133] Theologie und Geschichtsbild sind jedoch gruppenspezifisch und können daher als notwendige und hinreichende Kriterien bewertet werden,[134] was auf der anderen Seite bedeutet, daß ein Text, der diesen Kriterien nicht genügt, nicht nur nicht den Deuteronomisten zugewiesen, sondern aus der angenommenen Grundschrift des Deuteronomistischen Geschichtswerks ausgeschlossen werden soll. Im Sinne einer in sich konsistenten Modellvorstellung von den Deuteronomisten ist es im Falle eines eklatanten Bruchs des als deuteronomistisch erkannten Geschichtsbildes bzw. eines Widerspruchs in der Theologie nicht angebracht, die betroffenen Texte anderen Deuteronomistengruppen zuzuweisen[135] oder den Begriff „deuteronomistisch“ immer stärker aufzuweiten[136]. Wenn das Modell, auch in möglichen Untereinheiten, seinen eigenen Kriterien nicht mehr genügt, löst es sich auf! Daher wird in der vorliegenden Arbeit auf den bereits von E.Würthwein[137] verwandten Begriff „nachdeuteronomistisch“ zurückgegriffen, wenn es darum geht, Textbereiche einzuordnen, die von den in ihnen vertretenen theologischen Vorstellungen oder ihrer Geschichtssicht her aus dem Rahmen des „Deuteronomistischen“ fallen. Der Begriff an sich soll jedoch nichts über die relative Nähe oder Ferne der jeweiligen Bearbeitung zu den Deuteronomisten ausdrücken, sondern lediglich angeben, daß diese nach Abschluß der Arbeit der Deuteronomisten stattfand.

3 Vorgehensweise und Ziel der vorliegenden Arbeit

Angesichts der disparaten Forschungslage, die zudem das Fehlen einer neueren konsequenten Zusammenschau von Elia- und Elisaüberlieferung offenlegt, setzt sich diese Arbeit das Ziel, die Überlieferungs- und Redaktionsgeschichte der Elia- und Elisa-Erzählungen zu rekonstruieren.

Um den Grundbestand des Deuteronomistischen Geschichtswerks und seine nachdeuteronomistischen Erweiterungen zu ermitteln, wird zunächst die Erzählung von der Jehu-Revolution, die, wie fast allgemein anerkannt,[138] fest im DtrG verankert ist, analysiert. Als Eckstein deuteronomistischer Geschichtsdarstellung der Epoche von Ahab bis Jehu (1.Kön 16,29 – 2.Kön 10,36) liefert sie, zusammen mit den deuteronomistischen Königsrahmen für die Nordreichskönige (1.Kön 16,29-33; 22,39-40.52-54; 2.Kön 3,1-3; 10,28ff.), wesentliche Einsichten in das deuteronomistische Geschichtskonzept für die genannte Epoche der Nordreichsgeschichte. Anhand dieser Erkenntnisse werden die weiteren, zum Grundbestand des DtrG gehörenden, das heißt in der Fluchtlinie der von den Deuteronomisten mit 1.Kön 16,29 und 2.Kön 10,36 aufgespannten Geschichtsentwicklung stehenden Erzählungen, von den das deuteronomistische Geschichtsbild sprengenden, nachdeuteronomistischen Ergänzungen geschieden.

---

[133] Vgl. N.Lohfink, *Bewegung*, 322.

[134] Nach N.Lohfink, *Bewegung*, 334, definieren sich „Bewegungen“ eher von ihren „Zielvorstellungen als von literarischen Stilen her“, wobei die „Zielvorstellungen“ der Deuteronomisten m. E. ihren Ausdruck gerade in Theologie und Geschichtsentwurf finden.

[135] Vgl. hier insbesondere die Position Würthweins, *Bücher*, 489ff., der neben der DtrG-Grundschrift drei weitere deuteronomistische Redaktionen in den Königsbüchern am Werk sieht.

[136] Vgl. nur B.Lehnart, *Prophet*, 247.347.

[137] E.Würthwein, *Bücher*, 271.366-368.504.

[138] Anders E.Würthwein, *Bücher*, 324-343.

Auf dieser Grundlage wird im folgenden die nachdeuteronomistische Wachstumsgeschichte der Königsbücher im Bereich der Elia-Elisa-Erzählungen herausgearbeitet, wobei auch die dem Einbau der jeweiligen Textbausteine in das DtrG vorausgehende Entstehungsgeschichte beleuchtet wird.

Den Abschluß der Arbeit bildet eine zusammenfassende Darstellung der Überlieferungs- und Redaktionsgeschichte der Elia-Elisa-Erzählungen von der Entstehung der ersten Traditionen bis zu den letzten nachdeuteronomistischen Erweiterungen des DtrG.

II Die Erzählung von der Jehu-Revolution

1 Der Text[1] (2.Kön 9,1-10,27)

9,1 Elisa, der Prophet, rief einen von den Prophetenjüngern herbei
und sprach zu ihm:
„Gürte deine Hüften, nimm diesen Ölkrug und geh nach Ramoth Gilead.

9,2 Und wenn du dorthin gekommen bist,
sieh dort nach Jehu ben Josaphat ben Nimschi[2]!
Tritt hinzu, lasse ihn aus der Mitte seiner Brüder aufstehen
und führe ihn in eine innere Kammer.

9,3 Dann nimm den Ölkrug und gieße (das Öl) auf seinen Kopf und sprich:
'So spricht Jahwe: Ich salbe dich zum König über[3] Israel!'
Dann öffne die Türe und fliehe, ohne zu zögern!"

9,4 Da ging der Knecht ( )[4] nach Ramoth Gilead.

---

1 Bemerkungen zur Übersetzung: Erläuternde Zusätze, die der besseren Lesbarkeit dienen, sind in runde Klammern gesetzt worden. Auslassungen wurden mit ( ) markiert. שלום wurde nicht übersetzt, sondern mit „Schalom" wiedergegeben, um die ständige Wiederholung des Nomens beizubehalten, ohne seine changierende Bedeutung starr festzulegen. Siehe dazu S.88.

2 Die Unstimmigkeit in Bezug auf die Filiation Jehus – der Name „Jehu ben Josaphat ben Nimschi" kommt nur in 2.Kön 9,2.14 vor, in 2.Kön 9,20 (vgl. 1.Kön 19,16; 2.Chr 22,7) wird Jehu dagegen Jehu ben Nimschi genannt – ist textkritisch nicht zu beseitigen: Die Auslassung von „ben Josaphat" durch S und die Umstellung von LXX^{L} zu „Jehu ben Nimschi ben Josaphat" sind offensichtlich Ausgleichversuche zwischen den genannten Stellen (vgl. A.Klostermann, *Bücher*, 419; I.Benzinger, *Bücher*, 149f.; J.A.Montgomery, *Commentary*, 404; H.-Chr.Schmitt, *Elisa*, 224f. Anm. 173), so daß die Lesart „Jehu ben Josaphat ben Nimschi" als lectio difficilior beizubehalten ist. So auch M.Mulzer, *Jehu*, 43-46.

3 „König sein/werden über" wird in den Versen 9,3.6.6.12 im Unterschied zum üblichen Sprachgebrauch מלך על mit מלך אל wiedergegeben (מלך in der Verbindung mit der Präposition אל findet sich im AT nur noch in 2.Sam 2,9). Die in 2.Kön 9 vorliegende Häufung der Abweichungen vom üblichen legt meines Erachtens nahe, daß es sich hier nicht um eine Verwechslung durch den Abschreiber, sondern um eine sprachliche Besonderheit handelt, der Text also in seiner jetzigen Form beizubehalten ist. (Anders M.Mulzer, *Jehu*, 49-55, der dem Vorschlag der BHS folgt und in 9,3.6.6.12 statt אל jeweils על liest. Vgl. auch H.-Chr.Schmitt, *Elisa*, 191 Anm. 1: Seiner Meinung nach unterschieden die Abschreiber nicht mehr zwischen אל und על.) Interessant in diesem Zusammenhang ist, daß die sicher späteren Verse 9,29; 10,36 (siehe S.51-53) מלך על verwenden. Auch in 9,6 (יצק אל ראש) (vgl. aber V.3), 9,14 (קשר אל) (vgl. aber 10,9) und 10,15 (אל המרכבה) zieht der Autor die Präposition אל dem jeweils gebräuchlicheren על vor. Zur weniger ungewöhnlichen Verwendung von אל in 9,13.27; 10,14 vgl. M.Mulzer, *Jehu*, 51-55.

4 MT הנער הנער הנביא gibt keinen guten Sinn. Es empfiehlt sich daher mit H.-Chr.Schmitt, *Elisa*, 225 Anm. 225; Y.Minokami, *Revolution*, 124; J.Gray, *Kings*, 539; J.A.Montgomery, *Commentary*, 400f.; O.Eißfeldt, *Das zweite Buch*, 556, anzunehmen, daß eine Glosse (נער הנביא), die sicherstellen sollte, daß es sich bei dem Knecht um den in V.1 eingeführten Prophetenjünger handelt, in den Text eingefügt und unter Einfluß des vorausgehenden הנער zu הנער הנביא verändert wurde. Anders E.Würthwein, *Bücher II*, 325, der das erste הנער streicht und dann mit 2 Mss, T und V „der Knecht des Propheten" liest. LXX, S und einige hebräische Handschriften scheinen MT vorauszusetzen und glätten durch Streichung von einem überflüssigen הנער zu „der Knecht, der Prophet". M.Mulzer, *Jehu*, 58, folgt dieser Version, obwohl er sie ebenfalls als nachträgliche Glättung des MT einstuft, und führt die Wiederholung von הנער auf Dittographie zurück. Die Lesart הנער הנביא bietet allerdings sachliche Schwierigkeiten: In 2.Kön 9,1-3 wird klar ersichtlich, daß hier, wie auch in 2.Kön 2,1-18; 4,1-7.38-41; 6,1-7, deutlich zwischen Elisa und den ihm untergeordneten Prophetenjüngern unterschieden wird (vgl. auch den stets gewahrten Abstand zwischen Prophet und seinem Diener in 2.Kön 5,1-19; zwischen Elia und Gehasi in 2.Kön 4,8-37; 5,20-27; 8,1-6). Eine Gleichsetzung des Knechtes bzw. des Prophetenjüngers mit dem Propheten ist also sehr unwahr-

9,5 Er kam an, und die Hauptleute des Heeres saßen gerade (dort).
Da sprach er: „Ich habe ein Wort für dich, Hauptmann!“
Und Jehu sprach: „Für wen von uns allen?“
Und er sprach: „Für dich, Hauptmann!“

9,6 Da stand er auf und kam ins Haus. Und er goß das Öl auf[3] seinen Kopf
und sprach zu ihm: „So spricht Jahwe, der Gott Israels:
‘Ich salbe dich zum König über[3] das Volk Jahwes, über[3] Israel!

9,7 Du wirst das Haus Ahabs, deines Herrn, zerschlagen[5].
Und ich[6] werde das Blut meiner Diener, der Propheten ( )[7], an Isebel rächen.

9,8 Das ganze Haus Ahabs wird zugrundegehen[6].
Und ich[6] werde von Ahab ausrotten, was an die Wand pißt[8],
alle ohne Ausnahme[9] in Israel.

---

scheinlich, zumal der Titel „Prophet“ zuvor ausdrücklich Elisa zugewiesen wurde (V.1) und dieser dem Prophetenjünger wie einem Knecht Befehle erteilt (zu 1.Kön 20,35-43 siehe S.212 Anm. 266).
Eine Glättung liegt auch in zwei hebräischen Handschriften, T und V vor, die MT zu „der Knecht, der Knecht des Propheten“ vereinfachen.

5 LXX liest mit καὶ ἐξολεθρεύσεις statt והכיתה „du wirst zerschlagen“ והכרתה „du wirst ausrotten“. Da es sich hier um eine – möglicherweise durch Verlesung begünstigte – Angleichung an 9,8 (vgl. 1.Kön 14,10.14) handelt, scheint mir eine Textänderung nicht nötig zu sein. Durch eine Textänderung entstünde darüber hinaus eine Doppelung (V.7a und V.8b); siehe auch M.Mulzer, *Jehu*, 58f. Das vom MT gebotene נכה בית ist im Zusammenhang mit Usurpationen eine durchaus übliche Wendung, gegen die kein Einwand erhoben werden muß, vgl. 2.Sam 17,1f.; 18,11.15; 1.Kön 15,27 (eine zum Königshaus gehörende Person erschlagen); 1.Kön 15,29; 16,9-11 (das „Haus“ des Königs zerschlagen) und auch נכה in 2.Kön 9,24.27; 10,9.11.17.25.

6 Sowohl die Septuaginta als auch die Peschitta glätten hier den aufgrund des vorliegenden Personenwechsels (2.sing. (V.7a) / 1.sing. (V.7b) / 3.sing. (V.8a) / 1.sing. (V.8b.9) schwierigen MT. LXX formuliert die Verse 7 und 8 durchgehend in der 2.Person Singular und verwendet erst in V.9 die erste Person Singular. Auch ersetzt sie ואבד („es wird zugrunde gehen“) in V.8 durch καὶ ἐκ χειρός und kommt so zu der gestraffteren Fassung, die allerdings eine Doublette (s.o. Anm. 5) enthält: „(7) Und du sollst das Haus Ahabs, deines Herrn ausrotten, und du wirst das Blut meiner Diener, der Propheten, und das Blut aller Diener des Herrn an Isebel (8) und am ganzen Haus Ahabs rächen. Und du wirst von Ahab ausrotten, was an die Wand pißt, alle ohne Ausnahme in Israel.“
Auch aus sachlichen Erwägungen ist die Fassung von LXX unwahrscheinlich (anders H.-Chr.Schmitt, *Elisa*, 226 Anm. 180, der in V.8 mit der Septuagintafassung ומיד statt ואבד liest):
- Der Vorwurf des Prophetenmordes wird sonst nur gegen Isebel (1.Kön 18,4.13; vgl. auch 19,2), nicht aber gegen Ahab erhoben (siehe auch S.188f.).
- In den Parallelstellen zur stereotyp deuteronomistischen Wendung in V.8b (1.Kön 14,10aß; 21,21b) wird ebenfalls die erste Person Singular verwendet.
- Es ist anzunehmen, daß Gott selbst das Blut seiner Propheten rächt (vgl. Dtn 32,43.35; Ps 79,10).

S, (T und V) lesen in V.8 וְאִבַּד „ich will zugrunde richten“. Da MT demgegenüber, wie oben bereits erwähnt, die lectio difficilior ist, empfiehlt es sich nicht, ins Imperfekt Hif'il umzupunktieren, anders E.Würthwein, *Bücher II*, 325. Vgl. zum Ganzen auch M.Mulzer, *Jehu*, 59-61, der an den behandelten Stellen ebenfalls dem MT den Vorzug gibt.

7 ודמי כל־עבדי יהוה („und das Blut aller Diener Jahwes“) fällt aus dem Satzgefüge heraus, denn hier wird, obwohl Jahwe selbst redet, plötzlich von Jahwe in der 3.Person statt in der 1.Person (vgl. dagegen: דמי עבדי הנביאים) gesprochen. Es handelt sich – wenn auch diese Annahme durch keine Textzeugen belegt ist – um eine Glosse, die den Kreis derer, die unter Isebel gelitten haben, auf alle „Diener Jahwes“ ausweiten will. So auch E.Würthwein, *Bücher II*, 325; J.Gray, *Kings*, 541; H.-Chr.Schmitt, *Elisa*, 225f. Anm. 179.

8 Zum Ausdruck משתין בקיר, der – mit vermutlich abschätziger Konnotation – alle männlichen Angehörigen des Hauses Ahab umfaßt, vgl. M.Mulzer, *Jehu*, 62-64 und die dort angegebene Literatur.

9 Die Deutung der Verbindung עצור ועזוב (Dtn 32,36; 1.Kön 14,10; 21,21; 2.Kön 9,8; 14,26) ist umstritten (siehe dazu auch M.Mulzer, *Jehu*, 64-69 und die dort (vor allem S.64 Anm. 153) angegebene Literatur).

9,9 Ich werde das Haus Ahabs dem Haus Jerobeams ben Nebat
und dem Haus Baesas ben Ahia gleichmachen.

9,10 Und Isebel sollen die Hunde fressen auf dem Grundstück in Jesreel
und niemand wird (sie) begraben.“
Dann öffnete er die Türe und floh.

9,11 Als Jehu zu den Dienern seines Herrn heraustrat, da sprachen[10] sie zu ihm:
„Ist Schalom? Weswegen ist dieser Rasende zu dir gekommen?“
Und er sprach zu ihnen: „Ihr kennt den Mann und sein Geschrei[11]!“

9,12 Und sie sprachen: „Lüge! Berichte uns doch!“
Und er sprach: “So und so hat er zu mir gesprochen:
‘So spricht Jahwe: Ich salbe dich zum König über[3] Israel.’“

9,13 Da nahm ein jeder eilig sein Gewand,
und sie legten es unter ihn auf das Stufengerippe[12],
stießen in das Horn und riefen: „Jehu ist König!“

9,14 So verschwor sich Jehu ben Josaphat ben Nimschi gegen[3] Joram.
Joram aber hatte in Ramoth Gilead Wache gehalten – er und ganz Israel –
wegen Hasael, des Königs von Aram.

9,15 Dann war Joram, der König, zurückgekehrt,
um sich in Jesreel von den Wunden heilen zu lassen,
die ihm die Aramäer schlugen[13], als er mit Hasael,
dem König von Aram, kämpfte.
Und Jehu sprach: „Wenn es euer Wille[14] ist,

P.P.Saydon, *Meaning*, 372ff., faßt die – jeweils unterschiedlich übersetzten – Begriffe als Synonyma auf; während O.Thenius, *Bücher*, 192; J.Lewy, *Notes*, 99-101; C.F.Burney, *Notes*, 186f.; M.Noth, *Könige*, 316; W.Dietrich, *Prophetie*, 98; E.Kutsch, *Wurzel*, 60-65; E.Würthwein, *Bücher* I, 177; S.Timm, *Dynastie*, 132, das Begriffspaar antithetisch auffassen. M.Mulzer, *Jehu*, 68f., übersetzt mit „Zurückgehaltener“ (עצור) und „Verlassener“ (עזוב) und bestreitet ein synonymes ebenso wie ein antithetisches Verhältnis. Statt dessen betont er die beiden Begriffen innewohnende negative Konnotation. Meines Erachtens kommt jedoch die Gegensätzlichkeit des Begriffspaares sogar in der Mulzerschen Übersetzung zum Ausdruck: „Zurück- oder festgehalten werden“ auf der einen Seite und „ver- oder freigelassen werden“ auf der anderen kann kaum anders als antithetisch aufgefaßt werden. Der von Mulzer angenommenen negativen Konnotation steht die Verwendung von עצור ועזוב in Dtn 32,36 entgegen, wo zugesichert wird, daß Jahwe sich seines Volkes annehmen wird, weil er sieht, daß „alle Kraft dahin ist und es aus ist mit den עצור ועזוב“. Mir scheint die Annahme am plausibelsten, daß es sich bei עצור ועזוב um eine Kombination einander entgegengesetzter Begriffe Festgehalten/ Freigelassen; Mündige/ Unmündige (so E.Kutsch, *Wurzel*, 60-65) handelt, welche eine vollständige Gesamtheit (siehe T.Willi, *Freiheit*, 540f.) zum Ausdruck bringt. So auch H.-Chr.Schmitt, *Elisa*, 226 Anm. 181.

[10] Es ist mit vielen Mss, Sebir und den Übersetzungen der Plural ויאמרו statt mit dem MT der Singular zu lesen (so für viele H.-Chr.Schmitt, *Elisa*, 226 Anm. 182; anders M.Mulzer, *Jehu*, 70f.). Die Entstehung des MT wurde durch die Auslassung der Vokalbuchstaben im älteren Hebräisch begünstigt.

[11] Zur Übersetzung von שיח vgl. H.-P.Müller, *Wurzel*, 363f.

[12] Die Übersetzung ist unsicher. Meist wird גרם המעלות mit „die nackten Stufen“ wiedergegeben. LXX übersetzt גרם nicht (γαρεμ), was auf einen (architektonischen) Fachbegriff hinweist (so J.A.Montgomery, *Commentary*, 401). Man könnte eventuell an ausgetretene weiße Stufen denken, die einem Gerippe ähneln.

[13] Der Imperfekt יכהו wird in 9,15 in seiner „alten“ Präsensfunktion statt des erwarteten הכהו Perfekts (vgl. 2.Chr 22,6) verwandt, um die Gleichzeitigkeit des Vorgangs auszudrücken. Eine Emendation des Textes ist nicht nötig.

soll kein Flüchtling aus der Stadt herausgehen,
daß er hingehe, um in Jesreel zu berichten."

9,16 Dann stieg Jehu auf und fuhr nach Jesreel, denn Joram lag dort[15].
Und Ahasja, der König von Juda, war hinabgezogen, um Joram zu besuchen.

9,17 Der Wächter stand gerade auf dem Turm in Jesreel
und sah die Schar Jehus, als er herankam.
Und er sprach: „Eine Schar[16] (ist es, was) ich sehe!"
Da sprach Joram: „Nimm einen Reiter und sende ihn ihnen entgegen
und er soll sprechen: 'Ist Schalom?'!"

9,18 Und der Pferdereiter ging ihm entgegen und sprach:
„So spricht der König: 'Ist Schalom?'"
Jehu sprach: „Was hast du mit dem Schalom zu tun? Reihe dich hinter mir ein!"
Da meldete der Wächter:
„Der Bote ist zu ihnen gekommen, aber nicht zurückgekehrt."

---

[14] In vielen hebräischen Handschriften ist נפשכם – analog zu Gen 23,8 – die Partikel את vorangestellt (anders M.Mulzer, *Jehu*, 81, der את als Präposition auffaßt; vgl. aber zum Gebrauch der Partikel את nach יש und אין B.K.Waltke/M.O'Connor, *Introduction*, 182f. und 2.Kön 10,15; Hag 2,17). Eine Änderung des MT ist nicht unbedingt nötig, da die Verwendung von נפש in Jer 15,1 (אין נפשי אל) und das talmudisch bezeugte מה נפשך bestätigen, daß die Konstruktion אם־יש נפשכם auch ohne vorangestelltes את möglich ist. So behalten A.B.Ehrlich, *Randglossen*, 299; J.A.Montgomery, *Commentary*, 405; M.Cogan/H.Tadmor, *II Kings*, 109; M.Mulzer, *Jehu*, 81-83 den MT bei. Die von Mulzer (a.a.O. 82) postulierte gravierende Bedeutungsdifferenz zwischen der Konstruktion in Gen 23,8 („wenn ihr damit einverstanden seid") und 2.Kön 9,15 („wenn euch euer Leben lieb ist"; vgl. E.Würthwein, *Bücher II*, 325) scheint mir jedoch – auch angesichts der oben aufgeführten Beispiele für die Verwendung von נפש – nicht gegeben zu sein (vgl. u.a. H.Seebass, *Art. נפש*, 541; C.Westermann, *Art. נפש*, 76, die beide Fälle gleich behandeln): Es gehört geradezu zu Jehus Strategie, andere auf mehr oder weniger freiwilliger Basis in sein Vorgehen zu verwickeln, ihnen Verantwortung zu übertragen (vgl. 2.Kön 9,32f.; 10,6.15f.). Warum sollte er die Hauptleute, die ihn zuvor so eifrig zum König machten, jetzt mit dem Tode bedrohen, zumal er (noch) auf ihre Mithilfe angewiesen ist?
Trotz der prinzipiellen Möglichkeit, den MT beizubehalten, ist jedoch zu erwägen, mit vielen Mss את zu ergänzen, da es eine sprachliche Besonderheit des Textes 2.Kön 9/10 zu sein scheint, emphatisches את auch an Stellen (vgl. 2.Kön 9,25; 10,15) einzusetzen, an denen man es vom „normalen" Sprachgebrauch her nicht unbedingt erwarten würde. Auch die Lesart der Septuaginta (μετ' ἐμοῦ) geht vermutlich auf eine hebräische Vorlage mit ergänztem את zurück, das dann als אתי interpretiert/verlesen wurde (vgl. M.Mulzer, *Jehu*, 82).

[15] Die Septuaginta bietet gegenüber dem MT (כי יורם שכב שמה) in V.16aß ein Plus an Text: ὅτι Ιωραμ βασιλεὺς Ισραηλ ἐθεραπεύετο ἐν Ιεζραελ ἀπὸ τῶν τοξευμάτων, ὧν κατετόξευσαν αὐτὸν οἱ Αραμιν ἐν τῇ Ραμμαθ ἐν τῷ πολέμῳ μετὰ Αζαηλ βασιλέως Συριας, ὅτι αὐτὸς δυνατὸς καὶ ἀνὴρ δυνάμεως. Dabei ist שכב שמה durch eine Informationen aus 9,15 und 8,29 kombinierende Passage ersetzt (vgl. dazu die Textübersichten bei J.C.Trebolle-Barrera, *Jehú*, 219; Y.Minokami, *Revolution*, 28f.; M.Mulzer, *Jehu*, 84). Da der MT die lectio brevior darstellt und V.16aß (MT) durch die Aufnahme des Ortsnamens Jesreel aus V.16aα mittels des Ortsadjektives שמה besser in seinen Kontext integriert ist als V.16aß (LXX), welcher statt dessen den Ortsnamen Jesreel wiederholt, ist der MT beizubehalten (anders J.C.Trebolle-Barrera, *Jehú*, 119-122, der die griechische Textfassung als primär ansieht). Das Textplus der Septuaginta geht wohl auf die Ersetzung der kürzeren hebräischen Erläuterung durch eine erläuternde griechische Glosse zurück; ähnlich M.Mulzer, *Jehu*, 86.

[16] Der MT bietet als asyndetischer Relativsatz (vgl. Ps 51,10; 90,15) mit dem Nomen im Status constructus einen guten Sinn, so daß keine Textänderung gemäß dem Apparat der BHS nötig ist, vgl. B.K.Waltke/M.O'Connor, *Introduction*, 338f. Anders Y.Minokami, *Revolution*, 126 Anm. 10; H.-Chr.Schmitt, *Elisa*, 227 Anm. 190; E.Würthwein, *Bücher II*, 325; M.Mulzer, *Jehu*, 86-88, die den Text gemäß dem Vorschlag der BHS in שפעה ändern.

9,19 Und er schickte einen zweiten Pferdereiter. Und er kam zu ihnen und sprach:
„So spricht der König: 'Ist Schalom?'[17]"
Und Jehu sprach: „Was hast du mit dem Schalom zu tun?
Reihe dich hinter mir ein!"

9,20 Da meldete der Wächter:
„Er ist bis zu ihnen gekommen, aber nicht zurückgekehrt.
Und das Fahren ist wie das Fahren Jehus ben Nimschi,
denn er fährt wie in Raserei."

9,21 Und Joram sprach: „Spann an!"
Da spannte man seinen Wagen an. Und Joram, der König von Israel,
und Ahasja, der König von Juda, fuhren hinaus, ein jeder auf seinem Wagen.
Und sie fuhren hinaus, Jehu entgegen
und trafen ihn auf dem Grundstück Naboths, des Jesreeliters.

9,22 Als Joram Jehu sah, da sprach er: „Ist Schalom, Jehu?"
Und er sprach: „Wie soll denn Schalom[18] sein, solange die Hurereien Isebels,
deiner Mutter, und ihre vielen Zaubereien (andauern)?"

9,23 Da lenkte Joram seinen Wagen um und floh und sprach zu Ahasja:
„Verrat, Ahasja!"

9,24 Jehu aber hatte seine Hand an den Bogen gelegt
und schoß Joram zwischen die Arme. Der Pfeil trat aus seinem Herzen heraus,
und er brach in seinem Wagen in die Knie.

9,25 Und er sprach zu Bidkar, seinem Adjutanten:
„Hebe (ihn) auf, wirf ihn auf das Feldgrundstück[19] Naboths, des Jesreeliters.
Denn erinnere dich[20]: Ich und du, wir[21] fuhren Gespanne hinter Ahab,

---

[17] Obwohl MT שלום sinnvoll ist, da das Hebräische die Interrogationspartikel nicht unbedingt fordert (vgl. J.A.Montgomery, *Commentary*, 405), ist doch mit vielen Handschriften השלום zu lesen (so u.a. auch H.-Chr.Schmitt, *Elisa*, 228 Anm. 193; S.B.Parker, *Jezebel's*, 76 Anm. 12; S.Olyan, *Hăšālôm*, 664 Anm. 43; Y.Minokami, *Revolution*, 127 Anm. 14). Dafür sprechen der Auftrag des Königs (V.17), der Reiter solle eben diese Frage (השלום) stellen und die Verse 18.22, in denen die Frage ebenfalls השלום lautet. Anders M.Mulzer, *Jehu*, 92f., der in der vom Auftrag in V.17 und von den analogen Fragen (V.18.22) abweichenden Formulierung ein „Bemühen um sprachliche Variation" (a.a.O. 93) erkennen will.

[18] MT מָה הַשָּׁלוֹם ist meines Erachtens ebenso möglich wie die aus LXX und T rückübersetzte Lesart מָה שָׁלוֹם (dieser folgen u.a. A.Klostermann, *Bücher*, 421; R.Kittel, *Bücher*, 232), denn Abstrakta, die Qualitäten oder Zustände beschreiben, sind im Hebräischen oft determiniert (vgl. B.K.Waltke/ M.O'Connor, *Introduction*, 246 und auch Jer 33,9; Sach 8,12.19; Mal 2,5; Ps 29,11; Hi 15,21). Im Deutschen werden sie dann meist – wie auch hier – undeterminiert übersetzt. Der Unterschied der beiden Lesarten – das Nomen ist determiniert (MT) bzw. undeterminiert (LXX, T) – kommt wohl durch die Übersetzung zustande, man könnte natürlich auch an eine Haplographie des ה nach מה denken.
Eine weitere sinnvolle Möglichkeit, den Text zu deuten, ist, den MT mit einigen Handschriften des Targums in מָה הֲשָׁלוֹם umzupunktieren, so I.Benzinger, *Bücher*, 151; O.Eißfeldt, *Das zweite Buch*, 556; H.-Chr.Schmitt, *Elisa*, 228 Anm. 195; Y.Minokami, *Revolution*, 127 Anm. 16. Da aber kein zwingender Grund zur Änderung vorliegt, behalte ich den MT bei.

[19] Zur Wendung חלקת שדה נבות, die entgegen der von wenigen hebräischen Handschriften vorgenommenen Vereinfachung zu בחלקת נבות (vgl. die syrische Übersetzung und die Vulgata) beizubehalten ist, vgl. M.Mulzer, *Jehu*, 102-104 und die dort angegebene Literatur.

[20] MT (der Imperativ von זכר mit einem Objektsatz) ist eine mögliche Lesart (so auch C.F.Keil, *Bücher*, 283; I.Benzinger, *Bücher*, 151; A.Šanda, *Bücher II*, 98; J.A.Montgomery, *Commentary*, 406; R.Bohlen, *Fall*, 280 Anm. 5; M.Cogan/H.Tadmor, *II Kings*, 110; M.Mulzer, *Jehu*, 105f.), da sich eine ähnliche Kon-

seinem Vater, als Jahwe zu diesem Ausspruch über ihn anhub:

9,26 'Wahrlich, das Blut Naboths und das Blut seiner Söhne
habe ich gestern abend gesehen – Spruch Jahwes –
ich werde dir auf diesem Grundstück vergelten – Spruch Jahwes.'
Und jetzt hebe (ihn) auf, wirf ihn auf das Grundstück gemäß dem Wort Jahwes!"

9,27 Als Ahasja, der König von Juda, (das) sah, da floh er den Weg nach Beth-Haggan.
Und Jehu setzte hinter ihm her und sprach: „Auch ihn!"
Da schossen[22] sie (auf) ihn in den Wagen hinein,
beim Aufstieg nach Gur, das bei Jiblam liegt.
Und er floh nach Megiddo und starb dort.

9,28 Seine Diener fuhren ihn nach Jerusalem und begruben ihn
in seinem Grab bei seinen Vätern in der Stadt Davids.

9,29 Im 11.Jahr von Joram ben Ahab war Ahasja König über Juda geworden.

9,30 Und Jehu kam nach Jesreel.
Als Isebel (das) hörte, legte sie Schminke auf ihre Augen,
machte ihren Kopf zurecht und sah zum Fenster hinaus.

9,31 Als Jehu in das Tor trat, da sprach sie:
„Ist Schalom, Simri, Mörder seines Herrn?"

9,32 Und er hob sein Gesicht zum Fenster und sprach:
„Wer ist mit mir, wer?"
Da sahen zwei, drei[23] Höflinge zu ihm heraus.

---

struktion auch in Mi 6,5 findet. H.-Chr.Schmitt, *Elisa*, 228, Anm. 197 hält zwar diese Lesart ebenfalls für möglich, ist aber der Ansicht, daß sich der „Imperativ nur schwer in den Kontext" einfüge. Meiner Meinung nach ist aber gerade das Gegenteil der Fall: Jehu bezieht Bidkar bewußt mit ein, er war damals anwesend und soll sich – wie Jehu und der Hörer/Leser – an den „Fall Naboth" erinnern und deshalb den Befehl Jehus ausführen. Die Übersetzungen mit der Verbform in der 1.Person Singular: „.... ich erinnere mich ..." haben vermutlich, wie auch ein hebräisches Manuskript, זכר als Partizip aufgefaßt, was durch das nachfolgende אני begünstigt wurde. Um die durch LXX^L und S wiedergegebene Übersetzung „Ich erinnere mich, daß ich und du ..." zu erhalten, muß man annehmen, im MT sei כי אני durch Homoioteleuton (vgl. auch H.-Chr.Schmitt, *Elisa*, 228 Anm. 197) nach אני ausgefallen. Aufgrund der lectio difficilior behalte ich MT bei.

[21] Die Streichung von את als Dittographie von ואתה, wie sie – mit einer Handschrift – von O.Eißfeldt, *Das zweite Buch*, 557; H.-Chr.Schmitt, *Elisa*, 228 Anm. 198; M.Rehm, *Das zweite Buch*, 94; G.Hentschel, *2 Könige*, 43; Y.Minokami, *Revolution*, 38 Anm. 21, vorgenommen wird, ist nicht erforderlich. Wie in 2.Kön 9,15 und 10,15 dient את hier als emphatische Partikel. Vgl. J.A.Montgomery, *Commentary*, 406 und M.Mulzer, *Jehu*, 106f.

[22] Der MT ergibt mit dem Imperativ vor der detaillierten Ortsangabe keinen guten Sinn. Die Septuaginta bietet mit „Auch ihn! Und sie erschlugen ihn ..." die vom syntaktischen her schwierigere und auch mögliche Lesart (ויכהו). Der MT (הכהו) könnte aus ihr durch Verwechslung von althebräischem ה und י und der Haplographie von ו nach אתו entstanden sein. Die Lesart von LXX ist sowohl aufgrund der lectio difficilior als auch aufgrund der lectio brevior der von S und V^{Mss} gebotenen: „Erschlagt auch ihn! Und sie erschlugen ihn ..." vorzuziehen. So auch J.Gray, *Kings*, 546; H.-Chr.Schmitt, *Elisa*, 229 Anm. 201; anders M.Mulzer, *Jehu*, 109-111, der der Lesart der Peschitta folgt.

[23] „Zwei, drei Höflinge", die Lesart des MT, wird von LXX* durch Auslassung von שְׁלֹשָׁה in „zwei Höflinge" geändert. Möglicherweise wurde שלשה als שָׁלִשׁוֹ („sein Adjutant", vgl. V.25), und damit als Doublette zu dem nachfolgenden סריסים aufgefaßt und weggelassen. Die schwierigere Lesart des MT ist beizubehalten. So auch Y.Minokami, *Revolution*, 128 Anm. 21; M.Mulzer, *Jehu*, 121f. „Zwei, drei" findet sich noch in Jes 17,6; Am 4,8; vgl. Hi 33,29.

9,33 Und er sprach: „Stürzt sie herab[24]!“
Da stürzten sie sie herab.
Es spritzte von ihrem Blut an die Wand und an die Pferde,
und sie[25] zertrampelten sie.

9,34 Dann ging er hinein und aß und trank.
Danach sprach er: „Seht doch nach dieser Verfluchten und begrabt sie,
denn sie ist eine Königstochter!“

9,35 Sie gingen, um sie zu begraben, und sie fanden nichts von ihr,
außer dem Schädel und den Füßen und den Händen.

9,36 Und sie kehrten zurück und berichteten ihm.
Und er sprach: „Das ist das Wort Jahwes, das er geredet hat
durch seinen Diener[26] Elia, den Tisbiter:
'Auf dem Grundstück in Jesreel werden die Hunde das Fleisch Isebels fressen.

9,37 Und der Leichnam Isebels soll wie Dünger auf dem freien Feld ( )[27] sein,
damit man nicht sagen kann: Dies ist Isebel.'“

10,1 Ahab aber hatte siebzig Söhne in Samaria.
Und Jehu schrieb Briefe und schickte (sie) nach Samaria
an die Obersten ( )[28] Ahabs:

---

[24] Es ist mit dem Qere und vielen Mss שמטוה zu lesen. MT שמטהו entstand durch die Vertauschung des ו und des ה unter Einfluß des folgenden ו. Vgl. auch M.Mulzer, *Jehu*, 122.

[25] Die Übersetzungen lesen den Plural: „Und sie zertrampelten sie“, statt wie der MT den Singular. So ändern auch die meisten Kommentatoren (für viele H.-Chr.Schmitt, *Elisa*, 229 Anm. 206) den Text. Allerdings könnte die Formulierung des MT auch eine constructio ad sensum sein: „Und es (das Pferdegespann) zertrampelte sie“. Damit wäre der MT die lectio difficilior und könnte beibehalten werden, was aber in der Übersetzung keinen Unterschied macht. Auch M.Mulzer, *Jehu*, 123f., behält den MT bei. Seiner Ansicht nach enthält jedoch der MT einen komplizierteren Hintersinn: Er unterscheidet zwischen einem syntaktischen (Jehu) und einem logischen (die Pferde Jehus) Subjekt des Teilsatzes, womit ausgedrückt werden solle, daß Jehu „die zweite Stufe der physischen Zerstörung Isebels“ (a.a.O. 124) – mittels der Pferde – selbst ausgelöst habe. Ob der Text tatsächlich auf diese Weise das Zertrampeln Isebels Jehu zuschreiben wollte, ist unsicher. Die Übersetzungen haben dies jedenfalls nicht so aufgefaßt.

[26] Die Angabe, daß Elia der Knecht Jahwes ist (vgl. 9,36 mit 10,10), fehlt in LXX$^{B\ A}$ sowie in den von der Septuaginta abhängigen Übersetzungen (siehe dazu M.Mulzer, *Jehu*, 125). Dagegen wird sie von den übrigen, von LXX unabhängigen Versionen bezeugt. Dies läßt darauf schließen, daß der Wegfall von „sein Diener“ erst nachträglich eingetreten ist. So auch M.Mulzer, *Jehu*, 125.

[27] „Auf dem Grundstück in Jesreel“ ist eine Glosse, die von LXX^{L} nicht überliefert wird. Sie wurde eingefügt, um „das freie Feld“ (V.37) mit dem in V.36 erwähnten „Grundstück in Jesreel“ gleichzusetzen. So O.Eißfeldt, *Das zweite Buch*, 557; vgl. auch H.-Chr.Schmitt, *Elisa*, 230 Anm. 207; R.Bohlen, *Fall*, 296 Anm. 72. Anders M.Mulzer, *Jehu*, 125f., der den MT beibehält.

[28] In V.1 ergibt die Aussage von MT „und er schickte (sie) nach Samaria zu den Obersten von Jesreel“ nur schwerlich einen Sinn. Da es unwahrscheinlich ist, daß die Obersten von Jesreel die Befehlsgewalt über Samaria hatten (vgl. 2.Kön 10,2) oder daß die Obersten von Samaria den Titel „Oberste von Jesreel“ trugen (so D.Barthélemy, *Critique*, 393, was aber ein Versuch zu sein scheint, den MT um jeden Preis beizubehalten; der „Titel“ taucht jedenfalls im folgenden nie mehr auf), muß man annehmen, daß der Text verdorben wurde. Dabei ist der Vorschlag von A.Klostermann, *Bücher*, 423, dem die meisten Forscher folgen, am plausibelsten: Mit LXX^{L} und V ist העיר ואל zu lesen, das zu יזרעאל verunstaltet wurde. Die Lesart von einem Manuskript und LXX^{-L}: „die Obersten von Samaria“ ist ein Versuch, den Text an das vorhergehende „und er schickte (sie) nach Samaria“ anzugleichen und wird daher nicht in Betracht gezogen. Auch wenn man dem obigen Vorschlag A.Klostermanns folgt, so wird V.1b insgesamt nicht viel sinnvoller:

10,2 „Und jetzt, wenn dieser Brief zu euch gekommen ist –
bei euch sind die Söhne eures Herrn, bei euch sind auch die Wagen und Pferde
und eine befestigte Stadt[29] und Waffen –

10,3 werdet ihr gewiß den Besten und Tauglichsten von den Söhnen eures Herrn
ausersehen und ihn auf den Thron seines Vaters setzen.
Also kämpft für das Haus eures Herrn!“

10,4 Und sie fürchteten sich gar sehr und sprachen:
„Siehe die beiden Könige haben nicht vor ihm bestanden,
wie könnten wir bestehen?“

10,5 Da schickten der Palastvorsteher, der Stadtvorsteher, die Ältesten
und die Erzieher zu Jehu:
„Wir sind deine Diener und alles, was du uns sagen wirst, werden wir tun.
Wir werden niemanden zum König machen, tue, was gut ist in deinen Augen!“

10,6 Darauf schrieb er ihnen noch einmal einen Brief:
„Wenn ihr für mich seid, und ihr auf meine Stimme hört,
so nehmt die Köpfe der Männer ( )[30] eures Herrn

- האמנים kann im Status absolutus nicht vor „Ahab“ stehen. Die Lösung dieses Problems gemäß der Lesart von LXX$^{-B\ A}$ („die Erzieher der Söhne Ahabs“) empfiehlt sich jedoch nicht, da es sich um einen Vereinfachungsversuch handelt. Ein weiteres Argument gegen diese Lesart ist, daß „die Erzieher“ auch in V.5 nicht näher spezifiziert werden. Eine Lösungsmöglichkeit wäre es, mit J.A.Montgomery, *Commentary*, 413 (vgl. auch H.-Chr.Schmitt, *Elisa*, 230 Anm. 210; E.Würthwein, *Bücher II*, 326; G.Hentschel, *2 Könige*, 45; Y.Minokami, *Revolution*, 129; M.Mulzer, *Jehu*, 131), „Ahab“ auch ohne vorhandene Textzeugen als erläuternde Glosse zu streichen.
- Weiterhin stimmt aber der in V.1 genannte Personenkreis nicht genau mit den in Vers 5 genannten Personen überein: Nach V.1 gibt es, im Unterschied zu V.5 (אשר על־העיר) mehrere „Obere der Stadt“ (שרי העיר), dafür fehlt in V.1 der אשר־על־הבית.

Aufgrund der letztgenannten Beobachtung nehme ich – auch ohne textliche Grundlage – an, daß Teile einer Glosse (העיר ואל הזקנים ואל האמנים), die verdeutlichen sollte, daß die Obersten Ahabs mit den in V.5 genannten Personen identisch sind, in den Text eingefügt und, wie oben ausgeführt, zu יזרעאל הזקנים ואל האמנים wurde. Vgl. O.Eißfeldt, *Das zweite Buch*, 557, der eine Glosse annimmt, die „die Ältesten und an die Vormünder Ahabs“ lautete.

29 Eine Änderung in den Plural gemäß zwei hebräischen Handschriften und den Übersetzungen empfiehlt sich angesichts der vorausgesetzten Situation nicht (gegen O.Thenius, *Bücher*, 315; B.Stade/F.Schwally, *Books*, 227; J.Robinson, *Book*, 91; Y.Minokami, *Revolution*, 129 Anm. 27). Jehu schreibt aus Jesreel ausschließlich an die Führer von Samaria und nur dorthin richten sich seine nächsten Aktionen. Ähnlich J.A.Montgomery, *Commentary*, 413; D.Barthélemy, *Critique*, 394; H.-Chr.Schmitt, *Elisa*, 230 Anm. 211; M.Mulzer, *Jehu*, 131f.

30 MT ראשי אנשי בני־אדניכם ist überfüllt, was an eine nachträgliche Erweiterung durch eine Glosse denken läßt. Mss, LXX^{L}, S und V lassen אנשי aus und lesen „die Köpfe der Söhne eures Herrn“. H.-Chr.Schmitt, *Elisa*, 231 Anm. 212 (vgl. J.Gray, *Kings*, 552.554; J.Robinson, *Book*, 92; M.Rehm, *Das zweite Buch*, 104; H.Donner, *Geschichte*, 278 Anm. 75; M.Mulzer, *Jehu*, 134-137), nimmt an, daß אנשי eine Glosse ist, die eine angebliche Doppeldeutigkeit des Textes aufheben sollte, um Jehu von dem Vorwurf zu entlasten, den Tod der „Söhne Ahabs“ verlangt zu haben: „אנשי ist wohl eine Glosse (vgl. BHK), die ursprünglich im stat. abs. (אנשים) stand und beim Einfügen in den Text in den stat. cstr. gesetzt wurde. Die Aufforderung Jehus, die Häupter der Söhne des Königs zu bringen, ist wahrscheinlich bewußt doppeldeutig gehalten ... . Der Glossator wollte nun zur Entlastung Jehus diese Doppeldeutigkeit aufheben und betonen, daß Jehu die ‘Männer’, nicht ihre Köpfe verlangt habe.“ Da Jehu aber keineswegs überrascht ist, als die Köpfe geliefert werden und auch die Obersten den Befehl sofort so verstehen, daß sie die Söhne abschlachten, ist eine Zweideutigkeit des Textes nicht anzunehmen. LXX$^{A\ min}$ liest „die Köpfe der Männer eures Herrn“ und bietet damit die schwierigere, aber mögliche Lesart. „Männer“ drückt hier offensichtlich die Familienzugehörigkeit aus (vgl. Ehemann: Gen 3,6; 16,3; 29,32.34; Lev 21,7; Nu 30,7f.; Verwandte: Gen 13,8;

und kommt morgen um diese Zeit nach Jesreel!"
Die Söhne des Königs – siebzig Mann – waren bei den Großen der Stadt,
die sie aufzogen.

10,7 Und als der Brief zu ihnen kam, da nahmen sie die Söhne des Königs
und schlachteten sie[31] – siebzig Mann. Dann legten sie ihre Köpfe in die Körbe
und sandten (sie) zu ihm nach Jesreel.

10,8 Und der Bote kam und meldete ihm:
„Sie haben die Köpfe der Söhne des Königs gebracht."
Da sprach er: „Legt sie (zu) zwei Haufen am Eingang des Tores
bis zum Morgen."

10,9 Und als es Morgen wurde, trat er hinaus, stellte sich auf
und sprach zu dem ganzen Volk:
„Ihr seid gerecht! Zwar habe ich mich gegen meinen Herrn verschworen
und ihn ermordet, aber wer erschlug all diese?

10,10 Erkennt nun, daß nichts von dem Wort Jahwes auf die Erde fällt,
das Jahwe über das Haus Ahabs gesprochen hat, denn Jahwe hat getan,
was er durch seinen Diener Elia gesprochen hat."

10,11 Dann erschlug Jehu alle Übriggebliebenen vom Haus Ahabs in Jesreel
und alle seine Großen[32], seine Vertrauten und seine Priester,
so daß er von ihm nicht einen Entronnenen übrigließ.

10,12 Und er machte sich auf ( )[33] und ging nach Samaria. ( )[34]

---

männlicher Nachwuchs: 1.Sam 1,11; Gen 4,1). Ein Erklärungsversuch dieser Version findet sich auch in wenigen Mss: „die Köpfe der Männer des Hauses eures Herrn". Auch der MT erklärt sich leicht als Interpretation der Lesart von LXX$^{A\ min}$: Ein Glossator wollte sicherstellen, daß es sich um die „Söhne" Ahabs handelte und fügte בני ein.

[31] Vermutlich ist wie in 10,6 שבעים איש als Apposition aufzufassen und mit wenigen Mss, LXX* und S וישחטום statt וישחטו des MT zu lesen. Vgl. u.a. E.Würthwein, *Bücher II*, 327; Y.Minokami, *Revolution*, 129 Anm. 29; anders M.Mulzer, *Jehu*, 140.

[32] Der MT „und alle seine Großen (גדליו)" scheint hier sinnvoller zu sein als LXX^{L} „und alle seine Verwandten (גאליו)". Anders A.Klostermann, *Bücher*, 424; C.F.Burney, *Notes*, 303; B.Stade/F.Schwally, *Books*, 228; H.Gunkel, *Geschichten*, 87.100 Anm. 53; O.Eißfeldt, *Das zweite Buch*, 558; J.Gray, *Kings*, 553; E.Würthwein, *Bücher II*, 327. Wenn man die „Übriggebliebenen vom Hause Ahab" mit den Verwandten Ahabs gleichsetzt, so folgen in V.11aß mit den Großen, Vertrauten und Priestern Mitglieder von Ahabs Hof, die wahrscheinlich nicht mit ihm verwandt sind. Liest man mit LXX^{L} „die Verwandten", dann ergibt sich mit den „Übriggebliebenen vom Haus Ahab" eine Doublette. LXX^{L} könnte auf eine Angleichung an 1.Kön 16,11 zurückgehen. Den MT belassen ebenfalls R.Kittel, *Bücher*, 237; J.A.Montgomery, *Commentary*, 414; H.-Chr.Schmitt, *Elisa*, 231; M.Cogan/H.Tadmor, *II Kings*, 114; M.Mulzer, *Jehu*, 142-144.

[33] Die Aufreihung „Und er machte sich auf und kam an und ging" im MT (V.12a) ist recht unwahrscheinlich. Vermutlich ist „und er kam an" zu streichen. So auch H.-Chr.Schmitt, *Elisa*, 232 Anm. 213, der die Entstehung des MT durch ein Versehen des Schreibers, der schon V.17 im Sinn hatte, plausibel macht. Auch LXX* liest nur „und er machte sich auf und ging". Die Umstellung durch wenige Mss und S zu „und er machte sich auf und ging und kam an" stellt sicherlich einen Versuch dar, den MT zu glätten. Siehe auch Anm. 34.

[34] Die Konstruktion in V.12b.13 – ein asyndetischer Nominalsatz („Er war in Beth-Eked der Hirten am Wege" (V.12b)), gefolgt von einem invertierten Verbalsatz der Afformativkonjugation (V.13a) – ist auffällig, denn dadurch erhält die Episode gewissermaßen eine zweifache Einleitung. Statt der Korrekturen der Textvarianten (in V.12b lesen Ms, LXX^{L}, S und V והוא statt הוא. In Vers 13a lesen LXX^{L} und V statt ויהוא

10,13 Als Jehu[35] die Brüder Ahasjas, des Königs von Juda, traf,
da sprach er: „Wer seid ihr?"
Und sie sprachen: „Wir sind die Brüder Ahasjas und sind hinabgezogen,
(um) nach dem Schalom der Söhne des Königs
und der Söhne der Herrscherin (zu fragen)."

10,14 Und er sprach: „Ergreift sie lebendig!"
Da ergriffen sie sie lebendig. Und sie schlachteten sie bei der Zisterne von Beth-Eked – zweiundvierzig Mann – und er ließ nicht einen von ihnen übrig.

10,15 Dann ging er von dort weg und traf Jonadab ben Rekab, der ihm entgegenkam.
Und er begrüßte ihn und sprach zu ihm:
„Ist dein Herz aufrichtig wie mein Herz gegenüber deinem Herzen?"
Da sprach Jonadab: „Es ist (aufrichtig)."
„Wenn das so ist, dann gib mir doch deine Hand!"[36]
Und er gab seine Hand und er ließ ihn zu sich auf[3] den Kriegswagen steigen.

10,16 Dann sprach er: „Komm doch mit mir und sieh meinen Eifer für Jahwe!"
Und sie ließen ihn auf seinem Wagen fahren.

10,17 Und er kam nach Samaria.
Und er erschlug alle Übriggebliebenen von Ahab in Samaria, bis er ihn ausgerottet hatte gemäß dem Wort Jahwes, das er zu Elia gesprochen hatte.

10,18 Dann versammelte Jehu das ganze Volk und sprach zu ihnen:
„Ahab hat dem Baal wenig gedient, Jehu wird ihm viel dienen!"

10,19 Und jetzt ruft alle Propheten des Baal ( )[37] und alle seine Priester zu mir!

מצא, וימצא), aus denen sich die Entstehung des MT nur schwerlich erklären läßt, erscheint es mir sinnvoller, in V.12b eine Glosse anzunehmen, die eingefügt wurde, um den Ort des Zusammentreffens zwischen Ahasjas Brüdern und Jehu genau festzuhalten. Die Informationen darüber stammen aus V.14. Mit „Und er machte sich auf und ging nach Samaria. Als Jehu die Brüder Ahasjas traf ... ." erhält man einen von der Konstruktion her 2.Kön 9,30 (vgl. auch 9,16.17) entsprechenden Szenenanfang. Es ist möglich, daß auch das in V.12a störende ויבא ursprünglich zu dieser Glosse gehörte, die dann leicht verstellt in den Text geriet. Ein möglicher Wortlaut der Glosse wäre beispielsweise: ויבא יהוא בית־עקד הרעים בדרך. Aus יהוא könnte in Folge einer sukzessiven Textverderbnis הוא geworden sein.

[35] Siehe oben Anm. 34.

[36] Eine der Markierung des Sprecherwechsels dienende Textänderung nach LXX, S und V (ויאמר יהוא bzw. ויאמר), die u.a. E.Würthwein, *Bücher II*, 327; Y.Minokami, *Revolution*, 92, vornehmen, ist nicht unbedingt erforderlich, zumal der Sprecherwechsel durch die Abfolge היש – יש – ויש gut erkenntlich ist: Nach der kurzen Antwort Jonadabs (יש), die nur das היש der vorangehenden Frage Jehus aufnimmt, ist dem Hörer/Leser klar, daß das nachfolgende ויש nur auf Jehu zurückgehen kann. Vgl. zur fehlenden Anzeige eines Sprecherwechsels Jos 24,22 – 24,23; 2.Sam 18,22 – 18,23. Auch C.F.Burney, *Notes*, 304; J.A.Montgomery, *Commentary*, 410.415; H.-Chr.Schmitt, *Elisa*, 232 Anm. 218 und M.Mulzer, *Jehu*, 153-155 behalten den MT bei.

[37] Die Erwähnung der Baalsverehrer (כל־עבדיו) unterbricht die syndetische Aufzählung der professionellen Kultteilnehmer syntaktisch störend. Deshalb nehmen auch wenige Mss, LXX^L, S, $T^{f\,Mss}$ und V eine Verbesserung vor, indem sie „alle seine Verehrer" syndetisch einleiten; LXX^L stellt noch dazu die Reihenfolge um: „alle Propheten des Baal und alle seine Priester und alle seine Verehrer". Aber auch inhaltlich stimmt die Erwähnung der Baalsverehrer in V.19 nicht mit ihrem Kontext überein. Denn diese erscheinen erst, nachdem sie von Priestern und Propheten, die als offizielle Träger des Kultes die Versammlung einberufen sollen, dazu eingeladen (V.20) sowie von Jehu aus ganz Israel herbeigerufen wurden (V.21). Es ist also anzunehmen, daß „alle seine Verehrer" eine – in zwei hebräischen Handschriften fehlende – Glosse ist, die Priester und Propheten mit den Baalsverehrern (10,21ff.) gleichsetzt, um zu betonen, daß diese

Niemand soll vermißt werden, denn es ist ein großes Opfer von mir für den Baal.
Jeder der vermißt werden wird, wird nicht am Leben bleiben!“
Jehu tat (das) mit Hinterlist, um die Verehrer des Baal zu vernichten.

10,20 Und Jehu sprach: „Ruft eine Festversammlung für den Baal aus!“
Und sie luden (dazu) ein.

10,21 Dann sandte Jehu in ganz Israel (umher),[38] und es kamen alle Verehrer des Baal[39].
Es war nicht einer übriggeblieben, der nicht gekommen wäre.
Sie gingen in das Haus des Baal,
und das Haus des Baal wurde voll von einem Ende bis zum anderen.

10,22 Dann sprach er zu dem Vorsteher der Kleiderkammer:
„Bringe ein Kleid für jeden Verehrer des Baal heraus!“
Und er brachte ihnen die Kleidung heraus.

10,23 Jehu und Jonadab ben Rekab gingen in das Haus des Baal.
Und er sprach zu den Verehrern des Baal:
„Sucht und seht, daß hier mit euch keiner von den Verehrern Jahwes ist,[40]
sondern allein die Verehrer des Baal!“

10,24 Dann traten sie heran, um Brandopfer und Schlachtopfer darzubringen.
Aber Jehu hatte draußen für sich achtzig Mann aufgestellt
und zu ihnen gesprochen:
„Derjenige, der (einen) von den Männern, die ich in eure Hände überliefere,
entkommen läßt,[41] (gibt) sein Leben für dessen Leben!“

---

auch umgekommen sind. So auch H.-Chr.Schmitt, *Elisa*, 233, Anm. 221; vgl. A.Klostermann, *Bücher*, 425; O.Eißfeldt, *Das zweite Buch*, 558; I.Riesener, *Stamm*, 218f.; E.Würthwein, *Bücher II*, 340; Y.Minokami, *Revolution*, 98f. Anders M.Mulzer, *Jehu*, 159-161, der den MT beibehält.

[38] LXX^B bietet am Ende von V.21aα gegenüber dem MT ein Plus an Text: λέγων Καὶ νῦν πάντες οἱ δοῦλοι τοῦ Βααλ καὶ πάντες οἱ ἱερεῖς αὐτοῦ καὶ πάντες οἱ προφῆται αὐτοῦ, μηδεὶς ἀπολειπέσθω, ὅτι θυσίαν μεγάλην ποιῶ ὅς ἂν ἀπολειφθῇ, οὐ ζήσεται. Vgl. dazu Y.Minokami, *Revolution*, 101ff.; J.C.Trebolle-Barrera, *Jehú*, 159ff.; M.Mulzer, *Jehu*, 166-170 und die bei Mulzer ebendort angegebene Literatur. Da hier lediglich – in leichter sprachlicher Variation – die Informationen aus V.19 (vgl. LXX^B) wiederholt werden, ist der MT beizubehalten. Anders A.Klostermann, *Bücher*, 425, der LXX^B folgt. Das Textplus von LXX^B ist vermutlich auf eine innergriechische Glosse zurückzuführen.

[39] Der Textüberschuß der LXX^B am Ende von V.21aß: καὶ πάντες οἱ ἱερεῖς αὐτοῦ καὶ πάντες οἱ προφῆται αὐτοῦ geht auf eine von V.19 beeinflußte sekundäre Erweiterung zurück, so auch Y.Minokami, *Revolution*, 102f.; M.Mulzer, *Jehu*, 166-170. Hier soll – ähnlich wie durch den Zusatz von כל־עבדיו in V.19 (siehe oben Anm. 37) – festgehalten werden, daß sich tatsächlich sowohl die Laien (Baalsverehrer) als auch die „professionellen“ Kultteilnehmer vollständig versammelten.

[40] Nach V.23bα bieten LXX^min L und Vetus Latina einen über MT hinausgehenden Textbestand. LXX^min: καὶ ἐξαποστείλατε πάντας τοὺς δούλους κυρίου τοὺς εὑρισκομένους ἐκεῖ καὶ ἐγένετο καθ’ ὡς ἐλάλησεν Ιου ὅτι οὐκ ἦν ἐκεῖ τῶν δούλων κυρίου. LXX^L: καὶ ἐξαποστείλατε αὐτούς καὶ εἶπον Οὐκ εἰσιν. Vetus Latina (Cod. Vindobonensis bei B.Fischer/E.Ulrich/J.E.Sanderson, *Palimpsestus*, 84): et eicite omnes servos Dmi qui inventi fuerint in tempulum Bahal. Et factum est sicut locutus est Ieu rex et cum nemo fuisset ibi de servis Dmi. Zur Widerlegung J.C.Trebolle-Barreras (*Jehú*, 147-157; vgl. auch J.Trebolle, *"Old Latin"*, 17-36), der die Priorität des von LXX^min/ Vetus Latina wiedergegebenen Textes postuliert, siehe M.Mulzer, *Jehu*, 176 Anm. 576. Das Textplus ist auf den nachträglichen Versuch zurückzuführen, Jehus Vorgehen als noch sorgsamer gegenüber potentiell anwesenden Jahweverehrern darzustellen als es schon im MT geschieht; so auch M.Mulzer, *Jehu*, 177 Anm. 577.

[41] MT יִמָּלֵט ist in das Pi’el umzupunktieren, da sonst das Ende der Konstruktion („Derjenige, der von den Männern, die ich in eure Hände überliefere, entkommt, sein Leben für sein Leben.“) unklar bleibt. So für viele H.-Chr.Schmitt, *Elisa*, 233, Anm. 225; anders M.Mulzer, *Jehu*, 182f. Vergleiche zum Gebrauch von

10,25 Als er fertig war, das Brandopfer darzubringen,[42]
da sprach Jehu zu den Läufern und Adjutanten:
„Geht hinein, erschlagt sie, keiner soll herauskommen!“
Und sie erschlugen sie mit der Schärfe des Schwertes,
dann warfen die Läufer und Adjutanten ...[43].
Und sie gingen bis zum Allerheiligsten[44] des Hauses des Baal.

10,26 Und sie brachten die Mazzebe[45] des Hauses des Baal heraus
und verbrannten sie.

10,27 Dann zerstörten sie die Mazzebe des Baal,
und sie zerstörten das Haus des Baal
und machten es zu Aborten[46] bis heute.

מן im Sinne „einer/einige/etwas von“ Ex 16,27; 2.Sam 11,17; 2.Kön 9,33 und dazu B.K.Waltke/M.O'Connor, *Introduction*, 70.

[42] An dieser Stelle bietet wiederum LXX[L] gegenüber dem MT zusätzlichen Text: καὶ οὐκ ἦν ἐκεῖ τῶν δούλων κυρίου καθ' ὡς ἐλάλησεν Ιου, ὅτι ἀλλ' ἢ οἱ δοῦλοι τοῦ Βααλ μονωτάτοι. Auch dieser Zusatz dient der Entlastung Jehus vor dem Vorwurf, durch seine Aktion im Baalstempel Jahwediener gefährdet zu haben. Vgl. auch M.Mulzer, *Jehu*, 176f.

[43] Das Objekt zu וישלכו fehlt. Zu den zahlreichen in der Literatur vorgeschlagenen – auf die Übersetzungen gestützten – Ergänzungen bzw. freien Konjekturen siehe M.Mulzer, *Jehu*, 185 Anm. 599 bzw. 600. Der Text ist m. E. so verdorben, daß keine sichere textkritische Entscheidung möglich ist; ähnlich H.-Chr.Schmitt, *Elisa*, 234 Anm. 226. Anders M.Mulzer, *Jehu*, 185f., der vermeint, dem MT ausreichenden Sinn abgewinnen zu können, ohne diesen genau zu benennen.

[44] Der MT „und sie gingen bis zur Stadt des Baalstempels“ ist merkwürdig, da sich die vorangehenden Ereignisse wie auch die nachfolgenden im Baalstempel abspielen. Nach Ausweis von 2.Kön 23,4.6 verläuft die Kultbeseitigung so, daß Kultgegenstände aus dem Tempel herausgebracht und verbrannt werden (vgl. 10,26). Auch V.27 beschäftigt sich noch mit dem Tempel. Von einem Herausgehen aus dem Tempel in die „Tempelstadt“ kann also keine Rede sein, gegen M.Mulzer, *Jehu*, 187-189. Die Entstehung des MT aus der von Ms und LXX[L] vorgeschlagenen Version „und sie gingen bis zum Baalstempel“ wäre zwar zu erklären – עיר ist eine Dittographie von עד (so u.a. E.Würthwein; *Bücher II*, 341 Anm. 8) –, ergibt aber auch keinen wesentlich besseren Sinn, denn die Männer Jehus sind ja schon dort. Daher übernehme ich die Konjektur עד דביר von A.Klostermann, *Bücher*, 426. Das ד in דביר könnte durch Haplographie nach עד verlorengegangen sein und die Vertauschung von ב und ע nach sich gezogen haben.

[45] Aufgrund des mit dem Suffix der 3.Person femininum singular verbundenen Verbs וישרפוה ist statt des Plurals „die Mazzeben des Baalstempels“ – so der MT – mit wenigen Mss und den Übersetzungen der Singular „die Mazzebe des Baalstempels“ zu lesen (so auch J.A.Montgomery; *Commentary*, 415f.; J.Gray, *Kings*, 558; M.Cogan/H.Tadmor, *II Kings*, 105; M.Mulzer, *Jehu*, 189-192). Dem Vorschlag des Apparats der BHS, אשרה (Aschera) statt מצבה (Mazzebe) zu lesen, folgt u.a. E.Würthwein, *Bücher II*, 341, Anm. 9, mit der Begründung, Mazzeben würden nicht brennen. Da aber Mazzeben nicht unbedingt aus Stein bestehen müssen, sondern jedes aufgerichtete Mal bezeichnen können, ist diese Emendation von J.Gray, *Kings*, 558 und H.-Chr.Schmitt, *Elisa*, 234 Anm. 228, zu Recht zurückgewiesen worden.

[46] Es ist mit dem Ketib למחראות (Wurzel חרא) zu lesen, da dies das vulgärere Wort ist, dessen Wurzelverwandte in ähnlichen Zusammenhängen auftreten (vgl. Jes 36,12; 2.Kön 18,27), während das Qere למוצאות (Wurzel יצא) eine Verharmlosung darstellt. So auch B.Stade/F.Schwally, *Books*, 233; J.A.Montgomery, *Commentary*, 416; J.Gray, *Kings*, 562.

2 Literarkritik

2.1 Die literarische Verknüpfung der Erzählung von der Jehu-Revolution mit dem DtrG

2.1.1 Einbindung der Erzählung in das deuteronomistische Schema von „Weissagung und Erfüllung“[47]

Die Erweiterung der Prophetenrede in 2.Kön 9,6b-10a

Die Rede des Jüngers in 9,6b-10a geht weit über den von Elisa vorgegebenen Spruch (9,3aβγ) hinaus und stört damit die ansonsten genaue Übereinstimmung zwischen Salbungsauftrag (9,1b-3aαb) und seiner Ausführung durch den Jünger (9,4-6a.10b):[48] V.6b ist gegenüber V.3aβγ um die Worte „Gott Israels“ und „über das Volk Jahwes“[49] erweitert; die Verse 7-10a finden im Auftrag Elisas an den Prophetenjünger keine Entsprechung. Darüber hinaus sprengt die Länge der Jüngerrede die von der Erzählung vorgegebene Situation: Die Salbung soll nicht nur im geheimen vor sich gehen (9,2.6aα), sondern auch noch äußerst schnell – Elisa ermahnt den Prophetenjünger, sofort nach der Salbung und den Worten „So spricht Jahwe: 'Ich salbe dich zum König über Israel!'“ zu fliehen und nicht zu zögern (V.3b vgl. V.10b). Eine solche Verzögerung stellt jedoch die Prophetenrede dar.

Die oben aufgeführten formalen und inhaltlichen Probleme legen die Annahme einer nachträglichen Erweiterung des Prophetenspruchs um die Verse 7-10a sowie die Worte „Gott Israels“ und „über das Volk Jahwes“ in V.6b nahe. Diese ist von ihrer Sprache und ihrem Anliegen her der deuteronomistischen Redaktion zuzuordnen.[50] Die um אלהי ישראל erweiterte Botenformel wird in 1.Kön 11,31; 14,7; 2.Kön 21,12; 22,18 ebenfalls in deuteronomistisch geprägten Zusammenhängen verwendet, zu אל־עם ... ישראל vgl. 1.Kön 14,7; 16,2.[51] נכה בית in V.7 entspricht dem Sprachgebrauch in den deuteronomistischen Kurzberichten über die Revolutionen gegen Nadab (1.Kön 15,29) und Ela (1.Kön 16,11).[52] Typisch deuteronomistische Wendungen finden sich ebenfalls in V.8b: כרת ל (vgl. 1.Kön 14,10; 21,21),[53] משתין בקיר (vgl. 1.Kön 14,10; 16,11; 21,21)[54] und עצור ועזוב (vgl. Dtn

[47] H.-D.Hoffmann, *Reform*, 99.

[48] Die Entsprechungen finden sich in folgenden Versen: V.1b – V.4; V.2 – V.5.6aα; V.3aα – V.6aß; V.3b – V.10b. Vgl. auch die Wiedergabe der Prophetenrede durch Jehu in V.12! Diese stimmt mit der im Auftrag in V.3aβγ vorgegebenen, nicht aber mit der tatsächlich gehaltenen Rede in V.6b-10a überein.

[49] אל־עם יהוה steht überdies mit der in der 1.Person Singular gehaltenen Jahwerede in grammatikalischer Spannung. So auch M.Mulzer, *Jehu*, 226.

[50] So unter anderen O.H.Steck, *Überlieferung*, 39 und G.Hentschel, *2 Könige*, 40-42 (in Bezug auf V.7-10a); H.-Chr.Schmitt, *Elisa*, 19-21 (zu den Ergänzungen in V.6 siehe a.a.O. 21 Anm. 22); S.Timm, *Dynastie*, 137f. mit Anm. 13; S.Olyan, *Hăšālôm*, 655f.; W.Dietrich, *Prophetie*, 12f.47f.; G.Fohrer, *Prophetenerzählungen*, 97 Anm. 8; vgl. Y.Minokami, *Revolution*, 53f. Anders M.Noth, *Studien*, 84, der nur V.8b.9 und den Hinweis auf 9,36 in 9,10a für deuteronomistisch hält; vgl. auch I.Plein, *Erwägungen*, 15 Anm. 38. Zu V.7b siehe unten S.42f.

[51] Vgl. W.Dietrich, *Prophetie*, 48.

[52] Ähnlich H.-Chr.Schmitt, *Elisa*, 20. Vgl. zu den übrigen deuteronomistischen Sprachelementen in V.7-10a ebenfalls Schmitt, a.a.O. 20f.

[53] Vgl. zu כרת hi. mit Jahwe als Subjekt W.Dietrich, *Prophetie*, 82.

[54] Siehe auch W.Dietrich, *Prophetie*, 83.

32,36; 1.Kön 14,10; 21,21; 2.Kön 14,26)[55]. Auch V.9: ונתתי את־בית אחאב כבית ירבעם בן־נבט וכבית בעשא בן־אחיה erweist sich im Vergleich mit 1.Kön 16,3 und 1.Kön 21,22 als deuteronomistisch geprägte Formulierung. Zum Gefressenwerden von den Hunden in V.10a vgl. 1.Kön 14,11; 16,4; 21,23f.[56]

Die Erweiterung der Prophetenrede in V.6b-10a scheint jedoch literarisch nicht aus einem Guß zu bestehen. Neben dem mehrmaligen, zum Teil recht harten Subjektwechsel in V.7f.[57] fällt auch der mehrmalige Wechsel der Zielgruppe des angekündigten Unheils auf: V.7a.8-9 beschäftigen sich mit der Vernichtung der Dynastie Ahab. V.7b unterbricht diesen Gedankengang, um auf Isebel einzugehen, während in V.10a nach Abschluß der Ankündigungen gegen das Haus Ahabs nochmals auf Isebel eingegangen wird.

Das damit angedeutete literarkritische Problem läßt sich jedoch nicht mit dem Ansatz E.Würthweins[58] lösen. Dieser vertritt die Ansicht, die „nach Sprache und Ideologie eindeutig in deuteronomistischer Tradition stehenden V.7-10a"[59] gingen auf zwei verschiedene (nachdeuteronomistische) Hände zurück, die in 9,7b.10a und 9,7a.8f. zu lokalisieren seien: Während in den Versen 7b und 10a eine „spezielle Drohung gegen Isebel" vorliege, enthielten die Verse 7a.8f. eine allgemeine Drohung gegen die Dynastie Ahab[60].

Das Vorkommen sowohl spezieller als auch allgemeiner Drohungen in der Prophetenrede erklärt sich jedoch aus dem Kontext, in den die deuteronomistischen Verse eingefügt wurden, und zwingt daher nicht zu der Annahme zweier Schichten: In der Erzählung von der Jehu-Revolution wird von Isebels Ende berichtet, so daß es sinnvoll ist, gerade die Drohung gegen Isebel besonders auszuführen (vgl. 9,10a mit 9,30-37). Ahab dagegen ist schon tot, es kann also nur noch allgemein von der Vernichtung seines Hauses gesprochen werden.[61]

Weiterhin spricht gegen die Lösung Würthweins der zwischen V.7b und V.10a bestehende funktionale Unterschied, welcher darauf hinweist, daß beide Verse nicht auf einer literarischen Ebene anzusiedeln sind: Während V.10a – wie auch V.8.9 – den Bezug zwischen der Jehu-Revoltution und dem „Fall Naboth" herstellt, ein Bezug, der im Verlauf der weiteren Erzählung (von den Deuteronomisten) noch ausgebaut wird,[62] ist der Anknüpfungspunkt von V.7b nicht die Naboth-Erzählung, sondern 1.Kön 19 und das von dort aus auch nach 1.Kön 18 eingetragene Prophetenverfolgungsmotiv.[63] Dieses Motiv wird – im Unterschied zum Naboth-Motiv – in der Erzählung von der Jehu-Revolution nicht noch einmal aufge-

---

[55] Vgl. W.Dietrich, *Prophetie*, 98 und auch S.30f. Anm. 9.

[56] Siehe dazu S.131 Anm. 62.

[57] Nach der direkten Anrede Jehus in der 2.Pers. Sing. (V.7a) ergeht eine Ankündigung Jahwes in der 1.Pers. Sing. (V.7b). In V.8a wird der Untergang des Hauses Ahabs in der 3.Pers. Sing. angesagt, worauf in V.8b wiederum eine in der 1.Pers. Sing. gehaltene Unheilsankündigung folgt. Vgl. S.30 mit Anm. 6.

[58] E.Würthwein, *Bücher II*, 329f.; vgl. B.Lehnart, *Prophet*, 335f., der sich Würthwein anschließt. Variationen der Würthweinschen Lösung bieten A.F.Campbell, *Prophets*, 36f.; L.M.Barré, *Rhetoric*, 9-11; Y.Minokami, *Revolution*, 53f.: Sie alle lösen die Unheilsankündigungen gegen Isebel vollständig aus der Prophetenrede heraus.

[59] a.a.O., 329f.

[60] a.a.O., 329f.

[61] Siehe auch O.H.Steck, *Überlieferung*, 39.

[62] Siehe S.44-47.

[63] Siehe dazu S.188f.

griffen. Auffällig ist auch, daß in V.7b eine Begründung für die Unheilsankündigungen gegeben wird, nämlich das von Isebel vergossene Prophetenblut, während in V.7a.8-10a stillschweigend vorausgesetzt wird, daß die in 1.Kön 21 aufgezeigten Verfehlungen Ahabs und Isebels[64] der Grund für die – von dort aufgenommenen (1.Kön 21,21ff.) und nun zum zweiten Mal – ausgestoßenen Unheilsankündigungen und damit für die Jehu-Revolution sind.[65] Während also V.10a fest innerhalb der deuteronomistischen Bearbeitungsschicht der Erzählung von der Jehu-Revolution verankert ist, so legt sich für V.7b die Annahme einer nachträglichen, das heißt nach der deuteronomistischen Redaktion vorgenommenen Erweiterung nahe.[66]

Durch die Zuweisung von V.7b zu einer nachdeuteronomistischen Schicht erhält man eine deuteronomistische Prophetenrede, die in der Abfolge der Unheilsankündigungen ihrem Äquivalent in 1.Kön 21,21-23 entspricht: Zunächst wird der Dynastie Ahab und anschließend Isebel Unheil angekündigt. Auch der auffällig häufige Subjektwechsel in V.7.8 wird durch diese Annahme etwas geglättet: V.7a bezieht sich konkret auf die mit der Salbung Jehus verbundene Revolution und ist daher als Auftrag an Jehu formuliert: Joram, der Sohn Ahabs, ist amtierender König, seine Dynastie muß vom Gegenkönig natürlich beseitigt werden. V.8a faßt – im direkten Anschluß an V.7a – das Ergebnis der von Jehu vollzogenen Vernichtung zusammen: „Du wirst das Haus Ahabs, deines Herrn, zerschlagen, so daß das ganze Haus Ahabs zugrunde geht". Die 1.Kön 21,21b-22a entsprechenden Unheilsankündigungen (2.Kön 9,8b-9) sind dann in der 1.Pers. Sing. formuliert, denn letztlich steht hinter dem Vernichtungswerk Jehus Jahwe selbst und sein Beschluß, das Haus Ahabs bis auf den letzten Mann zu vernichten.

Durch die Erweiterung der Prophetenrede um V.6b*.7a.8-10a verknüpfen die Deuteronomisten zum einen die Erzählung von der Jehu-Revolution mit der Elia-Überlieferung in 1.Kön 21:

- Das Drohwort gegen das Haus Ahabs (1.Kön 21,21b.22a) wird in 2.Kön 9,8b.9 fast wortwörtlich wiederholt.[67]
- V.10a nimmt die Drohung gegen Isebel in 1.Kön 21,23 wieder auf.[68]

Zum andern ist eine Tendenz festzustellen, die Unheilsankündigung gegen Ahab mit der gegen Jerobeam zu parallelisieren:

---

[64] Siehe S.120ff.

[65] Wie im Laufe dieser Arbeit dargelegt werden wird, enthielt die „DtrG-Grundschrift" (siehe dazu auch S.253-257) im Bereich von 1.Kön 16,29-2.Kön 10,36 außer den Königsrahmen nur die – deuteronomistisch bearbeiteten/gerahmten – Erzählungen von Naboths Weinberg (1.Kön 21), von der Baalsbefragung Ahasjas (2.Kön 1) und der Jehu-Revolution, während die Erzählungen in 1.Kön 17-19.20.22; 2.Kön 2-8 später in mehreren Schüben in das von den Deuteronomisten erstellte „Grundgerüst" eingesetzt wurden. Damit aber ergibt sich innerhalb der „DtrG-Grundschrift" für die Erzählung von Naboths Weinberg und die Erzählung von der Jehu-Revolution eine wesentlich größerer räumliche Nähe als in der jetzt vorliegenden Fassung der Königsbücher. Der Leser/Hörer der Jehuerzählung hat also die Verbrechen Ahabs und Isebels, anläßlich derer die Drohungen gegen ebendiese ausgestoßen wurden (1.Kön 21,21ff.), noch im Ohr. Er weiß daher bei ihrer Wiederholung in der Jehuerzählung (2.Kön 9,7-10a) ganz genau, worauf hier angespielt wird.

[66] Siehe dazu S.188f.

[67] Siehe dazu S.120ff.

[68] In 1.Kön 21,23 ist vermutlich בחלק statt בחל zu lesen (siehe S.121 Anm. 5).

- Die um „Gott Israels" erweiterte Botenformel findet sich auch in 1.Kön 14,7 wieder, wo der Prophet Ahia von Silo Jerobeam Unheil ankündigt.[69]
- Ebenso wie Baesa das Haus Jerobeams zerschlug (1.Kön 15,28f.), so soll Jehu nun das Haus Ahabs zerschlagen (2.Kön 9,7a).
- Wie in 9,8b (und 1.Kön 21,21) findet sich auch in 1.Kön 14,10, der Unheilsankündigung gegen Jerobeam, die vollständige Formel: „und ich werde von ... ausrotten, was an die Wand pißt, alle ohne Ausnahme in Israel".
- Ein expliziter Rückverweis auf das Gericht über Jerobeam liegt in 2.Kön 9,9 (und 1.Kön 21,22) vor: „Ich werde das Haus Ahabs dem Haus Jerobeams ben Nebat ... gleichmachen".

Der Erfüllungsvermerk der Unheilsankündigung gegen Isebel in 2.Kön 9,36.37

Auch die Verse 36 und 37 sprengen die Erzählsituation.[70] Die Pointe und der Schluß der Szene liegen in V.35: Der Plan, Isebel zu begraben, kann nicht ausgeführt werden, denn sie ist fast vollständig verschwunden. Nachdem sie zu Tode gestürzt und von den Pferden zertrampelt wurde, kann sie nun noch nicht einmal – wie es sich für eine Königstochter gehört – bestattet werden. Die lange, fast poetisch klingende Deutung, die Jehu dem Ereignis gibt, stört diesen Schluß schon rein stilistisch. Aber auch inhaltliche Widersprüche zwischen erzählter Situation und ihrer Deutung lassen sich feststellen: Wenn Jehu den Prophetenspruch vom „Unbegraben-Sein" Isebels gekannt hätte, wie er in V.36f. ausgemalt wird, würde er doch wohl nicht den Auftrag gegeben haben, sie zu begraben, um dann hinterher befriedigt festzustellen, daß der Spruch gleichwohl in Erfüllung gegangen ist.[71] Zudem wurde Isebel nach ihrem „Fenstersturz" – wenn überhaupt – innerhalb der Stadt und nicht auf dem „Acker in Jesreel" gefressen.[72]

9,36 verknüpft – wie 9,7a.8-10a – die Erzählung von der Jehu-Revolution mit der Elia-Überlieferung in 1.Kön 21: Elia wird explizit benannt; zudem bildet der Vers einen Erfüllungsvermerk zu der Drohung gegen Isebel in 1.Kön 21,23b bzw. ihrer Wiederholung samt der situationsangepaßten[73] Erweiterung um das „Unbegraben-Sein" in 2.Kön 9,10a. Daher ist anzunehmen, daß auch 9,36 der deuteronomistischen Redaktion zuzuordnen ist.[74] Dafür

---

[69] Vgl. auch die Verwendung der Formulierung „Volk Jahwes" in 2.Kön 9,6b wie in 1.Kön 14,7.

[70] H.Gressmann, *Geschichtsschreibung*, 308; J.Wellhausen, *Composition*, 287; H.Gunkel, *Geschichten*, 84; E.Würthwein, *Bücher II*, 334f.; W.Dietrich, *Prophetie*, 60; O.H.Steck, *Überlieferung*, 36; H.-Chr.Schmitt, *Elisa*, 21f.; R.Bohlen, *Fall*, 295-299; Y.Minokami, *Revolution*, 59-61; S.Timm, *Dynastie*, 137; G.Hentschel, *2 Könige*, 45; M.Mulzer, *Jehu*, 238-243; B.Lehnart, *Prophet*, 337, betrachten die Verse 36 und 37 als Nachtrag zur ursprünglichen Jehuerzählung. Dabei differieren jedoch die Positionen hinsichtlich der Anzahl von literarischen Ebenen, auf die dieser Nachtrag aufzuteilen ist. Anders J.A.Montgomery, *Commentary*, 399, nach dem V.36f. integraler Bestandteil der Erzählung von der Jehu-Revolution ist, und L.M.Barré, *Rhetoric*, 15f., der nur V.36* (ab דבר), nicht aber V.37 als sekundär beurteilt (vgl. I.Benzinger, *Bücher*, 152).

[71] So auch M.Mulzer, *Jehu*, 238f.

[72] Siehe dazu unten S.129-132. Vgl. H.-Chr.Schmitt, *Elisa*, 21; M.Mulzer, *Jehu*, 239 Anm. 80.

[73] Vgl. 2.Kön 9,33-35.

[74] So unter anderen O.H.Steck, *Überlieferung*, 40; W.Dietrich, *Prophetie*, 60; H.-Chr.Schmitt, *Elisa*, 21f.; S.Timm, *Dynastie*, 137f.; E.Würthwein, *Bücher II*, 334; B.Lehnart, *Prophet*, 337. Zu וישבו ויגידו לו in V.36aα als von den Deuteronomisten gestaltete Überleitung zu dem folgenden Erfüllungsvermerk siehe W.Dietrich, *Prophetie*, 60 (vgl. auch M.Mulzer, *Jehu*, 242).

spricht auch die hier vorliegende deuteronomistische Wendung „das ist das Wort Jahwes, das er geredet hat durch seinen Diener ...“ (vgl. 2.Kön 10,10[.17]; 1.Kön 14,18; 15,29[; 16,12]).[75]

Die Zuordnung von V.37 zur deuteronomistischen Redaktion[76] ist dagegen nicht mit gleicher Sicherheit vorzunehmen: V.37 ist zwar als poetische Ausdeutung von „und niemand wird sie begraben“ in 9,10a durchaus vorstellbar, auch findet sich ein Äquivalent zum „Dünger auf dem freien Feld“ in den deuteronomistischen Schichten des Jeremiabuches,[77] dennoch fügt V.37 den oben geschilderten Ungereimtheiten um den Tod Isebels noch eine weitere hinzu: Wie kann der Leichnam Isebels (als ganzes) auf dem freien Feld verrotten (V.37), wenn er zuvor – nach der Deutung Jehus in V.36 – fast vollständig von den Hunden gefressen wurde? Aus diesem Grunde liegt es nahe, V.36 und V.37 nicht auf der gleichen literarischen Ebene anzusiedeln[78] und in V.37 eine sekundär-deuteronomistische, ausdeutende Ergänzung anzunehmen.

Die Erfüllung der Unheilsankündigung gegen die Dynastie Ahab in 2.Kön 10,10.11 und 10,17aßb

Eine weitere direkte Bezugnahme auf Elias Drohwort gegen das Haus Ahabs (1.Kön 21,21f.; 2.Kön 9,7-10*) findet sich in 2.Kön 10,10. Hier wird konstatiert, daß alles erfüllt wurde, was Jahwe durch Elia angedroht hatte. Wie in der Szene vom Tode Isebels (9,30-36) ist auch hier ein Bruch zwischen der theologisierenden Deutung und dem Geschehen selbst erkennbar: Die „fromme Rede“ Jehus in V.10 wirkt nach seinem Zynismus in V.9 etwas deplaziert. In V.10b findet sich darüber hinaus die schon in 9,36 verwandte deuteronomistische Wendung אשר דבר ביד עבדו[79] wieder. Vergleichbar mit 10,10a (לא יפל מדבר יהוה ארצה) sind die deuteronomistischen Stellen 1.Kön 8,56; Jos 21,45; 23,14.[80] Die oben genannten Beobachtungen sprechen dafür, den ganzen Vers 10 der deuteronomistischen Bearbeitung zuzuweisen.[81] Indem sie den Erfüllungsvermerk mit Jehus Rede an das Volk

---

[75] Zur Bezeichnung „Diener Jahwes“ als „Ehrentitel“ für die Propheten Jahwes vgl. 2.Kön 17,13.23; 21,10; 24,2 und I.Riesener, *Stamm*, 204.

[76] O.H.Steck, *Überlieferung*, 36f.40; H.-Chr.Schmitt, *Elisa*, 21f.; G.Hentschel, *2 Könige*, 45; S.Timm, *Dynastie*, 137 und B.Lehnart, *Prophet*, 337, weisen V.36 und V.37 einer einheitlichen deuteronomistischen Bearbeitung zu.

[77] Jer 8,2; 9,21; 16,4; 25,33; vgl. H.-Chr.Schmitt, *Elisa*, 22 und E.Würthwein, *Bücher II*, 334.

[78] Vgl. E.Würthwein, *Bücher II*, 334 und M.Mulzer, *Jehu*, 240-242.

[79] Vgl. 1.Kön 14,18; 15,29(; 16,12).

[80] So auch H.-Chr.Schmitt, *Elisa*, 22 Anm. 30.

[81] Vgl. H.-Chr.Schmitt, *Elisa*, 22; O.H.Steck, *Überlieferung*, 40; E.Würthwein, *Bücher II*, 337; L.M.Barré, *Rhetoric*, 17f.32; G.von Rad, *Theologie I*, 352 Anm. 14; Y.Minokami, *Revolution*, 62-64; G.Hentschel, *2 Könige*, 46; E.T.Mullen, *Grant*, 196; S.Timm, *Dynastie*, 137f.; B.Lehnart, *Prophet*, 337 und auch J.Wellhausen, *Composition*, 287. Anders M.Noth, *Studien*, 84, der nur V.10b für sekundär hält. M.Mulzer, *Jehu*, 246-248, stuft V.10 ebenfalls als sekundär gegenüber der Grundschicht ein, hält ihn jedoch nicht für einheitlich: V.10a stelle eine erste, V.10b eine zweite (jüngere) Erweiterung dar. Ein innerer Widerspruch zwischen den in V.10a und V.10b enthaltenen „Aussagen über die Wirkmächtigkeit des Wortes Jahwes“, der Mulzer, a.a.O. 246, zu der Aufspaltung des Verses auf zwei literarische Ebenen veranlaßt, ist meines Erachtens nicht zu erkennen: V.10a ist eine für Vergangenheit und Zukunft gültige Aussage über das Wort Jahwes („daß nichts von dem Wort Jahwes auf die Erde fällt“), deren Wahrheitsgehalt das Volk (und mit ihm der Hörer/Leser) an den bereits geschehenen und noch kommenden Ereignissen der Jehu-Revolution erkennen soll, während V.10b zu diesem Zweck nachdrücklich auf die unmittelbare

verknüpfen, wenden sich die Deuteronomisten direkt an ihre Adressaten, die Leser bzw. Hörer der Geschichte, und geben ihre Intention preis: Die Hörer/Leser sollen erkennen, daß sich hier, das heißt im Verlaufe der Jehu-Revolution, das Wort Gottes erfüllt.

Ein weiterer, auf 1.Kön 21,21f./2.Kön 9,7-10* anspielender deuteronomistischer Erfüllungsvermerk ist in 10,17b zu finden. Die dadurch ausgedeutete Notiz über die Vernichtung des Hauses Ahabs in Samaria (V.17aß) erinnert in ihrer Formulierung stark an die deuteronomistischen Berichte über das Ende des Hauses Jerobeams und Baesas in 1.Kön 15,29; 16,11. Dies gibt Anlaß, eine gemeinsame deuteronomistische Herkunft von V.17aß und V.17b zu erwägen.[82] Für eine nachträgliche Erweiterung der Erzählung von der Jehu-Revolution um V.17aßb[83] spricht außerdem, daß V.17aßb in Spannung zu seinem Kontext steht: Denn nach der Erzählszene 10,1-9 sind bereits alle Angehörigen des Hauses Ahabs in Samaria ermordet worden (10,1.7), was sowohl durch die Zahl Siebzig[84] als auch durch den Handlungsverlauf der Erzählung – Jehu beseitigt zunächst jegliche Gefahr, die von Samaria ausgehen könnte (10,1a.2f.7f.) und bricht erst danach zur Hauptstadt auf (10,12) – nahegelegt wird. Weiterhin unterbricht V.17aßb den Zusammenhang zwischen 10,16.17aα und 10,18ff., wo bereits ein neues Thema, die Vernichtung des Baalskultes in Samaria, angelegt ist. Hinzu kommt eine leichte sprachliche Doppelung, die sich aus der Erwähnung von „Samaria" sowohl in V.17aα als auch in V.17aß ergibt.

Nicht behandelt wurde bisher V.11, der eine gewisse formale Ähnlichkeit mit V.17aßb aufweist,[85] und die auch von den Deuteronomisten gebrauchte Wendung עד־בלתי השאיר־לו שריד enthält.[86] Diese Punkte können als Indiz für einen deuteronomistischen Ursprung des Verses angesehen werden. Allerdings fehlt hier im Unterschied zu V.17aßb ein Erfüllungsvermerk. Da aber die Rede Jehus bereits mit V.10 um einen Erfüllungsvermerk erweitert wurde, ist ein solcher in V.11 nicht mehr erforderlich. Die hier genannten – noch nicht hinreichend stichhaltigen – Bedenken rein sprachlicher Art gegen eine Zugehörigkeit von V.11 zur ursprünglichen Erzählung können durch formkritische Überlegungen gestützt werden: Der Erzähler ist, wie später noch ausgeführt wird,[87] auf einen logischen Szenenaufbau bedacht. V.11 wird jedoch in keiner Weise in den vorhergehenden Versen vorbereitet, vielmehr „klappt" er der Schlußpointe in V.9[88] recht unglücklich nach. Zwischen Jehus „Ansprache" an das Volk (V.9) und der Ausrottung der Angehörigen Ahabs in Jesreel besteht kein inhaltlicher Zusammenhang. Damit schließe ich mich der These von H.-

---

Vergangenheit hinweist („Jahwe hat getan, was er durch seinen Diener Elia gesprochen hat") – die durch die Kopfhaufen erschreckend veranschaulichte Auslöschung des Hauses Ahabs in Samaria.

[82] Vgl. H.-Chr.Schmitt, *Elisa*, 22; G.Hentschel, *2 Könige*, 48; L.M.Barré, *Rhetoric*, 20.33; Y.Minokami, *Revolution*, 56f.; E.Würthwein, *Bücher II*, 338; B.Lehnart, *Prophet*, 337; S.Timm, *Dynastie*, 137f. Anders W.Dietrich, *Prophetie*, 24.61, der V.17aß zur Grundschicht der Erzählung und erst V.17b zur deuteronomistischen Bearbeitung (DtrP) rechnet.

[83] Siehe zur Nachträglichkeit von V.17aßb auch M.Mulzer, *Jehu*, 250-253.

[84] Die Zahl Siebzig ist ein Ausdruck der Vollständigkeit; vgl. A.Šanda, *Bücher II*, 105; C.F.Burney, *Notes*, 302; F.C.Fensham, *Numeral*, 113-115.

[85] V.11a stimmt in etwa mit V.17aß überein.

[86] Siehe dazu H.-Chr.Schmitt, *Elisa*, 23 und Nu 21,35; Dtn 3,3. Vgl. zu השאיר auch die deuteronomistischen Rahmenpassagen 1.Kön 15,29; 16,11: In 1.Kön 16,11 ist wie in 2.Kön 10,11 die Reihe der Ausgerotteten über den Familienkreis hinaus erweitert.

[87] Siehe S.75ff.

[88] Siehe S.91f.

Chr.Schmitt[89] an, V.11 sei gemeinsam mit V.10 der deuteronomistischen Bearbeitungsschicht zuzurechnen.

2.1.2 Die Erzählung von der Jehu-Revolution und ihr unmittelbarer Kontext – Der Königsrahmen des DtrG

2.Kön 8,28.29 – Der Erzählanfang?

Nach Auffassung einiger Forscher[90] beginnt die Erzählung von der Jehu-Revolution nicht – der Kapiteleinteilung des MT entsprechend – mit dem Befehl Elisas zur Salbung Jehus in 2.Kön 9,1, sondern mit der in 2.Kön 8,28f. vorliegenden „Darstellung der Umstände, unter denen sie [die Jehu-Revolution (Anm. der Verf.)] erfolgte“[91]. Voraussetzung für die Annahme des Erzählanfanges in 2.Kön 8,28f. ist die – zumindest textkritisch nicht zu begründende[92] – Streichung von את[93] in V.28, wodurch „Joram“ zum Subjekt des Verses wird. Die Erzählung begänne dann mit וילך יורם בן־אחאב.

Gegen den hypothetischen Erzählanfang in 2.Kön 8,28f. ist allerdings folgendes einzuwenden:[94] Zum einen ist ein Erzähleinsatz mit dem Narrativ einer anderen Wurzel als היה eher selten,[95] ja für eine vorexilische Erzählung aus dem Nordreich,[96] soweit sie uns heute vorliegen, geradezu untypisch.[97] Zum andern eignet sich 8,28f. auch aus inhaltlichen Gründen nur schlecht als Anfang einer Erzählung über die Jehu-Revolution: Hier klingt weder das Thema der Erzählung an, noch wird die Hauptperson, Jehu, genannt.[98] Daher ist zu fragen, ob der eigentliche Erzählbeginn vor 8,28f. infolge der Einfügung der Erzählung in das DtrG weggebrochen ist oder ob dieser nach den oben genannten Versen zu suchen ist.

Nun werden aber die in 2.Kön 8,28f. gelieferten Hintergrundinformationen in 2.Kön 9,14b-15a.16aßb nochmals geboten,[99] wobei sich 8,29a und 9,15a sowie 8,29b (bis כי) und 9,16b

89 H.-Chr.Schmitt, *Elisa*, 23; vgl. auch S.Timm, *Dynastie*, 138; G.Hentschel, *2 Könige*, 40.46; B.Lehnart, *Prophet*, 337 und E.Würthwein, *Bücher II*, 337, der allerdings V.10 DtrN und V.11 DtrP zuweist. Anders W.Dietrich, *Prophetie*, 24.83, nach dem V.11 originaler Bestandteil der Erzählung von der Jehu-Revolution ist.

90 A.Jepsen, *Israel*, 156; E.Würthwein, *Bücher II*, 328; B.O.Long, *2 Kings*, 114f.; M.Mulzer, *Jehu*, 215-222; V.Fritz, *Das zweite Buch*, 46ff. Vgl. S.J.De Vries, *Prophet*, 67.90, der den Erzählanfang mit 8,29b gegeben sieht.

91 E.Würthwein, *Bücher II*, 328.

92 So u.a. O.Thenius, *Bücher*, 315; Y.Minokami, *Revolution*, 22. Auch M.Mulzer, *Jehu*, 37-39, lehnt eine Streichung von את aus textkritischen Gründen ab, streicht die Präposition dann allerdings im literarkritischen Teil (a.a.O. 218 Anm. 19). Siehe dazu aber S.48f.

93 E.Würthwein, *Bücher II*, 324.328; vgl. H.Ewald, *Geschichte*, 568; M.Mulzer, *Jehu*, 218 Anm. 19.

94 Vgl. auch B.Lehnart, *Prophet*, 335; Y.Minokami, *Revolution*, 22-25.

95 W.Gross, *Erscheinungen*, 135 Anm.13.

96 Siehe S.109-111.

97 Vgl. M.Eskhult, *Studies*, 50ff.

98 Da die Erzählung nach dem Tode Jorams noch weitergeht und Jehu fast durchgängig der Handlungsträger ist, wird man kaum annehmen können, es handele sich um eine Erzählung über Joram.

99 Joram war bei Ramoth-Gilead von den Aramäern verwundet worden, als er dort mit Hasael, dem König von Aram, kämpfte (8,28; 9,15a). Daraufhin hatte er sich zur Heilung nach Jesreel zurückgezogen (8,29a; 9,15a). Weil er Joram einen Besuch abstattet, hält sich auch Ahasja, der König von Juda, zu der Zeit, in der die Erzählung beginnt, in Jesreel auf (8,29b; 9,16b).

fast wortwörtlich entsprechen.[100] Zumindest Teilstücke[101] der Informationspassagen 8,28f. und 9,14b-16* sind somit voneinander literarisch abhängig.[102] Es ist allerdings nicht einzusehen, wieso ein Redaktor, der im Fall der Priorität von 8,28f., zu Beginn der Erzählung eine geschlossene Orientierung über die Umstände der Revolution vorfand,[103] diese im Text verstreut nochmals wiederholen sollte.[104] Eine nachträgliche systematisierende Voranstellung von Hintergrundinformation hingegen ist – für den Fall der Priorität von 2.Kön 9,14-16* – durchaus einsichtig zu machen.[105] Wenn aber – wie die obigen Überlegungen nahelegen – 2.Kön 8,28f. sekundär gegenüber 9,14b.15a.16aßb ist, spricht nichts für einen vor 8,28f. „weggebrochenen" Erzählanfang, dieser ist vielmehr nach 8,28f. zu suchen.

Zuvor soll jedoch die Funktion der Verse 8,28.29 geklärt werden. Ihrem Stil nach – nur Narrative, keine Umstandssätze[106] und keine direkte Rede – entspricht 8,28f. den an den Königsrahmen angehängten Kurzberichten.[107] Diese liefern eine knappe Beschreibung eines Ereignisses ohne szenische Gliederung. Die Berichte prophetischen, kultischen oder – wie 8,28.29 – militärischen Inhalts folgen meist, so H.-D.Hoffmann[108], auf die Einführungs- (8,25f.) und Wertungsformel (8,27) des Königsrahmens.[109] Durch den auf Ahasja bezogenen[110] Kurzbericht (8,28f.) wird die Erzählung von der Jehu-Revolution, in deren Verlauf Ahasja umkommt (9,27), harmonisch an den Königsrahmen für Ahasja (8,25-27) angefügt und so die ursprünglich eigenständige[111] Erzählung von der Jehu-Revolution in das DtrG eingebaut.

---

[100] Einen Überschuß gegenüber 9,15a bildet die zusätzliche Ortsangabe ברמה in 8,29a; die Schreibung der Namen Joram (8,29a: יורם; 9,15a: יהורם) und Hasael (8,29a: חזהאל; 9,15a: חזאל) weicht in beiden Versen voneinander ab. In 9,16b fehlt gegenüber 8,29b jeweils die Filiation der Könige Joram und Ahasja sowie die schon durch V.16a gegebene Ortsangabe „Jesreel". Auch hier ist wieder eine differierende Schreibung von Namen zu beobachten: Während der König von Juda in 8,29b אחזיהו geschrieben wird, so wird sein Name in 9,16b mit אחזיה wiedergegeben.

[101] Siehe S.49f.

[102] Für eine Abhängigkeit von 2.Kön 8,28f. von 2.Kön 9,14b.15a.16aßb plädiert Y.Minokami, *Revolution*, 23f. (vgl. O.H.Steck, *Überlieferung*, 32 Anm. 2); genau umgekehrt beurteilen A.Jepsen, *Quellen*, 78; M.Mulzer, *Jehu*, 218-220 und E.Würthwein, *Bücher II*, 330, das Verhältnis zwischen den beiden Informationspassagen.

[103] Der Erzählanfang ist nach M.Mulzer, *Jehu*, 220, gegenüber 9,14-16* die richtigere Position für die Darbietung der Hintergrundinformationen: „Wenn aber weder 9,14b-15a noch V.16c-d die Voraussetzungen für die Erzählung zum richtigen Zeitpunkt liefern, müssen diese in 8,28a*.b.29a*.b enthalten sein." Zur Position der Orientierung des Lesers in 9,14b-16* siehe S.66-68.85.

[104] Die von M.Mulzer, *Jehu*, 218-222, genannten Gründe für eine nachträgliche, nach 2.Kön 8,28f.* gestaltete Einfügung von 9,14b-15a.16aßb sind äußerst dürftig (siehe a.a.O. 219 Anm. 23). Auch die zusätzliche Annahme, der Ergänzung sei die Aufnahme der „Prophetenlegende" (2.Kön 9,1-13) in die Erzählung von der Jehu-Revolution vorausgegangen, so E.Würthwein, *Bücher II*, 328ff.; ähnlich J.Gray, *Kings*, 537ff., erhöht die Plausibilität der obigen These nicht.

[105] Siehe unten S.49f.

[106] Vgl. im Unterschied dazu den invertierten Verbalsatz der Afformativkonjugation in 9,14b, der die Orientierung deutlich vom Kontext abhebt.

[107] Solche Kurzberichte finden sich beispielsweise in 1.Kön 16,24; 2.Kön 8,20-22; 15,10.14.19f.25; 16,5-18; 17,3-8; 21,23f.; 23,33-35; 24,1f.10-17; vgl. auch Chr.Hardmeier, *Prophetie*, 106f.; H.-D.Hoffmann, *Reform*, 33-38.

[108] a.a.O. 33-38.

[109] Vergleiche zum Königsrahmen H.-D.Hoffmann, *Reform*, 33-38; R.D.Nelson, *Redaction*, 29-41; S.Timm, *Dynastie*, 13-52; H.Weippert, *Beurteilungen*, 301-339.

[110] „Er zog mit Joram ..." (8,28).

[111] Siehe Seite 95f.

Für die Theorie, in 8,28.29 läge ein von den Deuteronomisten in Anlehnung an 9,14b-15a.16aßb geschaffener Kurzbericht[112] vor, sprechen folgende Beobachtungen:

- Im Unterschied zur Erzählung in 9,1ff. wird in 8,28f., ganz im Sinne der von den Deuteronomisten angestrebten historischen Genauigkeit, die Filiation Jorams von Israel sofort bei seiner Einführung angegeben. Außerdem wird zur besseren Unterscheidung zwischen Joram (יהורם) von Juda, dem zuvor erwähnten Vater Ahasjas (8,16-24.25), und Joram von Israel der Name des israelitischen Königs (יהורם in 9,15.17.21.22.23.24) – auch in dem aus 9,15a fast wortwörtlich übernommenen Vers 8,29a – als יורם (8,28a.28b.29a.29b) wiedergegeben.
- Der Tendenz der deuteronomistischen Redaktoren zu größerer Genauigkeit ist vermutlich auch die Veränderung von „denn Joram lag dort" (9,16aß) in „denn er war krank" (8,29) zuzuschreiben.
- Die Verwundung Jorams wird sowohl in 8,28b als auch in 8,29a erwähnt. Zu dieser leichten Doppelung kommt es, weil sich die Verfasser von 8,28f. des Verses 9,15a gleich mehrmals bedienten: Einmal auszugsweise, um den gemeinsamen Kampf Ahasjas und Jorams gegen Hasael, den König von Aram, zu schildern (8,28a),[113] und ein zweites Mal wortgetreu, um den Grund für Jorams Rückkehr nach Jesreel zu nennen (8,29a). Da der auf Ahasja bezogene V.28a nicht analog zu 9,14b.15a direkt mit וישב יהורם fortgesetzt werden konnte, berichteten sie zuvor in 8,28b – unter Aufnahme der Wendungen יכהו ארמים aus 9,15a – von der Verwundung Jorams durch die Aramäer: ויכו ארמים את־יורם. Durch den Anschluß des wortgetreuen Äquivalents von 9,15a (8,29a) wird die Verwundung Jorams dann noch einmal erwähnt.

Doch die Deuteronomisten scheinen ihre Informationen für den militärischen Kurzbericht nicht nur aus 2.Kön 9,14b-15a.16aßb geschöpft zu haben; sie verfügten daneben über weitere Quellen, wie zum Beispiel die in den Rahmenpassagen erwähnten „Tagebücher der Könige von Juda" (vgl. nur 8,23), aus denen vermutlich auch ihre weiteren Angaben über Ahasja von Juda (8,25-27) stammen. Denn sie bieten in 8,28f. zum Teil über 9,14b-15a.16aßb hinausgehende, zum Teil auch von der dort gegebenen Darstellung der historischen Umstände abweichende Informationen:

- So in der über 9,14-15 hinausgehenden Notiz, Joram sei in Rama (8,29) verwundet worden. Auch hier spiegelt sich das historische Interesse der Deuteronomisten wider, in ihren Berichten über die Könige von Israel und Juda Daten, Namen und Fakten möglichst genau festzuhalten. Dieser Informationsüberschuß spricht ebenfalls gegen eine Abhängigkeit der Verse 9,14b-15a.16aßb von 2.Kön 8,28f. Denn es ist nicht anzunehmen, daß ein Redaktor, dem ein gewisses Maß an historischem Interesse unterstellt wer-

---

[112] Vgl. R.Kittel, *Bücher*, 226f.; M.Noth, *Studien*, 84; O.H.Steck, *Überlieferung*, 32 Anm. 2; anders Y.Minokami, *Revolution*, 22-25, der 8,28f. als „Nachtrag zum einleitenden Rahmenstück für Ahasja von Juda" beurteilt, da dieser die den Deuteronomisten fremde und erst in den Chronikbüchern ausgeprägte Vorstellung, die Beteiligung eines jüdäischen Königs am Krieg eines „israelitischen Königs bilde als solche eine Sünde" (a.a.O. 25), teile. Von einer solchen Wertung des Kriegszuges Ahasjas (vgl. 2.Chr. 19,1f.) ist aber 2.Kön 8,28f. weit entfernt, hier werden lediglich in neutraler Form historische Fakten wiedergegeben.

[113] Vgl. למלחמה עם־חזהאל מלך־ארם in 8,28a mit בהלחמו את־חזאל מלך ארם in 9,15a.

den müßte, wenn er in 2.Kön 9,14b-15a.16aßb die Informationen aus 2.Kön 8,28f. wiederholt hätte, ausgerechnet eine Notiz über den genauen Ort der Verwundung Jorams ausgelassen hätte.

- Eine gewichtige inhaltliche Differenz besteht zwischen 8,28a und 9,14b.[114] Zwar nennen beide Verse Ramoth-Gilead als den Ort der Auseinandersetzung mit Hasael, dem König von Aram; sie schildern aber die Art der Auseinandersetzung um Ramoth-Gilead in höchst unterschiedlicher Weise: 8,28 berichtet, daß Ahasja von Juda und Joram von Israel zum Kampf gegen Hasael nach Ramoth-Gilead gezogen seien; es ging also in dem erwähnten Kampf zwischen Israel/Juda und Aram, wie in 1.Kön 22 (vgl. 1.Kön 22,4 mit 2.Kön 8,28), darum, Ramoth-Gilead von Hasael zu erobern.[115] In 9,14b dagegen heißt es, Joram habe Ramoth-Gilead vor Hasael bewacht! Das heißt, Ramoth-Gilead wird als israelitisches Gebiet angesehen.[116] Ahasja ist nach dieser Darstellung nicht am Krieg mit den Aramäern beteiligt, er gerät nur wegen eines später erfolgenden Krankenbesuchs bei Joram in die Ereignisse der Revolution (9,16b). Aufgrund dieser starken Differenz ist anzunehmen, daß die Deuteronomisten hier von den ihnen mit der Erzählung von der Jehu-Revolution vorliegenden historischen Hintergrundinformationen abwichen und auf ihre „zweite Quelle", vermutlich die judäische Chronik, zurückgriffen. Der Grund für die Bevorzugung dieser Quelle könnte schlicht darin liegen, daß diese von einem Feldzug unter Beteiligung Ahasjas ausgeht oder daß ihnen die judäische Chronik verläßlicher schien als eine Erzählung aus dem Nordreich.[117]

Die Notiz über das Begräbnis Ahasjas (2.Kön 9,28) als Teil des Schlußformulars des Königsrahmens für Ahasja; 2.Kön 9,29 – ein später Nachtrag

Die Notiz über den Transport des toten Königs Ahasja nach Jerusalem und sein dort stattfindendes Begräbnis sprengt – nicht nur räumlich, denn hier wird mit dem nordisraelitischen Gebiet auch die strenge räumliche Gliederung der Erzählung[118] verlassen – den Rahmen der Erzählung von der Jehu-Revolution: Die weder einen Handlungsfortschritt noch eine Pointe erzielende Notiz hemmt das sonst zu beobachtende schnelle Fortschreiten

---

[114] Diese Differenz beobachtet auch G.Hentschel, *2 Könige*, 39.

[115] Diese Information stimmt – hinsichtlich der Art der israelitisch-aramäischen Auseinandersetzung – mit der Darstellung der Tel Dan Stele (vgl. dazu vor allem I.Kottsieper, *Inschrift*, 475-500, auf dessen Übersetzung [a.a.O. 478] ich mich hier beziehe) überein: Joram scheint unter Bruch eines zwischen Israel und Aram existierenden Vertrages (Zeile 1-2) in aramäisches Gebiet vorgedrungen zu sein (Zeile 3 und 4). Dabei wurden er und Ahasja, der König von Juda, von Hasael, dem neuen König von Aram (Zeile 5 und 6), geschlagen (getötet?) (Zeile 8 und 9). Siehe dazu auch S.101f.

[116] Dies würde sich mit der Wiedergewinnung der ursprünglich israelitischen Grenzgebiete unter Jerobeam II. (vgl. 2.Kön 14,25), in dessen Regierungszeit die Erzählung von der Jehu-Revolution vermutlich entstanden ist (siehe S.110f.), decken: Es ist recht wahrscheinlich, daß auch das zwischen Aram und Israel ständig umkämpfte Ramoth-Gilead (1.Kön 22; 2.Kön 8,28f.; vgl. auch 2.Kön 10,32f.) im Zuge der Rückeroberungen Jerobeams II. oder seiner Vorgänger (2.Kön 13,5.25) wieder an Israel fiel, so daß der Autor der Erzählung von der Jehu-Revolution von einem israelitischen Ramoth-Gilead ausgehen konnte.

[117] Eine Theorie, die von der Sekundarität von 2.Kön 9,14b-15a.16aßb gegenüber 8,28f. ausgeht (so u.a. E.Würthwein, *Bücher II*, 330; vgl. M.Mulzer, *Jehu*, 218ff.), vermag diese Differenz in der historischen Darstellung kaum zu erklären. Die hier vertretene Theorie kann diese jedoch zwanglos aus der Modellvorstellung von den – über mehrere Geschichtsquellen verfügenden – Deuteronomisten herleiten.

[118] Siehe S.75-77.

der Handlung.[119] Außerdem ist die Ermordung Ahasjas im übrigen weitgehend parallel zur Ermordung Jorams gestaltet, über dessen Verbleib nach seinem Tode in der ursprünglichen Erzählung nichts berichtet wird.[120] Der Bericht über Transport und Begräbnis des toten Ahasja stellt also formgeschichtlich gesehen einen Überschuß dar. Er ist vermutlich auf das schon oben erwähnte Bemühen der Deuteronomisten zurückzuführen, die Erzählung von der Jehu-Revolution eng mit der Regierungszeit Ahasjas zu verbinden.[121] Die Information über Ahasjas Begräbnis in 2.Kön 9,28 ist mit den in 2.Kön 14,20 und 23,30 vorliegenden Transport- und Begräbnisnotizen nahe verwandt: Auch dort werden die toten judäischen Könige jeweils nach Jerusalem gebracht, um daselbst begraben zu werden. „Sie begruben ihn bei seinen Vätern/in seinem Grab in der Stadt Davids“[122] ist überdies typisch für die in den deuteronomistischen Schlußformeln des Königsrahmens enthaltenen Begräbnisnotizen judäischer Könige.[123]

2.Kön 9,28 bildet allerdings – unter anderem wegen der Einbindung der Notiz in die Erzählung – nur ein unvollständiges Schlußformular: So fehlen der sonst übliche Verweis auf die Informationsquellen, in denen weiteres über den jeweiligen König nachzulesen ist, die Angabe seines Nachfolgers – was vermutlich darauf zurückzuführen ist, daß ihm die Thronusurpatorin Atalja nachfolgte[124] – und innerhalb der Begräbnisnotiz der Vermerk des Todes, über den schon innerhalb der Erzählung selbst (V.27) informiert wird.

Über den sekundären Charakter von 2.Kön 9,29 besteht weitgehende Einigkeit.[125] Der innerhalb seines Kontextes gänzlich unmotivierte Vers fällt allein schon durch seine Jahresangabe aus der Erzählung von der Jehu-Revolution heraus: Die temporalen Angaben (2.Kön 10,9) bzw. Temporalsätze (2.Kön 9,22; 10,7.25[126]) der Erzählung sind – im Unterschied zu 9,29 – stets auf die Ereigniskette bezogen.

Nun ist V.29 allerdings nicht auf einer literarischen Ebene mit V.28 anzusiedeln.[127] Denn während V.28 in dem Bemühen in die Erzählung eingefügt wurde, wenigstens einen Teil des Schlußformulars für Ahasja zu liefern, so läuft die Ergänzung von V.29 ebendiesen deuteronomistischen Bestrebungen zuwider: Zwar entspricht V.29 seiner Formulierung nach den deuteronomistisch verwendeten Antrittssynchronismen;[128] der „richtige Platz“ des Antrittssynchronismus innerhalb des deuteronomistischen Rahmenschemas der Kö-

---

[119] Siehe S.83ff.

[120] Vgl. M.Mulzer, *Jehu*, 238. Zu 2.Kön 9,25f. siehe S.55-64.

[121] Vgl. B.Lehnart, *Prophet*, 337; G.Hentschel, *2 Könige*, 40; Y.Minokami, *Revolution*, 11f. H.-Chr.Schmitt, *Elisa*, 23f., beurteilt dagegen V.28 (mit V.29) als nachdeuteronomistische annalistische Ergänzung; ähnlich E.Würthwein, *Bücher II*, 332; L.M.Barré, *Rhetoric*, 15.31.

[122] „Bei seinen Vätern in der Stadt Davids“: 1.Kön 14,31; 15,24; 22,51; 2.Kön 8,24; 12,22; 15,7.38; 16,20. „In seinem Grab“: 2.Kön 23,30. „In der Stadt Davids“: 1.Kön 15,8.

[123] Vgl. H.-D.Hoffmann, *Reform*, 33.

[124] Vgl. dazu Chr.Levin, *Sturz*, 11f.

[125] Vgl. nur R.Kittel, *Bücher*, 233; M.Rehm, *Das zweite Buch*, 93; J.A.Montgomery, *Commentary*, 400; G.Hentschel, *2 Könige*, 44f.; H.-Chr.Schmitt, *Elisa*, 24; Y.Minokami, *Revolution*, 12; S.Timm, *Dynastie*, 139; E.Würthwein, *Bücher II*, 332; M.Mulzer, *Jehu*, 213f.; B.Lehnart, *Prophet*, 337.

[126] Darüber hinaus ist auch 2.Kön 9,15aß temporal aufzufassen.

[127] So auch S.Timm, *Dynastie*, 138f.; B.Lehnart, *Prophet*, 337; anders H.-Chr.Schmitt, *Elisa*, 23f., der beide Verse einer „annalistischen Bearbeitung“ zuweist. Vgl. E.Würthwein, *Bücher II*, 332.

[128] Vgl. 2.Kön 9,29 mit 8,25.

nigsbücher ist aber das Einführungs- und nicht das Schlußformular des Königsrahmens.[129] So findet sich auch im Einführungsformular für Ahasja (2.Kön 8,25-27) die entsprechende Notiz über seinen Regierungsantritt (8,25). Diese liefert nun 2.Kön 9,29 widersprechende Jahresangaben: Nach 2.Kön 8,25 war das Jahr des Regierungsantritts Ahasjas von Juda das 12.Jahr Jorams von Israel, nach 2.Kön 9,29 hingegen begann die Regierung Ahasjas schon im 11.Jahr Jorams. Warum aber sollten die Deuteronomisten den bereits an passender Stelle gebotenen Antrittssynchronismus zur Unzeit und noch dazu mit veränderten Angaben wiederholen? Es ist vielmehr anzunehmen, daß 2.Kön 9,29 erst nach der Rahmung und Bearbeitung der Erzählung von der Jehu-Revolution durch die Deuteronomisten von einem Bearbeiter eingefügt wurde,[130] der hier die Angaben aus 2.Kön 8,25 „korrigierte", um „das Regierungsjahr Ahasjas unterzubringen"[131].

Der Königsrahmen für Jehu – 2.Kön 10,28-36

Für Jehu, der durch eine Revolution an die Macht kam, fehlt die Einführungsformel des Königsrahmens ebenso wie für Salomo und Jerobeam I. Jedesmal existiert eine Erzählung (1.Kön 1-2; 11-12; 2.Kön 9-10) über die besonderen Umstände, unter denen sie König wurden.[132] Vermutlich ist es das Fehlen einer Einführungsformel für die drei Könige, was dazu führte, daß nur bei ihnen die Schlußnotiz jeweils um eine Angabe der Regierungsdauer erweitert wurde (1.Kön 11,42; 14,20a; 2.Kön 10,36).[133] Vor der Schlußnotiz für Jehu (10,34-36), die wie üblich aus der Quellenangabe (10,34), der Todes- und Begräbnisnotiz (10,35) und zusätzlich aus der Angabe über die Regierungsdauer (10,36) besteht, finden sich die deuteronomistische Beurteilung Jehus (10,28-31) und ein militärischer Kurzbericht (10,32-33) über die Gebietseroberungen Hasaels[134]. Die deuteronomistische Beurteilung Jehus setzt ein mit V.28, der die Überleitung zwischen der Erzählung und dem deuteronomistischen Nachtrag darstellt.[135] Hier wird – 10,18-27 zusammenfassend – ein positiver

---

[129] Vgl. u.a. H.-D.Hoffmann, *Reform*, 33; S.Timm, *Dynastie*, 14-28.

[130] So unter anderen S.Timm, *Dynastie*, 138f.; B.Lehnart, *Prophet*, 337; vgl. E.Würthwein, *Bücher II*, 332; M.Mulzer, *Jehu*, 213f.; G.Hentschel, *2 Könige*, 44f.; Y.Minokami, *Revolution*, 12.

[131] E.Würthwein, *Bücher II*, 332; vgl. auch A.Šanda, *Bücher II*, 100; J.A.Montgomery, *Commentary*, 396; G.Hentschel, *2 Könige*, 44f. Zur Berechnung des Jahres des Regierungsantritts siehe M.Mulzer, *Jehu*, 214 Anm. 5.

[132] Anders bei Baesa (1.Kön 15,25-16,7), Omri (16,15ff.), Schallum (2.Kön 15,8ff.), Menachem (15,14ff.), Pekach (15,23ff.) und Hosea (15,30), die ebenfalls durch eine Revolte König wurden. Bei ihnen schließt sich die „Einführungsformel" jeweils an einen Kurzbericht an.

[133] So auch M.Noth, *Studien*, 84 Anm. 3.

[134] Vgl. dazu auch 2.Kön 8,20-22; 24,1f.

[135] Anders G.Hölscher, *Buch*, 186; A.Alt, *Stadtstaat*, 283; I.Plein, *Erwägungen*, 15 Anm. 38; O.Eißfeldt, *Komposition*, 51 Anm. 2; B.Uffenheimer, *Prophecy*, 252; A.F.Campbell, *Prophets*, 103; M.Mulzer, *Jehu*, 271 und B.Lehnart, *Prophet*, 338f., die V.28 zum Grundbestand der Erzählung rechnen. Die ätiologische Notiz in V.27 bildet einen guten Abschluß der Erzählung, da hier die Verbindung zur Erzählgegenwart hergestellt wird (vgl. Y.Minokami, *Revolution*, 9). V.28 bildet dagegen mit V.29 eine syntaktische Einheit (vgl. die analog gestalteten deuteronomistischen Lob-Tadel-Verbindungen in 1.Kön 15,13f.; 2.Kön 3,2f.; 12,3f.; 14,3f.; 15,3f. und 15,34f.) und ist daher der deuteronomistischen Beurteilung Jehus zuzurechnen (so auch H.-Chr.Schmitt, *Elisa*, 19 Anm. 2; H.-D.Hoffmann, *Reform*, 362; vgl. J.A.Montgomery, *Commentary*, 411). Dafür spricht ebenfalls die Verwendung der Formulierung „den Baal ausrotten (שמד)": שמד als Verbum der völligen Vernichtung im Zusammenhang mit einem göttlichen Strafgericht (vgl. H.-D.Hoffmann, *Reform*, 348.362) wurde von den Deuteronomisten bereits in 10,17aß verwandt, um die Auslöschung des Hauses Ahabs in Samaria zu beschreiben.

Aspekt von Jehus Handeln genannt: Jehu rottete den Baalskult aus.[136] Dieses Lob wird allerdings in der für die Deuteronomisten typischen Weise[137] sofort wieder relativiert: „Nur (רַק) von den Sünden Jerobeams ...“ (V.29). Auf den Vorwurf, von den Sünden Jerobeams[138] nicht abgelassen zu haben, erfolgt ein Wort Jahwes an Jehu (V.30).[139] Jehu wird hier, da er – ein zweiter positiver Aspekt seines Handelns – nach dem Plan Jahwes das Haus Ahabs ausgerottet hat, der Bestand seiner Dynastie über vier Generationen[140] garantiert. Er wird in diesem Spruch als einziger König des Nordreiches mit der positiven Bewertungsformel bedacht, „das Gute in den Augen Jahwes“[141] getan zu haben. Aber auch dieser zweite positive Aspekt der Maßnahmen Jehus wird anschließend durch den Vorwurf relativiert, Jehu habe nicht „mit ganzem Herzen“ der Thora Jahwes gedacht (vgl. Ex 16,4; Jer 26,4; 44,10; Ps 78,10).[142] Da es aber der Tendenz des DtrG entspricht, etwaige positive Darstellungen der Könige des Nordreiches mit negativen Bemerkungen zu umkleiden,[143] ist der Aufbau des deuteronomistischen Nachtrages durchaus schlüssig, und es muß keine weitere Bearbeitung angenommen werden.[144] Folgende Übersicht mag dies verdeutlichen:

10,28-31a: Deuteronomistische Bewertung Jehus
28: Überleitung – Beseitigung des Baalskultes (positiv)
29: Relativierung – Die Sünde Jerobeams (negativ)
30: Jahwewort – Lob, Dynastieverheißung (positiv)
31a: Relativierung – Mangelnde Beachtung der Thora[145]
10,32-33: Militärischer Kurzbericht – Gebietseroberungen durch Hasael
10,34-36: Schlußformel des Königsrahmens
34: Quellenverweis
35a: Tod und Begräbnis
35b: Name des Nachfolgers
36: Regierungszeit

---

136 Gleichzeitig beschließen die Deuteronomisten mit der Notiz über die Ausrottung des Baals aus ganz Israel ihr mit 1.Kön 16,31f. eingeläutetes Kapitel über den Baalskult in Israel; siehe dazu S.116f. mit Anm. 487. Auch diese auf das gesamte Königsbuch bezogene kompositorische Funktion von 2.Kön 10,28 spricht für die deuteronomistische Gestaltung des Verses.

137 Vgl. 1.Kön 15,14; 2.Kön 3,3, 12,4; 14,4; 15,4.35.

138 Vgl. 1.Kön 14,16; 15,26.30.34; 16,2.19.26; 2.Kön 3,3; 13,2.6.11.

139 An entsprechender Stelle findet sich in 1.Kön 16,1-4 ein Wort Jahwes an Baesa.

140 Siehe dazu den Erfüllungsvermerk in 2.Kön 15,12. Wie bei David (2.Sam 7) handelt es sich um eine unbedingte Dynastieverheißung. E.T.Mullen, *Grant*, 194ff., stellt fest, daß, ähnlich wie bei den Nachfolgern Davids, der Fortbestand der Dynastie Jehu immer wieder auf die Gnade Jahwes zurückgeführt wird (2.Kön 13,4f.; 13,23).

141 Vgl. 1.Kön 15,11; 22,43; 2.Kön 12,3; 14,3; 15,3.34; 18,3; 22,2.

142 Der Vorwurf der Sünde Jerobeams in V.31b ist vermutlich eine Glosse. Hier sollte erklärt werden, inwiefern Jehu nicht auf die Thora Jahwes achtete; vgl. E.Würthwein, *Bücher II*, 343.

143 Vgl. 2.Kön 3,2f.: Auch bei Joram, der als zweiter Nordreich-König etwas positiver beurteilt wird, ist die positive Notiz (V.2b) von negativen Urteilen in V.2a und V.3 umrahmt.

144 Vgl. M.Noth, *Studien*, 84. Anders L.M.Barré, *Rhetoric*, 22f.33f; H.Weippert, *Beurteilungen*, 316f.; J.A.Montgomery, *Commentary*, 411-413; J.Gray, *Kings*, 562f.; E.Würthwein, *Bücher II*, 342f.; G.Hentschel, *2 Könige*, 49-51; M.Mulzer, *Jehu*, 274-280, die die Verse 28-36 auf mehrere literarische Schichten aufteilen.

145 Zu V.31b siehe oben Anm. 142.

2.1.3 Die Kultreform Jehus

Den Abschluß der Erzählung in ihrer Endfassung bildet die ätiologische Notiz in 10,27b: „Und sie machten es zu Aborten bis heute“. Diese scheint aber nicht das Ende der ursprünglichen Erzählung gewesen zu sein. H.-D.Hoffmann,[146] dessen Position ich mich anschließe, geht von einer Ergänzung des Abschnittes 10,25b-27 durch den deuteronomistischen Bearbeiter aus, der Jehus Beseitigung der Baalspriester, -propheten und -verehrer (10,18-25a) zu einer Kultreform, ähnlich der des Josia (2.Kön 23), hochstilisieren wollte.[147] Für Hoffmanns These sprechen sowohl sprachliche als auch stilistische Argumente:

- In 10,26.27 findet sich typisch deuteronomistisches Vokabular für die Zerstörung von Kultstätten und Kultobjekten: Der Baalstempel wird eingerissen (נתץ)[148], ebenso die „Mazzebe des Baal“[149] (10,27). Die „Mazzebe des Baalstempels“ (10,26) wird verbrannt (שרף).[150]
- Auch die Vorgehensweise, Kultgegenstände zunächst aus der Kultstätte herauszutragen und anschließend zu verbrennen (10,26), findet sich im Bericht über Josias Kultreform wieder (2.Kön 23,4.6). Wie Jehu und seine Leute (10,27b) macht auch Josia Kultstätten durch Verunreinigung unbrauchbar.[151]
- Der Berichtstil,[152] in dem die Verse 25b-27 gehalten sind, unterscheidet sich zudem deutlich vom Stil der vorhergehenden Erzählung, die in 10,25bα abbricht[153].
- Auffällig ist auch, daß Jehu nicht mehr erwähnt wird, Subjekt sind immer noch, wie an der Pluralform der Verben erkenntlich, die Läufer und Adjutanten (V.25b). Das Geschehen entwickelt hier eine Eigendynamik, die der Erzählung selbst, in der jegliche Aktion von Jehu ausgeht bzw. von Jehu angeordnet wird, fremd ist. Nach dem Duktus der Erzählung – schließlich ist es Jehus Eifer für Jahwe, der hier dargestellt werden soll – würde man erwarten, daß Jehu, wie zuvor in 10,18-24, die Befehle für jeden weiteren Schritt im Vorgehen gegen den Baalskult erteilt.

---

[146] H.-D.Hoffmann, *Reform*, 97ff. Ihm folgt L.M.Barré, *Rhetoric*, 21.33. Ausdrücklich gegen Hoffmann wenden sich M.Mulzer, *Jehu*, 271-273 mit Anm. 201 und B.Lehnart, *Prophet*, 338f.

[147] a.a.O. 100f.

[148] Vgl. 2.Kön 11,18; 23,7.

[149] Die Verbindung von נתץ und Mazzebe findet sich nur hier. Vgl. zum Einreißen von Kultobjekten jedoch: Ex 34,13; Dtn 7,5; 12,3; Ri 2,2; 6,28.30.31.32; 2.Kön 23,8.12.15. Vgl. zu „Mazzebe des Baal“ auch 2.Kön 3,2.

[150] Das Verbrennen einer Mazzebe wird nur hier erwähnt. Andere Kultobjekte werden in Ex 32,20; Dtn 7,5. 25; 9,21; 1.Kön 15,13; 2.Kön 23,4.6.11.15 verbrannt.

[151] 2.Kön 23,8.10.13-14.20.

[152] Es finden sich nur Narrative, keine Detaillierungen wie wörtliche Reden oder orientierende Erläuterungen. Vgl. dazu H.-D.Hoffmann, *Reform*, 100.

[153] Der ursprüngliche Schluß der Erzählung scheint nach „Und es warfen die Läufer und Adjutanten ...“ weggebrochen zu sein (vgl. S.40 mit Anm. 43). J.Wellhausen, *Composition*, 372 Anm. 7, rekonstruiert: „... die Leichen in den heiligen Brunnen (in die heilige Höhle) des Baal“. Möglicherweise berichtete dieser Schluß bereits vordeuteronomistisch von einer Heiligtumszerstörung, die die Deuteronomisten unter Verwendung ihres Vokabulars und in Analogie zur Kultreform des Josia umarbeiteten. Der Vorgang der Umgestaltung eines bereits vorhandenen Schlusses würde auch den etwas ungeschickten Übergang zwischen V.25a und V.25b erklären, der sich stark von den sonst so geschickt vorgenommenen deuteronomistischen Einfügungen innerhalb der Erzählung abhebt.

Im Zusammenhang mit der deuteronomistischen Übermalung des ursprünglichen Schlusses der Erzählung sind auch die nachträglichen Erweiterungen derselben um 10,19b und 10,21aα zu betrachten:[154] V.19b verdirbt die Pointe der Szene in 10,17*-25a, indem er die Absicht Jehus, die der Leser wahrscheinlich schon ahnt, aber noch nicht genau kennt, preisgibt, was für den spannungsreichen Stil des Erzählers untypisch ist.[155] Für eine deuteronomistische Herkunft[156] des Verses spricht die Wendung „um die Baalsverehrer zu vernichten"[157] und die ängstliche Verteidigung Jehus gegen den voreiligen Vorwurf, tatsächlich den Baal wie Ahab (10,18) zu verehren (vgl. 10,28).

Nachdem in V.20 die Einladung zur Festversammlung erfolgt ist, heißt es – das lokale Schema der Erzählung sprengend[158] – in V.21aα: „Jehu sandte in ganz Israel umher". Obwohl natürlich nicht auszuschließen ist, daß Jehu, um mehr Baalsverehrer zu erreichen, nochmals Boten im Land umher gesandt hat, ist es meines Erachtens plausibler, die leichte Doppelung zwischen V.20 und V.21aα auf eine Erweiterung des Textes um V.21aα zurückzuführen,[159] zumal sich V.21aß lückenlos an V.20 anschließt. Diese Erweiterung auf die Deuteronomisten zurückzuführen, liegt nahe, da es in ihrem Interesse lag, zu betonen, daß Jehu alle Baalsverehrer aus ganz Israel ausgerottet hat und sein Wirken nicht auf Samaria beschränkt blieb (vgl. 2.Kön 10,21aα mit 10,28).

2.2 Die Naboth-Bearbeitung in 2.Kön 9,21b*.25f.

Die Szene 9,25-26 unterbricht den Handlungsablauf zwischen Jorams Ermordung und Ahasjas Flucht. Ahasja flieht (V.27), weil er von Joram gewarnt wird (V.23) und dann sieht (V.27), daß Joram ermordet wird (V.24). V.27 knüpft also direkt an V.24 an. Man kann kaum annehmen, „als Ahasja das gesehen hatte, ..." (V.27) beziehe sich auf die schmähliche Behandlung von Jorams Leiche, denn solange wird Ahasja wohl nicht mit der Flucht gewartet haben. Weiter spricht für eine nachträgliche Einfügung der Szene, daß diese auf eine andere Erzählung verweist, in welcher von Naboth, seinem Grundstück und Ahab berichtet wird. Hier werden Fragen beim Leser aufgeworfen, die die Erzählung von der Jehu-Revolution nicht beantwortet. Abgesehen von der hier vorliegenden Anspielung auf den „Fall Naboth" – und den kompositorischen Verknüpfungen mit dem DtrG – kann diese jedoch für sich alleine stehen. Es ist also anzunehmen, daß 9,25f. keinen integralen

---

[154] Vgl. M.Mulzer, *Jehu*, 261-267, der 10,19b.20 (ohne ויקרא).21aα als sekundär einstuft, wobei mir die Gründe für die Aussonderung von V.20* nicht auszureichen scheinen, zumal Mulzer (a.a.O. 267) auch kein Motiv für die Einfügung des Verses anzugeben vermag.

[155] Siehe dazu S.83ff. H.-Chr.Schmitt, *Elisa*, 24f., rechnet V.19b zu einer „apologetischen" Bearbeitungsschicht. Vgl. H.Gunkel, *Geschichten*, 90; M.Sekine, *Beobachtungen*, 56; M.Rehm, *Das zweite Buch*, 96; E.Würthwein, *Bücher II*, 340 Anm. 2; G.Hentschel, *2 Könige*, 40, die V.19b ebenfalls als nachträgliche Verteidigung Jehus von seinem Kontext absetzen. Anders Y.Minokami, *Revolution*, 116f.

[156] So auch S.Timm, *Dynastie*, 139, allerdings nur für V19bß.

[157] Vgl. zur Vernichtung (אבד) von Kultorten: Dtn 12,2; 2.Kön 21,3; zur Vernichtung der Feinde: Dtn 7,24; 9,3; 11,4 und dazu H.-D.Hoffmann, *Reform*, 346f. Vgl. zu אבד ebenfalls die Unheilsankündigung an Ahab in 2.Kön 9,8.

[158] Siehe S.75-77. Die Aktionen Jehus im letzten Teil der Erzählung (10,17aα.18-27) sind allein auf Samaria bezogen; vgl. auch M.Mulzer, *Jehu*, 263.

[159] Auch H.Gunkel, *Geschichten*, 90f.; J.Wellhausen, *Composition*, 373; J.C.Trebolle-Barrera, *Jehú*, 157f., sehen V.21aα als sekundär an.

Bestandteil der Erzählung bildete. Wurde aber der ganze Bezug zu Naboth und seinem Grundstück erst nachträglich hergestellt, so muß man auch „und sie fuhren hinaus, Jehu entgegen, und trafen ihn auf dem Grundstück Naboths, des Jesreeliters" in 9,21b zu dieser Bearbeitungsschicht rechnen. Darauf weist auch die doppelte Erwähnung des Hinausfahrens der Könige in V.21 hin.[160]

S.Olyan[161] hält die Szene 9,25-26 für einen integralen Bestandteil der Erzählung,[162] denn diese sei mit ihr über das „šlm motif" verbunden[163]. Hier habe der Erzähler ein ursprünglich gegen Ahab gerichtetes Drohwort aufgenommen und es als „the foundation for the story, the focus of its šlm motif" benutzt.[164] Vers 26 sei für die Erzählung notwendig, da nur hier erklärt werde, warum Joram sterben mußte. Dies ist aber jedem Leser/Hörer klar und bedarf keiner Erklärung: Jehu ist der in Jahwes Auftrag (9,3.6.12) gesalbte König. Daraus ergibt sich folgerichtig, daß Jehu den jetzt illegitimen König Joram und seine potentiellen Nachfolger beseitigen muß.

2.Kön 9,21b*.25f. kann als eine einheitliche Bearbeitungsschicht betrachtet werden.[165] Zwar gelangen S.Timm[166] und Y.Minokami[167], möglicherweise veranlaßt durch die zweifache Aufforderung,[168] die Leiche Jorams auf den Acker zu werfen (V.25a.26b), zu der Auffassung, daß V.25a*[169] – so Timm – als Bestandteil der ursprünglichen Erzählung,[170] bzw. V.26b – so Minokami – als späterer Zusatz[171] von der Bearbeitungsschicht abzutrennen sei, dies aber kaum zu Recht. Der zu Anfang und Ende der Einfügung wiederholte Befehl Jehus an Bidkar hat als Rahmung des Gotteswortes[172] durchaus seinen Sinn: Zunächst

160 So auch Y.Minokami, *Revolution*, 39.

161 S.Olyan, *Hăšālôm*, 657ff.

162 Auch W.Dietrich, *Prophetie*, 50, geht wegen der Abweichungen von der Erzählung in 1.Kön 21 von einer Zugehörigkeit der Verse zum ursprünglichen Text aus. J.M.Miller, *Fall*, 308-314, hält 9,25a.26 für einen Bestandteil der ursprünglichen Jehuerzählung. Das Drohwort in V.26 habe tatsächlich Joram gegolten und die Nabothaffäre am Vorabend der Revolution stattgefunden (vgl. „gestern abend" in V.26). Diese sei erst später von den deuteronomistischen Redaktoren durch die Einfügung von 9,25b auf Ahab bezogen worden. Die These Millers, die Verbindung zwischen Ahab und der Naboth-Affäre sei sekundär (a.a.O. 314-317), erscheint mir jedoch sehr fragwürdig. Die Prophezeiung gegen Ahab (1.Kön 21,19b) ist offensichtlich nicht eingetreten (1.Kön 22,40), was, wie 1.Kön 21,27-29 und 1.Kön 22,38 zeigen, Anlaß zu nachträglichen Anpassungsversuchen gab (siehe dazu S.125-129.207f.). Es ist aber nicht einzusehen, wieso die Deuteronomisten ein Drohwort gegen Joram, das aus ihrer Sicht als erfüllt anzusehen wäre (2.Kön 9,24), plötzlich auf Ahab beziehen und sich damit in die genannten Schwierigkeiten bringen sollten.

163 Die Wurzel שלם findet sich in 2.Kön 9,11.17.18.19.22.26.31; 10,13. Allerdings wird in 9,26 – im Unterschied zur übrigen Erzählung, in der nur das Nomen gebraucht wird, – das Verb שלם pi. verwandt.

164 S.Olyan, *Hăšālôm*, 667. Vgl. auch W.Eisenbeis, *Wurzel*, 109.

165 Diese wird im folgenden als „Naboth-Bearbeitung" bezeichnet.

166 S.Timm, *Dynastie*, 141.

167 Y.Minokami, *Revolution*, 37.

168 Vgl. dazu auch J.C.Trebolle-Barrera, *Jehú*, 163; H.Schmoldt, *Botschaft*, 42.

169 ohne חלקת נבות, das aus V.25bf. eingedrungen sei.

170 S.Timm, a.a.O. 141, begründet die Zuordnung von V.25a* zur ursprünglichen Erzählung damit, daß man diesen, „mit der Nennung Bidkars, des dritten Mannes auf dem Streitwagen", nicht „gern einer späteren Bearbeitung zuordnen" wolle. Allerdings stört auch V.25a* alleine das schnelle Voranschreiten der Handlung (Tod Jorams [V.24] – Flucht und Tod Ahasjas [V.27]), wie oben (S.55) für V.25f. ausgeführt. Überdies macht die Aufforderung Jehus, die Leiche auf den Acker zu werfen, für sich genommen nicht viel Sinn.

171 V.26b bezieht sich nach Y.Minokami, *Revolution*, 34-37, auf 1.Kön 21,27-29 und interpretiert wie dieser Abschnitt die Verse 2.Kön 9,25-26a. Aus diesem Grund sei er sekundär.

172 Vgl. auch M.Mulzer, *Jehu*, 234f., der das Gotteswort samt Rahmen für sekundär hält.

ergeht die unbegründete Aufforderung an Bidkar, Joram auf den Acker Naboths zu werfen (V.25a). Diese wird im folgenden mit einem bereits früher ergangenen Gotteswort (V.26a) begründet, an das sich Bidkar (und mit ihm der Leser/Hörer) erinnern soll (25b). Nachdem nun die Bedeutung der intendierten Handlung herausgestellt wurde, wird der Befehl Jehus nochmals wiederholt: Die Behandlung der Leiche Jorams ist jetzt[173] erst in ihrem ganzen Symbolgehalt zu fassen, daher wird sie auch erst jetzt als Handlung „gemäß dem Wort Jahwes“ (V.26bß)[174] charakterisiert. Auf diese Weise gewinnt die Handlung an Feierlichkeit: Jehu „zelebriert“ die Ausführung des Jahwe-Wortes und Bidkar (der Leser/Hörer) wird von ihm in diesen Vorgang auf didaktisch geschickte Weise mit hineingenommen.

Die Naboth-Bearbeitung läßt sich allerdings nicht auf die Redaktoren des DtrG zurückführen,[175] was ein Vergleich mit den der deuteronomistischen Bearbeitung zugewiesenen Stellen[176] zeigt:

- Anders als bei diesen fehlen in 9,25f. typisch deuteronomistische Sprachelemente.
- Die Bezeichnungen für „Acker/Feldgrundstück“ differieren: Während von den Deuteronomisten in 9,10.36 die gebräuchlichere Form חלק verwandt wird, so benutzt die Naboth-Bearbeitung die seltenere Form חלקה.[177]
- Im Unterschied zu den deuteronomistischen Kommentierungen des Todes Isebels und der Mitglieder des Hauses Ahabs (9,36; 10,10.17) sind die Bemerkungen bezüglich des Todes Jorams nicht eingebunden in das innerhalb der Erzählung selbst bestehende und zusätzlich auf 1.Kön 21 zurückweisende deuteronomistische Schema von „Ankündigung und Erfüllung“: Das in V.26 zitierte Gerichtswort hat keinen Anhalt in der Prophetenrede 9,7-10a, während das ebenfalls bei seiner Erfüllung zitierte Gerichtswort gegen Isebel (V.36) seine Entsprechung in den Ankündigungen des Prophetenjüngers (9,10a) hat.[178] Auch fehlt in V.25f. – im Unterschied zu den deuteronomistischen Erfüllungsvermerken (9,36; 10,10.17) – der Hinweis auf das von Elia angekündigte Wort Gottes, das sich hier erfüllt.
- Der das Jahwe-Wort übermittelnde Prophet ist hier nicht der in 9,36; 10,10.17aßb namentlich genannte Prophet Elia, es bleibt vielmehr unklar, wie und durch wen das Wort übermittelt wurde.
- Die Deuteronomisten erwähnen in ihrer Bearbeitung der Erzählung von der Jehu-Revolution den „Fall Naboth“ nicht explizit. Sie greifen zwar die Drohungen, die von

---

[173] Die zweite Aufforderung beginnt mit ועתה!

[174] Nach M.Mulzer, *Jehu*, 235 Anm. 67, ist V.26bß sekundär gegenüber V.25f.*, da hier eine terminologische Differenz vorliege: Während in V.25 von einem „Ausspruch“ (משא) Jahwes die Rede ist, verwendet V.26bß die Bezeichnung „Wort“ (דבר) Jahwes. Diese Differenz im Sprachgebrauch kann allerdings auch auf eine vom Bearbeiter beabsichtigte Nuancierung zurückgehen: Der in V.26a zitierte Spruch (משא) ist ja genaugenommen schon erfüllt (Joram ist auf dem Acker gestorben), während Jehu die Erfüllung durch eine Zeichenhandlung nur komplettiert (die Leiche wird am Ort der Vergeltung als Zeichen zurückgelassen). Das Hinwerfen der Leiche ist also nicht exakt gemäß dem Spruch Jahwes, wohl aber in seinem Sinne.

[175] So auch H.-Chr.Schmitt, *Elisa*, 25f.

[176] 9,6b*(אלהי ישראל und אל־עם יהוה).7a.8-10a.28.36; 10,10.11.17aßb.19b.21aα.25b-31a.32-36.

[177] Vgl. dazu die Diskussion bei W.Dietrich, *Prophetie*, 85 und Y.Minokami, *Revolution* 39f.

[178] Vgl. auch 10,10f.17 mit 9,7a!

Elia in diesem Zusammenhang gegen das Haus Ahabs/Isebel ausgestoßen werden (1.Kön 21,21-23), wieder auf, der Name Naboth wird aber nicht genannt, die Unheilsankündigungen nicht begründet. Eine direkte Anspielung auf irgendwelche Ereignisse in Jesreel findet sich nur im Falle Isebels, wo der „Acker in Jesreel" erwähnt wird. In 2.Kön 9,21*.25f. jedoch wird Ahab explizit mit dem Mord an „Naboth, dem Jesreeliter", der gleich zweimal mitsamt Herkunftsbezeichnung genannt wird, in Verbindung gebracht. Die Unheilsankündigung ist hier begründet: Gott hat das unschuldig vergossene Blut Naboths[179] gesehen und wird es vergelten.

- Nach Darstellung der Deuteronomisten (9,7-10a) erfüllen sich in 2.Kön 9/10 die Drohungen Elias gegen das Haus Ahabs und Isebel, während Ahab bereits friedlich, das heißt ungestraft, verstorben ist (1.Kön 22,40). Nach Darstellung der Naboth-Bearbeitung geht mit dem Tod Jorams jedoch auch ein Drohwort gegen Ahab (2.Kön 9,25) in Erfüllung.
- Dieses erfüllt sich jedoch nicht – im Unterschied zur deuteronomistischen Schilderung der Erfüllung der Unheilsankündigungen[180] – im Verlauf der Jehu-Revolution gewissermaßen wie von selbst. Jehu weiß von ihm und trägt bewußt zu seiner Erfüllung bei, das heißt, er wird hier noch ausdrücklicher als von der deuteronomistischen Bearbeitung als ein auf die Erfüllung des Wortes Gottes hinwirkender Mensch dargestellt.

Mit der Unterscheidung zwischen Naboth-Bearbeitung und deuteronomistischer Redaktion ergibt sich die Notwendigkeit einer chronologischen Verhältnisbestimmung:

R.Bohlen[181] gelangt aufgrund der Differenzen zwischen 2.Kön 9,25f. und 1.Kön 21,1-16. 17-20*[182] zu dem Ergebnis, hier lägen voneinander unabhängige Überlieferungsstränge vor, wobei 2.Kön 9,26a als ursprünglich frei umlaufendes Prophetenwort anzusehen sei, das von einer apologetischen Bearbeitung „noch zur Zeit der Jehu-Dynastie"[183] in die Erzählung von der Jehu-Revolution eingefügt[184] wurde. E.Würthwein[185] kommt vor allem

---

[179] Hier wird, im Unterschied zu 1.Kön 21,19, der Plural von דם verwandt und somit eine moralische Wertung vorgenommen: Es ist nicht nur Blut, das Ahab vergossen hat, es ist Blut, das an den Händen des Mörders klebt (vgl. Ps 5,7; 26,9; Jes 1,15), unschuldiges Blut, das zum Himmel um Vergeltung schreit (vgl. Gen 4,10; 2.Sam 3,28; 16,8; 1.Kön 2,5.31f.; 2.Kön 9,7).

[180] Vgl. hier vor allem 9,36.

[181] R.Bohlen, *Fall*, 284ff., ähnlich vor ihm H.-Chr.Schmitt, *Elisa*, 25f.

[182]
- In 1.Kön 21 (ganz gleich in welcher Fassung oder Texteinheit) wird der Tod der Söhne Naboths im Unterschied zu 2.Kön 9,25f. nicht erwähnt.
- Während nach 1.Kön 21,17-20* Elia das Gerichtswort übermittelt, schweigt 2.Kön 9,25f. über den genauen Hergang der Übermittlung des Jahwewortes. Ein Prophet wird hier nicht genannt.
- Während in 1.Kön 21,1-16.18 der Weinberg Naboths im Mittelpunkt steht, scheint es nach der Naboth-Version in 2.Kön 9,25f. um ein Feldgrundstück Naboths gegangen zu sein.
- Nach 1.Kön 21,1-16 liegt der Weinberg Naboths neben dem Palast Ahabs, nach 2.Kön 9,21*.25f. befindet sich das Grundstück außerhalb der Stadt Jesreel.
- Der Tod Naboths ereignet sich nach 1.Kön 21,1-16 irgendwo außerhalb der Stadt, nach 2.Kön 9,25f. stirbt er auf dem „Acker Naboths, des Jesreeliters".

Vgl. R.Bohlen, *Fall*, 284ff.; O.H.Steck, *Überlieferung*, 51 Anm. 2; H.-Chr.Schmitt, *Elisa*, 25f. und F.Crüsemann, *Elia*, 90f.

[183] a.a.O. 288.

[184] Mit einer apologetischen Bearbeitung aus der letzten Zeit der Dynastie Jehu rechnet schon H.-Chr.Schmitt, *Elisa*, 27 und im Anschluß an Schmitt, M.Sekine, *Beobachtungen*, 56f.

aufgrund sprachlicher Beobachtungen[186] und unter Nivellierung[187] der zwischen den „Naboth-Versionen“ 2.Kön 9,25f. und 1.Kön 21,1-16.17-20* bestehenden Unterschiede zu dem gegenteiligen Schluß, daß die Erweiterung der Erzählung von der Jehu-Revolution um 2.Kön 9,25f.[188] nachdeuteronomistisch in Kenntnis von 1.Kön 21,1-16.17ff. erfolgte.

Nun scheint es mir jedoch bedenklich, ausschließlich aus der sprachlichen Überlegung heraus, bestimmte Formeln bzw. Wortverwendungen begegneten nur in „späten“ Texten, darum müsse die jeweils betrachtete Stelle ebenfalls spät sein, auf das Alter von Texten und damit auf eine relative Textchronologie zu schließen. Denn diesem Verfahren ist natürlich die Tendenz zu eigen, alle betroffenen Textstellen mit in die fortgeschrittene Zeitdimension „zu ziehen“: Ein Begriff, der gerade erst entsteht, wird naturgemäß noch nicht so häufig benutzt. Er gerät aber gerade an diesen selteneren früheren Stellen, wegen seiner häufigeren Verwendung in späteren Texten, leicht in den Verdacht, auch spät und/oder sekundär zu sein.[189] Eine sichere zeitliche Zuordnung eines bestimmten Sprachgebrauchs kann zudem aufgrund der Begrenztheit des zum Vergleich geeigneten Textmaterials nicht gewährleistet werden, hinzu kommen Unsicherheiten, die sich aus individuell[190] oder regional verschiedenen[191] Sprachentwicklungen ergeben.

Hier soll keineswegs die Methode verworfen werden, Texte aufgrund von sprachlichen Hinweisen einzuordnen, sondern lediglich auf die Gefahr hingewiesen werden, die diese bei schwerpunktmäßiger Verwendung[192] in sich birgt. Nur in Kombination und inhaltlicher Übereinstimmung mit anderen Methoden kann sie zu relativ sicheren Ergebnissen führen.

---

185 E.Würthwein, *Bücher II*, 332f. Ähnlich auch Y.Minokami, *Revolution*, 34-42, der 9,25.26a einer nachdeuteronomistischen vergeltungstheologischen Bearbeitung, 9,26b einer noch späteren frühchronistischen Bearbeitung zuweist. Vgl. auch S.Timm, *Dynastie*, 139-142, – seiner Meinung nach sind die Verse 25b-26 „in Nachfolge der deuteronomistischen Wort-Gottes Theologie“ entstanden (a.a.O. 141) – und M.Mulzer, *Jehu*, 302.

186 Die Bezeichnung des Jahwe-Wortes als משא; die Verwendung der Zitationsformel נאם־יהוה und die Wendung שלם pi. mit Jahwe als Subjekt verweisen nach E.Würthwein (a.a.O. 332f.) auf die „junge Herkunft“ von 2.Kön 9,25f. Vgl. auch Y.Minokami, *Revolution*, 34-42 und S.Timm, *Dynastie*, 139-142. Siehe dazu unten S.60f.

187 Nach E.Würthwein rühren die Abweichungen von 2.Kön 9,25f. gegenüber 1.Kön 21 von der in 2.Kön 9 vorgegebenen Situation her. Nach Y.Minokami sind die Differenzen ebenfalls ohne Relevanz: „Sie haben aber mit dem Interesse des Bearbeiters der Jehu-Erzählung nichts zu tun.“ (a.a.O. 40). Darüber hinaus ist folgendes völlig klar: „Auf jeden Fall meinen unsere Zusätze V.21b$\alpha^2\beta\gamma$. 25-26a mit Naboths ‘Grundstück’ nichts anderes als den Weinberg in 1 Kön 21 ...“ (a.a.O. 40). Auch die „Erwähnung der Söhne Naboths, von denen in 1 Kön 21 keine Rede ist“, ist nach Y.Minokami (a.a.O. 40) „nur eine sekundäre Erweiterung“.

188 Dabei erwägt S.Timm, *Dynastie*, 141, zumindest für V.26a* noch eine ältere Herkunft als ehemals selbständigem Prophetenspruch, während M.Mulzer, *Jehu*, 302, ohne Angabe von Gründen V.25f.* insgesamt als „nachträgliche Aufnahme und Ausgestaltung“ der Naboth-Tradition in 1.Kön 21 betrachtet, ähnlich Y.Minokami, *Revolution*, 40f.

189 Vgl. nur die Diskussion um Erfüllungsvermerk und Wortergehensformel und dazu W.Thiel, *Redaktionsarbeit*, 158-162.168f.

190 Allein die Beispiele Luther oder Shakespeare zeigen, daß man es einem Autor durchaus zutrauen kann, bestimmte Begriffe und Wortverwendungen neu zu „erfinden“.

191 Vgl. nur den Einfluß des Aramäischen auf das Nordreich-Hebräisch.

192 Wie natürlich jeder „Methodenmonismus“.

Gerade im Fall von 2.Kön 9,25f., wo ein relativ eigentümlicher Sprachgebrauch vorzuliegen scheint, ist eine vor allem auf sprachstatistische Beobachtungen gestützte Bestimmung der Entstehungszeit problematisch:

- Die Kennzeichnung des Jahwe-Wortes als משא sei, so E.Würthwein,[193] „eine Gattungsbezeichnung, die nur in spätprophetischen Texten“ begegne. Dazu ist allerdings anzumerken, daß משא II als Bezeichnung eines konkreten Spruches gegen eine Einzelperson nur in 2.Kön 9,25f. vorliegt.[194] So gibt es zwar, wie S.Timm[195] ausführt, keinen (weiteren) Beleg dafür „daß die frühen Propheten Worte gegen Einzelpersonen משא genannt hätten“, aber auch keinen dafür, daß dies eine typisch späte Verwendung sei. Auch die Formulierung „zu einem Ausspruch anheben“ (משא ... נשא)[196] findet sich nur hier im AT, was ebenfalls darauf hindeutet, daß an dieser Stelle ein spezifischer, schlecht in eine bestimmte Richtung (Wort-Gottes-Theologie oder Vergeltungstheologie) einzuordnender Sprachgebrauch vorliegt.
- Die Zitationsformel נאם־יהוה in Zwischenstellung findet sich nach Würthwein ebenfalls nur in „sekundär-prophetischem“ Sprachgebrauch.[197] Die Formel selbst kommt allerdings, so Timm,[198] bereits beim Propheten Hosea vor (Hos 2,15.18; 11,11). Daß sie in 2.Kön 9,26 gleich zweimal Verwendung findet, woran Timm angesichts des sparsamen Gebrauchs bei Hosea Anstoß nimmt, hängt vermutlich mit der ursprünglich unabhängigen Überlieferung des Jahwespruchs zusammen.[199] Damit wäre dann auch der Gebrauch „in Zwischenstellung“ zu erklären.
- Die Wendung שלם pi. mit Jahwe als Subjekt ist nach Würthwein[200] „nur in jüngeren Stellen belegt“. Sie kommt allerdings wiederum nur in 2.Kön 9,26 innerhalb eines auf eine konkrete Einzelperson und deren Tat bezogenen Jahwespruches im AT vor. Es ist also schwierig, aus ihrem Vorkommen in anderen Zusammenhängen auf das Alter dieser Stelle zu schließen:

  * Dtn 32,41; Ps 137,8; Jes 59,18; 65,6; 66,6; Jer 16,18; 25,14; 32,18; 51,6.24.56 beziehen sich auf das sich in der Geschichte vollziehende Gerichtshandeln Gottes an seinen Feinden, Götzendienern, Völkern, an Babel u.a.

---

[193] E.Würthwein, *Bücher II*, 332. Ähnlich auch Y.Minokami, *Revolution*, 39; S.Timm, *Dynastie*, 140.

[194] In Jes 13,1; 14,28; 15,1; 17,1; 19,1; 21,1.11.13; 22,1; 23,1; 30,6; Nah 1,1 werden Drohworte gegen Länder, Städte, Tiere, Wüste u.ä. mit dem Ausdruck משא überschrieben bzw. eingeleitet. Auch in Ez 12,10 gilt der „Ausspruch“ dem „Fürsten und ganz Israel“.
In Hab 1,1; Sach 9,1; 12,1 Mal 1,1 wird משא im Rahmen redaktioneller Buchüberschtriften gebraucht.
In Jer 23,33-38 geht es um ein Verbot, den Begriff „Last-Spruch“ zu gebrauchen. In Klgl 2,14 werden (Israel betreffende) Zukunftsaussagen der Propheten als משא bezeichnet.

[195] a.a.O. 140.

[196] Im Sinne von „Last tragen“ taucht die Wendung öfter auf.

[197] E.Würthwein, *Bücher II*, 333; vgl. auch S.Timm, *Dynastie*, 140; Y.Minokami, *Revolution*, 38f.

[198] a.a.O. 140.

[199] Vgl. auch die zweifache Betonung, daß hier ein Jahwe-Spruch vorliege, in 1.Kön 21,19. Diese ist vermutlich ebenfalls darauf zurückzuführen, daß hier ein ehemals frei umlaufender Prophetenspruch zitiert wird. Siehe dazu S.142f.

[200] E.Würthwein, *Bücher II*, 333. Vgl. auch Y.Minokami, *Revolution*, 40f.

* In Dtn 7,10; Hi 21,19.31; 34,11.33; Ps 31,24; 62,13; Prov 19,17; 25,22 handelt es sich um allgemeine Sprüche über das Handeln Jahwes (hier spricht nie Jahwe selbst!), der die Menschen nach ihren Taten belohnt oder bestraft.

* In diesem Sinne aufzufassen sind auch 1.Sam 24,20; 2.Sam 3,39; Ru 2,12, wo jeweils anderen gegenüber der Wunsch ausgedrückt wird, Jahwe möge mit ihnen ihrem Handeln entsprechend verfahren. In Ri 1,7 stellt Adoni-Zedek fest: „Wie ich getan habe, so hat mir Gott vergolten". Dies entspricht wegen der konkreten Entsprechung zwischen Tun und Ergehen noch am ehesten 2.Kön 9,26, ist aber doch zu floskelhaft, beinahe gleichgültig konstatierend gebraucht, um dem akut drohenden Charakter von „ich werde dir vergelten!" in 2.Kön 9,26 wirklich nahe zu kommen.

Zu den oben geäußerten Bedenken kommt hinzu, daß Würthweins Rekonstruktion der Textgeschichte einige Probleme aufwirft, die sich bei der Annahme einer vordeuteronomistischen Naboth-Bearbeitung nicht ergeben:

- Wenn die Verbindung zwischen dem „Fall Naboth" und Elia den Deuteronomisten bereits vorgegeben war oder – so Würthwein[201] – von diesen hergestellt wurde,[202] so kann man nicht erklären, warum der nach Würthwein nachdeuteronomistische Bearbeiter in 2.Kön 9,25f. diese Verbindung nicht ebenfalls hergestellt hat, um dem Berichteten durch die Mitwirkung des bedeutenden Propheten zusätzlich Gewicht zu verleihen. Während der Traditionsvorgang „vom unbekannten, unbedeutenderen Propheten oder Gottesmann zum bedeutenderen Propheten" durch die Überlieferungsgeschichte des Elia/Elisa-Zyklus[203] nahegelegt wird, so ist der umgekehrte Verlauf „von Elia oder einem anderen bekannten Propheten zum Anonymus" relativ unwahrscheinlich.
- Weiterhin ist nicht einzusehen, warum ein nachdeuteronomistischer Bearbeiter das Feld Naboths, des Jesreeliters, als Ort des Geschehens wählen und damit für Irritationen sorgen sollte. Nach Würthwein erzwingt dies die von 2.Kön 9/10 vorgegebene Situation, was aber genaugenommen nicht der Fall ist. Das Blut Naboths wird nach 1.Kön 21,1-16 – soweit man bei einer Steinigung von Blut sprechen kann – eben nicht auf dem Besitz Naboths, sei es nun Acker oder Weinberg, sondern an einem nicht spezifizierten Ort außerhalb der Stadt (21,13) vergossen. Liest man V.19 im Zusammenhang mit V.1-16, so ist dies auch der Ort, wo die Vergeltung stattfinden soll, nicht der Weinberg.[204] Dies drückt auch V.18 nicht aus:[205] Elia soll Ahab im Weinberg bei der Inbesitznahme desselben stören, aber daß dieser auch die Stätte der Vergeltung ist, wird weder von V.1-16 noch von V.17f.20* nahegelegt. Um den Spruch aus 1.Kön 21,19 als erfüllt darzustel-

[201] E.Würthwein, *Bücher II*, 251f.334f.337f.

[202] Daß die Deuteronomisten mit der Überbringung der Gerichtsbotschaft durch Elia rechneten, zeigt sich an 2.Kön 9,36; 10,10.17.

[203] Gerade die Gestalt Elias scheint viele Erzählungen, Anekdoten, Sprüche und Titel an sich gezogen zu haben. Vgl. die Zusammenfassung S.247ff.

[204] Vgl. hier die Interpretation in 1.Kön 22,38!

[205] Gegen W.Thiel, *Redaktionsarbeit*, 161f., der einen leichten Widerspruch zwischen V.19b und der Situation von V.18 wahrnimmt: „Unverkennbar ist allerdings, daß der Inhalt von V.19b der vorhergehenden Geschichte und der Situation von V.18 nicht angepaßt ist: Der Ort, an dem sich nach V.19b das Gericht an Ahab vollziehen soll, ist nicht der Weinberg Naboths, an dem er sich eben befindet, sondern die Stätte der Hinrichtung Naboths."

len, wenn auch an Ahabs Sohn, ist es also gar nicht nötig, ein wie auch immer geartetes Grundstück Naboths einzuführen. Man hätte nur auf den Ort der Steinigung außerhalb der Stadt Jesreel verweisen müssen, zumal der Begriff „Feld“ ja schon für die Todesstätte Isebels in Anspruch genommen ist, welche aber nach der bereits deuteronomistisch bearbeiteten Erzählung (2.Kön 9,30-36) an ganz anderer Stelle als das „Grundstück Naboths, des Jesreeliters“ (9,21*.25f.), zu liegen scheint.

- Die trotz der offensichtlich damit verbundenen erzählerischen Probleme[206] vorgenomme Wiederaufnahme des Motivs von den blutleckenden Hunde in 1.Kön 22,38 zeigt, wie eingängig dieses gewesen sein muß. Warum also sollte ein nachdeuteronomistischer Bearbeiter, der dieses Motiv aus 1.Kön 21,19 ja kennen würde, ein so dramatisches Element in 2.Kön 9 ausgelassen haben?
- Die nachdeuteronomistische Einfügung der Naboth-Söhne ist relativ unwahrscheinlich,[207] denn sie verwischt zusätzlich die Verbindung, die 2.Kön 9,25f. nach dem von Würthwein postulierten Verlauf der Textgeschichte zu 1.Kön 21 herstellen will.
- Oben wurde bereits darauf hingewiesen, daß die deuteronomistischen Redaktoren in 2.Kön 9/10 den „Fall Naboth“ nicht explizit erwähnen, die Naboth-Bearbeitung hingegen recht detailliert auf das Verbrechen eingeht. Während es der Naboth-Bearbeitung um das konkrete ungesühnte Verbrechen an Naboth, dem Jesreeliter, geht, das nun endlich, wenn auch am Sohn Ahabs, vergolten wird, scheint den Deuteronomisten der konkrete „Fall Naboth“ nicht sehr wichtig zu sein. Für sie steht der Erweis der Erfüllung des von Elia verkündeten Wortes eindeutig im Vordergrund, der Anlaß der Verkündigung wird dabei unwesentlich. Indem sie aber die Naboth-Jehu-Erzählung zum Paradigma für die Erfüllung des Wort Gottes in der Geschichte machen, betreten sie eine höhere Abstraktionsebene als die immer noch an das Konkrete gebundene Naboth-Bearbeitung. Der höhere Abstraktionsgrad der deuteronomistischen Bearbeitung gegenüber der Naboth-Bearbeitung spricht ebenfalls für eine zeitliche Priorität der Naboth-Bearbeitung.
- Auffällig ist auch der Aufbau der Einfügung 9,25f. Dieser scheint darauf hinzuweisen, daß hier nicht auf eine schriftlich fixierte Naboth-Erzählung (1.Kön 21) Bezug genommen wird, was ebenfalls für eine vordeuteronomistische Ergänzung spricht, denn den Deuteronomisten lag die Naboth-Erzählung ja bereits vor. Durch die Einführung „denn

[206] Dem Bearbeiter (BK), der den Erfüllungsvermerk (22,35bß.38) anbrachte, lag eine Kriegserzählung vor, nach welcher Ahab in der Schlacht bei Ramoth-Gilead stirbt (siehe S.207f.). Damit nun das Wort von den Hunden, die am Todesort Naboths das Blut Ahabs lecken (1.Kön 21,19), als erfüllt gelten kann, ist es für den Bearbeiter notwendig, folgende, doch recht gezwungen wirkende Rekonstruktion der Vorgänge vorzunehmen: Das Blut Ahabs floß bei seinem Todeskampf in seinen Wagen (22,35bß), gelangte mit dem Wagen nach Samaria und beim Wagenwaschen in den Teich von Samaria (22,38), wo nach der Vorstellung des Bearbeiters der Todesort Naboths lag. Mit dem Wasser des Teiches konnten dann die Hunde das Blut Ahabs zu sich nehmen.

[207] Anders E.Würthwein, *Bücher II*, 333. Würthwein vertritt die Auffassung, daß wegen der in 2.Kön 9,25f. vertretenen Vorstellung „einer Talion im engsten Sinne“ (a.a.O. 333) vom Tod der Söhne Naboths berichtet werden mußte, da die Erzählung den Tod der Söhne der Omri-Dynastie schildere. Die in V.25f. geschilderte Vergeltung („auf diesem Acker“) vollzieht sich ausschließlich an Joram und ist damit abgeschlossen, während die übrigen „Söhne Ahabs“ (10,1ff.) unberücksichtigt bleiben. Die von Würthweins Argumentation vorausgesetzte gesamtgeschichtliche Perspektive der Bearbeitung, die Jehus gesamtes Vorgehen unter dem Aspekt der Erfüllung des Gotteswortes sieht, scheint der situationsspezifischen Schilderung in 2.Kön 9,25f. – im Gegensatz zur deuteronomistischen Bearbeitung – völlig abzugehen.

erinnere dich ... !" wird auf eine bekannte, jedoch nicht vorliegende Erzählung verwiesen, an die sich Bidkar und mit ihm der Hörer/Leser erinnern soll. Diese wird dann im folgenden mit wenigen Stichworten vergegenwärtigt: „Ahab", „Gespanne", „Acker", „Ausspruch Jahwes", „Blut Naboths und seiner Söhne", „Vergeltung". Wie im Unterschied dazu ein Verweis auf eine schriftlich vorliegende Erzählung aussieht, wird an 1.Kön 22,38 deutlich: Die Prophezeiungen aus 1.Kön 21,19 werden z.T. wortwörtlich wiederaufgenommen: Die auffällige Kombination von „Hunde", „Blut" und „lecken" findet sich an beiden Stellen wieder. Allein darüber wird die Verbindung zwischen Prophezeiung und – herbeigezwungener – Erfüllung hergestellt. An den „Fall Naboth", das heißt an die Entstehungssituation des in Erfüllung gehenden Spruches, wird hier – im Unterschied zu obigem Verfahren – nicht erinnert, denn die Verbindung von Spruch und Situation liegt dem Leser in diesem Fall ja bereits vor. Ähnlich verhält es sich in 2.Kön 9,10a.36, wo der Bezug zum „Fall Naboth" allein durch wörtliche Übernahmen aus 1.Kön 21,23 hergestellt wird.

Die Annahme einer vordeuteronomistischen, von 1.Kön 21[208] unbeeinflußten Naboth-Bearbeitung[209] hat nach dem oben Ausgeführten meines Erachtens auch durch die neuere Argumentation Würthweins[210] nichts an Plausibilität eingebüßt.

Für die These, daß dieser Naboth-Bearbeitung ein ehemals frei umlaufendes Prophetenwort zugrunde liegt,[211] spricht folgendes:

Die Gestaltung des Gottesspruches ist, worauf bereits hingewiesen wurde, recht ungewöhnlich: Bei seiner Einführung wird er als משא bezeichnet. Der Spruch selbst besteht – ähnlich wie ein Gerichtswort – aus zwei Teilen: Im ersten Teil wird die „Schuldwahrnehmung"[212] Jahwes versichert, im zweiten Teil Vergeltung angekündigt. Nach beiden Teilsprüchen wird jeweils vermerkt, daß es sich um einen Gottesspruch (נאם־יהוה) handelt. Dies weist darauf hin, daß die Bearbeiter hier ein bereits geprägtes,[213] in „umklammerter" Form überliefertes Jahwewort zitieren, was sie ja auch in der konstruierten Handlung so darstellen: Damals, in der Situation, an die sich Bidkar erinnern soll, hatte Jahwe zu „diesem Ausspruch" angehoben.

Hinzu kommt, daß der Spruch nicht Joram, sondern Ahab gilt (V.25). In Bezug auf Ahab ist er jedoch nicht in Erfüllung gegangen, was für eine Bildung noch zu Lebzeiten Ahabs

---

[208] In welcher Fassung auch immer.

[209] Nach H.-Chr.Schmitt, *Elisa*, 25ff.; M.Sekine, *Beobachtungen*, 56f.; R.Bohlen, *Fall*, 279ff.

[210] Und anderer, wie Y.Minokami, *Revolution*, 34-45; S.Timm, *Dynastie*, 139-142.

[211] R.Bohlen, *Fall*, 282f.; H.-Chr.Schmitt, *Elisa*, 26f.; G.Hölscher, *Profeten*, 177; O.H.Steck, *Überlieferung*, 33f. und 44f. Vgl. auch S.Timm, *Dynastie*, 139ff., der wegen der Unterschiede zwischen V.26 und 1.Kön 21 ebenfalls die Existenz eines ursprünglich selbständigen, 2.Kön 9,26 zugrundeliegenden Wortes erwägt, das aber nachdeuteronomistisch in die Erzählung von der Jehu-Revolution eingefügt worden sei. Diese Annahme birgt allerdings die Schwierigkeit in sich, daß man dann nicht erklären kann, wieso die Bearbeiter, die ja – im nachdeuteronomistischen Fall – zwischen zwei Sprüchen wählen konnten (2.Kön 9,26*; 1.Kön 21,19), ausgerechnet denjenigen wählten, der nicht bereits im Königsbuch verankert vorlag und so auf die Möglichkeit verzichteten, eine stärkere kompositorische Verzahnung zwischen den beiden Erzählungen zu erreichen.

[212] E.Schütz, *Formgeschichte*, 25.

[213] Vgl. R.Bohlen, *Fall*, 282f.

spricht.[214] Auch nach Aussage von V.26a erging der Spruch am Tag nach dem Mord an Naboth und seinen Söhnen: „Das Blut Naboths und seiner Söhne habe ich gestern abend gesehen!“ Die Bearbeiter interpretieren durch ihre szenische Umkleidung des Spruchs den Tod Jorams als Erfüllung des ihnen überlieferten Wortes gegen dessen Vater.

2.3 Diskussion weitergehender literarkritischer Vorschläge

2.3.1 Der Erzählanfang in 2.Kön 9,1-13*

Die literarkritische Herauslösung von 9,1-13* aus der Erzählung, die u.a. E.Würthwein[215] vornimmt, indem er die Verse 9,1-6*.10b.11-13 DtrP zuweist, ist weder durch gedankliche noch durch stilistische Brüche gerechtfertigt.[216] Da die Verse 8,28.29, wie oben gezeigt,[217] nicht den Anfang der Erzählung bilden, sondern erst im Zusammenhang mit dem Königsrahmen für Ahasja an dieser Stelle eingesetzt wurden, entfällt das Argument Würthweins, die Verse 9,1-13 zerrissen den Zusammenhang zwischen 8,28f. und 9,14a. Als weitere Begründung für den sekundären Charakter der Salbungs- und Akklamationsszene führt er deren isolierte Stellung im Kontext an. Im folgenden werde „nie mehr auf die Salbung durch Jahwe zurückgegriffen und die Mitwirkung Elischas erwähnt, auch da nicht, wo man sie zur Entschuldigung der grausigen Bluttaten Jehus erwarten würde.“[218]

Daß die Szene von der Salbung und Akklamation Jehus nicht so isoliert dasteht, wie es zunächst scheinen mag, zeigt sich schon am „Leitwort“[219] שלום (V.11), über das sie mit der übrigen Erzählung (9,17.18.19.22.31; vgl. auch 10,13) verknüpft ist. Es existieren darüber hinaus noch zwei weitere Stichwortverbindungen: Wie die Offiziere den Prophetenjünger als „Rasenden“ (9,11) bezeichnen, so wird Jehus Fahrstil vom Wächter auf dem Turm in Jesreel als „Raserei“[220] charakterisiert (9,20). In 9,2 und 9,14 – und nur an diesen Stellen –

[214] Anders Y.Minokami, *Revolution*, 41, der mit einem – unter vergeltungstheologischer Abzweckung – von den Bearbeitern neu geschaffenen Spruch rechnet. Wenn aber die von Minokami angenommene vergeltungstheologische Bearbeitung, die in Abhängigkeit von 1.Kön 21 zu verstehen ist (a.a.O. 40), zeigen will, daß die in der Naboth-Affäre (1.Kön 21) angehäufte „Schuld des Vaters den Sohn heimsuchen soll“ (a.a.O. 41), ist nicht einzusehen, warum sie nicht den in 1.Kön 21 vorliegenden Drohspruch (V.19) verwandt haben, was ihrem Anliegen nur förderlich gewesen wäre.
Auch E.Würthwein, *Bücher II*, 333; M.Mulzer, *Jehu*, 302, rechnen mit einer Bildung des Spruchs in Abhängigkeit von 1.Kön 21.

[215] E.Würthwein, *Bücher II*, 328ff. Mit einer eigenständigen, prophetischen Quelle in 9,1-13/9,1-14, die ursprünglich nicht zur Jehuerzählung gehörte, rechnen I.Benzinger, *Bücher*, 149; J.Gray, *Kings*, 537; J.T.Cummings, *House*, 124; G.Hentschel, *2 Könige*, 40. Vgl. auch G.Fohrer, *Art. Elisa*, 430, der eine überlieferungsgeschichtliche Quellenscheidung vornimmt. Zu weiteren Literaturangaben siehe M.Mulzer, *Jehu*, 222f. Anm. 29. Das Hauptproblem der „Zwei-Quellen-Theorie“ besteht darin, daß die „prophetische Quelle“, die nur aus 2.Kön 9,1-13 bestünde, alle Fragen nach dem Ausgang der Verschwörung unbeantwortet ließe, also nicht selbständig wäre, während der „profanen Quelle“ (9,14ff.) ohne V.1-13 eine Einleitung fehlen würde.

[216] So auch M.Mulzer, *Jehu*, 222-224; B.Lehnart, *Prophet*, 336.

[217] Siehe Seite 47-50.

[218] E.Würthwein, *Bücher II*, 329. Dies beobachtet auch J.Gray, *Kings*, 537, der seine Entscheidung, 9,1-14a einer prophetischen und 9,14bff. einer säkularen Quelle zuzuweisen, weiterhin damit begründet, daß in 9,14b.15a Fakten mitgeteilt würden, die in 9,1ff. bereits bekannt wären.

[219] Vgl. S.Olyan, *Hăšālôm*, 653.

[220] Beidemal wird die Wurzel שגע verwandt.

wird Jehus Name jeweils in voller Länge mit „Jehu ben Josaphat ben Nimschi“[221] angegeben.

Aber auch inhaltlich ist eine Verbindung von 2.Kön 9,1-13* und 9,14ff. festzustellen: So wüßte der Leser nicht, wem Jehu in V.15b den Befehl zur „Nachrichtensperre“ erteilt, wenn in 9,13 nicht berichtet worden wäre, daß sich die Hauptleute Jehus Befehlen unterstellen, indem sie ihn als König anerkannten.[222]

Die Tatsache, daß die Salbung Jehus auf das Wort Jahwes hin nicht als Rechtfertigung für die Morde Jehus verwendet wird, führt nicht zwingend zu der Konsequenz, die Salbungsszene sei sekundär.[223] Diese hat in der Erzählung eben eine andere Funktion, nämlich die, Jehus Königtum zu legitimieren.[224] Die Greueltaten der Revolution bereiten dem Erzähler offenbar keine Probleme, er gibt sich jedenfalls keine erkennbare Mühe, diese zu verharmlosen oder zu entschuldigen, warum sollte er also die Salbung dazu bemühen? Es gibt auch keine Notwendigkeit, Elisa innerhalb der Erzählung nochmals zu erwähnen: Elisa nimmt selbst nicht aktiv am Geschehen teil, nicht einmal die Salbung führt er selbst durch. Er gibt – mit der Beauftragung des Prophetenjüngers zur Salbung Jehus – lediglich den Anstoß zu den folgenden Ereignissen.[225] Das im ersten Abschnitt zu beobachtende, nur auf eine Erzählszene beschränkte Auftreten von Personen (Elisa, Prophetenjünger, Hauptleute) entspricht überdies dem literarischen Stil der Erzählung, deren Einzelszenen gerade durch Personen- und Ortswechsel klar voneinander abzugrenzen sind.[226]

Mit 2.Kön 9,1 ist auch ein stilistisch zur Gesamterzählung passender Erzähleinsatz gegeben: Wie in 9,1 werden auch in 9,11.30b; 10,13 neue (Teil-)Episoden[227] durch einen invertierten Verbalsatz der Afformativkonjugation eingeleitet.

---

[221] S.Timm, *Dynastie*, 137 und Y.Minokami, *Revolution*, 27, nehmen eine nachträgliche Zufügung der Bezeichnung „ben Josaphat“ in 9,2 und 9,14a an. Nach Ansicht von S.Timm soll Jehu durch den Beinamen „Jahwe hat gerichtet“ von „seinen Mordtaten entlastet werden“ (a.a.O. 137 Anm. 5). Besonders deutlich und konsequent (vgl. 9,20) scheint dieser Bearbeiter seine Absicht allerdings nicht verfolgt zu haben, so daß mir die Erklärung H.-Chr.Schmitts (*Elisa*, 224f. Anm. 173) plausibler erscheint: „Nimschi ist vielmehr als Geschlechtsname aufzufassen ..., mit dem in V.20, in I 19,16 und in 2.Chr 22,7 Jehu bezeichnet wird, ohne daß sein Vatername Josaphat genannt wird.“ Er macht dies durch einen Vergleich mit der Benennung des Propheten Sacharja wahrscheinlich, der mit Vaternamen und Geschlechtsnamen in Sach 1,1.7 (Berechja ben Iddo), in Esr 5,1; 6,14 dagegen nur mit dem Geschlechtsnamen (Iddo) genannt wird. Vgl. auch M.Mulzer, *Jehu*, 43-46.

[222] Wenn in der übrigen Erzählung der Befehlsempfänger nicht genannt wird wie z.B. in 9,21.27.34; 10,14, so kann man davon ausgehen, daß es sich um Jehus bzw. Jorams Knechte/Gefolge handelt, was aber jeweils aus der zuvor geschilderten Situation deutlich wird.

[223] So E.Würthwein, *Bücher II*, 329.

[224] So auch S.Timm, *Dynastie*, 285; M.Beck, *Elia*, 204. Zur Funktion von 2.Kön 9,1-13* vgl. Seite 104ff.

[225] Vgl. die Anstiftung Hasaels zum Königsmord durch Elisa (2.Kön 8,7-15): Im Zusammenhang mit Ben Hadads Tod und Hasaels Thronbesteigung wird Elisa ebenfalls nicht mehr erwähnt.

[226] So auch M.Mulzer, *Jehu*, 223; vgl. H.-Chr.Schmitt, *Elisa*, 28. Zum Stil und Szenenaufbau der Erzählung von der Jehu-Revolution siehe unten S.75ff.

[227] Vgl. zur Markierung neuer Episoden durch den Wechsel zwischen Narrativ- und Waw-Subjekt + Perfekt-Konstruktionen M.Eskhult, *Studies*, 50ff. Diese Art, Erzähleinsätze zu markieren, trete, so Eskhult, gehäuft in den vorexilischen Erzählungen auf, die im Nordreich spielen: So werden beispielsweise die Erzählungen 2.Kön 4,38-41.42-44; 5,1ff.; 6,8-23; 8,1-6.7aß-15; 13,14-19 durch einen invertierten Verbalsatz der Afformativkonjugation eingeleitet.

2.3.2 Vergegenwärtigung der Situation und Orientierung des Lesers (2.Kön 9,14.15a)

Der Verfasser der Erzählung von der Jehu-Revolution verläßt in den Versen 9,14.15a die Erzählebene und wendet sich direkt an den Hörer/Leser. Er zieht in V.14a den logischen Schluß aus der erfolgten Entwicklung der Ereignisse: Jehus Ausrufung zum König (V.13) bedeutet, daß er den noch amtierenden, aber jetzt illegitimen König stürzen muß, daß die Revolution unausweichlich ist. Daran schließt sich (V.14b.15a) eine rückblickende Orientierung über die Bedingungen an, unter denen die vorangegangenen Ereignisse überhaupt stattfinden konnten. Aus dieser vorläufigen[228] Funktionsbestimmung ergibt sich, daß die Verse 14-15a durchaus einen sinnvollen Bestandteil der Erzählung bilden können.[229]

Zu einem anderen Urteil gelangt – wie die überwiegende Mehrheit der Forscher – H.-Chr.Schmitt[230]: Da die Verse „9,14-15a den Zusammenhang zwischen V.13 und V.15b" unterbrächen und auch ihrem Stil nach mit der übrigen Jehuerzählung nicht übereinstimmten, seien diese kein ursprünglicher Bestandteil der Jehuerzählung. Er weist 9,14.15a aufgrund stilistischer Ähnlichkeiten mit den Berichten über die anderen Revolutionen des Nordreiches einer annalistischen[231] Bearbeitung zu. Dazu verweist er auf die Partizipialkonstruktion in V.14b, die sich auch in den Berichten über die Revolutionen Baesas, Simris und Omris[232] wiederfinde, und auf die Bezeichnung „ganz Israel" für den israelitischen Heerbann, die ebenfalls in 1.Kön 15,27b; 16,16b.17a verwandt wird. Dazu ist allerdings zu bemerken, daß in 2.Kön 9,14b eine Partizipialkonstruktion mit היה vorliegt, während es sich bei den zum Vergleich angeführten Stellen um eine einfache Partizipialkonstruktion handelt. Die Bezeichnung „ganz Israel" findet sich auch an vermutlich nicht-annalistischen Stellen wie 1.Kön 12,1.16.18 und 2.Kön 3,6.

Gegen die Herauslösung von 2.Kön 9,14.15a aus der Erzählung spricht die Verklammerung von 9,14a mit 10,9: In 10,9 nimmt der Erzähler das „Verschwörungsmotiv"[233] nochmals auf. Wenn Jehu hier zum Volk spricht: „Ich habe mich gegen meinen Herrn ver-

[228] Siehe Seite 85.

[229] Schwierigkeiten bei der Zuweisung von 9,14-15a zur ursprünglichen Erzählung bereiten folgende sprachliche Überlegungen, die eine späte Herkunft nahelegen könnten:
- Waw-Subjekt mit היה und dem Partizip Aktiv (9,14b) ist erst im vom Aramäischen beeinflußten Mittelhebräisch gebräuchlich (R.Meyer, *Grammatik III*, 56f.).
- קשר hitp. (9,14a) ist sonst nur noch in 2.Chr 24,25 belegt.
- ארמים statt dem üblichen ארם kommt außer in 2.Kön 9,15a nur noch in 2.Kön 8,28.29 (parallel zu 9,14-16*) und 2.Kön 16,6 (schwierig) vor.

Da aber die Einwirkung des Aramäischen auf die Literatur des Nordreiches ebenfalls zu diesen sprachlichen Abweichungen vom „Normalgebrauch" des Hebräischen geführt haben könnte, lassen die genannten Beobachtungen allein keine Rückschlüsse auf die Entstehungszeit der Verse und ihre Zugehörigkeit zur Erzählung zu.

[230] H.-Chr.Schmitt, *Elisa*, 23f. Vgl. J.Wellhausen, *Composition*, 286; H.Gressmann, *Geschichtsschreibung*, 305 Anm. 3; A.Šanda, *Bücher II*, 95; H.Gunkel, *Geschichten*, 68; J.C.Trebolle-Barrera, *Jehú*, 118; S.Olyan, *Hăšālôm*, 656; G.Hentschel, *2 Könige* 42; A.F.Campbell, *Prophets*, 100f. Anm. 88; Y.Minokami, *Revolution*, 11 Anm. 16.26-29; M.Mulzer, *Jehu*, 215-219. Anders B.Lehnart, *Prophet*, 336 (siehe auch 335 Anm. 1), der ebenfalls mit einer Zugehörigkeit von V.14-15a zur Grundschicht der Erzählung von der Jehu-Revolution rechnet. L.M.Barré, *Rhetoric*, 11-13, beurteilt V.14a als deuteronomistische Ergänzung und „zieht" V.14b-15a als ursprünglichen Anfang der Erzählung vor 9,1, wogegen Lehnart, a.a.O. 335 Anm. 1, zu Recht „methodische Bedenken" erhebt.

[231] S.Olyan, *Hăšālôm*, 656f., nimmt eine deuteronomistische Herkunft der Verse an.

[232] 1.Kön 15,27b; 16,9b.15b.

[233] Vgl. dazu auch 9,31.

schworen", erinnert das stark an 9,14a: „So verschwor sich Jehu gegen Joram". Außerdem setzt 9,16aß.b V.15 voraus, da שכב in V.16aß ohne die vorangehende Schilderung von Jorams Verwundung und seinem Plan, sich in Jesreel heilen zu lassen (9,15a),[234] nicht verständlich wäre.[235] Auch לראות in V.16b ist auf Jorams Krankenaufenthalt[236] in Jesreel bezogen.

Den Zusammenhang zwischen V.14b.15a.16aß erkennt auch Y.Minokami[237] und ordnet daher, über H.-Chr.Schmitt[238], S.Olyan[239] und J.Wellhausen[240] hinausgehend, auch V.16aß dem sekundären Material zu. Wegen der ungewöhnlichen Bezeichnung ארמים statt ארם schließt er jedoch im Unterschied zu H.-Chr.Schmitt die Herkunft aus alten Dokumenten aus. Statt dessen nimmt er eine „freie Konstruktion" aus späterer Zeit an. Da aber dann V.16b, der zu keinen literarkritischen Operationen Anlaß gibt und in 9,21 vorausgesetzt wird, ohne V.16aß völlig in der Luft hängt,[241] ist auch Y.Minokamis literarkritische Lösung abzulehnen.

---

[234] Gegen J.Wellhausen, *Composition*, 286f., der eine Spannung zwischen 9,14.15a und 9,16 geltend macht, um den sekundären Charakter der Verse 14 und 15a zu begründen.

[235] Soll שכב nicht einfach nur „liegen, schlafen" bedeuten, so muß dies im Kontext angelegt sein. Vgl. zu שכב in der Bedeutung „krank liegen", 2.Sam 13,5.6.8; Ps 41,9.

[236] Vgl. wieder 2.Sam 13; Ps 41. Anders Y.Minokami, *Revolution*, 69, der annimmt, der Sinn „einen Krankenbesuch machen" habe sich nur zufällig ergeben, nachdem zuerst V.16b (Juda-Bearbeitung) und anschließend V.14b.15a.16aß eingefügt worden seien, was allerdings schon ein sehr großer Zufall gewesen sein müßte.

[237] Y.Minokami, *Revolution*, 26ff.; 9,14a schreibt er einer früheren Einfügung durch DtrH zu.

[238] H.-Chr.Schmitt, *Elisa*, 23f.

[239] S.Olyan, *Hăšālôm*, 657.

[240] J.Wellhausen, *Composition*, 286.

[241] Das Abschneiden der literarischen Verbindungen durch die Herauslösung von 9,14b.15b.16aß und die dadurch entstehende Isolierung von 9,16b führt Y.Minokami, *Revolution*, 26ff., dann auch tatsächlich zu weiteren literarkritischen Hypothesen: Da jetzt kein Grund mehr für den Besuch Ahasjas bei Joram vorhanden sei, sei dieser einer frühen judäischen Bearbeitung (a.a.O. 67ff.) zuzuweisen.
M.Mulzer, *Jehu*, 215-219, hält sowohl V.14.15a als auch V.16aßb für sekundär (vgl. E.Würthwein, *Bücher II*, 330). Auch hier geht die Beurteilung von V.16aßb auf eine literarkritische „Kettenreaktion" der oben beschriebenen Art zurück (vgl. a.a.O. 219f.): Nur wenn man zuvor V.14-15a aus der Erzählung herauslöst, liefert V.16aßb die notwendigen Informationen nicht zum richtigen Zeitpunkt. Der Befehl zur Nachrichtensperre in Richtung Jesreel (V.15b) ist nämlich hinreichend durch V.14b-15a erklärt; die Information über den Aufenthaltsort Ahasjas wird aber erst unmittelbar vor V.17ff. notwendig, damit kommt sie in V.16 gerade zur rechten Zeit. Daß Joram in der Erzählung von der Jehu-Revolution bei seiner ersten Erwähnung in V.14f. nicht mit seinem Titel vorgestellt wird, was Mulzer als weiteres Argument für die Sekundarität von V.14-15a bzw. die Zugehörigkeit von 8,28f. zur Grundschicht der Erzählung anführt (a.a.O. 220 Anm. 26, vgl. dazu S.47-50), liegt daran, daß von der Erzählung beim Leser ein gewisses Maß an Kenntnis der Situation im Nordreich zur Zeit der Jehu-Revolution vorausgesetzt wird: So zum Beispiel ein Wissen um die Bedeutung Jonadabs ben Rekabs (10,15f.), um die Verbindung zwischen Ahab, der übrigens auch nicht als König von Israel und Vater Jorams vorgestellt wird (vgl. 10,1), und dem Baalskult (10,18) sowie um die Verworfenheit Isebels (9,22.30ff.). Da dem Hörer/Leser klar ist, daß Joram der von Jehu gestürzte König von Israel war, ist es nicht notwendig, diesen mit seinem Titel einzuführen (die Erwähnung des Titels beider Könige, Jorams und Ahasjas, in 9,21 dient der Dramaturgie der Erzählung, nicht der Vorstellung). Zudem wäre es geradezu widersinnig, Joram in 9,14a, wo er zum ersten Mal erwähnt wird, als „König von Israel" einzuführen: Jehu ist nach seiner Salbung durch Jahwe der wahre König über Israel (vgl. V.3.6.12.13), Joram dagegen ein illegitimer omridischer Emporkömmling. Vgl. die negative Einstellung der Erzählung den Omriden gegenüber (9,22.30ff.; 10,1-9.12-14.18) und auch B.Lehnart, *Prophet*, 335 Anm. 1.

O.H.Steck, I.Plein und S.Timm[242] halten nur V.14a für sekundär. Dagegen spricht jedoch der abrupte Übergang von der Handlung (V.13) zu einer rückblickenden Orientierung. Diese Orientierung wird durch die Vergegenwärtigung in 9,14a erst motiviert.

2.3.3 Anmerkungen zu 2.Kön 10,1-9

2.Kön 10,1a wird – wegen der Bezugnahme auf Ahab statt auf Joram – von Y.Minokami[243] zur deuteronomistischen Bearbeitung gerechnet, von B.Stade[244] und E.Würthwein[245] für eine Glosse gehalten. Dazu besteht jedoch kein Anlaß, denn der Text[246] ist in sich stimmig: 10,1a informiert den Leser über die Existenz von siebzig „Söhnen Ahabs" in Samaria und liefert dadurch zugleich die Begründung für Jehus weiteres Vorgehen: Jehu schreibt Briefe an die „Obersten Ahabs" (10,1b), bei denen sich die Söhne Ahabs aufhalten. Daß sich der Erzähler sowohl bei den Söhnen als auch bei den Obersten auf Ahab[247] bezieht, darf nicht zu vorschnellen literarkritischen Vereinfachungen führen.[248]

10,6b ist eine erläuternde Glosse;[249] hier werden lediglich Informationen aus 10,1 und 10,2 wiederholt. Auf den sekundären Charakter von V.6b deutet ebenfalls die von ihrem Kontext abweichende Wortwahl hin: In 10,1 sind es die „Obersten Ahabs", bei denen sich die „Söhne" des Königs befinden, in 10,6b befinden sie sich bei den „Großen der Stadt".

2.3.4 Der Weg von Jesreel nach Samaria in 2.Kön 10,12-16

Die sprachlichen Schwierigkeiten in 10,12.13 wurden bereits in den textkritischen Anmerkungen zur Übersetzung behandelt, wo auch eine sinnvolle Lösungsmöglichkeit aufgezeigt wurde.[250]

Eine andere mögliche Lösung ist, eine nachträgliche Einfügung der beiden Szenen 10,13f. und 10,15f. anzunehmen.[251] V.12 (außer ויקם) wäre dann als Versuch aufzufassen, das ur-

---

[242] O.H.Steck, *Überlieferung*, 32 Anm. 1; I.Plein, *Erwägungen*, 15 Anm. 38; S.Timm, *Dynastie*, 138 Anm. 13.

[243] Y.Minokami, *Revolution*, 55f.

[244] B.Stade, *Anmerkungen*, 183; im Anschluß an Stade I.Benzinger, *Bücher*, 152; O.Eißfeldt, *Das zweite Buch*, 557; B.D.Napier, *Omrides*, 371; L.M.Barré, *Rhetoric*, 17.

[245] E.Würthwein, *Bücher II*, 335.

[246] Zur Textänderung in V.1 siehe S.35 Anm. 28.

[247] In der Erzählung sind Isebel (9,22.30-35, vgl. 10,13) und Ahab (10,1.18), obwohl der letztgenannte tot ist, gegenüber Joram die dominierenden Gestalten. Die Figur Jorams bleibt auffällig blaß (siehe zum „Joram-Bild" des Erzählers unten S.87).

[248] Ähnlich auch M.Mulzer, *Jehu*, 244f.

[249] Eine Glosse vermutet hier auch E.Würthwein, *Bücher II*, 336. J.Wellhausen, *Composition*, 287; R.Kittel, *Bücher*, 236; B.Stade/F.Schwally, *Books*, 228; H.Gunkel, *Geschichten*, 100 Anm. 41; J.Gray, *Kings*, 552; I.Plein, *Erwägungen*, 15 Anm. 38; S.Timm, *Dynastie*, 138 Anm. 13; G.Hentschel, *2 Könige*, 46 und M.Mulzer, *Jehu*, 243f., rechnen V.6b ebenfalls nicht zum Grundbestand der Erzählung. Anders H.-Chr.Schmitt, *Elisa*, 231. Y.Minokami, *Revolution*, 75 mit Anm. 26, sieht zwischen V.6a und 6b keinen Bruch vorliegen; er hält vielmehr V.4-6 insgesamt für einen Einschub.

[250] Siehe Seite 37f.

[251] Vgl. B.Stade, *Anmerkungen*, 183-185. Stade nennt neben den formalen auch noch sachliche Probleme: Es sei unwahrscheinlich, daß die 42 Prinzen mehrere Tage nach Beginn der Revolution Jehu ahnungslos in die Hände gelaufen seien; weiterhin sei nicht anzunehmen, daß Jehu in Anbetracht der geplanten List (10,18ff.) „mit dem prophetischen Eiferer Jonadab ben Rekab auf seinem eigenen Wagen in Samarien" (a.a.O. 184) eingezogen wäre. Andere Forscher greifen diese Schwierigkeiten immer wieder auf (so

sprünglich mit V.13 beginnende Traditionsstück (V.13-16) mit der Jehuerzählung zu verknüpfen.[252] V.12*-16 ließe sich – rein formal betrachtet – gut aus der ursprünglichen Erzählung herauslösen, denn ויבא שמרון in V.17aα würde sich nahtlos an ויקם in V.12 anschließen. Dies ist jedoch zum einen mit einem sehr großen Eingriff in die Textgestalt verbunden. Zum andern entspricht die Szenenfolge in 10,1ff. mit der Szene auf dem Weg zwischen Jesreel und Samaria exakt dem in Kapitel 9 vorgegebenen räumlichen Szenenaufbau,[253] was eher auf planvolle Gestaltung durch den Erzähler der Jehu-Geschichte als auf eine nachträgliche Einfügung der Szene schließen läßt. Daher ziehe ich die oben erwähnte textkritische Lösung vor.

Für die Annahme, 10,12-16 sei ein Bestandteil[254] der ursprünglichen Erzählung, spricht auch folgendes:

- Wie in 9,22 und 9,31 findet sich auch in 10,13 die Verbindung zwischen dem Leitwort שלם und der Person Isebels.
- In der Episode mit Jonadab ben Rekab wird Jehu ebenso wie in 9,15b.32; 10,6a als Revolutionär geschildert, der Verbündete sucht.[255]
- Die Abschnitte 10,15-16 und 10,17aα.18ff. sind weiterhin über die Person Jonadab ben Rekabs als auch über das gemeinsame Thema „die Ausrottung des Baalskultes", das in V.16 nur angedeutet und in V.18ff. ausgeführt wird, miteinander verknüpft.[256]

I.Benzinger, *Bücher*, 149; G.Hentschel, *2 Könige*, 39f.; E.Würthwein, *Bücher II*, 338f.; J.Gray, *Kings*, 556; L.M.Barré, *Rhetoric*, 18-20) und gelangen entweder wie B.Stade (a.a.O. 184) zu der Annahme, die erwähnten Verse seien sekundär (E.Würthwein, *Bücher II*, 338f.; vgl. L.M.Barré, *Rhetoric*, 18-20.32f.; Y.Minokami, *Revolution*, 67ff.; Chr.Levin, *Sturz*, 86f. Anm. 9.) oder hätten ursprünglich an einer anderen Stelle im Kontext gestanden (J.Gray, *Kings*, 556). Da es sich bei der Erzählung jedoch nicht um ein getreues Abbild der Wirklichkeit, sondern um eine absichtsvolle Darstellung der Ereignisse aus der Sicht des Verfassers handelt (siehe unten Seite 104ff.), sind solche Überlegungen nicht weiter von Belang.

[252] So B.Stade, *Anmerkungen*, 185. Den Einschub einer älteren Tradition (V.12-14) und einer jüngeren Bildung (V.15f.) nimmt E.Würthwein, *Bücher II*, 338, an.

[253] „In Ramoth-Gilead" (9,1-15) – „auf dem Weg von Ramoth-Gilead nach Jesreel" (9,16-27) – „in Jesreel" (9,30ff.). Diese Folge wird durch die Schilderung der Ereignisse auf dem Weg von Jesreel nach Samaria (10,12-16) und in Samaria (10,17-25b*) konsequent fortgesetzt. Vgl. auch Seite 75-77.

[254] Vgl. auch H.-Chr.Schmitt, *Elisa*, 28f.; B.Lehnart, *Prophet*, 337f. M.Mulzer, *Jehu*, 253-261, rechnet den genannten Abschnitt ebenfalls zur Grunderzählung. Er scheidet lediglich in V.12 ויבא als Glosse (a.a.O. 78-80.253-255) und V.14bß wegen seiner Ähnlichkeit mit dem als sekundär bewerteten V.11 als nachträgliche Bearbeitung aus (vgl. S.Timm, *Dynastie*, 138 Anm. 13). Da V.14bß aber nicht in Spannung mit seinem Kontext steht und die Übereinstimmung zwischen V.11 und V.14bß auf die Verwendung der Wurzel שאר (hi.) beschränkt bleibt und sich nicht bis in die Satzkonstruktion hinein erstreckt (die Deuteronomisten verbinden השאיר sowohl in V.11 [vgl. Nu 21,35; Dtn 3,3] als auch in 1.Kön 15,29; 16,11 mit der Präposition ל, während in 2.Kön 10,14 die Präposition מן verwandt wird), schließe ich mich der Auffassung Mulzers nicht an. Dagegen ist es wohl möglich, daß die Deuteronomisten aus ebensolchen „Vernichtungsmeldungen" wie 2.Kön 10,14 ihre „Sprache" entwickelt haben (vgl. W.Dietrich, *Prophetie*, 83).

[255] Ähnlich auch I.Plein, *Erwägungen*, 16.

[256] Siehe dazu S.92-95. Die Verknüpfung der Abschnitte 10,15-16 und 10,18ff. betont auch M.Mulzer, *Jehu*, 260 Anm. 152.

2.3.5 Die „Juda-Bearbeitung“ – ein Vorschlag Y.Minokamis[257]

Eine „Juda-Bearbeitung“ (9,15b.16b.21bα[1]*(יהורם מלך־ישראל ואחזיהו מלך־יהודה איש ברכבו). 23b.27; 10,4-6.13-14bα.15.17aα) nimmt – über die bisherige Forschung hinausgehend – Y.Minokami an. Die „Unglücksfälle der Davididen“[258] seien in der ursprünglichen Jehuerzählung nicht erwähnt worden. Dem judäischen Bearbeiter gehe es um eine „Redigierung der Jehu-Erzählung aus dem judäischen Blickwinkel“.[259] Nach Meinung Minokamis tritt in den oben genannten Versen, vor allem in 9,15b.23b; 10,4-6.14a „der Abscheu gegen Jehu“[260] und zugleich eine „scharfe Kritik am Vorgang des Dynastiewechsels“[261] zutage. Eine Warnung an die Adresse Judas, mit Israel kein Bündnis einzugehen, entdeckt Minokami in 9,16b.21b; 10,13bß.[262] Diese Jehu-feindliche, der Revolution kritisch gegenüberstehende Juda-Bearbeitung ist aber, liest man den Text als ganzen und nicht einzelne Wörter oder Sätze für sich, nicht feststellbar. Dies soll nur an einigen Beispielen verdeutlicht werden:

- 9,15b wird von Minokami wegen seiner Tendenz, ein tückisches Bild[263] Jehus zu zeichnen, der judäischen Bearbeitung zugeschrieben. Jehus unzweifelhaft geschicktes Vorgehen – er verhängt eine „Nachrichtensperre“ in Richtung Jesreel und versichert sich zugleich der von den Hauptleuten bereits bekundeten (V.13) Unterstützung – wird jedoch in der Erzählung nicht negativ, sondern positiv beurteilt.[264] Besagte „Nachrichtensperre“ wird übrigens in 9,17ff. vorausgesetzt. Die völlige Unwissenheit Jorams, der erst in V.22f. jäh zur Erkenntnis der Lage gelangt, bildet den Spannungsbogen der Turm- und Ausfahrtsszene (9,17-23).

- Als Beleg für die judäische Kritik am Dynastiewechsel wird die Verwendung von מרמה in 9,23b gewertet: „Die Meinung unseres Bearbeiters über den Dynastiewechsel faßt der Terminus מרמה in 9,23b zusammen“.[265] Dazu ist zu bemerken, daß Jehu auch in seiner Konfrontation mit Isebel mit der wenig schmeichelhaften Bezeichnung „Mörder“ tituliert und mit dem Verräter Simri verglichen wird (9,31). In 10,9 bezichtigt sich Jehu selbst der Verschwörung und des Mordes. An diesen Stellen, die Minokami in der Grundschicht der Erzählung beläßt, will der Erzähler auch nach Einschätzung Minokamis Jehus Handeln aber keineswegs verurteilen.[266]

- Auch in 10,4-6 findet sich keine der übrigen Erzählung zuwiderlaufende Tendenz. Daß sich die Obersten von Samaria fürchten, wirft kein schlechtes Licht auf Jehu als einen

[257] Y.Minokami, *Revolution*, 67-95.
[258] a.a.O. 86.
[259] a.a.O. 82.
[260] a.a.O. 82.
[261] a.a.O. 81.
[262] a.a.O. 86.
[263] a.a.O. 79.
[264] Siehe dazu Seite 104ff.
[265] a.a.O. 81f.
[266] Zur Intention des Erzählers der ursprünglichen Jehuerzählung siehe a.a.O. 154.

„ungestüm und rücksichtslos auf den Thron“[267] zustrebenden Usurpatoren, sondern auf die Obersten.[268]

- Ein Bearbeiter aus Juda, der die Szene 10,13-14bα einfügte, um einen besonderen Abscheu gegen Jehu zu erwecken, hätte bestimmt eine deutlichere Sprache gesprochen: Weder sind seine zweiundvierzig[269] Opfer Sympathieträger – sie wollen die Söhne der verhaßten Isebel besuchen – noch unterscheidet sich die Schilderung des Mordes qualitativ von den anderen „Grausamkeiten“ Jehus.[270]

2.3.6 Das Ende der Erzählung von der Jehu-Revolution

Sowohl E.Würthwein[271] als auch Y.Minokami[272] sehen das Ende der Erzählung von der Jehu-Revolution – wenn auch aus unterschiedlichen Erwägungen heraus – in den Versen 10,12aα*.17aα: „Und er machte sich auf und kam nach Samaria.“ Damit betrachten sie die Erzählung mit der Auslöschung des alten Regimes inhaltlich als abgeschlossen. Dieser Ansicht kann ich mich nicht anschließen.[273] Vom Beginn[274] der Erzählung an, dem Salbungsauftrag Elisas (9,1-3), steht die unausgesprochene Frage im Raum, welche Gründe Elisa bewogen haben könnten, Jehu zum König zu salben. Die Opposition Elias bzw. Elisas gegenüber der Baalsverehrung[275] dürfte den zeitgenössischen Hörern/Lesern ein Begriff gewesen sein, die daher mit einer Salbung durch Elisa bestimmte Erwartungen an die Herrschaftsausübung des Gesalbten verbunden haben dürften. Deshalb sind gerade die Handlungen Jehus nach abgeschlossener Machtergreifung (10,9) von Interesse, da sie eine Abkehr von der Religionspolitik seiner Amtsvorgänger im Sinne Elisas (10,18; vgl. auch 10,16) bezeugen. Die Abschaffung des Baalskultes ist der logische Abschluß des von Elisa in Gang gesetzten Handlungsablaufes. Y.Minokami[276] und E.Würthwein[277] haben in weiser Voraussicht bestehende Verbindungen zwischen den Textteilen 9,1-10,16* und 10,17aα.18-25a* literarkritisch beseitigt. Dabei fallen die „Jonadab-Episode“ (10,15f.)[278] und Jehus Anklage gegen Isebel (9,22) dem Rotstift zum Opfer. Beide nehmen jedoch einen berechtigten Platz in der Geschichte ein:

---

[267] a.a.O. 77.

[268] Siehe Seite 106f.

[269] Auch die Anzahl der spottenden Knaben in 2.Kön 2,23f. ist zweiundvierzig. Nach der Erzählung ereilt diese der Tod völlig zu Recht, auch wenn man es kaum wahrhaben mag. Hier wie dort ist jedoch nicht nach dem Maß der Grausamkeit, sondern nach der Aussageabsicht zu fragen.

[270] Vgl. dazu den Tod Jorams (9,24) und Isebels (9,33), sowie das „Abschlachten“ (שחט, wie in 10,14) der „Söhne Ahabs“ (10,7).

[271] E.Würthwein, *Bücher II*, 338.

[272] Y.Minokami, *Revolution*, 96f.130; vgl. noch Chr.Levin, *Sturz*, 86 Anm. 9; ders., *Entstehung*, 301; A.Rofé, *Stories*, 81 und V.Fritz, *Das zweite Buch*, 46ff.

[273] Auch M.Mulzer, *Jehu*, 271-273 und B.Lehnart, *Prophet*, 338, wenden sich dezidiert gegen die Abtrennung des Abschnitts 10,18ff. von der ursprünglichen Jehuerzählung.

[274] E.Würthwein rechnet 9,1-13 nicht mit zur Erzählung, was in dieser Hinsicht konsequenter ist. Zu 9,1-13 vgl. jedoch Seite 64f.

[275] Vgl. 1.Kön 18,21ff.; 2.Kön 1,2ff.

[276] Y.Minokami, *Revolution*, 37.43-44.97f.

[277] E.Würthwein, *Bücher II*, 328-330.333.338f.

[278] Chr.Levin, *Entstehung*, 302, rechnet zwar die Jonadab-Episode zur ursprünglichen Jehu-Erzählung hinzu, streicht allerdings aufgrund einer vorgeblichen Doppelung zwischen V.15bß und V.16b 2.Kön 10,16; siehe dazu aber die Argumentation von M.Mulzer, *Jehu*, 256ff.

Die „Jonadab-Episode" bereitet die Szene in Samaria gewissermaßen vor: Jehu gibt hier schon andeutungsweise seinen Plan, den Baalskult zu beseitigen, zu erkennen, als er Jonadab an seinem „Eifer für Jahwe" (V.16) teilhaben lassen will. Damit baut der Erzähler in einer für ihn typischen Weise[279] eine Erwartungshaltung beim Leser auf, die ihn mit Spannung auf die folgenden Ereignisse blicken läßt. Jonadab taucht dann auch – gemäß der Absprache in 10,16 – in V.23 wieder auf, um Zeuge der bevorstehenden Abrechnung mit dem Baalskult zu werden.

Die Annahme, die Erwähnung Jonadabs in 10,23 sei sekundär,[280] ist weder aus sachlichen, noch aus stilistischen[281] Gründen zwingend. Seine Rolle als „Zuschauer"[282] ist schon in 10,16 festgelegt: „Komm doch mit mir und sieh meinen Eifer für Jahwe!" Das Auftreten des überzeugten Jahwisten Jonadab würde die Baalsanhänger mißtrauisch machen, führt I.Benzinger[283] als Argument für die Streichung von „Jonadab" in V.23 an. Diese Frage ist allerdings in der Erzählung nicht angelegt. Die Baalsanhänger lassen sich von Jehu täuschen, ebenso wie sich Joram trotz des merkwürdigen Verhaltens seiner Boten täuschen läßt – warum sie nichts merken, wird nicht erklärt, es geht um die erfolgreiche List Jehus, nicht um die Überlegungen der übertölpelten Opfer.

Ebensowenig akzeptabel wie die Herauslösung der Gestalt Jonadabs aus der Erzählung ist die – literarkritisch nicht zu begründende[284] – Streichung von 9,22bß.[285] Hier wird die Baalsgegnerschaft Jehus erstmals deutlich zum Ausdruck gebracht und damit die entsprechende Vermutung des Lesers/Hörers bestätigt. Die Erzählung von der Jehu-Revolution ist also von Anfang an auf ihr Ende, die Vernichtung des Baalskultes, hin angelegt.

Neben den genannten inhaltlichen Argumenten spricht auch ein rein formales gegen ein Erzählende in 10,12aα*.17aα: Die Wendungen „und ... ging nach ..." bzw. „und ... kam nach ..." bilden in der übrigen Erzählung stets nur die Überleitung zwischen den einzelnen Szenen (9,4.5a; 9,16; 9,30a), niemals aber einen Szenenschluß und darum wohl kaum den Erzählabschluß.[286] Der Leser erwartet nach 10,17aα eine Schilderung der Vorgänge in Samaria, ebenso wie er nach 9,5a über alle Ereignisse in Ramoth-Gilead und nach 9,30a über die Geschehnisse in Jesreel informiert wurde.

---

279 Vgl. auch S.68f.92-95.

280 So E.Würthwein, *Bücher II*, 340; Y.Minokami, *Revolution*, 97f.; Chr.Levin, *Entstehung*, 302. H.-Chr.Schmitt, *Elisa*, 25, rechnet mit einer apologetischen Bearbeitung, die Jehu von dem Vorwurf, dem Baalskult beigewohnt zu haben, befreien soll: Schließlich hat ja auch der „fromme" Jonadab daran teilgenommen.

281 Y.Minokami, *Revolution*, 98, wendet ein, das singularische Verb (ויאמר) in V.23b verrate die sekundäre Einfügung Jonadabs. Diese Konstruktion ist allerdings nicht ungewöhnlich (vgl. nur 1.Sam 28,8): Jehu ist der Haupthandlungsträger, es ist ganz natürlich, daß er spricht, so daß keine Renominalisierung erfolgen muß.

282 H.-Chr.Schmitt, *Elisa*, 25, führt V.25a – Jehu opfert allein – an, um die sekundäre Herkunft der Erwähnung Jonadabs zu begründen.

283 I.Benzinger, *Bücher*, 149.154.; vgl. auch B.Stade, *Anmerkungen*, 184.

284 Vgl. dazu B.Lehnart, *Prophet*, 336, der die Streichung von V.22bß ebenfalls zurückweist.

285 E.Würthwein, *Bücher II*, 333; vgl. Y.Minokami, *Revolution*, 42; Chr.Levin, *Entstehung*, 302 und auch V.Fritz, *Das zweite Buch*, 52. Siehe dazu Seite 85-87.

286 Ähnlich M.Mulzer, *Jehu*, 273 Anm. 202.

2.3.7 Die Einheitlichkeit von 2.Kön 10,18-25

Abschließend soll noch auf die Einwände eingegangen werden, die E.Würthwein[287] bezüglich der Einheitlichkeit des Abschnittes 10,18-25[288] erhebt. Würthwein nimmt eine Aufteilung des Textes in zwei Fassungen vor, wobei sich die erste, von DtrP geschaffene, aus 2.Kön 10,18aαß.19aα.20.23a*.24a.25a zusammensetzt und nur die Vernichtung der Baalspriester und -propheten, aber nicht die der Baalsverehrer erwähnt. In der zweiten, späteren Fassung wurden die übrigen Verse von DtrN zugefügt.

Die angeblichen Ungereimtheiten, die Würthwein zu der literarkritischen Scheidung veranlassen, kann ich nicht feststellen:

- Jehu gibt nicht zweimal den gleichen Befehl (V.24b.25a), die Baalsanhänger zu töten. In V.24b wird die vorherige Instruktion der Männer wiedergegeben. Diese schließt mit ein, daß auch während des Festes keiner aus dem Tempel entkommen soll. In V.25a dagegen gibt Jehu den aktuellen Befehl zum Eingreifen der Truppe.
- Die Baalsverehrer treten nicht zweimal (V.21.24a) in den Tempel ein. V.24a bezieht sich eindeutig auf V.25a und V.23a: Jehu und Jonadab gehen zuerst in den Vorhof des Tempels zu den Baalsanhängern, um ihnen Anweisungen zu geben (V.23), dann gehen sie weiter hinein, in den eigentlichen Tempel, um dort Brand- und Schlachtopfer darzubringen (V.24a).

Die von E.Würthwein vorgeschlagene erste Fassung[289] ist für sich alleine stehend kaum stimmig:

Bezieht sich „und sie gingen hinein, um Brandopfer und Schlachtopfer darzubringen" in V.24a auf die Baalspropheten und -priester, dann bereitet V.25a Probleme. Denn hier ist Jehu, von dem noch nicht einmal gesagt wurde, er habe angefangen zu opfern, mit dem Opfern fertig. Dieses Problem löst sich, wenn man erkennt, daß V.24a auf das Subjekt von V.23a, Jehu und Jonadab, bezogen ist, was auch erklärt, warum in V.24a keine Renominalisierung erfolgt.

Die als überflüssige Doppelung angesehene Orientierung des Lesers über Jehus Vorbereitung des Coups (V.24b) dient zur Steigerung der Spannung – während des unbekümmerten Festes wartet draußen schon die Vernichtung. Ohne V.24b weiß man außerdem nicht, wo die „Läufer und Adjutanten" herkommen, denen Jehu in V.25a den Befehl zum Eingreifen gibt.

---

[287] E.Würthwein, *Bücher II*, 340-342; vgl. jetzt auch M.Beck, *Elia*, 199ff., der 2.Kön 10,18aγb.(19b.)21-22.23b.25aγ*bα(β) DtrH zuweist.

[288] Vgl. die Seite 54f.94f. vorgenommene Abgrenzung des Abschnitts.

[289] a.a.O. 340f.

2.4 Zusammenstellung der Ergebnisse

Die Ergebnisse der obigen Ausführungen sollen hier noch einmal in einer Übersicht festgehalten werden:

Die ursprüngliche Erzählung setzt sich wie folgt zusammen:

2.Kön 9,1-5.6*(ohne אלהי ישראל und אל־עם יהוה).10b.11-21a.21b*(ohne ויצאו לקראת יהוא וימצאהו בחלקת נבות היזרעאלי).22-24.27.30-35; 10,1-5.6a.7-9.12-17aα.18-19a.20.21aßb.22-25a

Die vordeuteronomistische Bearbeitung findet sich in:

2.Kön 9,21b*(ויצאו לקראת יהוא וימצאהו בחלקת נבות היזרעאלי).25f.

Die deuteronomistische Bearbeitung umfaßt die Verse:

2.Kön 8,28f.; 9,6b*(אלהי ישראל und אל־עם יהוה).7a.8-10a.28.36; 10,10.11.17aßb.19b.21aα. 25b-31a.32-36[290]

Als sekundär-deuteronomistische Erweiterungen sind 2.Kön 9,29 und 9,37 anzusehen.

2.Kön 9,7b ist eine in Zusammenhang mit 1.Kön 19 zu betrachtende späte Ergänzung.[291]

Darüber hinaus wurden 2.Kön 10,6b.31b als nachträglich eingefügte Glossen eingestuft.[292]

---

[290] Eventuell ist diese Aufstellung um 2.Kön 9,27bß zu erweitern, siehe dazu S.76 Anm. 296.

[291] Siehe dazu S.43.

[292] Zu den bereits in Übersetzung und Textkritik ausgesonderten Glossen innerhalb der Verse 9,4.7.37; 10,1.6a.12.19a siehe S.29ff. Hinzu kommt die Einfügung des Titels המלך in 2.Kön 9,15, siehe dazu S.79 Anm. 307.

3 Aufbau und Struktur der Erzählung

3.1 Lokale Gliederung

Der Handlungsablauf orientiert sich an den Orten Ramoth-Gilead, Jesreel und Samaria, was eine Dreiteilung der Erzählung ermöglicht:

I. Aussendung des Prophetenjüngers nach Ramoth-Gilead;
Ereignisse in Ramoth-Gilead (9,1-13*)

II. Ereignisse auf dem Weg Jehus nach Jesreel und in Jesreel[293] (9,15b-10,9*)

III. Ereignisse auf dem Weg Jehus nach Samaria und in Samaria[294] (10,12-25a*)

Mit Jehus Aufbruch zu einem neuen Zielort (Jesreel [9,16] bzw. Samaria [10,12a]) wird die Erwartungshaltung des Lesers auf die kommenden Ereignisse ausgerichtet und so ein neuer Erzählabschnitt eingeleitet. Innerhalb eines jeden der drei Erzählabschnitte ist es möglich, zwischen Ereignissen, die noch nicht am Zielort und solchen, die bereits am Zielort stattfinden, zu unterscheiden. Der Übergang wird markiert durch „Und Jehu (er) kam nach Jesreel (Samaria)" in 9,30a und 10,17aα; beziehungsweise durch: „Und der Knecht ging nach Ramoth-Gilead. Und er kam an ..." in 9,4.5aα. Die kleinräumigen Gliederungsmerkmale sollen nun in das oben erstellte Raster eingeordnet werden:

I.1 Auffälligerweise bleibt der Ort, an dem Elisa seinen Jünger mit der Salbung Jehus beauftragt, ungenannt, während Ramoth-Gilead als Zielort genannt wird (9,1-3). Der Anstoß zu den folgenden Ereignissen bleibt somit unlokalisiert und hebt sich dadurch von diesen ab.

I.2 Die Ereignisse in Ramoth-Gilead (9,4-13*) finden offensichtlich im Freien statt. Hervorgehoben durch einen Ortswechsel wird lediglich die Salbung Jehus (9,6*.10b), die in der Abgeschiedenheit eines Hauses vorgenommen wird.[295]

---

[293] Jesreel scheint – neben Samaria – unter den Omriden die Funktion einer saisonalen Residenz (Winterresidenz) gehabt zu haben. Dies legt sowohl die Existenz eines Palastes in Jesreel (1.Kön 21,1ff.; 2.Kön 9,30ff.) als auch der Aufenthalt der königlichen Familie samt ihres Hofstaates (2.Kön 9,15a.30b.32b) in Jesreel nahe. Die Bedeutung Jesreels erlosch wohl mit Jehus grausigem Massaker an den Omriden (siehe Hos 1,4). Vgl. S.Timm, *Dynastie*, 142ff. und – mit besonderer Betonung der Bedeutung Jesreels gegenüber Samaria – B.D.Napier, *Omrides*, 366-378. Zur Ähnlichkeit zwischen Jesreel und Samaria in archäologischer Hinsicht siehe O.Zimhoni, *Pottery*, 68f. Gegen die weitergehende These A.Alts (*Stadtstaat*, 258-302; vgl. H.Donner, *Geschichte*, 263ff.), in dem Nebeneinander der beiden Residenzen Jesreel und Samaria manifestiere sich die dualistische omridische Religionspolitik, welche Jesreel als Hauptstadt für den genuin israelitischen, Samaria für den nicht-jahwistischen, kanaanäischen Bevölkerungsteil etabliert habe (a.a.O. 267ff.), wenden sich zu Recht S.Timm, *Dynastie*, 142-156; W.Gugler, *Jehu*, 32-40; siehe auch Y.Yadin, *House*, 129.

[294] Zur von Omri und seinem Sohn Ahab quasi aus dem Nichts heraus aufgebauten (1.Kön 16,24; vgl. 22,39) und befestigten (2.Kön 10,2) Hauptstadt Samaria mit „Elfenbeinhaus" (1.Kön 22,39), einem mit Elfenbeinschnitzereien verziertem Palast (vgl. H.Weippert, *Palästina*, 539.654-660; O.Keel/Chr.Uehlinger, *Göttinnen*, 202f. und auch E.F.Beach, *Ivories*, 94ff.), und Baalstempel (1.Kön 16,32; 2.Kön 10,18ff.; zur Ursprünglichkeit von בית הבעל in 1.Kön 16,32 siehe J.A.Emerton, *House*, 293-300) vgl. H.Donner, *Geschichte*, 265ff.; S.Timm, *Dynastie*, 142ff. Zur Kritik an Y.Yadin, *House*, 127-129, der die Existenz eines Baalstempels in Samaria bestreitet und diesen auf dem Berg Karmel lokalisiert, vgl. R.Albertz, *Religionsgeschichte*, 231 Anm. 18.

In obiger Gliederung in die drei Hauptblöcke wurden die Verse 9,14-15a ausgespart. Diese sind durch ihre orientierende Funktion von der Erzählebene abgehoben. Die politische Dimension der Ereignisse in Ramoth-Gilead wird verdeutlicht (9,14a) und die Darstellung der sie begünstigenden Umstände erzählerisch nachgeholt (9,14b-15a). In 9,15a wird zum erstenmal in räumlicher Hinsicht der Blick nach Jesreel gerichtet: Der verwundete Joram ist vom Kriegsschauplatz Ramoth-Gilead nach Jesreel zurückgekehrt. Die Orientierung nimmt also eine Art Scharnierstellung zwischen dem ersten und dem zweiten Hauptteil ein.

II.1 Unmittelbar nach dem Aufbruch Jehus nach Jesreel (9,16aα) teilt sich die Handlung zwischen den Schauplätzen „Wegstrecke nach Jesreel“ und „Wachturm in Jesreel“ und springt zwischen beiden hin und her (9,17-21a). Der Leser/Hörer hat so gleichzeitig Kenntnis von Jorams Reaktionen und von Jehus Zusammentreffen mit den ihm entgegenkommenden Boten. Mit Jorams und Ahasjas Ausfahrt aus Jesreel (9,21b*) und der Begegnung zwischen Jehu und Joram vor der Stadt (9,22aα) wird die Handlung wieder an einem Ort zusammengeführt.

Der detailliert beschriebene Fluchtweg Ahasjas (9,27) führt von Jorams Todesstätte über die Steige von Gur bis nach Megiddo.[296]

II.2 Auf Jehus Ankunft in Jesreel (9,30a) hin beginnt Isebel mit den Vorbereitungen für die folgende Konfrontation mit Jehu. Der Beginn der eigentlichen Handlung wird durch Jehus Eintritt in das Tor (Palasttor) markiert (9,31a), wo ihn Isebel von einem oberen Fenster[297] aus empfängt (9,31b; vgl. V.30bß). Von ihrer im räumlichen wie im übertragenen Sinne

---

295 Vgl. 1.Sam 9-10, wo Samuel die Salbung Sauls ebenfalls in der Abgeschiedenheit durchführt (9,27; 10,1); auch David (1.Sam 16,1-13) wird nicht in der Öffentlichkeit, sondern lediglich im Kreis seiner Familie gesalbt.

296 Diese Anhäufung von Ortsnamen – im Kontrast zu der mit Ortsnamen ansonsten eher spärlich versehenen Erzählung – ist allerdings auffallend. Möglicherweise haben die Deuteronomisten hier den Text um „und er floh nach Megiddo und starb dort“ (2.Kön 9,27bß) erweitert, mit der Absicht den Transport des toten Ahasjas analog zum Transport Josias von Megiddo nach Jerusalem zu gestalten (vgl. 2.Kön 9,27bß.28 mit 2.Kön 23,29f.). Zu V.28 siehe oben Seite 50f.

297 Das Erscheinen Isebels am Fenster wird von O.H.Steck, *Überlieferung*, 58, als Demonstration ihrer Herrschaftsübernahme gedeutet: „Der Auftritt Isebels im Audienzfenster zeigt, daß sie dem Königsmörder Jehu, den sie als solchen anspricht, in offizieller Rolle entgegentritt; die Absicht dabei ist, wie neuerdings mit Recht angenommen wird, nach dem Tod des Königs selbst die Herrschaft in die Hand zu nehmen.“ Eine Bedeutung des Palastfensters für den Akt der Herrschaftsübernahme läßt sich jedoch weder durch das Alte Testament noch durch die von Steck (a.a.O. 57 Anm. 3) zum Vergleich herangezogenen Texte über die Auftritte ägyptischer Pharaonen am „Erscheinungsfenster“ belegen. Siehe dazu S.Timm, *Dynastie*, 296f. und die dort (a.a.O. Anm. 32.33) angegebene Literatur. Dennoch ist der Vergleich mit dem ägyptischen „Erscheinungsfenster“ in gewisser Weise erhellend: „Während die Pharaonen vom Erscheinungsfenster her ihre bewährten Soldaten auszeichneten, schmähte Isebel vom Fenster aus den Offizier Jehu“ (S.Timm, a.a.O. 296).
Verschiedentlich wird der Auftritt Isebels im Licht des Motivs der „Frau am Fenster“ gedeutet (vgl. die bei O.H.Steck, *Überlieferung*, 56f. Anm. 4, angegebene Literatur; siehe außerdem auch E.F.Beach, *Ivories*, 101). Es handelt sich dabei um ein Motiv, das sich auch auf einer in Samaria gefundenen Elfenbeinplakette wiederfindet (siehe dazu H.Weippert, *Palästina*, 660 Anm. 49; O.Keel/Chr.Uehlinger, *Göttinnen*, 225f.): Eine Frau erscheint als Göttin (Astarte) oder als (die Göttin imitierende) Hierodule in einem (stufenweise zurückgesetzten) Fensterrahmen, der einen Tempel andeutet (so O.Keel/Chr.Uehlinger, a.a.O. 226). Zieht man dieses Motiv zur Deutung der „Fensterszene“ in 2.Kön 9,30ff. heran, so hieße das, der Verfasser der Jehuerzählung habe Isebel als eine (zur kultischen Prostitution anlockende) Göttin bzw. Hierodule, die von Jehu von ihrem Thron gestoßen wird, darstellen wollen. Gegen diese Deutung wendet sich jedoch zu Recht Steck, a.a.O. 56f. Anm.4: Die so gedeutete Erscheinung Isebels steht in völligem Widerspruch zu ihrem Verhalten, der Schmähung Jehus in 9,31. Zum Ganzen siehe auch S.88-90.

erhöhten Position wird sie jedoch herabgestürzt. Nach dem Fenstersturz Isebels erfolgt ein Schauplatzwechsel: Jehu geht (in den Palast) um zu essen und zu trinken (9,34a), wodurch zunächst eine räumliche Distanz zum vorherigen Geschehen geschaffen wird. An dieses wird aber abrupt wieder angeknüpft, als Jehu seine Leute an die Todesstätte Isebels zurückschickt (9,34b). Die Pointe – Isebel ist nur noch äußerst unvollständig vorhanden (9,35) – gewinnt dadurch an Effekt.

In 10,1a wird der Leser/Hörer über die Verhältnisse in Samaria informiert; es erfolgt ein Szenenwechsel, der allerdings nicht mit einem Ortswechsel Jehus verbunden ist: Im folgenden geht es zwar um die Nachkommenschaft Ahabs in Samaria, diese beseitigt Jehu aber noch von Jesreel aus. Durch die Korrespondenz zwischen Jesreel und Samaria ergibt sich aus dem Blickwinkel des Lesers/Hörers ein mehrmaliger Ortswechsel (10,1-7*),[298] bis die Köpfe der Königssöhne in Jesreel eintreffen. Von V.8 an beschränkt sich die Handlung wieder auf Jesreel. Die Szene gipfelt in einer Ansprache vor dem versammelten Volk (V.9) in Sichtweite der am Tor von Jesreel (V.8) aufgestapelten Köpfe.

III.1 Der Weg von Jesreel nach Samaria (10,12-16) läßt sich aufgrund räumlicher Angaben in zwei Szenen teilen: In die Begegnung Jehus mit Ahasjas Brüdern (10,12-14), die bei der „Zisterne von Beth-Eked" (V.14) endet, und in das Zusammentreffen Jehus mit Jonadab (10,15-16), welches nach dem Aufbruch von Beth-Eked (V.15: וילך משם) stattfindet.

III.2 Die Aktivitäten Jehus in Samaria (10,17-25a*) werden zunächst nicht lokal präzisiert. Erst mit der Ankunft der Baalsverehrer (V.21aß.b) konzentriert sich die Handlung auf den Tempelbereich. Nicht gliedernd, aber spannungserhöhend ist die Orientierung des Hörers/ Lesers über die Anwesenheit der Männer Jehus außerhalb des Tempels (V.24b).

3.2 Inventar der beteiligten Personen

Alle im ersten Hauptteil der Erzählung auftretenden Personen werden bereits im Salbungsauftrag (9,1-3) genannt:

Das Geschehen nimmt bei *Elisa*, der ausdrücklich als „der Prophet"[299] bezeichnet wird (V.1), seinen Anfang. Sein Auftreten beschränkt sich auf die Erteilung des Salbungsauftrages. In der weiteren Erzählung taucht er nicht mehr auf.[300]

Elisa erteilt dem *Prophetenjünger*[301] (V.1) den Auftrag, Jehu zu salben, den dieser als „Knecht" Elisas ausführt (V.4). Die Hauptleute, die seine Ankunft erleben, bezeichnen ihn im nachhinein als „Rasenden"[302] (V.11).

[298] Vgl. den sprunghaften Ortswechsel in 9,17-21a!

[299] Elisa wird nur hier und in 1.Kön 19,16; 2.Kön 3,11; 5,3.8.13; 6,12 als נביא bezeichnet. Zum Titel „Prophet" (נביא) siehe B.Lehnart, *Prophet*, 396ff. und die dort angegebene Literatur.

[300] Dies und die Unsicherheiten bezüglich des Status des Jehu salbenden Prophetenjüngers (9,1) bzw. Propheten (vgl. 9,4.11, zum textkritischen Problem in V.4 siehe aber S.29 Anm. 4) veranlaßten A.Rofé, *Stories*, 82, zu der Annahme, daß in der ursprünglichen Jehuerzählung die Salbung Jehus nicht von Elisa und einem Prophetenjünger Elisas, sondern allein von einem anonymen Propheten ausgegangen sei. Erst später sei die Salbung auf Elisa zurückgeführt worden, mit der Absicht, die Jehu-Dynastie zu legitimieren. In diesem Falle wäre jedoch anzunehmen, daß die Rolle Elisas erheblich stärker ausgebaut worden wäre als es in der jetzigen Erzählung der Fall ist.

Die Hauptperson der Erzählung wird im Salbungsauftrag mit ihrem vollen Namen eingeführt: „*Jehu ben Josaphat ben Nimschi*“[303] (V.2). Dieser wird in 9,14a nochmals wiederholt. Im weiteren Verlauf der Erzählung wird der Revolutionär, bis auf seine Identifizierung durch den Wächter als „Jehu ben Nimschi“, die aufgrund seines „rasenden“[304] Fahrstils erfolgt (9,20), lediglich „Jehu“ genannt. Jehu ist zunächst als Hauptmann unter den Hauptleuten des Heeres zu finden (9,5 vgl. V.2). Nach seiner Salbung wird er von diesen offiziell zum König über Israel ausgerufen (9,13) und agiert hinfort mit dem Selbstbewußtsein und dem mühelosen Erfolg des von Jahwe gesalbten Königs (vgl. 9,15b-24.32f.; 10,1b-7*). Seiner Salbung und seinem Getragen-sein durch Jahwe entspricht Jehu durch seinen „Eifer für Jahwe“ (10,16), der für den letzten Hauptteil der Erzählung bestimmend ist. An seiner göttlichen Legitimation „prallen“ die Vorwürfe, die in der Erzählung verschiedentlich gegen Jehu erhoben werden, ab: Die Anklage, Jehu habe sich gegen seinen Herrn verschworen (9,14a)[305] und ihn ermordet (9,31), wird von Jehu selbst bestätigt (10,9).[306] Aber Verschwörung und Ermordung des illegitimen Königs sind die notwendige Konsequenz des sich durch die Salbung ausdrückenden göttlichen Willens, daß jetzt Jehu „König über Israel“ ist (9,3.6.12; vgl. 9,13).

301 Als בני הנביאים (vgl.1.Kön 20,35; 2.Kön 2,3.5.7.15; 4,1.38; 5,22; 6,1) werden die Mitglieder einer „Prophetengenossenschaft“ bezeichnet, an deren Spitze wohl ein „angesehener Prophet“ (G.Hölscher, *Profeten*, 152ff.), in diesem Fall Elisa, steht. Vgl. dazu K.Koch, *Propheten*, 34ff.; H.-Chr.Schmitt, *Elisa*, 169ff.; J.R.Porter, *בְּנֵי־הַנְּבִיאִים*, 423-429. Ausführlich behandelt jetzt B.Lehnart, *Prophet*, 416-433, das Phänomen der Gruppenprophetie und der בני הנביאים (a.a.O.423-430).

302 Die verächtliche Beurteilung der Propheten als „Rasende“ (vgl. G.Hölscher, *Profeten*, 157; S.B.Parker, *Possession*, 282f.) findet sich auch in Jer 29,26; Hos 9,7. Sie geht vermutlich auf die ekstatischen Zustände der Propheten(-gruppen) zurück, die in 1.Sam 10,10-13; 19,18-24 spöttelnd beschrieben werden. Ähnlich zu beurteilen ist auch Jehus wegwerfendes: „Ihr kennt den Mann und sein Gerede“. Nach H.-P.Müller, *Wurzel*, 363f., „meint שיח wahrscheinlich die Glossolalie des Ekstatikers, die dem Außenstehenden als Verrücktheit erscheint.“ Daß der Prophetenjünger sich tatsächlich in Ekstase befand, so I.Plein, Erwägungen, 15f., ist aus der Erzählung nicht zu entnehmen. Er ist jedenfalls noch in der Lage ein vernünftiges „Gespräch“ zu führen (V.5); vgl. auch S.B.Parker, *Possession*, 282f.
Auffällig ist, daß sich die von den Hauptleuten und Jehu geäußerte Geringschätzung des Prophetenjüngers nicht mit ihrem Verhalten deckt: Jehu reagiert positiv auf die Anrede des Prophetenjüngers (9,5f.), die Salbung durch ihn wird sowohl von Jehu als auch von den Hauptleuten akzeptiert (9,12f.). Daher ist anzunehmen, daß der Autor die negativen Urteile über die Prophetengruppen um Elisa nicht teilt (vgl. G.Hentschel, *Elijaerzählungen*, 53f. Anm. 170; A.F.Campbell, *Prophets*, 22 Anm. 8; M.Mulzer, *Jehu*, 341; B.Lehnart, *Prophet*, 368), sie aber – da sie in seiner Umgebung kursieren – aufnimmt, um sie gleich indirekt zu widerlegen: Das „Geschwätz“ des „Verrückten“ hat eine hochpolitische Bedeutung (Jehu ist der von Jahwe gewollte König über Israel) und – wie sich an den folgenden Ereignissen zeigen wird – eine enorme Durchsetzungskraft.

303 Siehe dazu S.29 Anm. 2 und S.65 mit Anm. 221.

304 Daß der Wächter einen Herannahenden an seinem Lauf- bzw. Fahrstil erkennt, scheint, da es auch in 2.Sam 18,27 verwendet wird, ein gebräuchliches Motiv zur Ausgestaltung von „Wächterszenen“ zu sein. Die Charakterisierung von Jehus Fahrstil als „Raserei“ (Wurzel שגע wie in 9,11!) rückt diesen jedoch zusätzlich in die Nähe des Prophetenjüngers: Wie dieser, beseelt vom Geist Jahwes „rast“, so pflegt Jehu, getragen von der Unterstützung Jahwes, von seinem besonderen Charisma, in rasendem Ritt „dahinzufliegen“ (vgl. auch 1.Kön 18,46). Nach Ansicht S.Olyans, *Hăšālôm*, 663, werden die Worte „Rasender“ und „Raserei“ in der Erzählung auf diese Weise zu einem Symbol für „the service of Yahweh“.

305 Vgl. den Vorwurf des Verrats in 9,23; den Vergleich mit dem erfolglosen Verschwörer Simri in 9,31.

306 Wie im Falle der Beurteilung des Prophetenjüngers scheint der Autor auch hier negative Urteile seiner Umgebung über Jehu aufzunehmen, um ihnen – durch den gesamten Duktus der Erzählung – die argumentative Kraft zu nehmen.

Die *Hauptleute des Heeres* (9,5) werden in V.2 als „Brüder“ Jehus bezeichnet, in V.11 dagegen Jehu als „Diener seines Herrn“ gegenüber gestellt.

Opfer Jehus im zweiten Hauptteil der Erzählung sind die Angehörigen des Hauses Ahabs. In drei Szenen wird der Tod je eines Mitgliedes bzw. einer Gruppe von Mitgliedern geschildert: Die Ermordung Jorams und Ahasjas, des Königs von Juda, in 9,15b-27*, das Ende Isebels in 9,30-35 und der Tod der „Söhne Ahabs“ in 10,1-9.

Eingeführt wird *Joram, der König von Israel,* – nur in 9,21 wird er mit seinem offiziellen Titel bezeichnet[307] – bereits in der Orientierung in 9,14.15a.

Ahasja, der König von Juda, wird – bis auf 9,23, wo er von Joram angesprochen wird, – stets mit seinem offiziellen Titel genannt. Er wird in der Exposition der 1.Szene des 2.Hauptteils (9,16b) eingeführt; sein Krankenbesuch bei Joram läßt auf eine gute Beziehung zwischen den verwandten Königen schießen.

Wächter und Reiter spielen in der „Turmszene“ eine episodische Rolle, als Nebenfiguren beeinflussen sie den Ausgang des Geschehens jedoch nicht.

Auf *Isebel,*[308] die Mutter Jorams, wird bereits in 9,22b Bezug genommen, wo Jehu ihre „Zaubereien“ und „Hurereien“ als Grund für den Unfrieden in Israel, für die Revolution nennt; ihr Handeln und nur indirekt das Handeln ihres Sohnes ist also ausschlaggebend für den innenpolitischen Zustand Israels! Als handelnde Person wird sie in 9,30b eingeführt. Isebel erkennt – ganz im Gegensatz zu ihrem Sohn Joram – den Ernst der Lage; von allen Opfern Jehus wagt es allein sie, sich Jehu herausfordernd in den Weg zu stellen (9,30b.31; vgl. im Unterschied dazu 9,23; 10,4). Auf die potentielle Gefährlichkeit und Mächtigkeit Isebels[309] weist auch die Verwendung des Titels גבירה[310] in 10,13 hin. Nach ihrem Tod tituliert Jehu sie als „Verfluchte“ (9,34), findet sie als „Königstochter“ aber dennoch eines Begräbnisses würdig.

„Zwei, drei *Höflinge*[311]“ (9,32b.33a) stürzen Isebel aus dem Fenster und erweisen damit ihre Zugehörigkeit zu Jehu.

---

[307] Der auffällige nachgestellte Titel המלך in 9,15 ist vermutlich eine Glosse, die die politische Konstellation verdeutlichen will: Joram hat – als er noch König war – den Kriegsschauplatz Ramoth-Gilead verlassen, daher konnte Jehu dort zum König gemacht werden.

[308] Zur Herkunft Isebels, einer phönizischen Prinzessin aus Sidon („die Tochter Ethbaals [Itto-Ba‘als], des Königs der Sidonier“ 1.Kön 16,31) vgl. H.Donner, *Geschichte*, 267f. und S.Timm, *Dynastie*, 200-231, der die verbreitete These widerlegt, Isebel sei die Tochter Ittobaals von Tyrus (so für viele A.H.J.Gunneweg, *Geschichte*, 106) gewesen und zu dem Ergebnis kommt, daß Isebel, wie in 1.Kön 16,31 angegeben, „eine Tochter des sidonischen Königs Ethbaal“ (a.a.O., 231) war.

[309] Vgl. O.H.Steck, *Überlieferung*, 53ff.; M.Mulzer, *Jehu*, 339f.

[310] Zum Titel גבירה vgl. S.Ackermann, *Queen Mother*, 385-401 und den dort (a.a.O. 385-387) referierten Forschungsstand sowie M.Mulzer, *Jehu*, 340 Anm. 23. Die Verwendung des Titels in 10,13 allein als Reminiszenz des Autors an judäischen Sprachgebrauch aufzufassen (so R.deVaux, *Lebensordnungen*, 193), widerspricht der ganzen Darstellungsart der Erzählung, die Isebel mehr politische Entscheidungskraft (9,22) und mehr Herrschaftswillen (9,30f.) zutraut als ihrem Sohn; vgl. auch O.H.Steck, *Überlieferung*, 62 Anm. 1. Zum Einfluß Isebels auf die Regierung ihrer Söhne siehe auch A.Brenner, *Jezebel*, 27-39.

[311] Als סריסים werden im allgemeinen Beamte oder Höflinge des Königs bezeichnet (vgl. R.deVaux, *Lebensordnungen*, 197; U.Rüterswörden, *Beamten*, 96-100; B.Kedar-Kopfstein, *Art.* סריס, 948-954). Sie befinden sich, da sie aus demselben Fenster wie Isebel herabsehen (9,32), mit ihr in einem Raum. Es scheint

Zu Anfang der Szene 10,1-9 wird der Leser über die Existenz der siebzig *„Söhne Ahabs“*[312] in Samaria informiert (10,1a). Jehu sieht in ihnen die potentiellen Nachfolger Jorams (10,3). Als Opfer des Opportunismus der Obersten Ahabs (10,4.5) nehmen sie nicht aktiv am Geschehen teil.

Die *Obersten Ahabs* nehmen eine dominante Stellung in Samaria ein: Sie sind die Ansprechpartner Jehus in Samaria (10,1b) und fungieren anscheinend als Ziehväter der „Söhne“ Ahabs (10,2).[313] In ihrer Macht liegt es, einen Nachfolger Jorams auszuersehen und zu krönen (10,3). Sie kontrollieren die befestigte Stadt Samaria und verfügen über Streitkräfte (10,2). Aufgeschlüsselt wird der Oberbegriff „Oberste Ahabs“ in 10,5: Es handelt sich um den Palastvorsteher,[314] den Stadtvorsteher,[315] die Ältesten und die Erzieher[316].

Das *„ganze Volk“* (von Jesreel) ist Adressat der Rede Jehus (10,9), in der es als gerecht befunden wird. Auch Jehus „Antrittsrede“ (10,18.19a) in Samaria ist an das „ganze Volk“ (V.18) gerichtet.

Die Besuchsreise (10,13) der zweiundvierzig[317] (V.14) *Brüder Ahasjas* nach Israel verweist auf das freundschaftliche Verhältnis zwischen Juda und Israel.

Jehu ist *Jonadab ben Rekab*[318] wohlgesonnen und seinerseits an dessen Wohlwollen interessiert (10,15). Verbindendes Element ist Jehus Eifer für Jahwe (V.16), was zur Teilnahme Jonadabs (V.23) an der Szene in Samaria (10,17-25) führt.

---

sich daher um ihre persönlichen Bediensteten, eventuell Eunuchen, gehandelt zu haben. Vgl. auch 2.Kön 24,15; Jer 29,2.

312 Unter den „Söhnen Ahabs“ sind nach A.Alt, *Stadtstaat*, 287 Anm.1, Geschlechtsangehörige „aller Verwandtschaftsgrade“ zu verstehen. Mit der Zahl siebzig wird auch in Gen 46,27; Ri 9,2; 12,14 die Anzahl der Mitglieder eines Geschlechts angegeben.

313 So erklärt es jedenfalls die Glosse 10,6b: „Die Söhne des Königs – siebzig Mann – waren bei den Großen der Stadt, die sie aufzogen“, was an eine Art Pflegeelternsystem denken läßt.

314 Nach 1.Kön 18 scheinen die Aufgaben des Palastvorstehers Obadja (18,3) über die eines Hausverwalters hinausgegangen zu sein. Von R.deVaux, *Lebensordnungen*, 211, wird seine Stellung mit der eines ägyptischen Wesirs, dem höchsten Beamten im Staate, verglichen. Vgl. auch 2.Kön 15,5.

315 Ein „Stadtvorsteher“ wird noch in Ri 9,30; 1.Kön 22,26; 2.Kön 23,8 genannt. In 1.Kön 22,26 wird der Stadtvorsteher gemeinsam mit einem Sohn des Königs mit der Inhaftierung Micha ben Jimlas beauftragt.

316 „Beamtete Erzieher von Prinzen und Prinzessinnen“ sind, so A.Alt, *Stadtstaat*, 286 Anm. 2, auch aus Ägypten bekannt.

317 Zweiundvierzig, eine Unglückszahl (6 mal 7), gibt auch in Ri 12,6 und in 2.Kön 2,24 die Anzahl der Toten wieder. 42 ist auch die Anzahl der ägyptischen Totenrichter, so A.Jirku, *Kommentar*, 144.

318 Aus der Erzählung von der Jehu-Revolution läßt sich nur soviel entnehmen, daß Jonadab, den Jehu offenbar kannte, den „Eifer für Jahwe“ mit diesem teilte (10,16) und deshalb an der Ausrottung des Baalskultes interessiert war (10,23f.). Aus Jer 35,1-11 geht hervor, daß die Rekabiter von ihrem Ahnherrn Jonadab ben Rekab zu einer nomadischen Lebensweise unter Ablehnung aller Kulturlandeinflüsse (Weingenuß, Acker- und Hausbau) verpflichtet wurden (V.6.7); so auch R.deVaux, *Lebensordnungen*, 40f. Dies läßt eher auf eine „Reaktionserscheinung“ (R.deVaux, *Lebensordnungen*, 41), eine nachträgliche Rückbesinnung auf nomadische „Lebens- und Kulturformen“ (F.Stolz, *Rausch*, 183), schließen als darauf, daß die Rekabiter in „Palästina wandernde Nomaden geblieben“ seien (G.Fohrer, *Studien*, 122f.). Gegen die Interpretation der Rekabiter als „nomadic clan“ (F.S.Frick, *Rechabites*, 282) erhebt F.S.Frick (a.a.O., 279-287) vehement Einspruch. Seiner Meinung nach seien die Rekabiter eine Art wandernder Metallarbeiterstamm, woraus sich auch ihre besondere Lebensweise ergebe. Zu einem anderen Ergebnis gelangt K.H.Keukens, *Haussklaven*, 228-235. Die בני בית־הרכבים seien als „hausgeborene Sklaven“ (a.a.O. 230) des Patron Jonadab ben Rekab anzusehen, denen er den „Rechtsstatus des Schutzbürgers“ gewährte, ihnen aber gleichzeitig „gewisse Einschränkungen“(a.a.O. 231) auferlegte. Dies ist aber, wie der Verfasser selbst zugibt, „nur ein Spiel mit der Übersetzungsmöglichkeit ‘hausgeborener Sklave’ bn byt/ ylyd byt/ gr

Die vom Volk zusammengerufenen (V.19a) *Baalspriester und -propheten* werden nur im Zusammenhang mit der Vorbereitung des Baalsfestes (V.19a.20) explizit erwähnt.

Die nicht-professionellen Kultteilnehmer, die „*Verehrer des Baal*", die zum Baalsfest erscheinen (V.21aßb), trennt Jehu strikt von den „Verehren Jahwes"[319] (V.23).

Die achtzig Männer, die Jehu zur Vernichtung der Kultteilnehmer bereitstellt (10,24), werden in 10,25 als „*Läufer und Adjutanten*" bezeichnet.

byt ..." (a.a.O. 234). Keukens' Deutung von 2.Kön 10,15f. ist reichlich spekulativ und am Text nicht festzumachen: „Der im Südreich seßhafte Jonadab ben Rekab war ein Offizier in Diensten Judas, der die Nachhut der judäischen Gesandtschaft bildete, die von Jehu umgebracht wurde (2.Kön 10,12-14), weil Jehu eventuell Ambitionen auch auf die Herrschaft über das Südreich hatte. Jonadab entging diesem Schicksal wegen seiner früheren Bekanntschaft mit Jehu und schloß sich zumindest zeitweilig der Revolte Jehus an." (a.a.O. 234). Chr.Levin, *Entstehung*, 306, rechnet Jonadab ben Rekab dem Offizierskorps Jorams und daher den möglichen Gegnern Jehus zu. Dieser werde in V.15 von Jehu zur Kapitulation mittels Handschlag aufgefordert (a.a.O. 305).

[319] Die hier vorgenommene terminologische Unterscheidung zwischen עֹבְדֵי הַבַּעַל und den עַבְדֵי יְהוָה entspricht, so I.Riesener, *Stamm*, 218, „dem gesamten atl. Sprachgebrauch: עֶבֶד im religiösen Sinn gibt es nur als עַבְדֵי יְהוָה, das Verb dagegen kann die Verehrung anderer Götter ebenso wie die Verehrung Jahwes bezeichnen".

3.3 Grobgliederung der Erzählung

Die Gliederung der Hauptblöcke unter den Gesichtspunkten „auftretende Personen“ und „Ort der Handlung“ soll zugunsten der besseren Übersicht in Tabellenform[320] dargestellt werden.

Szene	Thema	Personen	Lokalität
Erster Hauptteil (9,1-13*) und Orientierung (9,14-15a)			
I.1 9,1-3	Salbungsauftrag	Elisa, Prophetenjünger	unbestimmt
I.2.1 9,4-10*	Ausführung des Auftrags	Prophetenjünger, Jehu, Hauptleute (9,4.5) Prophetenjünger, Jehu (9,5.6*)	Ramoth-Gilead (draußen) im Haus
I.2.2 9,11-13	Proklamation	Jehu, Hauptleute	(draußen)
9,14-15a	Orientierung des Lesers	Jehu, Joram, ganz Israel, Hasael, Aramäer	Ramoth-Gilead Jesreel
Zweiter Hauptteil (9,15b-10,9*)			
II.1 9,15b-27*	Tod Jorams und Ahasjas	Jehu, Joram, Ahasja, Wächter, Reiter (9,15b-21a) Jehu, Joram, Ahasja (9,21b-24*.27*)	Mehrmaliger Schauplatzwechsel: Wegstrecke nach Jesreel – Turm von Jesreel
II.2.1 9,30-35	Isebels Ende	Jehu, Isebel, Höflinge	Jesreel (Palast)
II.2.2 10,1-9*	Beseitigung der Nachkommen Ahabs	Jehu, Oberste, „Söhne Ahabs“ (10,1-7*) Jehu, Bote, Volk (10,8-9)	Briefwechsel zwischen Jesreel und Samaria Jesreel – Tor von Jesreel
Dritter Hauptteil (10,12-25*)			
III.1.1 10,12-14	Zusammentreffen Jehus mit Ahasjas Brüdern	Jehu, Brüder Ahasjas	Weg zwischen Jesreel und Samaria Zisterne von Beth-Eked
III.1.2 10,15-16	Zusammentreffen Jehus mit Jonadab	Jehu, Jonadab ben Rekab	Weg von Beth-Eked nach Samaria
III.2 10,17-25*	Ausrottung des Baalskultes in Samaria	Jehu, Volk, Baalspriester und –propheten (10,17-20*) Baalsverehrer, Jonadab, Jehu, Truppe Jehus 10,21-25*	Samaria Tempel

[320] Um die Tabellenform nicht zu sprengen, werden nur Textbereiche angegeben. Die darin enthaltenen sekundären Verse/Versteile sind der Aufstellung auf S.74 zu entnehmen.

3.4 Verlaufsstruktur der Erzählung

Der oben vorgenommenen räumlichen Dreiteilung der Erzählung entspricht eine thematische Dreiteilung der Handlung:

Unter dem Thema „Jehu wird zum König gemacht“ bilden Salbung und Proklamation Jehus zum König den „Auftakt“ zur Revolution (9,1-13*).

Während sich der zweite Hauptteil (9,15b-10,9*) einem einheitlichen Thema – der Auslöschung des Hauses Ahabs – zuordnen läßt, erscheint der dritte Hauptteil (10,12-25a) zunächst inhomogen. Wie später gezeigt wird,[321] läßt er sich jedoch als Ganzes unter das Thema „Änderung von Bündnis- und Religionspolitik“ stellen.[322]

Im folgenden sollen die textimmanenten Aussagen entlang des Handlungsablaufes herausgearbeitet und die dabei verwendeten gestalterischen Mittel betrachtet werden.

I. Der „Auftakt“ zur Revolution (9,1-13*)

Der erste Hauptteil der Erzählung dient der Einführung der zentralen Figur Jehu und der Legitimation seines Königtums. Diese Legitimation wird direkt auf Jahwe zurückgeführt, indem der Prophetenspruch „So spricht Jahwe, ich salbe dich zum König über Israel!“ insgesamt dreimal – in jeder Szene einmal (9,3.6.12) – wiederholt wird und somit als zentrales Motiv des ersten Hauptteils anzusehen ist. Die Erzählung scheint bemüht, die Seriosität der Ereignisse, die zur Salbung führten, klarzustellen. Bezeichnenderweise nimmt das Geschehen seinen Anfang[323] bei Elisa, dessen Autorität durch die Bezeichnung „der Prophet“ unterstrichen wird. Die Auftragserteilung (9,1-3) ist sehr detailliert, jeder Handlungsschritt des Jüngers ist vorgezeichnet und wird im folgenden genau von dem Jünger ausgeführt (9,4-6*.10b), der hier – in seiner Funktion als Ausführender des Auftrages – als „Knecht“ (V.4) bezeichnet wird. Dadurch wird betont, daß der Prophetenjünger voll abgedeckt durch den Auftrag seines Herrn handelt.

Auffallend ist, daß hier Jehu selbst zunächst eine ausgesprochen passive Rolle einnimmt. Die Initiative geht von Elisa (9,1-3) bzw. seinem Jünger (9,4-10*) und den Hauptleuten (9,11-13) aus. Im Auftrag Elisas (Jahwes) wird Jehu gesalbt, die Hauptleute rufen Jehu aus eigenem Antrieb zum König aus, wodurch betont wird, daß Jehu das Königtum nicht an sich gerissen hat, sondern daß es ihm von außen angetragen wurde.

---

[321] Siehe Seite 92-94.

[322] Eine Gliederung, in die sich alle Teile des Textes einfügen, ist dagegen nicht möglich, wenn man wie H.-D.Hoffmann, *Reform*, 97, folgende vier Hauptblöcke wählt: Exposition (9,1-13) – „Jehus Salbung und Beauftragung“; 1.Akt (9,14-37) – „Jehu tötet die regierenden Herrscher“; 2.Akt (10,1-17) – „Jehu rottet die Dynastie aus“; 3.Akt (10,18-27) – „Jehu rottet den Baalskult aus“. 2.Kön 10,15-17 fällt aus diesem Schema völlig heraus!
Die kleinräumige Gliederung in neun – wiederum in Untereinheiten aufzuteilende – Szenen, welche M.Mulzer, *Jehu*, 304-343, vornimmt, trägt der klaren inhaltlichen und räumlichen Dreiteilung der Erzählung keinerlei Rechnung. Der inhaltliche Zusammenhang zwischen einzelnen Szenen (so zwischen 9,15b-27*, 9,30-35 und 10,1-9* bzw. 10,12-14, 10,15-17 und 10,17-25a*) wird völlig außer acht gelassen. Als ähnlich unzureichend erweisen sich auch die bei Mulzer, a.a.O. 343f. Anm. 31, zusammengestellten Gliederungsvorschläge weiterer Forscher.

[323] Der Anfangspunkt ist durch einen invertierten Verbalsatz der Afformativkonjugation markiert.

Jehu hat seinen Platz zunächst in der „Mitte seiner Brüder“ (9,2), was den Eindruck von Gleichberechtigung hinterläßt. Auch seine Rückfrage an den Prophetenjünger „Für wen von uns allen?“ (9,5) deutet darauf hin, daß er keine bevorzugte Stellung innerhalb des Offizierstabes einnimmt und sich zunächst vergewissern will, ob er – obwohl doch offensichtlich angesprochen – tatsächlich der Gemeinte ist.

Die handlungsverzögernden Dialoge zwischen Jehu und dem Jünger (9,5) bzw. Jehu und den Hauptleuten (9,11-12) bilden ein Gegengewicht zu der raschen Abfolge, in der sich die Ereignisse entwickeln.[324] Der kurze Dialog zwischen Jehu und dem Jünger bereitet die Salbung, die im geheimen durchgeführt wird, vor. Die Gefährlichkeit der nun entstandenen Situation wird im folgenden besonders hervorgehoben: Der Jünger flieht eilig (V.10a), und Jehu tritt zu den Hauptleuten heraus (V.11),[325] die nicht mehr als „Brüder“ Jehus (V.2) bezeichnet werden, sondern als „Diener seines (d.h. Jehus) Herrn“, dem sie zu Loyalität verpflichtet sind. Mit der Frage der Hauptleute nach dem Anliegen des Jüngers (9,11a) strebt die Spannung ihrem Höhepunkt entgegen, der durch Jehus ausweichende Antwort (9,11b)[326] verzögert wird, um schließlich mit Jehus Bekenntnis seiner Salbung erreicht zu werden (9,12). Spontan rufen die Hauptleute Jehu zum König aus, womit die Spannung abrupt aufgelöst wird (9,13). Damit ist auch der inhaltliche Abschluß des ersten Hauptteils erreicht, „Jehu ist König.“ (V.13).

Die unverzügliche Akzeptanz des im Namen Jahwes gesalbten Königs durch die Hauptleute deutet zum einen auf eine latente Unzufriedenheit mit der herrschenden politischen Situation hin – ein Regierungswechsel scheint zumindest beim Militär durchaus erwünscht. Zum anderen zeigt sich an der Anerkennung der prophetischen Salbung, die an die Stelle der vormals überlegen-spöttischen Haltung der Hauptleute allem Prophetischen gegenüber tritt, deren Wirkmächtigkeit: Trotz der potentiellen Gefahr der Nichtanerkennung und der Behandlung als Hochverräter durch die Diener Jorams (V.11) wird der wahre König als solcher anerkannt (V.13).

Im „Auftakt“ wird dem Leser/Hörer verdeutlicht, daß Jehu kein militärischer Karrierist ist, der seinen Putsch von langer Hand mit gleichgesinnten Militärs vorbereitet hat, sondern der von Jahwe gesalbte König, den seine eigene Salbung überrascht und sogar in Gefahr gebracht hat: Jehu wurde – ohne eigenes Zutun – zum König gemacht, zunächst von Jahwe, Elisa und dem Prophetenjünger und anschließend – durch die Ausrufung zum König – von den Hauptleuten.

---

[324] Zweimal wird dieser Eiligkeit explizit Ausdruck verliehen: Der Prophetenjünger soll ja nicht mit seiner Flucht zögern (9,3). Sofort nach der Wiedergabe des Prophetenspruchs rufen die Hauptleute Jehu „eilig“ zum König aus (9,13). Aber auch sonst vermittelt die in knappen Zügen beschriebene Handlung den Eindruck einer raschen Abfolge: Als der Jünger ankommt, sitzen die Hauptleute bereits da, er muß nicht erst suchen und kann gleich „zur Sache“ kommen (V.5).

[325] Die Aufmerksamkeit des Lesers/Hörers wird zusätzlich durch den Tempuswechsel (Narrativ (V.10b) – invertierter Verbalsatz der Afformativkonjugation (V.11aα)) auf das Zusammentreffen zwischen Jehu und den Hauptleuten gelenkt.

[326] Vermutlich schafft sich Jehu durch seine abqualifizierende Äußerung über das „Geschwätz“ des Jüngers eine Ausflucht für den Fall, daß die Hauptleute ihn als Hochverräter ansehen würden. Eher unwahrscheinlich ist, daß der für Jahwe eifernde Jehu (10,16) versucht, durch Verschweigen seiner Salbung seiner Bestimmung zu entgehen.

Die Orientierung des Lesers/Hörers (9,14-15a)[327]

Die geheimnisvolle, in unsicherer Schwebe gehaltene Situation des Auftakts – Elisa, dessen Aufenthaltsort im Ungewissen bleibt (9,1), entsendet einen „fragwürdigen“, unbekannten Prophetenjünger (9,1.4.11) in eine brisante Situation, die jeden Moment umschlagen kann (9,5.10b.11f.; vgl. 9,3) – verwandelt sich mit der Ausrufung Jehus zum König (9,13): Erst jetzt, nachdem alles geklärt ist, Jehu der gesalbte und proklamierte König von Israel ist, beginnt die „Realpolitik“. Daher ist es für den Erzähler auch erst jetzt nötig, den Leser/Hörer über Konsequenz (V.14a) und Hintergründe der Salbung (V.14b-15a) zu orientieren.[328]

In 9,14a wird die Konstatierung des Sachverhalts „So verschwor sich Jehu ben Josaphat ben Nimschi gegen seinen Herrn“ (V.14a) durch das Wiederaufgreifen des vollen Namen Jehus (vgl. V.2) mit seiner Salbung im Auftrag Elisas in Verbindung gebracht, die Legitimität seiner Verschwörung nochmals angedeutet.

In V.14b-15a wird nachholend berichtet, wie es zu der im Auftakt dargestellten Situation – die Hauptleute des Heeres befinden sich (ohne den König) in Ramoth-Gilead – überhaupt kommen konnte. Die Darstellung Jorams als König, der seiner Aufgabe, die Grenzen Israels zu bewachen (V.14b), aufgrund seiner Verwundung nicht mehr nachkommen konnte (V.15a), weist implizit nochmals auf die göttliche Erwählung Jehus zum König von Israel hin: Weil Jahwe seine Gnade und Unterstützung von Joram abgezogen hat, scheitert dieser schon vor seinem endgültigen Sturz.

II. Die Auslöschung des „Hauses Ahab“ (9,15b-10,9*)

Im zweiten Hauptteil – wie auch im dritten – dirigiert ausschließlich Jehu das Geschehen, indem er mit kompromißloser Härte die gesamte Dynastie Ahab auslöscht. Die Erzählung beschränkt sich nicht auf eine chronologische Aufreihung der Ereignisse, man findet vielmehr eine detaillierte Schilderung von Jehus Zusammentreffen mit den alten Machthabern, in welcher den zahlreichen Dialogen ein großes Gewicht zukommt. Dabei fällt auf, daß sich die Frage „Ist Schalom?“ – bereits im ersten Hauptteil (9,11) einmal gebraucht – wie ein roter Faden durch mehrere Dialoge zieht (9,17.18.19.22), weshalb ihr besondere Beachtung gebührt.

II.1 Der Tod Jorams und Ahasjas (9,15b-27*)

Vorbereitet wird der erste Teil der Haupthandlung in 9,15b-16, wo Jehu erstmalig aktiv wird: Er verhängt eine Nachrichtensperre in Richtung Jesreel (9,15b), wohin er alsbald selbst aufbricht (9,16aα), „denn Joram lag dort“ (9,16aß)[329]. Hier wird bereits die Spannung angelegt, die aus dem Informationsvorsprung des Lesers/Hörers gegenüber dem „Opfer“ Joram resultiert, der lange Zeit über die ihm drohende Gefahr im Unwissenden bleibt.

---

[327] Siehe dazu S.66-68.

[328] Gegen M.Mulzer, *Jehu*, 220 (vgl. E.Würthwein, *Bücher II*, 328), nach dem die Informationen über die Hintergründe der Revolution hier zu spät kommen. Siehe auch S.47-50.

[329] Die Begründung in 9,16aß gibt den aktuellen Stand der Dinge durch ein Partizip wieder, während in 9,14b-15a eine rückblickende Orientierung (Partizip mit היה) geliefert wird.

Zusätzliche Brisanz gewinnt die Situation Jehus, der sich nun gegen den ehemaligen König durchsetzen muß, durch die Anwesenheit Ahasjas, des Königs von Juda, in Jesreel, über die der Leser/Hörer in V.16b informiert wird. Da dieser auf der Seite Jorams steht, hat Jehu nun zwei Könige gegen sich (vgl. 10,4).

Die Zeitspanne, die zwischen Jehus Aufbruch (9,16aα) und der Begegnung mit Joram (V.21*.22), dem Höhepunkt der Szene, liegt, wird durch eine dreifache Szenenwiederholung[330] gestreckt, wodurch die Spannung noch gesteigert wird: Zweimal schickt Joram einen Reiter aus mit der an Jehu gerichteten Frage: „Ist Schalom?" (V.17-19). Jehu verweigert jedesmal die Antwort mit den Worten: „Was geht dich der Schalom an?" (V.18.19) und fordert sie auf, sich ihm anzuschließen. Auf die Meldung des Wächters[331] hin, auch der zweite Bote sei nicht zurückgekehrt, der Herannahende aber an seinem Fahrstil als Jehu ben Nimschi zu erkennen (V.20), fährt Joram selbst hinaus (V.21*). Er erhält auf die gleiche Frage „Ist Schalom?" (V.22a) eine deutliche Antwort (V.22b): Es ist kein Schalom, und Ursache dafür sind die „Hurereien" und „vielen Zaubereien"[332] seiner Mutter Isebel[333]. Diese Antwort – Jehu begründet hier seine Revolution[334] – bildet den Höhepunkt der Szene, auf den der Leser/Hörer lange vorbereitet wurde.

Einige Autoren halten Jehus Verweis auf die Untaten Isebels aufgrund sprachlicher Bedenken für eine spätere Einfügung,[335] womit sie Jehus Antwort auf die Worte מה השלום reduzieren

[330] Vgl. zur „künstlichen Zerdehnung" der Erzählsituation durch das Stilmittel der Szenenwiederholung W.Baumgartner, *Kapitel*, 153f.: Die beiden ersten Szenen haben im Fall der dreifachen Szenenwiederholung (vgl. auch 2.Kön 1,9-15) nur vorbereitende und retardierende Funktion (9,17-20), was die Spannung erhöht. So wird eine „wirkungsvolle Steigerung gegen das Ende hin" erreicht – aller Nachdruck liegt auf der dritten und entscheidenden Szene: Der König reitet selbst hinaus (9,21*f.).

[331] Indem der Erzähler Joram durch den Turmwächter über die Geschehnisse vor der Stadt laufend informieren läßt, verwendet er das Stilmittel der Teichoskopie, das nach Chr.Levin, *Sturz*, 81, die „hohe Kunst des Schriftstellers" zeigt. Hier hat es den Zweck, den Leser die Orientierungslosigkeit Jorams angesichts der für ihn rätselhaften Ereignisse vor den Toren der Stadt stärker auskosten zu lassen.

[332] „Hurereien" und „Zaubereien" werden auch in Nah 3,4 in einem Atemzug genannt: Die Stadt Ninive betört als schöne Hure mit „Hurereien und Zaubereien" die fremden Völker und bringt sie damit unter ihren Einfluß. Nach Interpretation S.Erlandssons, *Art. זנה*, 619, sind mit „Zaubereien" und „Hurereien" Handel und Götzenkult Ninives gemeint. Die Handelsverbindungen zu fremden Völkern, mit denen oft die Einführung fremder Kultbräuche/Kulte einherging, werden auch in Jes 23,17 und Mi 1,7 mit dem Begriff „Hurereien" in Verbindung gebracht. Die Wurzel כשף tritt in Dtn 18,10; Jes 47,9.12; Jer 27,9; Dan 2,2; Mi 5,11 in Verbindung mit weiteren magischen und mantischen Praktiken bzw. „Götzenkult" auf.
Wenn in der vorliegenden Erzählung einerseits der Vorwurf erhoben wird, daß Isebels „Hurereien und Zaubereien" noch andauern, die sich daran entzündende Revolution andererseits mit der Abschaffung des Baalskultes endet, so kann man annehmen, daß dieser auch hier zumindest einen Teilaspekt von Isebels Hurereien und Zaubereien darstellt. Ein weiterer, übergreifender Aspekt kommt in der fremdländischen Herkunft Isebels zum Tragen: Isebel, als Tochter Ethbaals von Sidon, stärkt die Verbindung Israels zur Handelsmacht Phönizien und verschafft so fremdländischen Einflüssen Einlaß (ähnlich W.Gugler, *Jehu*, 121ff.), was – nach obiger Darstellung – unmittelbar in Verbindung mit „Hurerei" gesehen wird.

[333] Die Machthaber (Joram und Isebel) sind – im Gegensatz zu den Reitern, die mit dem Schalom nichts zu tun haben (V.18.19) – für das Fehlen des Schaloms verantwortlich.

[334] Joram weiß in 9,23 jedenfalls Jehus Antwort so zu deuten: „Verrat, Ahasja!".

[335] So E.Würthwein, *Bücher II*, 333; Y.Minokami, *Revolution*, 42. Nach Würthwein begegnet das Wort „Hurerei" für den Baalsdienst erst beim Propheten Hosea und auch die Wurzel כשף sei erst spät belegt. Dieser Argumentation widerrät – neben der unten ausgeführten formgeschichtlichen Begründung für die Ursprünglichkeit von 9,22bß – die hier gegebene spezifische Verwendung der beiden Begriffe: „Hurerei" geht in 9,22bß eben nicht in der Bedeutung „Baalsdienst" auf, sondern verweist auf eine grundlegendere Kategorie: Schließlich ist es nicht Isebels, sondern Ahabs Baalsdienst, den die Erzählung explizit erwähnt (10,18). „Hurerei" und „Zauberei" meinen vielmehr den hinter dem Baalsdienst – wie hinter den übrigen

zieren. Dagegen sprechen folgende Überlegungen: Der vorliegende Textabschnitt (9,15b-27*) weist, wie bereits ausgeführt, eine dreifache Szenenwiederholung auf. Bei Erzählstrukturen dieses Typs „liegt ... der Nachdruck auf der letzten Szene“[336], also hier auf dem Dialog zwischen Jehu und Joram. Die Hervorhebung der dritten Szene wird auch durch ein grammatikalisches Merkmal unterstützt: Der die Begegnung einleitende Temporalsatz „Als Joram Jehu sah, ...“ markiert den Beginn des entscheidenden Zusammentreffens. Nachdem in den beiden Vorbereitungsszenen (9,18-19) zweimal dieselbe Frage gestellt wurde, ohne beantwortet zu werden, erwartet der Leser die Antwort in der dritten Szene und ist nicht geneigt, sich mit einem höhnischen „Was heißt, ist Schalom?“ abspeisen zu lassen, was mehr Fragen offen läßt als beantwortet. Ein weiteres Argument gegen die Erweiterungshypothese ergibt sich aus Jorams unverzüglicher Flucht. Hätte Jehu tatsächlich nur mit „Was heißt, ist Schalom?“ geantwortet, so würde sich nicht erklären lassen, wieso Joram, der vorher noch nicht einmal aus der Tatsache, daß seine Boten nicht zurückkehrten, Schlüsse gezogen hat, auf einmal alles begreift und flieht. Daß man sich einen höhnisch nachäffenden Tonfall und eine „drohende Gebärde“ Jehus vorstellen muß,[337] um das zu verstehen, macht die Abtrennung von 9,22bß sehr verdächtig, zumal Jehu sonst als ruhig, in der Gewißheit seines Erfolges agierend dargestellt wird (vgl. 9,15b.18.19.32f.). Auch daß Jorams „Weichlichkeit“[338] diesen zur Flucht veranlaßt habe, ist in der Erzählung nicht angelegt. Vielmehr läuft es darauf hinaus, daß Joram jetzt endlich – wenn auch zu spät – erkennt, worum es geht, und flieht.

Mit Jorams erkennendem Ausruf „Verrat, Ahasja!“ (9,23) ist der Höhepunkt überschritten, der nun folgende Tod Jorams ist vorgezeichnet. Jehus Anklage, die „Zaubereien“ und „Hurereien“ Isebels hätten immer noch Bestand, ist gleichzeitig Jorams Todesurteil, dessen Vollstreckung in 9,24 geradezu „genüßlich“ genau beschrieben wird: Nach Jehus Griff zur Waffe bleiben auch die anatomischen Besonderheiten des Treffers und Jorams Zusammenbruch im Wagen nicht unerwähnt.

Die gesamte Szene erzeugt den Eindruck eines schwachen und leicht dümmlichen Joram: Zum einen scheint er den Aktivitäten seiner Mutter nicht viel entgegensetzten zu können (9,22); zum anderen schöpft er selbst nach dem zweimaligen Ausbleiben des Meldereiters (9,18-20) keinen Verdacht. Diese verunglimpfende Darstellung Jorams bildet einen starken Kontrast zum listigen und entschlossenen Vorgehen Jehus. Auch hier wird wiederum implizit verdeutlicht, wer in der Gunst Jahwes steht und wer in Ungnade gefallen ist.[339]

Der anschließend geschilderte Tod Ahasjas (9,27) erscheint im Unterschied zum Tod Jorams nicht zwangsläufig. Jehu gibt den ausdrücklichen Befehl „Auch ihn!“ – allerdings ohne eine Begründung anzuführen. Ahasjas Tod muß im Zusammenhang mit der Ermordung seiner Brüder (10,12-14) gesehen werden, die später behandelt wird.[340]

Mißständen (z.B. der falschen Bündnispolitik) – stehenden kulturellen, politischen und religiösen Einfluß Isebels auf Israel, der den Schalom in Israel unmöglich macht (9,22bα). Vgl. R.Albertz, *Religionsgeschichte*, 243 Anm. 70; siehe auch oben Anm. 332.

[336] W.Baumgartner, *Kapitel*, 153f.

[337] E.Würthwein, *Bücher II*, 332.

[338] Y.Minokami, *Revolution*, 143f.

[339] Siehe oben S.85.

[340] Siehe S.92-94.

Hier ist zurückzukommen auf die Frage „Ist Schalom?“, der aufgrund ihrer Häufigkeit und ihrer Stellung im Text eine offensichtliche Schlüsselfunktion zum Textverständnis zukommt. Obwohl diese Frage je nach ihrem unmittelbaren Kontext eine bestimmte Bedeutung hat – Joram erkundigt sich, aufgeschreckt durch das „Heranrasen“ Jehus, wahrscheinlich nach der Lage an der Front in Ramoth-Gilead,[341] während die Hauptleute in 9,11 wohl nur eine floskelhafte Redewendung im Sinne von „Alles in Ordnung?“ gebrauchen -, weist sie durch ihre stereotype, formelhafte Wiederholung über ihre situationsgebundene Bedeutung hinaus. Jehu deutet השלום jedenfalls in einem Sinne, der mit der Lage an der Front kaum etwas zu tun hat, wenn er die Frage mit dem Hinweis auf die Praktiken Isebels verneint (V.22). Er bezieht „Ist Schalom?“ offensichtlich auf den Gesamtzustand Israels, den er für äußerst bedenklich hält: Israels Wohl krankt an der Politik der Regierung (Isebel, Joram), die durch die „Hurereien und Zaubereien“ Isebels bestimmt ist.

Im folgenden soll noch etwas genauer auf die Bedeutung des Begriffes „Schalom“ im allgemeinen eingegangen werden:

Nach W.Eisenbeis[342] drückt „Schalom“ im „säkularen Bereich gebraucht ... ganz allgemein *Ganzheit*, einen Zustand der *Unversehrtheit* oder der *Wohlbestelltheit*“ aus. L.Rost[343] geht konkreter von „Schalom“ als einem „Idealzustand der Gemeinschaft“ aus. Auch S.Olyan bringt die verschiedenen Bedeutungsnuancen[344] von „Schalom“ auf einen Punkt: „Obviouly, the noun šalôm describes a positive state of being; to hinder or destroy what is in order or complete is the opposite of šalôm.“

Nach Jehus Ansicht ist der „Schalom“, die Grundlage des friedlichen Zusammenlebens im Lande, jedenfalls gestört und zwar so lange, wie Isebels „Hurereien und Zaubereien“ fortexistieren.

II.2.1 Isebels Ende (9,30-35)

Mit Jehus Ankunft in Jesreel (9,30a) beginnt ein Textabschnitt (9,30-35), der Jehus Begegnung mit Isebel und Isebels Tod schildert. Als Isebel von Jehus Ankunft erfährt, trifft sie unverzüglich Vorbereitungen, um ihn gebührend zu empfangen: Sie macht sich Haare und Augen zurecht und sieht aus dem Fenster (V.30b). Hier wird zunächst ein recht eindrucksvolles Bild von Isebel gezeichnet. Angesichts der für sie bedrohlichen Situation resigniert sie nicht, sondern macht sich bereit, „der Gefahr ins Auge zu sehen“. Die retardierende Schilderung der Vorbereitungen Isebels stimmt den Leser/Hörer auf das Zusammentreffen der Kontrahenten ein.

---

[341] Zumal Jehu ja aus dieser Richtung kommt.

[342] W.Eisenbeis, *Wurzel*, 99.

[343] L.Rost, *Erwägungen*, 41.

[344] S.Olyan, *Hăšālôm*, 660:
Friede – im Gegensatz zu Krieg: Lev 26,6; Jos 9,15; Ri 4,17; 1.Sam 7,14; Koh 3,8.
Friede aufgrund eines Bündnisses: 1.Kön 5,26.
Friedvolle Beziehungen zu Gott aufgrund eines Bündnisses: Num 25,12; Jes 54,10; Jer 16,5; Ez 34,25.
Freundschaftliche Beziehungen zwischen einzelnen Menschen: Jer 20,10; 38,22.
Gesundheit und Wohlergehen: Gen 43,27; Ex 18,7; 1.Sam 17,18.
Vollständigkeit: Jer 13,19.
Sicherheit: 2.Sam 17,3; Ps 38,4; Jes 38,17.

Als Jehu durch das Tor tritt (9,31a),[345] hat Isebel zunächst eine dominierende Position inne. Sie, die einflußreiche Königinmutter, eindrucksvoll zurechtgemacht, ergreift von ihrem erhöhten Standpunkt aus als erste[346] das Wort, um den „Mörder seines Herrn" durch den demütigenden Vergleich mit Simri und den versteckten Hinweis auf dessen schmähliches Ende[347] zu diffamieren (V.31b). Vermutlich hofft sie, sich dadurch der Unterstützung der Palastbeamten und der Bevölkerung von Jesreel zu versichern, denn wer will sich schon einem von vornherein zum Scheitern verurteilten Unternehmen anschließen?[348] Auch Jehu scheint die Lage noch nicht als geklärt anzusehen, denn er handelt augenblicklich, indem er die Anwesenden zur Entscheidung aufruft: „Wer ist mit mir, wer?" (V.32). Diese fällt zu seinen Gunsten, als sich einige Höflinge auf seine Seite schlagen (V.32b) und Isebel auf Jehus Anweisung hin aus dem Fenster stoßen (V.33a). Daß sich selbst die zum engsten Vertrautenkreis der Königin gehörenden Höflinge von Isebel abwenden, um Jehu zu unterstützten, demonstriert zum einen die völlige Verlassenheit und Verhaßtheit Isebels, zum andern aber das Charisma des von Jahwe gesalbten Königs, dem selbst Sicherheits- und Nützlichkeitserwägungen des Hofstaates anläßlich des durch den „Fall Simri" wahrscheinlich gemachten Scheitern des Revolutionärs nichts anhaben können.

Die Einzelheiten des Todes Isebels werden anschließend genau geschildert (V.33b): Ihr Blut verspritzt, die davon aufgescheuchten Pferde zertrampeln sie. Die Handlung ist erkennbar auf Gegensätzlichkeit hin angelegt: Isebel, zunächst oben am Fenster, findet den Tod zertrampelt am Boden liegend. Das Schönmachen Isebels findet seinen Gegensatz in der Schilderung ihres unansehnlichen Endes. Die Verspottung der Angstgegnerin Isebel ist augenfällig.

Nach Isebels Tod, dem vorläufigen Höhepunkt des Abschnittes, erfolgt ein Szenenwechsel, Jehu geht – vermutlich in den Palast – hinein, um zu essen und zu trinken.[349] Nach dem Ausschalten der Hauptgegenspieler Joram und Isebel scheint Jehu die vordringlichen Aufgaben als erledigt zu betrachten und sich dem Essen und Trinken widmen zu wollen. Doch die Erzählung wartet noch mit einer überraschenden Zugabe auf: Jehu besinnt sich auf die Abstammung Isebels „denn eine Königstochter ist sie" (V.34) und gibt Anweisung, die

---

[345] Vgl. zur Betonung des Zusammentreffens durch einen invertierten Verbalsatz der Afformativkonjugation auch 9,11.

[346] Zur These O.H.Stecks, *Überlieferung*, 58, der Auftritt Isebels am „Audienzfenster" drücke ihren Anspruch auf die Königsherrschaft aus, siehe oben S.76 Anm. 297.
Ob Isebel die Herrschaft möglicherweise für sich beansprucht, kann anhand der hier vorliegenden Szene nicht entschieden werden. Ihr Handeln wird auch verständlich, wenn sie sich nur als Vertreterin des Hauses Omri ansieht.

[347] Der erfolglose Revolutionär Simri kapitulierte nach sieben Tagen Königsherrschaft vor dem Gegenkönig Omri und beging Selbstmord (1.Kön 16,8ff.). Neben der Anspielung auf die historische Gestalt „Simri" sieht hier S.M.Olyan, *Jehu*, 206, eine Anspielung auf den „Fall Naboth" vorliegen: „The name zimrî could easily sugesst *zamîr, 'vineyard-pruning', in the mind of the reader, who would no doubt be aware of the incident at the root of Jehu's coup, the incident concerning Naboth of Jesreel and his vineyard." Diese Interpretation erscheint jedoch etwas herbeigezwungen, insbesondere da sie die – von S.Olyan, *Hăšālôm*, 657-659, vorgenommene – Zuweisung von 9,25f. zur Grundschicht der Jehuerzählung implizit voraussetzt.

[348] Ähnlich W.Gugler, *Jehu*, 178f.

[349] Nach R.Smend, *Essen*, 450, „bezeichnet oft das Essen und Trinken den entspannten, normalen, natürlichen Zustand. ... Jehu weiß, was er tut und was er sich zutrauen kann, als er 'es sich gut schmecken' läßt".

„Verfluchte"[350] zu begraben, womit er ihr eine gewisse Würde zugestehen will. Der Erzähler beläßt es jedoch bei der guten Absicht Jehus – ihm ist offensichtlich daran gelegen, Isebel vollends zu entwürdigen. Als die Totengräber Isebel begraben wollen, finden sie nur noch den Schädel, die Füße und die Hände vor (V.35).

Die genaue Schilderung von Isebels grausigem Ende sowie die höhnische Schlußpointe lassen vermuten, daß sich der Erzähler an Leser/Hörer wendet, die seine Genugtuung über Isebels Tod mitempfinden. Isebels Tod wird nicht gerechtfertigt, eine Aufzählung der „Schandtaten Isebels" erfolgt nicht. Der Erzähler kann diese anscheinend als bekannt voraussetzen und sich auf den Oberbegriff „Hurereien und Zaubereien" (V.22) beschränken.

Für den Auftritt Isebels werden auch andere Erklärungsversuche vorgeschlagen:

- Isebel macht sich in Anbetracht ihres sicheren Todes sorgfältig zurecht und tritt dann Jehu herausfordernd entgegen, um in ihrer aussichtslosen Lage wenigstens einen würdevollen Tod zu sterben.[351] Gegen diese Auffassung spricht die Frage Jehus „Wer ist mit mir, wer?",[352] die darauf hinweist, daß Jehu sich zu diesem Zeitpunkt noch nicht ganz als Herr der Lage sieht, sondern mit einem möglichen Widerstand seitens der Isebelanhänger rechnet.[353]
- Isebel verschönt sich wie für einen Liebhaber[354] und präsentiert sich dann am Fenster, um Jehu zu verführen.[355]
- Isebel tritt als Liebesdienerin des Astartekults auf.[356]

Die Verführungstheorie – ganz gleich ob der Verführung persönliche oder religiöse Motive zugrundegelegt werden – scheitert jedoch an den höhnischen Worten, mit denen Isebel Jehu empfängt.[357]

---

[350] Nach O.H.Steck, *Überlieferung*, 55f. Anm. 4, ist die Bezeichnung Isebels als הארורה hier auf ihr entwürdigendes Schicksal bezogen, denn ihr Leichnam liegt noch immer, für jeden sichtbar, unbegraben da (vgl. Dtn 21,22f.).

[351] So H.Gunkel, *Revolution*, 220f.; W.Dietrich, Prophetie, 60; W.Eisenbeis, *Wurzel*, 109; S.M.Olyan, *Jehu*, 305; vgl. auch I.Benzinger, *Bücher*, 152.

[352] Aus diesem Grund unternimmt I.Benzinger, *Bücher*, 152, im Anschluß an A.Klostermann, *Bücher*, 422, fragwürdige textkritische Operationen: Er wandelt die Frage Jehus um in: „Wer bist du, daß du mit mir rechten willst?" und bringt diese so mit der höhnischen Begrüßung Jehus durch Isebel in Einklang.

[353] Ähnlich auch O.H.Steck, *Überlieferung*, 58 Anm. 3.

[354] Vgl. Jer 4,30; Ez 23,40-43; Prov 6,24-26; Cant 4,1; 6,5; 7,5-6.

[355] So S.B.Parker, *Jezebel's*, 67-78.

[356] So R.Herbig, *Aphrodite*, 921; H.Zimmern, *Göttin*, 2. Zum Ursprung dieser Deutung im Motiv der „Frau im Fenster" siehe S.76 Anm. 297.

[357] So auch O.H.Steck, *Überlieferung*, 56f. Anm. 4; S.M.Olyan, *Jehu*, 205.
Dennoch sind die beim Leser/Hörer unwillkürlich auftretenden Assoziationen der genannten Art sicherlich vom Erzähler nicht unbeabsichtigt – dafür ist seine Darstellung Isebels entschieden zu zweideutig. Auch wenn, wie bereits ausgeführt, Jehus Vorwurf der „Hurerei" (9,22) nicht wörtlich zu verstehen ist, baut die Erzählung dieses Bild in der Schmink- und Fensterszene wirkungsvoll aus. Daß hier darüber hinaus auf Isebels mögliche Beziehungen zum Astartekult angespielt wird, erscheint mir durchaus denkbar, zumal diese unter die Rubrik „Zaubereien" in 9,22 fallen würden. Es ist meiner Meinung nach zu berücksichtigen, daß es sich bei dem vorliegenden Text um eine kunstvoll aufgebaute Erzählung handelt, in der neben der Schilderung des eigentlichen Handlungsablaufs auch Andeutungen anklingen können, die von zeitgenössischen Hörern/Lesern sicherlich verstanden werden.

II.2.2 Die Beseitigung der Nachkommen Ahabs (10,1-9*)

Gleich mit dem ersten Vers wird der Leser/Hörer über die Existenz von Nachkommen Ahabs in Samaria informiert (10,1a). Damit deutet sich zugleich das Thema der Szene an: Diese Nachkommen müssen, will Jehu mit seiner Revolution Erfolg haben, ebenfalls beseitigt werden. Jehu schreibt also – von Jesreel (10,1b.6a) aus – Briefe an die Obersten von Samaria. Der Anfang des in der Erzählung wiedergegeben Briefes mit ועתה läßt darauf schließen, daß die Obersten zuvor über den Stand der Dinge unterrichtet wurden.[358] Der Brief ist als Einschüchterungsversuch Jehus an die Adresse der einflußreichen Oberschicht Samarias zu verstehen: Spöttisch fordert er sie unter Hinweis auf ihre militärische Stärke auf, einen der sich in ihrer Obhut befindlichen Nachkommen Ahabs zum König zu machen und für den Erhalt der Dynastie Ahab zu kämpfen (V.2.3). Der Brief hat die erhoffte Wirkung: Die Obersten „fürchten sich gar sehr" (V.4). Diese Furcht der Obersten wird vom Erzähler ins Lächerliche gezogen: Wer die Vorgeschichte kennt und weiß, wie die beiden offenbar allein ausfahrenden Könige regelrecht „übertölpelt" wurden, kann die Selbstentschuldigung der Obersten, nichts gegen Jehu zu unternehmen : „Siehe, zwei Könige haben nicht vor ihm bestanden, wie sollen wir bestehen?" nur als absurd beurteilen. Um ihre eigene Haut zu retten, signalisieren sie Jehu ihre bedingungslose Unterwerfung (V.5). Hier wird der Begriff „Oberste Ahabs" näher präzisiert – wahrscheinlich um das breitgefächerte Spektrum der an der folgenden Ermordung der Prinzen beteiligten Personen zu betonen. In einem zweiten Brief nimmt Jehu die Obersten beim Wort,[359] indem er sie ultimativ dazu auffordert, die „Köpfe der Männer eures Herrn" zu ihm nach Jesreel zu bringen (V.6a). Im Gegensatz zu dem langen vorbereitenden Briefwechsel wird das Resultat,[360] das einen vorläufigen Höhepunkt darstellt, lapidar mitgeteilt: Die „Söhne" des Königs werden unverzüglich getötet und ihre Köpfe nach Jesreel geschickt (V.7). Bedenken oder Gefühle der Obersten bei Ausführung der Tat werden nicht erwähnt – im Gegensatz zu V.4, wo sie durchaus Gefühle zeigen, als es um ihr eigenes Wohl geht. Herausgestrichen wird hier die Skrupellosigkeit, mit der die Obersten die ihnen anvertrauten Nachkommen Ahabs um ihrer eigenen Sicherheit willen töten, und zwar ohne direkt zwingenden Grund.[361] Indem er die Köpfe herbeibringen läßt, versichert sich Jehu zunächst der Ausführung seines Befehls. Doch die Geschichte nimmt noch einen neuen Anlauf, um schließlich zum endgültigen Höhepunkt zu kommen: Jehu läßt die Köpfe „bis zum Morgen" (V.8) am Tor von Jesreel aufhäufen[362]. Damit wird ein neues Spannungsmoment, die Frage nach der Absicht Jehus,

---

[358] Davon zeugt auch ihre genaue Kenntnis der Situation in V.4: „Zwei Könige haben nicht vor ihm bestanden, ...".

[359] Die Vorgehensweise Jehus, Leute, die ihre Solidarität bekundet haben, unverzüglich zum persönlichen Handeln aufzufordern und sie damit zu Mittätern zu machen, wird auch in 9,15b.32f. und in etwas abgewandelter Form in 10,16 deutlich; vgl. auch I.Plein, *Erwägungen*, 16.

[360] Die Reaktion der Obersten auf den zweiten Brief wird eingeleitet mit einem Temporalsatz: „Als der Brief zu ihnen gekommen war, ..."; vgl. auch 9,22; 10,9.25.

[361] Die von Jehu angesprochene Stärke der Festung Samaria war ja real; eine Möglichkeit des Widerstandes hätte, im Gegensatz zur ausweglosen Situation der beiden Könige außerhalb Jesreels (9,21b-27*; vgl. aber die Darstellung der Obersten in 10,4), durchaus bestanden.

[362] Das Aufhäufen der Köpfe der Feinde zu Pyramiden „was a common feature of Assyrian reprisals in conquered territories", M.C.Astour, *841 B.C.*, 388 Anm. 36.

erzeugt. Die Auflösung – hervorgehoben durch die zeitliche Markierung[363] – erfolgt am nächsten Morgen. Jehu spricht zu der vermutlich von dem ungewöhnlichen Anblick angelockten Volksmenge. Zunächst erteilt er dem Volk eine Art „Generalabsolution": „Ihr seid gerecht!" (V.9), die folgendermaßen verstanden werden kann: Jehu spricht das Volk von einer möglichen Schuld in Bezug auf die während der Revolution begangenen Greueltaten frei. Gleichzeitig bekennt er sich zu seinem eigenen Vorgehen als Revolutionär: „Zwar habe ich mich gegen meinen Herrn verschworen und ihn ermordet, ...". Die auffallende Ähnlichkeit mit Isebels Frage: „Ist Schalom, Simri, Mörder seines Herrn?" (9,31) läßt Jehus Rede als seine – an das Volk von Jesreel gerichtete – Antwort erscheinen. Schließlich wird der Sinn der ganzen Szenerie deutlich: Jehu weist die Schuld am Tode der Enthaupteten mittels der rhetorischen Frage „Aber wer tötete all diese?" den Obersten von Samaria zu. Da sich Jehu von der Bluttat bewußt distanziert, ist anzunehmen, daß diese keineswegs Zustimmung in der Bevölkerung erfahren, sondern im Gegenteil Schrecken und Empörung hervorgerufen hat. Dann stellt sich allerdings die Frage, aus welchem Grund Jehu die Köpfe der Erschlagenen überhaupt öffentlich ausstellen ließ. Es ist ihm wohl zum einen um den Erweis seiner „Unschuld" – schließlich konnte er sich nicht am Tatort aufgehalten haben – zum anderen um die Diskreditierung der oberen Beamtenschicht Ahabs zu tun. So wird etwaigem Widerstand der als opportunistisch gezeichneten Beamtenschaft die Zustimmung des Volkes von vornherein entzogen.

E.Würthwein[364] unterstellt der Erzählung eine negative Beurteilung von Jehus Handeln. Dies liegt meines Erachtens nicht in der Absicht des Erzählers. Es handelt sich um eine positive Darstellung von Jehus Geschick,[365] mit dem er ohne eigene Gewaltanwendung seine möglichen Gegner ausschaltet und gleichzeitig die Stimmung im Volk zu seinen Gunsten beeinflußt. Ein schlechtes Licht wird hingegen auf Ahabs Beamtenapparat geworfen. Obwohl sie für die ihnen anvertrauten „Söhne" Ahabs und damit für den Erhalt der Dynastie Ahab hätten kämpfen können, unterwarfen sie sich aus Furcht.

III.1 Der Weg von Jesreel nach Samaria (10,12-16)

Wegen der noch zu zeigenden Parallelität der Abschnitte 1 und 2 des letzten Hauptteils der Erzählung sollen hier beide Abschnitte gemeinsam behandelt werden. Es handelt sich keineswegs um zwei Episoden am Rande, die miteinander – und mit der Erzählung – nur sehr locker verknüpft sind[366].

Die beiden Szenen 9,12-14.15-16 sind sowohl durch den Umstand, daß sie beide auf dem Weg von Jesreel nach Samaria spielen, als auch durch ihren parallelen Aufbau eng miteinander verbunden.[367]

---

[363] In dem V.9 einleitenden Temporalsatz findet sich die einzige explizite zeitliche Markierung des Textes („Als es Morgen war"), was die Rede Jehus an das Volk von Samaria noch stärker hervorhebt.

[364] E.Würthwein, *Bücher II*, 335-337.

[365] Ähnlich M.Mulzer, *Jehu*, 339. Die List, mit der oft ein schwächerer den stärkeren Gegner besiegt, wird auch sonst im Alten Testament durchaus nicht negativ gesehen: vgl. nur Ri 3,15ff.; 4,17-22.

[366] Vgl. H.-Chr.Schmitt, *Elisa*, 28.

[367] Vgl. auch den direkten Anschluß von 10,15 über משם an V.14. Darüber hinaus findet in V.15 – im Unterschied zu V.13 – keine Renominalisierung statt, was ebenfalls auf eine enge Verbindung der Szenen hindeutet.

Zur Verdeutlichung des parallelen Aufbaus dient diese Gegenüberstellung der beiden Szenen:

10,12-14	**10,15-16**
Begegnung	
... Und Jehu traf auf die Brüder Ahasjas	... und er traf Jonadab ben Rekab ...
Befragung	
und sprach: „Wer seid ihr?“	und sprach: „Ist dein Herz aufrichtig, wie mein Herz gegenüber deinem Herzen?“
Antwort: Freundschaftliches Verhältnis zu	
Ahabs Familie samt Isebel	**Jehu**
Und sie sprachen: „Wir sind die Brüder Ahasjas und sind hinabgezogen, um nach dem Schalom der Söhne des Königs und der Söhne der Herrscherin zu fragen.“	Und Jonadab sprach: „Es ist (aufrichtig).“
Folge	
Und er sprach: „Ergreift sie lebend!“ Und sie ergriffen sie lebend. Und sie schlachteten sie ...	Und er sprach: „Wenn das so ist, dann gib mir doch deine Hand!“ Und er gab seine Hand und er ließ ihn zu sich auf den Kriegswagen steigen. Dann sprach er: „Komm doch mit mir, und sieh meinen Eifer für Jahwe!“ ...

Beide Szenen haben Begegnungen zum Inhalt, die formal den gleichen Verlauf nehmen, aber zu einem gänzlich anderen Ergebnis führen. Während die Begegnung der Brüder Ahasjas mit Jehu für diese tödlich verläuft (10,14), so verläuft die Begegnung mit Jonadab ben Rekab durchaus freundschaftlich (10,15f). Die Begegnung wird jedesmal mit מצא geschildert. In beiden Fällen schließen sich „inquisitorische“ Fragen Jehus an. Aus den Fragen und den entsprechenden Antworten ergibt sich ein Bild, wie Jehus Gesprächspartner in die neu entstandene politische Landschaft einzuordnen sind. Im Falle Jonadabs, der Jehu – er kommt ihm entgegen – und den Jehu offenbar kennt, scheint Jehu eine zufriedenstellende Antwort zu erwarten: Seine Frage ist beinahe „herzlich“ formuliert und enthält eine offene Sympathiebezeugung, woraus man schließen kann, daß ihm an Jonadabs Freundschaft viel gelegen ist. Eine kurze Bejahung seiner Frage genügt ihm. Auf die Frage nach ihrer Identität antworten die Brüder Ahasjas hingegen sehr ausführlich. Ginge es dem Erzähler nur um das Motiv „Vorbeugung der Blutrache aus Juda für den Tod Ahasjas",[368] dann wäre bereits der erste Teil der Antwort „Wir sind die Brüder Ahasjas" hinreichend für ihre Ermordung gewesen. Entscheidend scheint der zweite Teil der Antwort[369] zu sein, woraus das freundschaftliche Verhältnis zum Königshaus Ahabs ersichtlich wird. Erst daraufhin gibt Jehu seinen Befehl zur Gefangennahme und „schlachtet" sie ab. Der „Freundschaft" mit Juda wird in 10,12-14 ein jähes und endgültiges Ende gesetzt,[370] während sich Jehu der Freundschaft Jonadabs ben Rekab versichert: „Gib mir deine Hand!" (V.15).[371] Was die beiden verbindet, ihr Eifer für Jahwe, erfährt der Leser in V.16. In welcher Weise sich dieser Eifer auswirken wird, wird erst im Abschlußteil der Erzählung deutlich. Erst dort findet der hier angelegte Spannungsbogen seine Auflösung.

Unter dem Gesichtspunkt, daß die Bündnispolitik des Hauses Ahabs ein Ende findet, während eine neue, bestimmt durch den Eifer für Jahwe, begonnen wird, eröffnen die Szenen auf dem Weg zur Hauptstadt Samaria den zweiten Hauptteil der Erzählung. Dieser beschäftigt sich nicht mehr mit Jehus Weg zur Macht, sondern mit dem religionspolitischen Kurswechsel (vgl. auch 10,18) des neuen Königs.

III.2 Die Ausrottung des Baalskultes (10,17-25a*)

Der letzte Erzählabschnitt hat ausschließlich die Ausrottung des Baalskultes zum Inhalt. Die Erzählung nimmt zunächst in Anbetracht des vorher so betonten Jahwe-Eifer Jehus einen überraschenden Anfang. Nach seiner Ankunft in Samaria (10,17aα) gibt Jehu in einer Art Antrittsrede vor dem „ganzen Volk" seine vermeintlichen religionspolitischen Absichten kund: „Ahab hat dem Baal wenig gedient, Jehu wird ihm viel dienen!" (V.18). Seine Worte – er vergleicht sich mit Ahab – machen deutlich, daß er sich als neuer Herrscher bereits etabliert hat.[372] Anschließend erteilt er dann auch Befehle an das Volk: Alle Baalspriester und Baalspropheten sollen anläßlich der Vorbereitung eines großen Opferfestes zusammengerufen werden (V.19a). Dabei präsentiert sich Jehu als fanatischer Baalsanhänger: Wer seinem Aufruf nicht folgt, „wird nicht am Leben bleiben". Jehus Befehl wurde anscheinend ausgeführt, im folgenden spricht er bereits zu den offiziellen Vertretern des Baalskultes, denen er den Auftrag erteilt, eine Versammlung zu „heiligen"[373] (V.20). Auf

---

[368] Vgl. zur „Blutrache" H.Gunkel, *Revolution*, 224. Daß Jehu außerdem noch die Herrschaft über Juda an sich reißen will (H.Gunkel, *Revolution*, 224; K.H.Keukens, *Haussklaven*, 234; vgl. W.Gugler, *Jehu*, 188) und deshalb die Brüder Ahasjas ermordet, ist in der Erzählung keineswegs angelegt: „Jehu ist König über Israel!" (9,3.6.12).

[369] Auffallend ist, daß auch hier der Begriff „Schalom" wieder in Verbindung mit Isebel und dem Königshaus Ahabs gebraucht wird.

[370] Unter diesem Gesichtspunkt ist auch der Tod Ahasjas zu sehen, dessen freundschaftliches Verhältnis zu Joram durch seinen Krankenbesuch (9,16b) deutlich wird. Die gute Beziehung zwischen Israel und Juda wurde durch die „jüngere Generation", die „Brüder Ahasjas" und die „Söhne des Königs und der Herrscherin" (10,13) offensichtlich fortgesetzt.

[371] Vgl. zu „die Hand zum Bund reichen" Ez 17,18. In Jer 50,15 und Klgl 5,6 ist der Sinn des Reichens der Hand wohl „sich ergeben". In Anbetracht der um Freundschaft werbenden Worte Jehus ist eher an die Verbindung zweier in etwa gleichrangiger Partner zu denken.

[372] Auch an dieser Bezugnahme auf Ahab statt auf Joram wird die in der Erzählung betonte Schwäche Jorams gegenüber der Stärke seiner Eltern deutlich (vgl. 9,22; 10,1-9): Joram machte sich nur indirekt, durch die Duldung und Fortsetzung der Politik Ahabs und Isebels schuldig (9,22). Tatsächlich verantwortlich für den – jeglichen Schalom ermangelnden – Zustand Israels sind diese.

[373] Vgl. Joel 1,14 und auch A.Kuyt/J.W.Wesselius, *Parallel*, 109-111.

ihre Einladung hin erscheinen alle Baalsverehrer (V.21aß). Ihr vollständiges Erscheinen (V.21aγ) und ihre große Anzahl – sie füllen den ganzen Tempel aus (V.21b) – wird unterstrichen. Die Verteilung der Kultkleider an die Baalsverehrer (V.22) dient der Ausschmükkung der Szenerie, die Schilderung des Opferfestes gewinnt dadurch an Plastizität. Zudem wird Jehus präzises Vorgehen unterstrichen. Im Laufe der Vorbereitungen sorgt Jehu für die Entfernung aller Jahwe-Diener aus dem Tempel (V.23b), was vermutlich durch die vorherige Einkleidung der Baalsverehrer erleichtert wurde. Schließlich gehen Jehu und Jonadab[374] in das Innere des Tempels[375] hinein, um „Schlachtopfer und Brandopfer darzubringen" (V.24a). Dem Leser ist sicherlich von Anfang an klar gewesen, daß Jehus „Baalsverehrung" nur Verstellung war, aber erst in V.24b wird er über die genauen Absichten Jehus aufgeklärt: Der Baalstempel soll den Kultteilnehmern zur tödlichen Falle werden. Während drinnen das Fest seinen Verlauf nimmt, warten draußen schon Jehus Männer, die instruiert sind, keinen entkommen zu lassen. Mit dem Temporalsatz „Als Jehu damit fertig war zu opfern ..." wird das Zuschnappen der Falle eingeleitet. Jehu gibt den „Läufern und Adjutanten" den Befehl, in den Tempel einzudringen und die Festteilnehmer zu erschlagen (V.25aα). Die Ausführung des Befehls wird nur noch lapidar konstatiert (V.25aß).

Mit einer groß angelegten und penibel durchgeführten List hat Jehu dem Baalskult in Samaria durch die Vernichtung der Baalspriester, -propheten und -verehrer ein Ende gesetzt und so seinen „Eifer für Jahwe" (V.16) bewiesen.

3.5 Die Abgeschlossenheit der Erzählung

Die Erzählung von der Jehu-Revolution ist inhaltlich abgeschlossen: Die Handlung beginnt mit Jehus Salbung im Auftrag Elisas, setzt sich folgerichtig fort mit der Ausrottung des Hauses Ahabs und gipfelt – wie oben ausgeführt wurde – erwartungsgemäß in der Ausrottung des Baalskultes. Es werden weder andere Texte vorausgesetzt noch Fragen aufgeworfen, die eine Fortsetzung an anderer Stelle erforderlich machten.

Betrachtet man die Stellung der Erzählung in ihrem biblischen Kontext, bestätigt sich ihr eigenständiger Charakter. Chr.Levin[376] weist anhand stilistischer Betrachtungen überzeugend nach, daß der sich anschließende Bericht über den „Sturz der Königin Atalja" in 2.Kön 11 nicht die Fortsetzung von 2.Kön 9.10 sein kann:[377] Während es sich nach Levin bei der Erzählung von der Jehu-Revolution um ein literarisches Erzeugnis von hochgradiger erzählerischer Perfektion mit einem hohen Anteil an wörtlicher Rede handelt, ist die Atalja-Erzählung im Berichtstil gehalten. Damit sind die beiden Texte jeweils unterschiedlichen Gattungen zuzuordnen: Die Jehu-Erzählung der Gattung „dramatische Erzählung" und die Atalja-Erzählung der Gattung „historischer Bericht".[378]

---

374 Zur „Zuschauerrolle" Jonadabs siehe S.72.

375 Vermutlich gehen Jehu und Jonadab vom Vorhof des Tempels, dem Aufenthaltsort der Baalsverehrer, in den Hauptraum (היכל) des Tempel, wo „sich zum größten Teil die von den Priestern zelebrierten Rituale" (A.Negev, *Bibellexikon*, 312) – also auch die Darbringung der Opfer – abspielen.

376 Chr.Levin, *Sturz*, 79-82.

377 Anders L.M.Barré, *Rhetoric*, 4-8.

378 Chr.Levin, *Sturz*, 81.

Ebenso klar hebt sich die Erzählung von der Jehu-Revolution stilistisch von dem vorausgehenden Bericht- und Notizenstil in 2.Kön 8,16-29 ab.[379]

Die Singularität der Jehuerzählung sowohl unter dem Gesichtspunkt ihrer erzählerischen Qualität als auch ihrer Thematik erweist sich ebenfalls im Vergleich mit den im Bereich von 2.Kön 2-8 vorliegenden Elisa- (2.Kön 2; 4,1-6,23; 8,1-15; 13,14-21) und Kriegserzählungen (1.Kön 20,1-43; 22,1-38; 2.Kön 3,4-27; 6,24-7,20).[380]

---

[379] Siehe Seite 47-50.

[380] Während in den Elisaerzählungen Elisa im Vordergrund steht, so nimmt dieser in der Jehuerzählung zwar eine wichtige, aber doch im Hintergrund bleibende Rolle ein: Von ihm bzw. Jahwe geht zwar der Impuls zu allem weiteren Geschehen aus, darüber hinaus ist er aber nicht in das Geschehen involviert; er handelt aus dem Verborgenen heraus, betritt aber nie selbst die Bühne des Geschehens (9,1-3). Auch hinsichtlich der Funktion Elisas unterscheidet sich die Vorstellungswelt der Elisaerzählungen von der der Jehuerzählung: Während dort die magisch-wunderhafte Komponente seines Handelns dargestellt wird, so greift er hier – in der Tradition Samuels stehend – durch seine Salbung direkt in die Politik ein: Dabei hilft er dem König nicht – wie in 2.Kön 6,8-23; 13,14ff. – akute außenpolitische Bedrohungen abzuwenden, er verändert vielmehr die innenpolitische Konstellation. Zu den Elisaerzählungen siehe S.220ff.
Die Hauptperson, um die Erzählung von der Jehu-Revolution kreist, ist eindeutig Jehu. Dennoch ist die Erzählung von der Jehu-Revolution auch eindeutig von den Kriegserzählungen, in denen ebenfalls der König Hauptperson ist, abzusetzen: In den Kriegserzählungen wird das immer in Frage stehende Verhalten der Könige gegenüber den Propheten/dem Wort Jahwes beurteilt. In der Jehuerzählung jedoch wird vorausgesetzt, daß sich Jehu, als von Jahwe gesalbter König, entsprechend dem Willen Jahwes verhält. Dazu ist es noch nicht einmal notwendig – wie in den Kriegserzählungen -, Jahwe zu befragen; Jehu tut in seinem Eifer für Jahwe (10,16) selbstverständlich alles, um den Schalom in Israel wieder herzustellen (9,22). Siehe zu den Kriegserzählungen S.202ff. und zum Ganzen B.Lehnart, *Prophet*, 348ff.

4 Intention und Erzählsituation der vordeuteronomistischen Stufen der Erzählung von der Jehu-Revolution

4.1 Der historische Hintergrund

Um die Erzählabsicht besser erfassen zu können, soll hier zunächst ein kurzer Abriß des historischen Hintergrundes gegeben werden:

Omri und sein Sohn und Nachfolger Ahab führten das krisengeschüttelte Israel[381] durch eine geschickte Innen- und Außenpolitik zu politischer Stabilität.[382] Daß Omri (881-870) „dem Nordreich endlich das bis dahin fehlende politische Zentrum"[383] gab, indem er das von ihm käuflich erworbene Samaria ausbaute (1.Kön 16,24) und zur Hauptstadt machte (1.Kön 16,28f.), trug zweifelsohne „zur inneren Konsolidierung des Staates"[384] bei. Außenpolitisch ist die Zeit der Omriden durch eine Öffnung des Staates nach außen, dem Gewinn von Bündnis- und Handelspartnern gekennzeichnet: In der Regierungszeit Josaphats von Juda (867-850) gelang ein Friedensschluß zwischen Israel und Juda (1.Kön 22,45). Diese Verbindung wurde durch eine politische Heirat zwischen der Tochter Omris, Atalja[385], und dem Sohn Josaphats, Joram, noch gestärkt (2.Kön 8,26). Unter Ahab war Israel dann ein bedeutendes Mitglied der antiassyrischen Koalition, die sich 853 bei Qarqar Sal-

---

[381] Die Epoche von Jerobeam I. bis Omri ist durch Gebietsverluste an der Peripherie, dauernde kriegerische Auseinandersetzungen mit Juda und ständige Revolutionen gekennzeichnet; vgl. 1.Kön 14,30; 15,16.20. 25-29.32; 16,8ff.21f. und A.H.J.Gunneweg, *Geschichte*, 103f.

[382] Erst durch Omri und seine Nachfolger scheint das Nordreich Israel zu internationaler Bedeutsamkeit geführt worden zu sein. Die Verknüpfung des außenpolitischen Ansehens mit dem Name „Omri" spiegelt sich auch darin wider, daß der Staat Israel/Samaria längst nach dem Untergang der Omriden noch als bīt ḫumrî (so in den Inschriften Tiglatpileser III.; siehe R.Borger, *Texte*, 373f. Anm. 6b. 376-378) bzw. seine Regenten als mār ḫumrî (was nach A.Ungnad, *Jaúa*, 224-227; vgl. S.Timm, *Dynastie*, 199; O.Keel/ Chr.Uehlinger, *Assyrerkönig*, 401 Anm. 33, als „Regent aus dem Staat bīt ḫumrî" zu verstehen ist) bezeichnet werden können. Anders H.Donner, *Geschichte*, 280, der die Titulierung Jehus auf dem Schwarzen Obelisken Salmanassers III. (zur Identifikation Jehus siehe M.Weippert, *Jau(a)*, 113-118; B.Halpern, *Yaua*, 81-85) als Jaúa mār [I]ḫu-um-ri-i dahingehend interpretiert, daß die Assyrer den Dynastiewechsel in Israel nicht zur Kenntnis genommen hätten. Eine neue, gänzlich anders geartete Interpretation der assyrischen Bezeichnung Jehus als „Sohn Omris" bietet T.J.Schneider (*King*, 26-33.81-82 und *Jehu*, 100-107): Diese gäbe die tatsächlichen Familienverhältnisse wieder, das heißt Jehu sei ein – aus einer anderen Linie als Ahab und seine Nachfolger stammender – Sohn Omris gewesen und habe nicht das Haus Omris, sondern allein die Linie der Ahabiden ausgerottet. Die These Schneiders deckt sich zwar mit der biblischen Darstellung von Jehus Ausrottung des Hauses Ahabs (2.Kön 9/10, vgl. 1.Kön 21,21ff.); sie erscheint mir aber dennoch durch die assyrischen Quellen nicht ausreichend gesichert: Bei konsequenter Anwendung des ihrer These zugrundeliegenden Postulats, die assyrischen Inschriften gäben die tatsächlichen dynastischen Verhältnisse in Israel wieder, auch auf die späteren Inschriften Tiglatpilesers III. käme man zu dem Ergebnis, daß (fast) alle späteren Nordreichkönige der Linie Omri entstammten, was in Anbetracht der häufigen Anzahl von gewaltsamen Thronusurpationen nach Jerobeam II. nicht sehr wahrscheinlich ist.

[383] A.H.J.Gunneweg, *Geschichte*, 105.

[384] A.H.J.Gunneweg, *Geschichte*, 105; vgl. auch R.Albertz, *Religionsgeschichte*, 230; S.Timm, *Dynastie*, 142-156.

[385] Nach 2.Kön 8,18a ist Atalja die Tochter Ahabs, also eine Enkelin Omris. Dieser Darstellung folgt A.H.J.Gunneweg, *Geschichte*, 105. Der von den Deuteronomisten aus den „Annalen" übernommenen Notiz in 2.Kön 8,26 ist aber, so macht Chr.Levin, *Sturz*, 83 Anm. 3, wahrscheinlich, mehr Glauben zu schenken als der von den Deuteronomisten selbst geschaffenen Beurteilung Jorams von Juda in V.18. Zur Abstammung Ataljas siehe auch H.J.Katzenstein, *Parents*, 194-197, der zu dem Ergebnis gelangt, daß Atalja, wie in 2.Kön 8,26 und 2.Chr 22,2 angegeben, die Tochter Omris gewesen sei. Sie sei dann aber, früh verwaist, am Hof Ahabs aufgezogen worden, was zu ihrer Bezeichnung als „Tochter Ahabs" (2.Kön 8,18) geführt habe.

manasser III. entgegenstellte.[386] Eine weitere diplomatische Heirat, die Verbindung von Ahab (870-851) mit Isebel, der Tochter Ethbaals, des Königs der Sidonier[387] (1.Kön 16,31), läßt auf eine Annäherung an die Handelsmacht Phönizien schließen. Die neue Politik der Omriden zeitigte Erfolge: Unter Omri wurde Moab zum Vasallen Israels; sein Sohn Ahab erhielt diesen Zustand zumindest anfänglich aufrecht.[388] Die assyrische Bedrohung konnte zunächst abgewehrt werden;[389] in Israel kam es zu einem wirtschaftlichen und kulturellen Aufschwung. Dies zeigt sich an der Bautätigkeit, die Ahab entwickelte (1.Kön 22,39),[390] aber auch an der militärischen Stärke der israelitischen Truppe.[391]

Mit der Öffnung nach außen war allerdings auch eine neue Religionspolitik erforderlich geworden,[392] die, wollte man die neuen Bündnispartner, vornehmlich die Phönizier, nicht „vor den Kopf stoßen", auf Toleranz gegenüber der Verehrung anderer Götter gegründet sein mußte. Und so errichtete Ahab, um seiner Frau Isebel ihren eigenen Kult zu ermöglichen, einen Baalstempel (1.Kön 16,32).[393] Dies war zunächst nichts Ungewöhnliches – auch Salomo errichtete den Göttern seiner ausländischen Frauen, Astarte, Milkom und Kemosch, Kultstätten (1.Kön 11,1ff.; vgl. 2.Kön 23,13). Die Verehrung Baals durch Isebel wurde jedoch, anders als die „Fremdgötterkulte" der Frauen Salomos, schon vor ihrer Verdammung durch die Deuteronomisten zum Objekt heftigster Kritik und zum auslösenden Moment für die Revolution des Jehu (2.Kön 9,22; 10,18ff.). Denn anscheinend war es nicht – wie beim „diplomatischen Synkretismus"[394] in Juda – bei dem privaten Kult Isebels

---

[386] A.H.J.Gunneweg, *Geschichte*, 106; H.Donner, *Geschichte*, 262. Nach der „Monolith-Inschrift" Salmanassers III. (Kol. II, Z.79-102; vgl. R.Borger, *Texte*, 360-362) verfügte Ahab über 2000 Streitwagen und 10000 Soldaten (siehe zur Angabe der Zahl der Soldaten H.Donner, *Geschichte*, 262 Anm. 24) und stellte damit neben Hadadezer von Damaskus und Irḫulēni von Hamat eines der stärksten Truppenkontingente des antiassyrischen Zwölferbündnisses. Zur Schlacht bei Qarqar siehe auch W.Mayer, *Politik*, 284f.

[387] Zur Abstammung Isebels siehe oben S.79 Anm. 308.

[388] Nach der „Meschainschrift" (KAI 181, deutsche Übersetzung und Literatur bei S.Timm, *Dynastie*, 158-171; H.-P.Müller, *Inschriften*, 646-650) haben Omri und sein Sohn/seine Söhne Moab viele (vierzig) Jahre lang bedrängt (KAI, 181,4.67b-8). Ob die Loslösung Moabs von Israel, wie Zeile 6.7a der Inschrift nahelegt, tatsächlich schon unter Ahab oder erst unter seinen Söhnen (vgl. 2.Kön 1,1; 3,5.7) stattfand, ist unsicher (vgl. S.Timm, *Dynastie*, 158ff.). Wahrscheinlicher erscheint die Annahme, der Abfall Moabs sei mit der Zeit politischer Schwäche/Unsicherheit nach dem Tode Ahabs zusammengefallen.

[389] So auch A.H.J.Gunneweg, *Geschichte*, 107. Die assyrische Westexpansion führte jedenfalls erst 841, also nicht mehr unter den Omriden, zu ernstlichen Konsequenzen für Israel; vgl. W.Mayer, *Politik*, 283-287.

[390] Vgl. G.W.Ahlström, *King*, 49f. Zum Ausbau der Festungen vgl. H.Weippert, *Palästina*, 510. 518ff.; zum Palast, dem „Elfenbeinhaus" in Samaria, H.Weippert, a.a.O. 539.654-660. Siehe auch S.75 Anm. 294.

[391] Auch wenn die Angaben der assyrischen Inschrift (siehe oben Anm. 386) sicherlich übertrieben sind (vgl. H.Donner, *Geschichte*, 262), so läßt sich dennoch aus ihr entnehmen, daß die Streitmacht Israels zur Zeit Ahabs mit der sicherlich nicht unbedeutenden Streitmacht der Aramäer (1200 Streitwagen, 1200 Kavalleristen, 20000 Soldaten) durchaus zu vergleichen war.

[392] Vgl. R.Albertz, *Religionsgeschichte*, 231-233.

[393] Zum Baalstempel siehe oben S.75 Anm. 294. Zur Identifikation des Baal als „Baal von Sidon", der vermutlich als „lokale Ausformung des Wettergottes Baal/Hadad" zu verstehen ist, siehe R.Albertz, *Religionsgeschichte*, 231 Anm. 19 und die dort angegebene Literatur.

[394] R.Albertz, *Religionsgeschichte*, 229. Der aus außenpolitischer Rücksichtnahme von Salomo in Juda eingeführte „Fremdgötterkult" scheint keine große Anziehungskraft für die Bevölkerung Judas gehabt zu haben, sondern lediglich von ausländischen Diplomaten und einigen Hofbeamten ausgeübt worden zu sein (vgl. M.Noth, *Könige*, 249f.; E.Würthwein, *Bücher I*, 134; R.Albertz, *Religionsgeschichte*, 229): Abgesehen von der deuteronomistischen Kritik an seiner Einführung wird er bis zu seiner – nach deuteronomistischer Darstellung erst unter Josia (2.Kön 23,13) erfolgenden – Ausrottung nicht mehr problematisiert.

und ihres phönizischen Hofstaates geblieben.[395] Der am Königshof gepflegte, offiziell vom König unterstützte Baalskult (1.Kön 16,31f.; 2.Kön 10,18) führte vielmehr zu einem Wiederaufblühen der Baalsverehrung[396] unter der israelitischen Bevölkerung: Das Volk „hinkte nach beiden Seiten" (1.Kön 18,21), indem es wohl Jahwe, aber eben auch Baal verehrte.[397] Dazu konnte es kommen, weil Baal, im Unterschied zu Astarte, Milkom und Kemosch (1.Kön 11,33) kein „fremder" Gott war, sondern „*selbst* auf eine jahrhundertelange Verehrung im Land Israel verweisen konnte".[398] Von Isebel wurde diese Entwicklung sicherlich tatkräftig unterstützt. So soll sie 450 Baalspropheten an „ihrem Tisch" essen lassen (1.Kön 18,19) und Jahwepropheten getötet haben (18,4.13; vgl. 19,2). Wenn diese Nachrichten auch auf sehr späte Überlieferungen zurückgehen,[399] so läßt sich doch eine Tendenz zur Förderung des eigenen Kultes auf Kosten des sich exklusiv gebärdenden Jahwekultes erkennen.[400] „Die Koinzidenz des Kultes der Königsfrau mit dem in Israel seit alters vorhandenen Baalskult ... war das Besondere und Einmalige der damaligen religiösen Situation"[401] und mußte gerade wegen der großen Anziehungskraft des Baalskultes auf das Volk (1.Kön 18,21; 19,18; 2.Kön 10,18ff.) zu einer Opposition der jahwetreuen Kräfte führen (1.Kön 17-19; 2.Kön 1), die dann in der Jehu-Revolution gipfelte.[402] Es ist möglich, daß Joram (850-845) versuchte, diese Entwicklung zu stoppen und den Aufstand zu verhindern, als er der Baalsverehrung seine Unterstützung entzog (2.Kön 3,2). Vor dem entscheidenden Schritt, allen „Hurereien und Zaubereien" seiner Mutter ein Ende zu machen (9,22), scheint er jedoch zurückgeschreckt zu sein. Erst die erfolgreich verlaufende Jehu-Revolution beendete die synkretistische Religionspolitik der Omriden.

---

[395] So S.Timm, *Dynastie*, 301-303; vgl. R.Albertz, *Religionsgeschichte*, 231; M.Weippert, *Synkretismus*, 161.

[396] S.Timm, *Dynastie*, 302, nimmt an, daß die „Baalsheiligtümer des Landes" durch die „Zentrierung der einzelnen lokalen Baalim auf einen überregionalen (in der Hauptstadt Samaria verehrten [Anm. der Verfasserin]) Baal" zu größerem Ansehen gelangten.

[397] Anders A.Alt, *Stadtstaat*, 274ff.; H.Donner, *Geschichte*, 263-269; W.Dietrich, *Israel*, 60-83, die nicht an eine Art Dyotheismus der israelitischen Bevölkerung denken, sondern von einer durch die dualistische omridische Religions- und Innenpolitik (siehe dazu H.Donner, *Geschichte*, 263ff.) geförderten, aber schon vorher bestehenden Aufspaltung der Bevölkerung Israels in einen „israelitischen", jahweverehrenden und einen „kanaanäischen", baalsverehrenden Teil ausgehen. Die Förderung des Baalskultes im Zusammenhang mit der politischen Öffnung nach außen fällt – im Rahmen dieser These – mit einer Unterstützung des „Kanaanäertums" durch die Omriden zusammen. Das heißt beispielsweise, der Tempel in Samaria wurde nicht nur für Isebel und ihr Gefolge errichtet, sondern zugleich als „eine Art Zentralheiligtum für die 'Kanaanäer' im Nordstaate Israel" (a.a.O. 269; ähnlich W.Gugler, *Jehu*, 113-116). Gegen die Annahme einer Fortexistenz von Kanaanäern in Israel, sei es im ethnischen (A.Alt, *Stadtstaat*, 274ff.) oder nur im soziologischen/religiösen Sinne (H.Donner, *Geschichte*, 264) wenden sich jedoch zu Recht S.Timm, *Dynastie*, 143-156.273 und R.Albertz, *Religionsgeschichte*, 232 Anm. 22.

[398] S.Timm, *Dynastie*, 303. Vgl. auch R.Albertz, *Religionsgeschichte*, 231f., mit dem Hinweis auf den hohen Anteil Baal-haltiger Namen der Samaria-Ostraka. Etwas anders P.-J.Athmann, *Ziele*, 72.80f., der betont herausstellt, daß es sich bei dem von Isebel verehrten Baal um den phönizischen, das heißt einen territorial fremden Baal handelt.

[399] Siehe S.188ff.

[400] Vgl. M.Weippert, *Synkretismus*, 161.

[401] S.Timm, *Dynastie*, 303.

[402] Anders P.-J.Athmann, *Ziele*, 80-80, der nicht das Wiederaufflammen der Baalsverehrung in Israel, sondern die „religiöse Fremdbestimmung durch den phönizischen Baal", die von Jehu und den freien Propheten um Elisa als „Verrat an Israel" angesehen wurde, als religionspolitische Motivation der Jehu-Revolution identifiziert. Gegen eine zu hohe Veranschlagung des religionspolitischen Aspekts der Jehu-Revolution wendet sich, gestützt auf fragwürdige literarkritische Operationen in 2.Kön 10,18-25 und in Verkennung der oben aufgezeigten Zusammenhänge, M.Beck, *Elia*, 213ff.236f.

Die Kritik der jahwetreuen Kreise in Israel, welche sich um die Propheten Elia und Elisa gruppierten,[403] richtete sich jedoch nicht nur gegen den diplomatischen Synkretismus der Omriden. Die Tradition (nord-)israelitischer Königskritik[404] aufnehmend, zielte sie ebenso gegen deren autokratisches Herrschaftsgebaren, das königliche Machtansprüche auch über Leichen gehend gegenüber den traditionellen Rechten der Bevölkerung durchsetzte (1.Kön 21,1-20a; 2.Kön 9,25f.),[405] alte Eliten zugunsten der omridischen Beamtenschaft an den Rand drängte und die Zentren der Macht auf Kosten der Provinz stärkte.[406]

Doch erst in Verbindung mit der vermutlich nach dem Tode Ahabs einsetzenden wirtschaftlichen und außenpolitischen Schwächung Israels[407] wurde der Konflikt zwischen königlicher Machtentfaltung und traditioneller Königskritik, zwischen weltoffenem Synkretismus und exklusiver Jahweverehrung zu einer wirklichen Bedrohung für den omridischen Staat.

Hinsichtlich des speziellen außenpolitischen Anlasses der Jehu-Revolution bestand jedoch bisher eine gewisse Unklarheit: War es wirklich „nur" die günstige Gelegenheit, die sich durch die Verwundung Jorams im Kampf mit den Aramäern (2.Kön 8,28f.; 9,14f.) ergab?[408]

G.W.Ahlström[409] entwarf – in Anbetracht des Koalitionswechsels Jehus, der auf dem Schwarzen Obelisken nicht, wie zuvor Ahab, als Mitglied einer antiassyrischen Koalition, sondern als Vasall Salmanassers III. aufgeführt wird[410] – folgendes historisches Szenario: Ausgangspunkt ist dabei die Datierung der Jehu-Revolution in das Jahr 841,[411] das Jahr des

---

403 Siehe R.Albertz, *Religionsgeschichte*, 233ff.; vgl. H.Donner, *Geschichte*, 270-273.

404 Siehe F.Crüsemann, *Widerstand*, 94ff.; R.Albertz, *Religionsgeschichte*, 185-187.215-219.236ff.

405 Vgl. R.Albertz, *Religionsgeschichte*, 233ff. Zu 1.Kön 21 und 2.Kön 9,25f. siehe S.138ff. bzw. S.111ff.

406 Zum sozio-ökonomischen Kontext der Dynastie Omri siehe J.A.Todd, *Elijah*, 3-11; T.H.Rentería, *Elijah*, 75-126. Zum Ganzen vgl. W.Gugler, *Jehu*, 105-160, der die Jehu-Revolution als Reaktion auf den „von den Omriden eingeleiteten Transformationsprozeß" hin zu einem „territorialistischen Staatsgebilde mit einer zentralistisch-hierarchisch strukturierten Herrschaftsform" (a.a.O. 160) versteht.

407 Die Provinz Moab ging verloren (siehe oben S.98 Anm. 388; vgl. auch H.Donner, *Geschichte* 274). Das Bündnis mit Damaskus zerbrach. Die antiassyrische Koalition von Qarqar (853) bestand wohl noch bis 845 (siehe W.Mayer, *Politik*, 285f.), zerfiel aber mit dem Tode Hadadezers im selben Jahr. Ob Israel bis dahin in der Koalition verblieb, ist ungewiß. Für einen im Zusammenhang mit dem Tode Hadadezers erfolgenden Bündnisbruch durch Joram von Israel spricht die Inschrift vom Tel Dan (Zeile 2-4; zu Übersetzung und historischem Kommentar siehe I.Kottsieper, *Inschrift*, 478ff.): Nach dem Tode Hadadezers, dem Vorgänger Hasaels, drang Joram von Israel unter Bruch des zuvor mit diesem geschlossenen Bündnisses in aramäisches Gebiet ein (vgl. 2.Kön 8,28), und es kam wieder zu Kämpfen mit den Aramäern im Ostjordanland. Die Assyrergefahr lauerte weiterhin im Hintergrund.

408 Vgl. für viele E.Würthwein, *Bücher II*, 328.

409 *History*, 592ff.; ähnlich M.C.Astour, *841 B.C.*, 383-389. Hinsichtlich der Gewichtung der außen- und innenpolitischen Faktoren der Jehu-Revolution urteilt Ahlström (a.a.O. 592) wie folgt: „The reasons for Jehu's *coup d'etat* are more to be found in the foreign policy and unfortunate wars of king Joram and the thraet Assyria now presented to the west, than in such internal problems as religion and morals." Vgl. auch ders., *Battle*, 157-166; ders. *King*, 47-69 und M.C.Astour, *841 B.C.*, 383-389. Wesentlich mehr Wahrscheinlichkeit für sich haben jedoch historische Erklärungsmuster, die innen- und außenpolitische Faktoren gleichermaßen berücksichtigen, vgl. R.Albertz, *Religionsgeschichte*, 242-244; H.Donner, *Geschichte*, 260ff.; A.H.J.Gunneweg, *Geschichte*, 105-109.

410 Siehe u.a. O.Keel/Chr.Uehlinger, *Assyrerkönig*, 391-420; C.C.Smith, *Jehu*, 71-105.

411 So auch M.C.Astour, *841 B.C.*, 383-389; W.M.Schniedewind, *Tel Dan*, 75ff.; M.Weippert, *Jau(a)*, 113ff.; S.Yamada, *Aram-Israel*, 618ff.; T.Schneider, *King*, 26ff.; A.Schmidt, *Udviklingen*, 1-21. In das Jahr 845 datieren dagegen: H.Donner, *Geschichte*, 275 (siehe auch 280 Anm. 82); A.H.J.Gunneweg, *Geschichte*,

vor allem gegen Damaskus gerichteten assyrischen Westfeldzuges Salmanassers III., das Jahr in dem auch Jehu Tribut an den Assyrerkönig zahlte.[412] Da sich die Aramäer zu diesem Zeitpunkt aufgrund ihrer Niederlage gegen Assur und der Belagerung von Damaskus[413] in einer viel zu bedrängten Lage befunden hätten, um im Transjordan-Gebiet mit Israel zu kämpfen, sei anzunehmen, daß die in 2.Kön 8,28f.; 9,14f. erwähnte Auseinandersetzung in Ramoth-Gilead nicht zwischen Israel und den Aramäern, sondern zwischen Assur und Israel stattgefunden habe.[414] Israel, das als Verbündeter Arams ausgerückt sei, sei von den Assyrern bei Ramoth-Gilead überrascht worden. Dort habe Jehu, als proassyrischer Offizier, mit den Assyrern Kontakt aufgenommen, um sich der assyrischen Unterstützung für seine Revolte zu versichern sowie Israel vor Verwüstung und Plünderung durch die Assyrer zu bewahren.[415] Als Indiz für einen Kontakt zwischen Jehu und Salmanasser III. vor der Jehu-Revolution wertet Ahlström die von Jehu nach assyrischem Brauch am Tor von Jesreel errichteten Köpfepyramiden (2.Kön 10,8).[416] Nach der Ausrottung der antiassyrischen Partei in Israel[417] und seiner Etablierung als König von Israel zeigte Jehu seine pro-assyrische Ausrichtung ganz offen: Er wurde zum Vasallen Assurs.[418]

Der reichlich spekulativen, auf einer fragwürdigen Datierung der Jehu-Revolution basierenden These Ahlströms wird nun durch die archäologischen Entdeckungen auf dem nordisraelitischen Tel Dan jeglicher Boden entzogen.[419] Die 1993 dort aufgefundene, 1994 um zwei weitere Fragmente ergänzte Inschrift wirft ein völlig neues Licht auf die Ereignisse der Jehu-Revolution:[420]

Zum einen bestätigt die Inschrift Hasaels[421] die biblischen Quellen (2.Kön 8,28f.; 9,14f.) hinsichtlich des dem Tode Jorams, des Königs von Israel, und Ahasjas, des Königs von Juda, vorausgehenden Kampfes zwischen Israel und Aram im Ostgebiet Arams.[422] Es besteht also in keiner Weise Anlaß, statt dessen von einem Kampf zwischen Israel und Assur inklusive eines konspirativen Treffens zwischen Jehu und Salmanasser III. auszugehen.

Zum anderen eröffnet die Inschrift die Möglichkeit, den außenpolitischen Anlaß der Jehu-Revolution neu zu bestimmen: Jehu scheint seine Revolution nicht unter dem Schutz Assurs, sondern vielmehr mit Unterstützung Hasaels, des Königs von Aram, durchgeführt zu haben! Ausgangspunkt dieser Überlegung ist die Formulierung Hasaels, er habe „Joram,

108; R.Albertz, *Religionsgeschichte*, 242; H.-P.Müller, *Inschrift*, 135; vgl. auch G.Hentschel, *2 Könige*, 51.

412 Vgl. W.Mayer, *Politik*, 286.

413 Siehe a.a.O. 286.

414 G.W.Ahlström, *History*, 592-595.

415 a.a.O. 594.

416 a.a.O. 594f.; vgl. M.C.Astour, *841 B.C.*, 388 Anm. 36.

417 Siehe M.C.Astour, *841 B.C.*, 388.

418 G.W.Ahlström, *History*, 595.

419 Gegen die Rekonstruktion Ahlströms wendet sich, allerdings ohne die Inschrift vom Tel Dan einzubeziehen, auch W.Gugler, *Jehu*, 93-103.

420 Siehe I.Kottsieper, *Inschrift*, 475-500 und auch W.M.Schniedewind, *Tel Dan*, 75-90. Zur Textrekonstruktion/Übersetzung der Inschrift sowie zur Literatur siehe ebenfalls I.Kottsieper, *Inschrift*, 475-500.

421 I.Kottsieper, *Inschrift*, 485; W.M.Schniedewind, *Tel Dan*, 85; A.Lemaire, *Tel Dan*, 5-11; W.Dietrich, dāwīd, 31f.

422 Zeile 3.4.7-9, siehe I.Kottsieper, a.a.O. 487f. Zur Differenz zwischen der Darstellung von 2.Kön 8,28f. und 2.Kön 9,14f. bezüglich des Status von Ramoth-Gilead siehe oben S.49f.

den Sohn Ahabs, den König von Israel" (Zeile 7.8) und „Ahasjahu, den Sohn Jorams, den König vom Haus Davids" (Zeile 8.9) getötet. Die hier für Hasael reklamierte Tötung Jorams und Ahasjas steht nur dann nicht im Widerspruch zur Erzählung von der Jehu-Revolution, nach der Jehu die beiden Könige tötete (2.Kön 9,15ff.), wenn man annimmt, daß Jehu ein „Verbündeter Hasaels war und so in dessen Auftrag bzw. Sinn gehandelt hat."[423] I.Kottsieper[424] skizziert die außenpolitischen Verhältnisse Israels zur Zeit der Jehu-Revolution unter Zugrundelegung der Tel-Dan Inschrift wie folgt: Nach dem Tod Hadadezers, des Vorgängers Hasaels, marschierte Joram – unter Bruch eines mit Aram bestehenden Bündnisses (vgl. Zeile 2) – in das südöstliche Aramäergebiet ein (Zeile 3f.). Nach Klärung der Thronfolge in Damaskus zugunsten Hasaels schlug dieser den Angriff Israels zurück (Zeile 5-7). Spätestens nach der verlorenen Schlacht lief Jehu zu Hasael über[425] und tötete anschließend als verlängerter Arm Hasaels Joram von Israel und Ahasja von Juda, der sich bei Joram aufhielt.[426] Nach seiner Etablierung als König von Israel (Zeile 11f.?) fiel Jehu von Hasael ab, was zu den in 2.Kön 10,32f. (Zeile 13?) erwähnten Kriegszügen Hasaels gegen Israel und damit auch zum Fall von Dan führte. Dort errichtete Hasael seine Stele, um vor der nordisraelitischen Bevölkerung sein Vorgehen gegen Israel mit dem Fehlverhalten (Bündnisuntreue) der Könige von Israel, insbesondere dem Abfall Jehus, zu begründen.[427]

Doch wie erklärt sich die Diskrepanz zwischen der Darstellung der Erzählung von der Jehu-Revolution, nach welcher der Prophet Elisa Jehu zum König machte, und obiger Interpretation der Tel Dan Stele, nach der Jehu als Kollaborateur Arams agierte? Anders gefragt, wie verhalten sich die oben geschilderten innen- und religionspolitischen Ursachen der Jehu-Revolution zu ihrem außenpolitischen Anlaß?[428]

---

[423] I.Kottsieper, a.a.O. 489; vgl. A.Biran/J.Naveh, *Tel Dan*, 18 und W.M.Schniedewind, *Tel Dan*, 85.

[424] I.Kottsieper, *Inschrift*, 483-492, siehe auch die Zusammenfassung auf a.a.O. 495f.

[425] I.Kottsieper, a.a.O. 491, verweist hier auf vorherige Kontakte zwischen israelitischen Oppositionsgruppen und Damaskus (2.Kön 8,7ff.).

[426] a.a.O. 488.

[427] a.a.O. 489.491f.496.

[428] Bei der Erörterung dieser Fragen ist zu bedenken, daß es sich sowohl bei der Erzählung von der Jehu-Revolution als auch bei der Inschrift vom Tel Dan um politische Propagandatexte handelt: Wenn Hasael – wie Z.11f. im Gesamtduktus der Inschrift nahelegt – auf einen Bündnisbruch Jehus eingeht (I.Kottsieper, *Inschrift*, 484.489), hat er natürlich das stärkstmögliche Argument zum Vorgehen gegen ebendiesen gewählt (vgl. nur Ez 17,1-21)! Wenn er sich die Tötung Jorams und Ahasjas zuschreibt und diese ebenfalls mit einem Bündnisbruch Jorams begründet, dann nicht nur zum Zweck der Rechtfertigung seines Handelns: Der Verweis auf seinen langen Arm und die tödlichen Konsequenzen eines Bündnisbruches enthält auch eine Mahnung an die Menschen in den eroberten Gebieten, sich ihrem neuen Herrn gegenüber loyal zu verhalten! Andererseits haben natürlich die Jehu-Propagandisten jeden Anlaß, eine Anstiftung Jehus durch den sich als übermächtiger Feind erweisenden Hasael (2.Kön 10,32f.; 13,3.7.22) zu verschweigen und statt dessen die religionspolitischen Ursachen der Revolution durch ihr Eingehen auf die Salbung Jehus (9,1-13) und sein Vorgehen gegen die Israels Wohl beeinträchtigenden Zustände (9,22; 10,17ff.) zu betonen.
Da allerdings beide Texte in noch überschaubarem Abstand zu den Ereignissen, von denen sie berichten, verfaßt wurden (die Tel Dan Inschrift entstand wohl zwischen 840 und 825 [so J.Tropper, *Steleninschrift*, 401], zur Datierung der Erzählung von der Jehu-Revolution siehe S.110f.), also an die Erinnerung ihres Zielpublikums anknüpfen, kann man davon ausgehen, daß beiden Darstellungen ein gewisser Wahrheitsgehalt inhärent ist.

Ein entscheidender Hinweis ergibt sich aus 2.Kön 8,7-15 sowie aus 1.Kön 19,17:[429] 2.Kön 8,7-15 setzt eine – wie auch immer geartete – Beziehung zwischen Elisa, dem Protagonisten der jahwetreuen Oppositionskreise in Israel, und Hasael, der unerwartet auf den Thron Damaskus gelangte,[430] voraus, ja mißt sogar Elisa einen gewissen Einfluß auf den Thronwechsel in Damaskus zu. Auch 1.Kön 19,17[431] zieht eine direkte Verbindungslinie zwischen Elisa, Hasael und Jehu. Es liegt also durchaus im Rahmen des Möglichen, daß der Kontakt zwischen Hasael und Jehu über Elisa bzw. die entsprechenden israelitischen Oppositionskreise hergestellt wurde, Jehu in Ramoth-Gilead gewissermaßen gleichzeitig einen politischen wie religiösen Anstoß zum Putsch erhielt: Sein Verweilen in Ramoth-Gilead nach der verlorenen Schlacht (vgl. 2.Kön 9,1-13.14-15a) könnte als Hinweis darauf gewertet werden, daß er sich dort im Lager Hasaels aufhielt; seine ebendort stattfindende Salbung durch einen Prophetenjünger Elisas (9,1-13) schlösse den Kreis Jehu – Hasael – Elisa. Während sich jedoch Jehu vornehmlich als von Jahwe zum Wohle Israels eingesetzten König sah (2.Kön 9/10) und die Zusammenarbeit mit Hasael vermutlich nur als einen ihn begünstigenden glücklichen Umstand einschätzte, so sah ihn Hasael als seinen verlängerten Arm und mußte ein eigenmächtiges Handeln Jehus als zu ahndenden Bündnisbruch (Zeile 11-13?) werten.

Das Zusammenspiel der verschiedenen Faktoren, die im Lande gärende Unzufriedenheit mit der Herrschaft der Omriden, das Wirken der prophetisch-jahwistischen Opposition und der hinzukommende Anstoß von außen, das nach der Niederlage Jorams bei Ramoth-Gilead geschlossene, möglicherweise aber schon früher angebahnte Bündnis Jehus mit Hasael, führte schließlich zum Ausbruch der Revolution. Mit unglaublicher Brutalität ging der Protagonist der antiomridischen, projahwistischen Kräfte in Israel, der Offizier Jehu, gegen das Herrscherhaus vor und setzte seinen Anspruch auf das Königtum durch. Seinem religiösen Hintergrund wurde Jehu dabei durch die Ermordung der verhaßten Königsmutter Isebel (2.Kön 9,22.30ff.) und die Ausrottung des Baalskultes in Samaria (10,17ff.) gerecht.

Mit Jehus Sieg war konsequenterweise auch ein Wechsel der Bündnispartner verbunden. Denn Jehu war, anders als vor ihm die Omriden, zu keinerlei Konzessionen an die Bündnispartner bereit und zerstörte noch während seiner Revolte die guten Beziehungen zu Sidon (9,30-35) und Juda (9,27; 10,13f.).[432] So trieb Jehu seinen Staat mit „konsequentem Eifer“[433] ins politische Abseits, was dessen wirtschaftliche Schwäche noch verstärkte und zu weiteren militärischen Niederlagen führte: Israel sah sich – wahrscheinlich bedingt durch die Loslösung Jehus von Hasael – in einen zermürbenden Krieg mit Aram verwickelt und mußte große Gebietsverluste im Ostjordanland hinnehmen (10,32f.). Vermutlich versuchte Jehu im Jahr 841 Schutz vor den grausamen Schlägen der Aramäer (2.Kön 8,11f.) durch Tributzahlungen an Salmanasser III., dem sich Ahab noch 853 im Verband mit den

[429] Zum Ganzen siehe W.M.Schniedewind, *Tel Dan*, 82-86 und I.Kottsieper, *Inschrift*, 491f.
[430] Zur Thronbesteigung Hasaels siehe I.Kottsieper, a.a.O. 485f.
[431] Hier liegt vermutlich ein alter, poetisch gehaltener Spruch vor, der innerhalb des insgesamt wesentlich jüngeren Textes 1.Kön 19 zitiert wird. Siehe S.184 Anm. 161 und auch I.Kottsieper, a.a.O. 491 Anm. 66.
[432] Auch P.-J.Athmann, *Ziele*, 81, beurteilt die Ermordung des Königs von Juda als Befreiung aus unerwünschten außenpolitischen Abhängigkeiten.
[433] A.H.J.Gunneweg, *Geschichte*, 109.

Nachbarstaaten entgegengestellt hatte, zu erkaufen[434] – jedoch vergebens: Noch etwa 50 Jahre lang wurde Israel von Aram bedrängt (vgl. 2.Kön 13,22). Der Niedergang des Nordreiches – zumindest unter den beiden ersten Königen der Jehudynastie – wird deutlich durch den Vergleich der Streitmacht des Joahas ben Jehu (818-802) mit derjenigen, die Ahab bei Qarqar aufbieten konnte:[435] Während Ahab damals über 2000 Streitwagen und 10000 Soldaten verfügte, so verblieben Joahas gerade noch 50 Reiter, 10 Wagen und 10000 Mann Fußvolk (2.Kön 13,7).

Unter Jerobeam II. (787-747), möglicherweise schon unter Joas (802-787), setzte mit zunehmender Schwächung der aramäischen Machtposition durch die Assyrer eine Wendung zum Besseren ein: Jerobeam II. gelang es, die verlorenen Gebiete zurückzuerobern (2.Kön 14,25; vgl. Am 6,14) und den Staat zu neuem Wohlstand zu führen (2.Kön 14,23-29); Israel erlebte nochmals eine politische und wirtschaftliche Blütezeit, die allerdings von einer tiefgehenden sozialen Krise im Inneren überschattet wurde:[436] Der wirtschaftliche Aufschwung kam nur der prosperierenden Oberschicht zugute, während große Teile der Bevölkerung verarmten.[437] Die Krise im Inneren wurde noch verschärft durch Mißstände in Verwaltung und Gerichtsbarkeit, wo miteinander um Macht und Einfluß ringende Beamtengruppen ihre Interessen durchzusetzen suchten.[438]

4.2 Die Erzählung von der Jehu-Revolution als Werbung für Jehus Königtum

Die Erzählung von der Jehu-Revolution erhebt sicherlich den Anspruch, eine historische Erzählung[439] zu sein. Das wird deutlich an der situationsbezogenen Einordnung in den zeitgeschichtlichen Rahmen, den Krieg Jorams mit den Aramäern in Ramoth-Gilead (9,14-15a), den konkreten Personen- und Ortsangaben und der Fülle an unerfindlichen Details. Von größtem Interesse ist für den Erzähler die Frage, welche Personen bzw. Personengruppen in welchem Verhältnis zu Jehu stehen und wie er sich ihnen gegenüber verhält.

Dennoch ist die Erzählung kein objektiver Bericht[440] über die Ereignisse während der Jehu-Revolution. Bestimmte historische Faktoren, insbesondere die Rolle Hasaels als (Mit-) Initiator des Aufstandes,[441] werden ausgespart, andere, wie die Salbung Jehus durch einen Jünger Elisas, gezielt herausgestrichen. Vor allem im Abschnitt 10,1-9* werden die Geschehnisse ganz aus der Sicht Jehus rekonstruiert: Der hier geschilderte Briefwechsel zwischen Jehu und den Beamten Ahabs in Samaria war wohl kaum der allgemeinen Kenntnis-

---

[434] a.a.O. 109.

[435] Siehe oben Seite 98 Anm. 386. Dies gilt selbst dann noch, wenn die assyrischen „Geschichtsschreiber" stark „aufgerundet" haben.

[436] Vgl. A.H.J.Gunneweg, *Geschichte*, 109-112; H.Donner, *Geschichte*, 282-284; R.Albertz, *Religionsgeschichte*, 248ff.

[437] Vgl. Am 2,6-8; 3,9-15; 4,1-3; 5,7.10-12; 6,1-7.12; 8,4-7 und R.Albertz, *Religionsgeschichte*, 248-255.

[438] Vgl. Hos 7,3-7 und R.Albertz, *Religionsgeschichte*, 266f.; H.Donner, *Geschichte*, 284.

[439] Vgl. A.Šanda, *Bücher II*, 122ff.; H.Gunkel, *Revolution*, 209; J.A.Montgomery, Commentary, 399; H.-Chr.Schmitt, *Elisa*, 29; O.H.Steck, *Überlieferung*, 32 Anm. 2; I.Plein, *Erwägungen*, 15-17; S.Timm, *Dynastie*, 136f.; H.Donner, *Geschichte*, 275.

[440] Anders H.Gunkel, a.a.O. 209; seiner Ansicht nach zeichnet sich die Erzählung durch ihre „wahrhaft erstaunliche Objektivität" aus.

[441] Siehe S.101f.

nahme zugänglich; Außenstehende konnten allein dessen Ergebnis, die Köpfe der Ahabsöhne am Tor von Jesreel, wahrnehmen.

Durch den planvollen Aufbau und die künstlerische Ausgestaltung der Erzählung, insbesondere der Dialoge, wird die Intention des Autors deutlich: Die Erzählung von der Jehu-Revolution wirbt für Jehus Königtum, für die Dynastie der Jehuiden.[442]

Zunächst zeigt der Erzähler die Legitimität von Jehus Königserhebung auf. Diese ruht auf zwei Säulen, der Salbung Jehus im Namen Jahwes durch einen Jünger des Propheten Elisa (9,1-10*) sowie seiner Ausrufung zum König durch die Hauptleute (9,11-13). Jehu war nach Darstellung des Erzählers kein simpler Putschist, der die Gunst der Stunde, die Verwundung und den Rückzug des Königs Joram (9,14-15a), nutzte, um das Königtum gewaltsam an sich zu reißen. Es wurde ihm vielmehr ohne eigenes Zutun von außen in einem mehrstufigen Prozeß angetragen. Ausgangspunkt alles Geschehens war der Wille Jahwes, Jehu zum König über Israel zu salben (9,3.6.12). Durch die Aufgliederung der Königserhebung Jehus in die Salbung durch den Prophetenjünger und die Proklamation durch die Hauptleute macht der Erzähler deutlich, daß diese sich auf eine breitere Basis stützte als nur auf „obskure“ Prophetengruppen bzw. opportunistische Militärs: Beide sich mißtrauisch gegenüberstehenden Gruppen (9,3b.10b.11) haben an der Durchsetzung des Willen Jahwes, Jehu zum König zu machen, mitgewirkt. Der Konsens in der Sache, das alte Regime durch den gottgewollten König Jehu zu ersetzen, vereinigte selbst militärische und prophetische Zirkel!

Auch im weiteren Verlauf der Erzählung macht der Autor deutlich, daß Jehu in seinem Kampf gegen das Regime der Omriden nicht alleine stand, daß er seine Aktionen vielmehr mit Unterstützung verschiedenster Bevölkerungsgruppen durchführte: Zum einen setzte sich auch nach der Ausrufung zum König die Zusammenarbeit Jehus mit dem Heer fort. Die Hauptleute in Ramoth-Gilead sorgten – aus eigener Entscheidung heraus (vgl. 9,15b) – für die Durchsetzung der von Jehu verhängten Nachrichtensperre und garantierten so das Überraschungsmoment für seinen „Angriff“ auf Jesreel und die dort befindlichen Könige (9,15b-27*); die Meldereiter Jorams liefen zu Jehu über (9,18-20); bis zu seiner letzten Tat wurde Jehu von Militärangehörigen begleitet (10,25a; vgl. 10,14.24). Zum anderen stellten sich selbst Palastbedienstete Isebels auf die Seite Jehus (9,32), so verhaßt war das alte Regime, so verheißungsvoll eine Herrschaft des Revolutionärs! Außerdem konnte Jehu neben den jahwetreuen Zirkeln um Elisa den Jahweeiferer Jonadab ben Rekab als Bündnispartner gewinnen (10,15f.); gemeinsam führten sie den Schlag gegen den Baalskult in Samaria durch (10,17-25*).

Doch nicht nur menschliche Unterstützung, so macht der Erzähler implizit deutlich, führte Jehu zum Erfolg. Getragen vom göttlichen Willen, das heißt ausgestattet mit dem Charisma eines von Jahwe gesalbten rechtmäßigen Königs von Israel, setzte Jehu wider alle Fährnisse sein Königtum durch: Er zieht Menschen, die ihm durchaus hätten gefährlich werden können, auf seine Seite (9,11-13.15b.18-20.30-35; vgl. auch 10,9), er kann die bei-

[442] Vgl. A.Šanda, *Bücher II*, 123; O.H.Steck, *Überlieferung*, 32 Anm. 1.47; H.-Chr.Schmitt, *Elisa*, 31; Y.Minokami, *Revolution*, 154; R.Albertz, *Religionsgeschichte*, 242-244; B.Lehnart, *Prophet*, 361.368f. Anders E.Würthwein, *Bücher II*, 327.339f., der aufgrund seiner oben diskutierten literarkritischen Position (siehe S.64ff.) zu Unrecht eine Jehu-kritische Tendenz der Erzählung postuliert.

den Könige, Joram von Israel und Ahasja von Juda, mühelos überlisten (9,15b-27*), die Stadt Jesreel trotz der Anwesenheit der sich gegen ihn aufrichtenden mächtigen Isebel kampflos einnehmen (9,30-35) und die von den sich in Samaria befindlichen Ahabsöhnen ausgehende Gefährdung seines Königtums ohne eigenes Blutvergießen ausschalten (10,1-9*).

Seiner göttlichen Erwählung und Führung entspricht Jehu durch seinen Jahweeifer (10,16) und erweist sich so wahrhaft als der von Jahwe ausersehene König von Israel. Dies veranschaulicht der Erzähler eindrücklich durch den dem Auftakt, der Salbung Jehus im Namen Jahwes, korrespondieren Ziel- und Höhepunkt der Erzählung, der Ausrottung des Baalskultes in Samaria (10,17-25*). Erst hier wird – nach vormaligen Andeutungen (9,1-10*.22; 10,16) – die von vornherein bestehende religionspolitische Zielsetzung der Jehurevolution offenbar: Jehu stellte den durch die Omridenherrschaft tief erschütterten Schalom in Israel wieder her, indem er den Verirrungen des diplomatischen Synkretismus, deren Symbol der Baalskult Ahabs in Samaria ist, ein Ende setzte.

Die von der Erzählung intendierte Rechtfertigung der Jehu-Revolution beschränkt sich jedoch nicht nur auf die Darstellung der Legitimität der Königserhebung Jehus, der Lauterkeit seiner Ziele und der Breite seiner Unterstützung in der Bevölkerung. Der Erzähler knüpft an die Erinnerung seiner Hörer/Leser an den desolaten Zustand Israels unter den Omriden an und begründet so rückblickend die unbedingte Notwendigkeit des Aufstandes. Eindrücklich zeigt er seinem Publikum auf, daß es die – einst sicherlich auch von ihm geteilte – Sorge um das Wohl, den Schalom Israels war, die Jehu und die hinter ihm stehenden Kräfte zum Aufstand trieb (2.Kön 9,22; 10,16.18).

Indem er die Machenschaften Isebels direkt mit dem Schalom Israels verknüpft (9,22) und auf die Ermordung Isebels (9,30-35) das Gewicht des ersten Hauptteils legt, schwört er sein Publikum wieder auf den gemeinsamen Haß gegen Isebel ein:[443] Isebel und nicht Joram lenkte zur Zeit der Jehu-Revolution die Geschicke Israels, auf sie geht die in den Augen des Erzählers und seiner Hörer fragwürdige Bündnis- und Religionspolitik der Omriden zurück. Solange Isebel lebte, ja solange noch etwas von ihrem Körper übrig war (vgl. 9,35), hatte ihr schädlicher Einfluß und ihre Macht Bestand, konnte es keinen Schalom in Israel geben. Der Erzähler führt sein Publikum zu der Einsicht, daß die Beseitigung Isebels unbedingte Voraussetzung für eine wohlgeordnete Fortexistenz Israels war. Im Gegensatz zu ihrem Sohn Joram hatte Jehu, als von Jahwe ausersehener König, den Mut gegen diese fast übermächtige Figur (9,22.30f.; vgl. 10,13) vorzugehen, sie von ihrer Höhe herabzustoßen und so die Weichen für den Schalom in Israel zu stellen. Joram aber hatte bei seiner Aufgabe, Israels Wohl zu garantieren, versagt: Er konnte dem Treiben seiner Mutter nichts entgegensetzen, darum, so die implizite Aussage der Erzählung, mußte er durch Jehu ersetzt werden.

Daneben prangert der Erzähler die Beamtenschaft Ahabs an, die unter den Rahmenbedingungen des omridischen Absolutismus und Zentralismus die traditionellen regionalen Eliten verdrängt hatte:[444] Sie allein in ihrem illoyalen, feigen und opportunistischen Verhalten

---

[443] Siehe S.88-90.
[444] Siehe S.91f.

trägt die Schuld am Tode der Nachkommenschaft Ahabs (10,1-9*). Das kritische Bild, das von den „Obersten Ahabs" gezeichnet wird, und der Hinweis auf ihre Schuld am Blutbad an den „Söhnen Ahabs" (10,7.9) könnte ein Hinweis darauf sein, daß gerade aus den Kreisen der pro-omridischen Beamtenschaft Kritik an Jehus Königtum laut wurde, die eine neuerliche Rechtfertigung der Revolution nötig erscheinen ließ. Jehu hat sich – so ein möglicher Vorwurf dieser Beamtenschaft – gegen seinen Herrn verschworen und ihn getötet (vgl. 10,9). Dies aber geschah, wie der Erzähler bereits verdeutlicht hat, allein zum Wohle Israels. Die Beamten Ahabs jedoch, so wird hier klargestellt, haben ebenfalls Verrat begangen, indem sie nicht für das Haus Ahabs, das ihnen zu ihren Ämtern verhalf, und für die ihnen anvertrauten Söhne ihres Herrn einstanden und kämpften. Vielmehr töteten sie aus Furcht, ohne wirklich zwingenden Grund, nicht nur einen, sondern siebzig Söhne Ahabs (10,4.7). Und zwar nicht um des Schaloms Israels, sondern allein um ihres eigenen Wohlergehens willen.

Außerdem macht der Erzähler hier deutlich, was omridische Herrschaft bedeutet: Der König wird nicht – wie Jehu – „aus der Mitte seiner Brüder" (9,2.5; vgl. Dtn 17,14-20) von Jahwe erwählt, sondern von der Beamtenschaft des jeweils vorhergehenden Königs unter dessen Söhnen ausgewählt: Die Alternative zum charismatischen Königtum Jehus heißt dynastisches, von einer korrupten Beamtenschaft beeinflußbares, vom Volk isoliertes Königtum.

Weiterhin geht der Erzähler davon aus, daß seine Hörer/Leser – wie Jehu – treue Jahweverehrer sind, also jeglichen Fremdgötterkult ablehnen. Und so ruft er ihnen die kultischen Verirrungen Ahabs ins Gedächtnis: Ahab hat dem Baal viel gedient (2.Kön 10,18); ja er hat ihm in Samaria ein regelrechtes Kultzentrum mit großer Anziehungskraft auf die Bevölkerung geschaffen (10,21*)! Weil er sich – wie im Falle der Ermordung Isebels – hier in voller Übereinstimmung mit seinem Publikum weiß, gestaltet er Jehus unter dem Banner des Jahweeifers (10,16) ausgeführtes Vorgehen gegen den Baalskult (10,17-25*) als Ziel- und Gipfelpunkt der Erzählung von der Jehu-Revolution: Die Manifestation der „Hurereien und Zaubereien Isebels", der Baalskult Ahabs in Samaria, wird im Namen Jahwes ausgelöscht, die gottgewollte Ordnung in Israel durch Jehu wieder hergestellt. Damit aber macht der Erzähler deutlich, daß alle Taten Jehus während seiner Revolution, auch diejenigen, die möglicherweise zu Kritik Anlaß gäben, ausschließlich im Licht seiner „letzten Tat", seines Jahweeifers, seines Bemühens um den Schalom Israels zu beurteilen sind.

Neben die geschilderte Anknüpfung an die positiv zu bewertenden Aspekte der Jehu-Revolution bzw. die diesen korrespondierenden Mißstände omridischer Herrschaft tritt eine geschickte, weil recht subtil vorgenommene, Verteidigung Jehus gegen die Argumente seiner Gegner. Deren gewichtigster Vorwurf gegen Jehu scheint mit dem Tatbestand der Verschwörung, des Verrats gegeben zu sein. Dieser wird in der Erzählung jedenfalls viermal in unterschiedlicher Form aufgegriffen (2.Kön 9,14.23.31; 10,9). Indem der Erzähler unmittelbar nach Jehus Königserhebung (9,1-13) „zugibt", daß die Vorgänge in Ramoth-Gilead einer Verschwörung Jehus gegen Joram gleichkommen (9,14) und er Jehu dies vor dem versammelten Volk von Jesreel bestätigen läßt (10,9), nimmt er zunächst den wütenden Angriffen der Gegner Jehus, die diesen als „Verräter", „Verschwörer", „Simri" verunglimpfen, den „Wind aus den Segeln". Auf diese Weise kann er anschließend die Vorwürfe modifizieren: Ja – so gesteht er zu – Jehu hat sich in Ramoth-Gilead gegen seinen Herrn verschworen (9,14), aber nicht, wie vielleicht gerüchteweise im Umlauf ist, mit den verhaßten Aramäern,[445] sondern mit der durch Elisa vertretenen jahwetreuen Partei in Israel (9,1-10*). Außerdem erfuhr er volle Unterstützung durch das Militär (9,11-13). Weiter – so argumentiert der Erzähler – ist zu fragen, warum Jehu seinen „Verrat" (9,23) beging: Weil das Wohl Israels durch die Machenschaften Isebels massiv bedroht und der amtierende König Joram unfähig war, etwas dagegen zu unternehmen (9,22). Jehus Verschwörung gegen seinen Herrn und dessen Ermordung sind letztlich auf Isebels Macht und Einfluß zurückzuführen. Redet man vom Verrat, von der Verschwörung Jehus, so muß man sich gewahr sein, auf wessen Seite man sich letztlich begibt. Denn dies sind auch die Vorwürfe Isebels (9,31) sowie die einer korrupten, illoyalen Beamtenschaft (10,1-9*).

Ein weiterer möglicher Vorwurf gegen Jehu und seine Nachfolger, den der Erzähler zu entkräften sucht, ist wohl im Zusammenhang mit der zumindest in der ersten Phase jehuidischer Herrschaft ruinösen Außenpolitik zu sehen, die Israel Vasallität, wirtschaftliche sowie militärische Schwächung und Gebietsverluste (2.Kön 10,32f.; 13,3.7) eintrug.[446] Unter den Omriden, so könnten die Kritiker der Jehuiden argumentiert haben, stand es weit besser um Israel, aber Jehu hat dies alles aufs Spiel gesetzt, den „Wächter Israels" (vgl. 9,14b) ermordet! Der Erzähler erinnert dagegen daran, daß der Verfall Israel bereits unter Joram, ja schon unter Ahab eingesetzt hat: Zum einen hatte Joram bei seiner Aufgabe, Israel zu bewachen, versagt. Er konnte die Aramäer nicht besiegen, wurde vielmehr von diesen verwundet und mußte sich aus dem Kampf zurückziehen (9,15a); denn Jahwe hatte seine Gnade von der alten Dynastie abgezogen und einen neuen König, Jehu, ausersehen (9,1-13*). Zum andern wurde das Wohl Israels unter den Omriden von innen heraus, durch die „Hurereien und Zaubereien Isebels" (9,22) sowie den Baalsdienst Ahabs (10,18), auf das äußerste bedroht; allein Jehu, aber nicht der schwächliche Joram, hatte die Macht und den Mut, hieran etwas zu ändern, Israel von seinem Kern her, der exklusiven Jahweverehrung, gesunden zu lassen.

Daneben scheint die grausige Ermordung der gesamten Nachkommenschaft Ahabs während der Jehu-Revolution ein Stein des Anstoßes nicht nur für die Anhänger der Omriden, sondern auch für exklusive Jahweverehrer gewesen zu sein.[447] Unter Aufdeckung der „wahren Verhältnisse" weist der Erzähler diese Schuld von Jehu zurück und präsentiert die wirklich Schuldigen (10,1-9*). Er appelliert an das Gerechtigkeitsempfinden seines Publikums, seiner Argumentation zu folgen und zu erkennen, daß nicht Jehu, sondern allein die illoyale omridische Beamtenschaft den Tod der „Ahabsöhne" auf dem Gewissen hat (10,9).

Mit der Betonung der Legitimität der Revolution, die sich aus der im Namen Jahwes vollzogenen Salbung und dem Bemühen des für Jahwe eifernden Jehus um den Schalom in Israel ergibt, dem Anknüpfen an die „alte Begeisterung" über den Sturz der verhaßten Isebel und der Diskreditierung des alten Regimes sowie seiner Funktionäre verfolgt der Erzähler zwei Ziele: Zum einen versucht er, den reaktionären Kreisen, die eine Rückkehr zur

445 Siehe dazu S.101f.

446 Siehe S.103f.

447 Vgl. die Naboth-Bearbeitung, die in Bezug auf die Ermordung des relativ unschuldigen Jorams ein Rechtfertigungsdefizit sieht, und die Bezugnahme auf das Blutbad von Jesreel in Hos 1,4.

alten, ja soviel erfolgreicheren omridischen Politik forderten, jeglichen Rückhalt in der Bevölkerung zu entziehen. Zum anderen schwört er sein Publikum, das wohl die Kritik der Kreise um Jehu an der omridischen Religionspolitik teilte, jedoch im Rückblick auf die allzu blutigen Ereignisse der Jehu-Revolution die Rechtmäßigkeit der Königserhebung und des Vorgehens Jehus in Frage stellte, erneut auf die gemeinsamen Ziele ein. Er erinnert an die kultischen Verirrungen Ahabs und die Machenschaften Isebels, die ein rigoroses Eingreifen unabdingbar machten und zeigt auf, wer damals alles auf Jehus Seite stand: Zunächst und zuallererst Jahwe, der Jehu in seinem Namen zum König salben ließ, die prophetischen, jahwetreuen Kreise um Elisa, große Teile des Heeres und der jahweeifernde Jonadab ben Rekab. Diese Koalition, so die implizite Aussage des Erzählers, kann nicht fehl gegangen sein, zumal das Wohl Israels auf dem Spiel stand und die treibende Kraft hinter allem Geschehen der Eifer für Jahwe war. Dieser Koalition gilt es sich, bei allen wirtschaftlichen und politischen Schwierigkeiten der Dynastie Jehu, wieder anzuschließen, gegen die von den Gegnern der Jehuiden erhobenen Kritik, gegen die Machenschaften der Anhänger der Omriden, die Israel – kämen sie an die Macht – wieder in den vormals herrschenden desolaten Zustand weitab allen Schaloms führen würden.

Die regierungsstützende Funktion der Erzählung läßt es selbstverständlich erscheinen, daß sie aus „Kreisen stammt, die der neuen Dynastie positiv gegenüberstanden".[448] Dabei ist wohl an den Hof Jehus als Entstehungsort zu denken,[449] denn dort liegt gewissermaßen der „natürliche" Ort zur Schaffung königsfreundlicher Propaganda. Auch die zwischen Prophetengruppen und Heer vermittelnde Position, die der Erzähler einnimmt, seine Darstellung eines Jehu, der von vielen Seiten, von Hofbeamten (9,32 vgl. 9,18-20) wie von Jonadab ben Rekab (10,15f.) Unterstützung erfährt, spricht für die Entstehung an zentrale Stelle, am Königshof: Es geht darum, möglichst viele Bevölkerungsgruppen in die Anhängerschaft Jehus einzugliedern, die Front gegen die Omriden bei allen Differenzen zwischen den einzelnen Fraktionen geschlossen zu halten. Weiterhin deutet die erzählerische Meisterschaft des Verfassers auf eine Herkunft aus gebildeten und damit höhergestellten Schichten hin.[450] Die dezidiert herausgearbeitete religionspolitische Zielsetzung der Jehu-

---

[448] H.-Chr.Schmitt, *Elisa*, 31. Zu weiterer Literatur siehe oben S.104 Anm. 439.

[449] So auch Y.Minokami, *Revolution*, 154. Seiner Ansicht nach handelt es sich um eine Erzählung, die „wahrscheinlich am Hofe in Samaria" zur „Legitimation und zum Ruhme Jehus geschrieben" wurde. Vgl. O.H.Steck, *Überlieferung*, 47, der die Verfasserschaft Kreisen der „Beamtenschaft oder des Militärs um Jehu ..., die direkten Einblick in die Ereignisse hatten" zuschreibt, und auch H.-Chr.Schmitt, *Elisa*, 31; G.H.Jones, *Kings*, 454. Gegen die Herkunft aus prophetischen Kreisen (J.A.Montgomery, *Commentary*, 399; A.F.Campbell, *Prophets*, 22-23.99-101; B.Lehnart, *Prophet*, 368-370) spricht die Darstellung des Prophetenjüngers (Geschrei, Verrückter) in 2.Kön 9,11. Natürlich deckt sich diese verunglimpfende Zeichnung nicht mit der Auffassung des Erzählers (so der Einwand Lehnarts [a.a.O. 368f.] gegen dieses Argument [siehe auch oben S.78 Anm. 302]). Dennoch ist es fraglich, ob ein prophetischer Verfasser, der sein Dasein als Prophet schließlich ernst nehmen muß, so viel Selbstironie aufgebracht hätte; vgl. nur die Ahndung des „Kahlkopf"-Rufes in 2.Kön 2,23f., einer Anekdote, die aus den Kreisen der Prophetenjünger um Elisa stammt!

[450] Ähnlich L.M.Barré, *Rhetoric*, 52-54, der – allerdings judäische – Hofschreiber für „this type of sophisticated literary product" verantwortlich macht; vgl. O.H.Steck, *Überlieferung*, 47. Die literarische Qualität der Erzählung von der Jehu-Revolution, die in das Milieu des Königshofes verweist, wird augenfällig im Vergleich mit den recht einfach gehaltenen Erzählungen aus dem Milieu der Prophetenjünger 2.Kön 2,19-22.23-24; 4,1-7.38-41.42-44; 6,1-7 (siehe S.225ff.).

Revolution (9,1-10*.22; 10,16.17ff.) legt es darüber hinaus nahe, den Kreis der Überlieferungsträger auf das Umfeld der Hoftheologen Jehus einzugrenzen.[451]

Aus dem oben Ausgeführten ergibt sich, daß die Erzählung von der Jehu-Revolution im Zeitraum zwischen der Revolution und dem Ende der Dynastie Jehu (845-746) entstanden sein muß:[452] Später macht eine Werbung für die Dynastie Jehu wenig Sinn.[453] Hinzu kommt, daß die Erzählung ein gewisses Maß an Kenntnis der Situation um 845 beim Hörer/Leser voraussetzt und an diese anknüpft. Insbesondere die Rolle Isebels im israelitischen Staatswesen, aber auch die Bedeutung Jonadabs ben Rekabs werden nicht explizit erläutert; hier genügen dem Erzähler Anspielungen wie in 2.Kön 9,22.30f.; 10,13.16 bzw. die bloße Erwähnung des Namens, um bei seinem Publikum die gewünschten Assoziationen zu erzeugen. Auch die äußerst plastische, lebendige und detaillierte Schilderung der Ereignisse weist auf eine relative Nähe der Erzählzeit zu den Ereignissen hin.

Dennoch ist vermutlich nicht an die Zeit der beiden ersten Jehuiden, das heißt Jehu (845-818) und Joahas (818-802), als Entstehungszeit zu denken:[454] Der Erzähler sieht die Notwendigkeit, seinem Publikum den „Schrecken" der Omridenherrschaft und die hehren Ziele der Jehu-Revolution erneut ins Gedächtnis zu rufen, die zur Zeit der Revolution wohl vorhandene Zustimmung unter großen Kreisen der Bevölkerung (vgl. 9,1-10*.11-13.32; 10,15f.) wieder herzustellen, die alte Begeisterung über den Sturz der verhaßten Omriden neu anzufachen (siehe 9,30-35). Ein Versuch, der nach dem wirtschaftlichen und außenpolitischen Desaster der ersten Hälfte jehuidischer Herrschaft gut in die Zeit der Restaurationsbemühungen Jerobeams II. (787-747)[455] passen würde. Daß gerade zur Zeit des sehr erfolgreichen Jerobeams II. (vgl. 2.Kön 14,25-28) königliche Propaganda von Nöten war, erwies sich kurz nach dem Regierungsantritt seines Sohnes, als es zum Putsch des Schallum kam (2.Kön 15,8-10): Die sich unter Jerobeam II. in der Bevölkerung auftuende Kluft, die massive prophetische Kritik an den gesellschaftlichen Zuständen, an König, Beamtenschaft und Politik und die Machenschaften rivalisierender, möglicherweise pro-

---

[451] Gegen die Position B.Lehnarts, *Prophet*, 368-370, der die Überlieferungsträger der Erzählung von der Jehu-Revolution in den „Kreisen der Gruppenpropheten um Elisa" (a.a.O. 370) verortet, spricht unter anderem (siehe oben Anm. 449 und Anm. 450), daß die religiöse Komponente der Jehu-Revolution nicht an Elisa und seine Prophetenjünger gebunden ist, auch wenn die Revolution bei diesen ihren Ausgang nimmt: Jehu handelt im Anschluß an seine Salbung als „Eiferer für Jahwe" durchaus selbständig, eine Verbindung des Jahweeiferes Jonadab mit den Prophetengruppen um Elisa ist nicht nachzuweisen. Bei einer Entstehung in den genannten prophetischen Zirkeln wäre jedoch anzunehmen, daß gerade die Verbindung des Jahweeifers Jehus mit Elisa, als dem Initiator der Revolution, stärker herausgearbeitet worden wäre. Im Zentrum steht hier jedoch gerade nicht Elisa, sondern Jehu, der Verbindungen zu verschiedenen religiösen Gruppierungen unterhält!

[452] So auch O.H.Steck, *Überlieferung*, 32 Anm. 2; H.-Chr.Schmitt, *Elisa*, 30; G.H.Jones, *Kings*, 453f.; M.Cogan/H.Tadmor, *II Kings*, 118; L.M.Barré, *Rhetoric*, 52f.140; Y.Minokami, *Revolution*, 154; J.M.Miller, *Fall*, 321f.; A.Jepsen, *Nabi*, 73f.

[453] Vgl. H.-Chr.Schmitt, *Elisa*, 29-31; Y.Minokami, *Revolution*, 154; B.Lehnart, *Prophet*, 361. Anders M.Beck, *Elia*, 210f. mit Anm. 224, der eine Entstehung des Erzählkomplex 2.Kön 9-10 in der Zeit des ausgehenden Nordreichs, also nach Untergang der Jehu-Dynastie, für ebenso sinnvoll hält. Allerdings wird dieser vorgebliche Sinn von ihm nicht näher erläutert.

[454] H.-Chr.Schmitt, *Elisa*, 29f., datiert die Erzählung in die „Zeit der ersten Könige der Dynastie Jehus"; A.Šanda, *Bücher II*, 123 und Y.Minokami, *Revolution*, 154, in die Regierungszeit Jehus. J.M.Miller, *Fall*, 321f. und A.Jepsen, *Nabi*, 73f., denken statt dessen an die Zeit der letzten Jehu-Könige.

[455] Vgl. A.H.J.Gunneweg, *Geschichte*, 110f.; H.Donner, *Geschichte*, 282-284.

omridischer Beamtencliquen[456] lassen ein Einschwören der Bevölkerung auf die alten, einigenden, von der Dynastie Jehu repräsentierten Ziele der Jehu-Revolution angeraten erscheinen. Die wohl schon im Vorfeld hoseanischer Kritik am Königtum (Hos 1,4; 7,3-7; 8,4)[457] aufkommenden Zweifel an der Legitimität der Dynastie Jehu machten es für die Nachfahren Jehus notwendig, die prophetische Salbung Jehus im Namen Jahwes[458] sowie dessen Wirken als charismatischer Führer in einer Art „Gründungserzählung" der Dynastie festzuhalten.

Für eine Datierung der Erzählung in die Zeit Jerobeams II. spricht weiterhin, daß zum einen der zur Zeit Jehus, Joahas und noch zur Beginn der Regierungszeit des Joas grassierenden Aramäerproblematik[459] vom Erzähler nicht allzu viel Bedeutung beigemessen wird: Lapidar und ohne erkennbare Feindschaft berichtet er in 2.Kön 9,14b-15a von einem Sieg Hasaels! Diese sachliche Haltung war vermutlich erst nach dem Abklingen der Bedrohung möglich. Zum andern wurden die in 2.Kön 9,14b vorausgesetzten Besitzverhältnisse in Ramoth-Gilead wohl erst unter Jerobeam II. wieder hergestellt (vgl. 2.Kön 14,25-28): Zum Zeitpunkt der Jehu-Revolution dürfte sich Ramoth-Gilead aller Wahrscheinlichkeit nach in aramäischem Besitz befunden haben (vgl. 2.Kön 8,28f.).[460]

4.3 Die Naboth-Bearbeitung (2.Kön 9,21b*.25f.)

Bereits die ursprüngliche Erzählung von der Jehu-Revolution hatte die Intention, Jehus Revolution zu legitimieren. Diese Tendenz wird durch die Erweiterung der Erzählung um 2.Kön 9,21b*.25f. durch die Naboth-Bearbeitung noch verstärkt.[461] Die Tötung des arglosen, nur indirekt für den desolaten Zustand Israels verantwortlichen Joram (vgl. 9,22; 10,18) ist durch ein von der Naboth-Bearbeitung zitiertes, lange vor den Ereignissen der Jehu-Revolution ergangenes Wort Jahwes (9,26a) voll und ganz gerechtfertigt: „Wahrlich, das Blut Naboths und das Blut seiner Söhne habe ich gestern abend gesehen – Spruch Jahwes – ich werde dir auf diesem Grundstück vergelten – Spruch Jahwes!" Dieser – nach Darstellung der Naboth-Bearbeitung in Gegenwart Bidkars und Jehus – gegen Ahab ergangene Spruch wird von den Bearbeitern – bzw. auf der Erzählebene von Jehu – auf Ahabs Sohn Joram angewandt: Da Ahab das unschuldige Blut Naboths und seiner Söhne vergossen hat, ist das Blut von Ahabs Sohn Joram als im Zuge der göttlichen Vergeltung an Ahab zu Recht vergossenes Blut anzusehen.

Der von seiner Zeugenschaft beim Ergehen des Wortes an Ahab getriebene Jehu (9,25) ist das ausführende Organ der Vergeltung, die Jahwe an Ahab (und seiner Familie) für dessen Mord an Naboth und seiner Familie nehmen will. Das Blutvergießen Jehus ist damit letzt-

---

[456] Zur sozialen und politischen Krise des 8.Jahrhunderts und der sie begleitenden theologischen Auseinandersetzung siehe R.Albertz, *Religionsgeschichte*, 245ff.

[457] Vgl. R.Albertz, *Religionsgeschichte*, 266f. und die dort (Anm. 88) angegebene Literatur.

[458] Vgl. J.M.Miller, *Fall*, 321f.

[459] Vgl. 2.Kön 10,32f.; 13,3.7.22-25 und A.H.J.Gunneweg, *Geschichte*, 109f.

[460] Siehe dazu S.49f. und I.Kottsieper, *Inschrift*, 487.

[461] Die apologetische Funktion der Verse 9,25f. betonen u.a. R.Bohlen, *Fall*, 283; H.-Chr.Schmitt, *Elisa*, 27; M.Sekine, *Beobachtungen*, 56f.; H.Seebass, *Fall*, 486; G.Hentschel, *2 Könige*, 40; B.O.Long, *2 Kings*, 122. Anders Y.Minokami, *Revolution*, 41, der die apologetische Tendenz bestreitet und dagegen postuliert: „Es geht vielmehr um die Theodizee."

lich die – gottgewollte – Konsequenz aus dem frevelhaften Blutvergießen Ahabs. Noch ausdrücklicher als in der ursprünglichen Erzählung wird der für Jahwe eifernde Jehu (10,16) als ein Mensch dargestellt, der sich bewußt an den Worten Jahwes orientiert und mit seinem Handeln zu ihrer Erfüllung beitragen will: Wie die Erinnerung an das Wortergehen Bidkar dazu veranlassen soll, die Leiche (zum Zeichen der Erfüllung des Gottesspruchs) auf den Acker zu werfen (V.25a.26b), so hat zuvor das Wissen um den Willen Jahwes Jehu dazu veranlaßt, Joram zu töten.

Die ursprüngliche Erzählung geht zwar mehr oder weniger deutlich auf die religionspolitischen Mißstände in Israel, die auf das Konto der Omriden gehen, ein (9,22; 10,18ff.), konkrete Vergehen, bei denen die Bevölkerung Schaden genommen hat, werden aber nicht genannt. Mit dem Hinweis auf den Acker Naboths und die Blutschuld Ahabs ruft die Naboth-Bearbeitung dem Hörer/Leser nun ein konkretes Vergehen der Regierenden der Dynastie Omri in Erinnerung.[462] Dieses muß zur Zeit der Einfügung von 2.Kön 9,21b*.25f. sprichwörtlich[463] gewesen sein, denn auf eine genauere Ausführung wird verzichtet. Damit aber fließt ein – gegenüber der ursprünglichen Erzählung – neuer Aspekt in die Darstellung der Jehu-Revolution ein: Der „königliche Absolutismus der Omriden“[464], an dem das Recht des Einzelnen scheitern muß, der auch vor dem Vergießen des Blutes Unschuldiger nicht zurückschreckt.

Es stellt sich nun die Frage, warum sich die vordeuteronomistischen Bearbeiter genötigt sahen, diesen neuen Anklagepunkt in die Erzählung einzubringen und insbesondere die Ermordung Jorams als göttliche Vergeltung unschuldig vergossenen Blutes zu rechtfertigen. Anscheinend empfanden die Bearbeiter gerade hinsichtlich der Tötung Jorams ein gewisses Legitimationsdefizit: In der ursprünglichen Erzählung ergibt sich die Notwendigkeit, Joram zu töten, allein aus der im Auftrag Jahwes vorgenommenen Einsetzung Jehus zum König über Israel (9,1-13) und dem damit verbundenen Abzug des göttlichen Segens von Joram (vgl. 9,14f.).[465] Da sich natürlich auch die Omriden als von Jahwe eingesetzte Könige verstanden, bietet sich hier ein Angriffspunkt für jene Jehu-Gegner, die mit der Ermordung Isebels und der Ausrottung des Baalskultes durchaus konform gingen bzw.

---

462 Der Aufruf „Erinnere dich!“ in V.25 gilt zugleich mit Bidkar auch dem Hörer/Leser der Erzählung. Siehe auch S.56f.

463 Zur These, daß hier ein ursprünglich frei umlaufendes, gegen Ahab gerichtetes Prophetenwort (V.26a) nachträglich in die Jehuerzählung eingefügt wurde, siehe oben S.63f.

464 So H.-Chr.Schmitt, *Elisa*, 26; im Anschluß an Schmitt, R.Bohlen, *Fall*, 284. Gegen diese Interpretation mag eingewandt werden (vgl. S.Olyan, *Hăšālôm*, 659), daß aus 2.Kön 9,21b*.25f. allein nur auf den Vorwurf der Blutschuld Ahabs zu schließen sei, während sich die zusätzliche Deutung der Verse als eine Anprangerung des Machtgebarens der Omriden erst durch die spätere logische Verknüpfung mit der Naboth-Erzählung in 1.Kön 21 (vgl. dazu S.138ff.) ergebe. Da aber auch aus der unabhängig von der Naboth-Erzählung (1.Kön 21,1-16) entstandenen Naboth-Bearbeitung (2.Kön 9,21*.25f.; siehe S.63f.) die entscheidende Rolle des (Feld-)besitzes Naboths in der tödlich verlaufenden Auseinandersetzung zwischen König und Bürger („Naboth, der Jesreeliter“) hervorgeht (vgl. חלקת נבות היזרעאלי in V.21b*.25a; חלקה in V.26a.26b), kann man wohl davon ausgehen, daß die 1.Kön 21,1-16 zugrundeliegende Schilderung des Konflikts zwischen Recht und Macht der historischen Situation, die zur Entstehung des Prophetenspruchs gegen Ahab führte, sehr nahekommt.
Zum Konflikt zwischen konservativ-jahwistischen Kreisen und dem omridischen Königshaus vgl. R.Albertz, *Religionsgeschichte*, 233ff. und auch J.A.Todd, *Elijah*, 1-11; T.H.Rentería, *Elijah*, 75-126.

465 Die Ersetzung Jorams durch Jehu resultiert letztlich aus dessen Unfähigkeit, den Machenschaften seiner Mutter etwas entgegenzusetzen und so den Schalom in Israel wieder herzustellen. Siehe dazu S.85-88.

diese durch die Erzählung von der Jehu-Revolution als ausreichend gerechtfertigt ansahen (vgl. 9,22; 10,16.18). Mit ihrem Verweis auf den – für das Ahab-Regime wohl typischen – Rechtsbruch, der als Ausdruck eines sich absolutistisch gebärdenden, über Leichen gehenden königlichen Machtapparates zu verstehen ist,[466] versucht die Naboth-Bearbeitung den kritischen Stimmen entgegenzuwirken, die sich zunehmend gegen die von Jehu während der Revolution begangenen Bluttaten wandten.[467] Dabei könnte es sich um ähnliche Anschuldigungen gegen Jehu handeln, die später in Hos 1,4 unter dem Begriff „Blutschuld von Jesreel“ ihren Ausdruck finden.[468] 2.Kön 9,25f. wäre dann als Versuch zu werten, die „Blutschuld“ Jehus durch den Verweis auf die „Blutschuld“ Ahabs zu entkräften.

Aus der oben vorgetragenen Interpretation der Tel-Dan Inschrift[469] ergibt sich eine weitere mögliche Zielrichtung der Jehu-Apologeten: Mit ihrer Darstellung Jehus als ausführendes Organ der vor langer Zeit schon Ahab angekündigten Vergeltung Jahwes wirken sie den kursierenden, im Grenzland inschriftlich genährten Gerüchten entgegen, Jehu habe Joram als Handlager Hasaels getötet: Schon lange vor der Machtergreifung Hasaels und der Jehu-Revolution beging Ahab sein Verbrechen an Naboth, beschloß Jahwe die Vergeltung, zu deren Werkzeug Jehu – wie die Anwesenheit Jehus beim Ergehen des Spruchs an Ahab andeutet – von Jahwe bestimmt wurde.

Die vordeuteronomistische Naboth-Bearbeitung erfolgte vermutlich noch zu Zeiten der Dynastie Jehus,[470] eine spätere Verteidigung derselben hat wenig Sinn. Für eine „frühe“ Ansetzung der Naboth-Bearbeitung spricht weiterhin, daß hier auf einen Vorgang, der dem Hörer/Leser noch hinlänglich bekannt gewesen sein muß, angespielt wird: Einige Stichpunkte genügen und dieser erinnert sich an das vom Ahab-Regime begangene Unrecht.[471]

---

[466] Vgl. R.Albertz, *Religionsgeschichte*, 236f.
[467] Vgl. G.Hentschel, *2 Könige*, 40.
[468] So auch H.-Chr.Schmitt, *Elisa*, 27; R.Bohlen, *Fall*, 288.
[469] Siehe S.101f.
[470] So auch H.-Chr.Schmitt, *Elisa*, 27.
[471] Ähnlich R.Bohlen, *Fall*, 288.

5 Die Erzählung von der Jehu-Revolution als Teil des DtrG

Die deuteronomistische Bearbeitung (2.Kön 9,6b*.7a.8-10a.36; 10,10.11.17aßb.19b. 21aα.25b-31a.32-36)

Die Deuteronomisten nahmen die ihnen in der um 2.Kön 9,21b*.25f. erweiterten Jehu-Erzählung vorgegebene Verbindung zwischen Jehu-Revolution und dem „Fall Naboth" auf und verstärkten die durch die Naboth-Bearbeitung aufgezeigte Interpretationslinie, Jehus Vorgehen gegen das Haus Ahabs als Vollstreckung des zuvor, das heißt anläßlich des „Falles Naboth", verkündeten göttlichen Willens zu deuten: Nicht nur die Ermordung Jorams, sondern auch die Ausrottung aller Angehörigen/Anhänger des Hauses Ahabs (10,10f.17aßb) und insbesondere die Tötung Isebels (9,36) sind nach Darstellung der Deuteronomisten als Bestandteil des sich im Laufe der Jehu-Revolution vollstreckenden göttlichen Gerichts am Hause Ahabs zu verstehen.[472]

Um die Hörer/Leser zu dieser Einsicht zu führen, arbeiteten sie an „zwei Fronten": Zum einen erweiterten sie die ihnen vorliegende Naboth-Erzählung (1.Kön 21,1-20*)[473] um eine Gerichtsrede Elias an Ahab (21,20bß-24) sowie um eine die Verlagerung des Gerichts von Ahab auf Joram erläuternde Fortsetzung (21,27-29).[474] Zum anderen gestalteten sie die Erzählung von der Jehu-Revolution zur Beispielerzählung über die Erfüllung des „Wortes Jahwes" (2.Kön 9,36; 10,10.17) um.[475] Dabei kam ihnen die in 1.Kön 21,1-20* vorgegebene Verknüpfung des „Falles Naboth" mit dem bekannten Propheten Elia[476] wohl sehr gelegen, um – gegenüber 2.Kön 9,25f. – die Gewichtigkeit des prophetischen Wortes noch zu erhöhen. Die Betonung, daß sich im Laufe der Jehu-Revolution das *durch Elia* (9,36; 10,10.17aßb) ergangene Wort Jahwes erfüllt, ist jedenfalls augenscheinlich. Da mit der Erzählung von der Jehu-Revolution bereits eine kompromißlose Abrechnung mit dem Haus Ahabs vorlag, die noch dazu religiös motiviert war, mußten im wesentlichen nur noch einige Ergänzungen vorgenommen werden, um dem Text die angestrebte Aussageabsicht zu verleihen: Bei jedem Schritt Jehus gegen das Haus Ahabs bzw. gegen Isebel zeigen die Deuteronomisten auf, daß sich mit dessen Tun die Gerichtsankündigungen Jahwes erfüllen (9,36; 10,10.17aßb). Ihre didaktische Absicht tritt in der Rede Jehus an das „ganze Volk" (10,10) besonders klar zutage: „Erkennt nun, daß nichts von dem Wort Jahwes auf die Erde fällt, das Jahwe über das Haus Ahabs gesprochen hat. Denn Jahwe hat getan, was er durch seinen Diener Elia gesprochen hat." Durch den hier herausgestellten Hinweis auf die Erfüllung des Wortes Jahwes gegen das Haus Ahabs[477] wird die Verläßlichkeit von

---

[472] Zur Begründung des Gerichts Jahwes am Hause Ahabs durch die Deuteronomisten vgl. die Ausführungen zu 1.Kön 21 (S.120ff.): Zwar findet die Gerichtsankündigung anläßlich des „Falles Naboth" statt, der eigentliche Grund ist – nach Auffassung der Deuteronomisten – jedoch nicht so sehr Ahabs Vergehen gegen Naboth, sondern vielmehr seine – in 1.Kön 16,29ff. aufgezeigten – kultischen Verfehlungen. Diese Auffassung spiegelt sich auch in der Nichterwähnung Naboths durch die deuteronomistischen Bearbeiter in 2.Kön 9/10 wider.

[473] Siehe dazu S.138-143.

[474] Zum Vorgehen der Deuteronomisten in 1.Kön 21 sowie zum Verhältnis von 1.Kön 21 zu 2.Kön 9/10 siehe S.120-137.

[475] Vgl. H.-D.Hoffmann, *Reform*, 99 und – in Bezug auf 10,17aßb – auch E.Würthwein, *Bücher II*, 338.

[476] Siehe S.138ff.

[477] Siehe 1.Kön 21,21; 2.Kön 9,8f.

Jahwes Ankündigungen unterstrichen, dem Leser/Hörer über den konkreten Fall hinausgehend deutlich vor Augen geführt, daß hinter den geschichtlichen Ereignissen das von den Propheten verkündete Wort Jahwes steht, welches das menschliche Tun im guten wie im schlechten Sinne beantwortet.[478] Daß sich der göttliche Wille auch ohne bewußtes Zutun von Menschen durchsetzen kann, demonstrieren die Deuteronomisten eindrücklich anhand der Isebel-Szene: Das Wort vom „Unbegraben-sein" Isebels (2.Kön 9,10a; vgl. 1.Kön 21,23)[479] erfüllt sich – wie an Jehus nachträglich erkennendem Ausruf „Das ist das Wort ...." (9,36) deutlich wird – trotz Jehus zuvor erteiltem Begräbnisbefehl auf wunderbare Weise von selbst!

Der Sonderstellung, die die Königsmutter Isebel bereits in der ursprünglichen Erzählung einnimmt – sie trifft besondere Schuld (9,22), aber auch besonderer Haß (9,30-35; vgl. 10,13f.) – werden die Deuteronomisten dadurch gerecht, daß Isebel von ihnen nicht einfach unter die Mitglieder des Hauses Ahabs gezählt wird: Wegen ihrer Mitverantwortung für den gottlosen Zustand Israel (vgl. 1.Kön 16,29ff.; 21,25[480]; 22,53; 2.Kön 3,2) trifft sie eine gesonderte Strafandrohung (1.Kön 21,23; 2.Kön 9,10a) und eine gesonderte Strafe (9,36),[481] die über ihren Tod hinausgehend noch das grausige Schicksal ihrer Leiche beinhaltet. Das deuteronomistische Bild Isebels geht, vermutlich beeinflußt durch die Zeichnung einer machtbesessenen (1.Kön 21,1-16) bzw. mächtigen Isebel (2.Kön 9/10) über deren übliche Darstellung der „fremden Frau", die ihren Mann zu gottlosem Tun verleitet (vgl. 1.Kön 11,1-13), hinaus: Die Heirat Ahabs mit Isebel wird als richtungsweisend für die gesamte Epoche von Ahab bis Jehu erkannt (1.Kön 16,29ff.), Isebel selbst entscheidender Einfluß auf die Religionspolitik in Israel zuerkannt: Die Nachfolger Ahabs wandeln auf den von Ahab *und Isebel* eingeschlagenen Pfaden (1.Kön 22,53f.; vgl. 2.Kön 3,2). Doch Isebel wurde bis auf den letzten Rest aus Israel ausgetilgt (2.Kön 9,36); nach ihrem scheußlichen Ende hat auch diese „mächtige Zauberin" keine Macht und keinen Einfluß mehr.[482]

Durch die Wiederholung der Gerichtsankündigungen gegen das Haus Ahabs und Isebel aus 1.Kön 21,21-23 in der an Jehu gerichteten Prophetenrede (2.Kön 9,8-10a) avanciert Jehu in der deuteronomistisch bearbeiteten Version der Jehuerzählung vollends zum ausersehenen Vollstrecker der göttlichen Unheilsankündigungen; in 9,7a erhält er explizit den Auftrag zur Auslöschung des Hauses Ahabs. Da er – wie im Laufe der Erzählung immer wieder demonstriert wird – dieser Aufgabe völlig gerecht wird,[483] wird ihm in 2.Kön 10,30 von Jahwe (bzw. den Deuteronomisten) attestiert, mit dem Haus Ahabs ganz nach dem göttlichen Willen verfahren zu haben. Dafür wird er als einziger Nordreichskönig mit der Verheißung einer – über vier Generationen bestehenden – Dynastie belohnt. Auf diese Weise

[478] Vgl. E.Würthwein, *Bücher II*, 496-498; R.Albertz, *Religionsgeschichte*, 397ff.

[479] Siehe dazu S.129-132!

[480] Bei 1.Kön 21,25 handelt es sich um eine sekundär-deuteronomistische Ergänzung, siehe S.135f.

[481] Zu den – leicht differierenden – Formulierungen des Isebelspruches in 1.Kön 21,23; 2.Kön 9,10a.36 siehe unten S.129-132.

[482] Vgl. hier die Interpretation des Unbegraben-Sein Isebels durch den sekundär-deuteronomistischen Ergänzer in 2.Kön 9,37: Isebel erhält kein Grab, sie zerfällt auf dem Acker zu harmlosem Staub, damit von ihrem Grab auf keinen Fall ein wie auch immer gearteter Einfluß ausgehen kann: „... damit man nicht sagen kann: 'Dies ist Isebel!'"

[483] Vgl. 2.Kön 9,7a.8f. mit 10,10f.17aßb und 9,10a mit 9,36!

wird Jehus gesamtes Vorgehen während der Revolution von den Deuteronomisten als von Jahwe her legitimiert dargestellt.

Das gesonderte Eingehen auf Isebels Schicksal sowie der triumphale Erweis, daß sich mit der Jehu-Revolution das göttliche Strafgericht am Hause Ahabs wie angekündigt vollzogen hat (9,36; 10,10.17aßb.30), läßt die moralisierende Tendenz der deuteronomistischen Bearbeitung klar zutage treten: Jahwe läßt Frevel nicht ungestraft, das „Böse" wird samt und sonders ausgerottet, ein Handeln nach seinem Herzen jedoch wird – selbst bei einem per definitionem mit der „Sünde Jerobeams" belasteten Nordreichkönig – reich belohnt (vgl. 2.Kön 10,30).

Das von den Deuteronomisten gezielt herausgearbeitete positive Bild Jehus als Vollstrekker des göttlichen Willens resultiert jedoch nicht nur aus seiner Rolle als ausführendes Organ des göttlichen Gerichts am Hause Ahabs, sondern auch aus seiner in der ursprünglichen Erzählung von der Jehu-Revolution vorgezeichneten Rolle des Eiferers für Jahwe (10,16), die die Deuteronomisten zur Rolle des Kultreformers[484] vom Range eines Josia ausbauen. Denn Jehu rottet nicht nur die Familie des sündenbeladenen Nordreichkönigs Ahab (1.Kön 16,30-33; 21,20bff.) samt der verhaßten Isebel (16,31; 21,23) mit Stumpf und Stil aus, er geht darüber hinaus in entschiedenster Weise gegen den von Ahab protegierten Baalskult vor (2.Kön 10,17ff.). Das seiner prophetischen Salbung und seinem Jahweeifer korrespondierende Einschreiten Jehus gegen den Baalskult in Samaria der ursprünglichen Jehuerzählung wird von den Deuteronomisten zu einer endgültigen Ausrottung des Baalskultes aus ganz Israel hochstilisiert (10,21aα.28). Dabei ergänzen sich ihr Entwurf des Königsrahmens für Ahab in 1.Kön 16,29-33 und ihre Bearbeitung von 2.Kön 9/10. Jehu entfernt zum Abschluß seiner Revolution in einer – josianisch anmutenden[485] – Kultreform alle in 1.Kön 16,29-33 aufgelisteten Sünden Ahabs aus Israel:[486] Ahab führte den Baal nach Israel ein (1.Kön 16,31f.) – Jehu rottet ihn aus (2.Kön 10,28);[487] Ahab errichtete einen Baalstempel (1.Kön 16,32) – Jehu reißt ihn nieder (2.Kön 10,27); Ahab errichtete den Baal einen Altar und eine Aschere (1.Kön 16,32f.) – Jehu zerstört/verbrennt verschiedene Kultobjekte des Baal (2.Kön 10,26f.).[488]

Die Deuteronomisten nutzten die sich ihnen durch die kultisch-religiöse Komponente der Erzählung von der Jehu-Revolution auftuende Möglichkeit, die Epoche von Ahab bis Jehu als besonders dunkel von der übrigen Geschichte des Nordreiches abzuheben (vgl. 2.Kön 21,3). Sie schrieben eine „Geschichte der Baalsverehrung in Israel", die vom Herrschafts-

---

[484] Zur deuteronomistischen Gestaltung der „Kultreform" Jehus siehe H.-D.Hoffmann, *Reform*, 99-104 und auch oben S.54f.

[485] Zur terminologischen und verfahrenstechnischen Ähnlichkeit zwischen 2.Kön 10,25-27 und 2.Kön 23 siehe oben S. 54f.

[486] Vgl. auch H.-D.Hoffmann, *Reform*, 101f.: „Jehus Revolution ist in der Konzeption des dtr Verfassers die positive Entsprechung zu Ahab und seinem Werk."

[487] Vor der Regierungszeit Ahabs (1.Kön 16,29ff.) wird „Baal" in der Darstellung der Nordreichsgeschichte nie erwähnt, nach seiner Ausrottung durch Jehu (2.Kön 10,28) taucht er – abgesehen von seiner Erwähnung in der zusammenfassenden Geschichtsschau in 2.Kön 17,7ff. (V.16) – nie wieder auf. Vgl. dagegen das gehäufte Vorkommen des Lexems "Baal" innerhalb des Bereichs von 1.Kön 16,29 – 2.Kön 10,28 (1.Kön 16,31f.; 18,18f.21f.25f.40; 19,18; 22,54; 2.Kön 1,2f.6.16; 3,2; 10,18-23.25-28)!

[488] Zu den Entsprechungen zwischen 1.Kön 16,32f. und 2.Kön 10,26f. vgl. ebenfalls H.-D.Hoffmann, *Reform*, 101 Anm. 19.

antritt Ahabs und dessen Hochzeit mit Isebel eingeläutet (1.Kön 16,29-33) und von der Jehu-Revolution in einem furiosen Finale abgeschlossen wird (2.Kön 10,28).[489] Auch die deuteronomistischen Beurteilungen der Ahab-Nachfolger, Ahasja (1.Kön 22,53f.) und Joram (2.Kön 3,2f.), lassen deutlich erkennen, daß die Deuteronomisten ihre Geschichtsschreibung für die Zeit von Ahab bis Jehu unter das Oberthema der Baalsverehrung stellten: So wandelte Ahasja ganz auf den Wegen seiner Eltern, Isebel und Ahab, und verehrte den Baal. Joram hingegen – und hier entspricht die deuteronomistische Beurteilung der Darstellung der Erzählung von der Jehu-Revolution, die einen gutwilligen, aber schwachen, unter der Fuchtel seiner Mutter stehenden Joram zeichnet,[490] – unternahm halbherzige Schritte gegen den Baalskult, der dadurch aber keineswegs aus Israel ausrottet wurde (vgl. 2.Kön 10,28).

Die Erzählung von der Jehu-Revolution wird auf diese Weise zu einem gewichtigen Stützpfeiler des Deuteronomistischen Geschichtswerkes: Sie markiert das Ende einer Epoche besonderer kultischer Verirrung des Nordreiches. Die dieses zusätzlich zur „üblichen Sünde“, der Sünde Jerobeams, belastende Sünde der Protegierung bzw. Duldung des Baalskultes (1.Kön 16,29ff.; 22,53f.; 2.Kön 1; 3,2f.) ist mit Jehus Revolution ausgelöscht. Die Sündhaftigkeit des Nordens fällt auf ihren „normalen“ Level zurück, denn Jehu und seine Nachfolger wandeln wohl noch in der Sünde Jerobeams (2.Kön 10,29; 13,2.11; 14,24; 15,9), aber nicht mehr auf den Wegen Ahabs und Isebels.

---

[489] Siehe oben Anm. 487.

[490] Siehe S.85-88.

III Die Erzählungen von Naboths Weinberg und der Befragung des Baal von Ekron als Teil des DtrG

1 Die Erzählung von der Jehu-Revolution als Prüfstein für den Umfang des DtrG im Bereich von 1.Kön 16,29 bis 2.Kön 10,36

Die – deuteronomistisch bearbeitete – Erzählung von der Jehu-Revolution hat sich in zweifacher Hinsicht als bedeutsam für die Komposition des Deuteronomistischen Geschichtswerks im Bereich von 1.Kön 16,29 bis 2.Kön 10,36 erwiesen. Zum einen bildet sie in Kombination mit der Erzählung von Naboths Weinberg ein perfektes Beispiel für die Wirksamkeit des Gotteswortes in der Geschichte, denn im Laufe der Jehu-Revolution vollzieht sich all das Unheil (2.Kön 9,36; 10,10.17aßb; vgl. 10,30), das Elia im Namen Jahwes anläßlich des „Falles Naboth" angekündigt hat (1.Kön 21,19ff.).[1] Zum anderen fungiert die Erzählung – gemeinsam mit dem deuteronomistischen Einführungsformular für Ahab (1.Kön 16,29-33) – als Eckpfeiler des deuteronomistischen Entwurfs der sich über die Zeit von Ahab bis Jehu erstreckenden Geschichte der Baalsverehrung in Israel.[2]

Es wird sich für die folgenden Überlegungen zur Komposition der Elia- und Elisaerzählungen als wesentlich erweisen, wie sich die heute zwischen 1.Kön 16,29 und 2.Kön 9/10 in den Königsbüchern vorliegenden Erzählungen in das von den Deuteronomisten mit 1.Kön 16,29-33; 22,52-54; 2.Kön 3,1-3; 9,1-10,36 vorgezeichnete Bild des von Ahab in Israel einführten Baalskultes, der mehr oder weniger unvermindert bis zu seiner Ausrottung durch Jehu anhielt, einfügen. Mit der Erzählung von Naboths Weinberg (1.Kön 21) und der Erzählung von der Befragung des Baal von Ekron (2.Kön 1) werden hier zunächst zwei Erzählungen behandelt, die sich ohne weiteres in die deuteronomistische Darstellung der Epoche von Ahab bis Jehu einpassen – ja im Falle der Naboth-Erzählung als Gegenstück zur Erzählung von der Jehu-Revolution für diese unerläßlich sind.

[1] Siehe S.41-44.114-117.

[2] Siehe S.116f.

2 Der Tod Naboths des Jesreeliters

2.1 Vorbemerkungen

Die im Rahmen von Kapitel II.2 im Hinblick auf den „Fall Naboth“ vorgeschlagene Bearbeitungsgeschichte der Erzählung von der Jehu-Revolution[3] soll im folgenden, diesmal ausgehend von der literarischen Fixierung des „Falles Naboth“ in 1.Kön 21, überprüft werden.

Oben war angenommen worden, daß der Bezug zwischen der Erzählung von der Jehu-Revolution und dem Verbrechen an Naboth, dem Jesreeliter, zunächst von einem vordeuteronomistischen, unabhängig von 1.Kön 21 tätigen Bearbeiter hergestellt wurde, der ein ehemals frei umlaufendes Prophetenwort (2.Kön 9,26a) szenisch umkleidet (9,21*.25f.) in die Erzählung von der Jehu-Revolution einfügte. Den Deuteronomisten lagen jedoch – nach obiger Rekonstruktion – sowohl die Erzählung von Naboths Weinberg (1.Kön 21*) als auch die um die Naboth-Bearbeitung erweiterte Erzählung von der Jehu-Revolution (2.Kön 9/10*) vor. Sie fanden also den Zusammenhang zwischen Ahabs Vergehen an Naboth und der Jehu-Revolution in der ihnen vorliegenden Fassung der Erzählung von der Jehu-Revolution bereits vorgegeben: Mit dem Tode Jorams auf dem Acker Naboths, des Jesreeliters, erfüllt sich, nach Darstellung des vordeuteronomistischen Bearbeiters, der Spruch Jahwes gegen Ahab, Jorams Vater, nach dem das von Ahab vergossene Blut Naboths und seiner Söhne auf ebendiesem Acker vergolten werden soll. Die Deuteronomisten nahmen diese vorgegebene Verbindung zwischen dem „Fall Naboth“ und der Jehu-Revolution auf und verstärkten sie, indem sie 1.Kön 21 und 2.Kön 9/10 über ihr Schema von „Weissagung und Erfüllung“ direkt miteinander verbanden.[4] Damit einher ging eine Ausweitung des Interpretationsrahmens: Jehus gesamtes revolutionäres Vorgehen sowohl gegen Joram als auch gegen Isebel und das ganze Haus Ahabs wird jetzt als Erfüllung der nach dem Justizmord an Naboth durch Elia überbrachten Unheilsankündigung gewertet (2.Kön 9,36; 10,10f.17aßb).

Ausgangspunkt der Überprüfung ist die Betrachtung der Vorgehensweise der Deuteronomisten bei der kompositorischen Verknüpfung der Erzählungen 1.Kön 21 und 2.Kön 9/10. Anschließend soll eine vordeuteronomistische „Naboth-Erzählung“ (1.Kön 21*) herausgearbeitet und ihr überlieferungsgeschichtliches Verhältnis zu 2.Kön 9,25f. bestimmt werden.

2.2 Der Niedergang des Hauses Ahabs – Unheilsankündigung und Erfüllung

Nach Darstellung der Deuteronomisten in 2.Kön 10,30 müßte, stellte man Ankündigung (1.Kön 21,17ff.; 2.Kön 9,7-10a) und Erfüllung (2.Kön 9/10) gegenüber, die Gleichung „ohne Rest“ aufgehen, denn Jehu hat alles „am Haus Ahabs getan“, was Jahwe „im Sinn“ hatte. Liest man 2.Kön 9/10 für sich, so scheint dies auch so zu sein: Das, was in 2.Kön 9,7-10a nochmals angekündigt wird, erfüllt sich im Laufe der Jehu-Revolution. Jehu schlägt das Haus Ahabs (9,7a; 10,10f.17aßb) bis dieses vollständig ausgerottet ist (9,8f.;

[3] Siehe S.55-64.
[4] Siehe S.41-47.

10,10f.17aßb); auch Isebel wird getötet und nach Darstellung der Deuteronomisten auf dem „Acker von Jesreel" von den Hunden gefressen (9,10a.36). Von 1.Kön 21,17ff. aus gesehen wirkt der Sachverhalt allerdings komplexer. Die Weissagungen in 1.Kön 21,17ff. haben gegenüber 2.Kön 9,7-10a einen „Überhang" und liegen darüber hinaus in sehr viel weniger „glatter" Form vor, wie an der folgenden tabellarischen Gegenüberstellung sichtbar wird:

Weissagung: 1.Kön 21		Weissagung: 2.Kön 9		Erfüllung: 2.Kön 9/10	
19*	במקום אשר לקקו הכלבים את־דם נבות ילקו הכלבים את־דמך גם־אתה				
		7a	והכיתה את־בית אחאב	10,11 17aß	ויך יהוא את כל־הנשארים לבית־אחאב ביזרעאל ... עד־בלתי השאיר־לו שריד ויך את־כל־הנשארים לאחאב בשמרון עד־השמידו
		8a	ואבד כל בית־אחאב		
21a	הנני מבי אליך רעה ובערתי אחריך				
21b	והכרתי לאחאב משתין בקיר ועצור ועזוב בישראל	8b	והכרתי לאחאב משתין בקיר ועצור ועזוב בישראל		
22a	ונתתי את־ביתך כבית ירבעם בן־נבט וכבית בעשא בן־אחיה	9	ונתתי את־בית אחאב כבית ירבעם בן־נבט וכבית בעשא בן־אחיה		
23b	הכלבים יאכלו את־איזבל בחלק[5] יזרעאל	10a	ואת־איזבל יאכלו הכלבים בחלק יזרעאל ואין קבר	9,36b	בחלק יזרעאל יאכלו הכלבים את־בשר איזבל
24	המת לאחאב בעיר יאכלו הכלבים והמת בשדה יאכלו עוף השמים				

In 1.Kön 21 finden sich drei „Gruppen" von Unheilsankündigungen: Die Ansagen in V.19 und V.21a richten sich allein gegen Ahab, während in V.21b.22a.24 Unheilsankündigungen gegen das Haus Ahabs vorliegen. In V.23 wird Isebel, Ahabs Frau, in die Unheilsankündigung einbezogen. Von diesen Unheilsankündigungen werden sowohl die das Haus Ahabs betreffenden als auch die gegen Isebel gerichteten in 2.Kön 9/10 wiederholt, während die persönlich formulierten Gerichtsankündigungen nicht mehr aufgenommen werden.

[5] Es ist mit wenigen Mss, S, T und V בחלק zu lesen. Die Auslassung des ק und die dadurch zustandekommende Lesart „an der Vormauer" wurde durch die nachfolgende Aussage (V.24) begünstigt, nach der die Toten in der Stadt und nicht die Toten auf dem Feld von den Hunden gefressen werden sollen. Vgl. auch O.H.Steck, *Überlieferung*, 51 Anm. 2.

Die Ankündigungen gegen das Haus Ahabs

Der erste Teil der Gerichtsankündigungen gegen das Haus Ahabs, 1.Kön 21,21b.22a, wird von den Deuteronomisten in gleicher Reihenfolge in der Rede des Prophetenjüngers 2.Kön 9,7-10a zitiert: 1.Kön 21,21b entspricht exakt der Formulierung in 2.Kön 9,8b; 1.Kön 21,22a wird in 2.Kön 9,9 wiederholt. Dabei wird, durch den Kontext des Prophetenspruchs in 2.Kön 9 erzwungen, „dein Haus" (1.Kön 21,22a) in „Haus Ahabs" (2.Kön 9,9) umgewandelt.[6]

Ebenso wie für 2.Kön 9,8b.9 ist auch für 1.Kön 21,21b.22a, wie fast allgemein gesehen,[7] eine Formulierung durch die Deuteronomisten anzunehmen: Der Spruch „Und ich rotte von ... aus, was an die Wand pißt, alle ohne Ausnahme in Israel" (21,21b; 2.Kön 9,8b) findet sich, auf Jerobeam bezogen, in den deuteronomistisch überformten Unheilsankündigungen Ahias an Jerobeam wieder (1.Kön 14,10). Das Element „was an die Wand pißt" kommt darüber hinaus in 1.Kön 16,11 in einem deuteronomistisch formulierten Zusammenhang vor. Ebenso wie in 1.Kön 21,22a und 2.Kön 9,9 der Untergang des Hauses Ahabs, wird auch in 1.Kön 16,3 der Untergang des Hauses Baesas mit dem des Hauses Jerobeams verglichen. Zusätzlich zum Vergleich mit dem Untergang des Hauses Jerobeams wird in 1.Kön 21,22a; 2.Kön 9,9 ein Vergleich mit dem des Hauses Baesas vorgenommen, da dieses zur Zeit Ahabs bereits ebenfalls vernichtet ist. Die Einordnung einzelner Ereignisse, in diesem Fall der Revolutionen gegen das Haus Baesas bzw. Ahabs, in eine gesamtgeschichtliche Perspektive entspricht aber ganz der Art deuteronomistischer Geschichtsdarstellung.[8]

1.Kön 21,24 wird in 2.Kön 9/10 nicht wiederholt. Dafür wird dort nach der 1.Kön 21,23 entsprechenden Gerichtsankündigung gegen Isebel (2.Kön 9,10aα) passend zur Erzählung von der Jehu-Revolution[9] angesagt, daß Isebel nicht begraben werden wird (9,10aß). Trotzdem ist auch das Gerichtswort gegen das Haus Ahabs in 1.Kön 21,24 der deuteronomistischen Redaktion zuzuschreiben, denn genau wie hier bildet die Formel vom entehrenden Umgang mit den Toten auch in 1.Kön 14,11[10] und 16,4 den (vorläufigen) Abschluß der Gerichtsankündigungen gegen die jeweilige Dynastie. Für eine gemeinsame deuteronomistische Herkunft[11] der Unheilsankündigungen gegen das Haus Ahabs (1.Kön 21,21b.

---

[6] Siehe dazu obige Tabelle.

[7] Vgl. Anm. 11.

[8] Diese tritt deutlich zutage in den vergleichenden Beurteilungen der Könige (z.B.: 1.Kön 16,25.30; 22,53f.; 2.Kön 3,2; 15,3.9.34; 21,3), speziell in den Vergleichen der Könige des Südreichs mit David (1.Kön 11,4.6; 15,3.11; 2.Kön 18,3; 22,2), dem Verweis auf die Zuwendungen Gottes in den Zeiten des Heils (2.Kön 17,7; 21,2.7), die „*nīr*-Verheißung" (1.Kön 15,4; 2.Kön 8,19) und die „Sünde Jerobeams" (1.Kön 16,26; 22,53; 2.Kön 3,3; 10,29.31; 13,2.6.11 u.a.).

[9] Vgl. 2.Kön 9,34f.

[10] In 1.Kön 14,14 setzen die Unheilsankündigungen nach der Aufforderung an die Frau Jerobeams zurückzugehen und der Verheißung eines Begräbnisses für den Sohn nochmals ein. Daß aber mit V.11 zunächst ein gewisser Abschluß erreicht ist, zeigt die Bemerkung in V.11b: „Denn Jahwe hat gesprochen."

[11] Über Zusammengehörigkeit und deuteronomistische Herkunft der Verse 21.22.24 besteht aufgrund der nahezu wörtlichen Parallelen in 1.Kön 14,9-11 und 16,2-4 in der Forschung ein weitreichender Konsens. Vgl. nur R.Bohlen, *Fall*, 302.319; E.Würthwein, *Bücher II*, 251f.; W.Dietrich, *Prophetie*, 51; G.Hentschel, *Elijaerzählungen*, 15-20; W.Thiel, *Redaktionsarbeit*, 160; O.H.Steck, *Überlieferung*, 37f.; I.Benzinger, *Bücher*, 116; R.Kittel, *Bücher*, 158; A.Šanda, *Bücher I*, 466. Anders H.Schmoldt, *Botschaft*, 51f., der die Verse 21 und 24 für die vordeuteronomistische Fortsetzung von 1.Kön 21,1-19aα(ß) hält.

22a.24) spricht darüber hinaus die zwischen 1.Kön 16,3f. und 21,22.24 bestehende Übereinstimmung in der Reihenfolge der Ankündigungen: In 1.Kön 16 folgt die Formel (V.4) direkt auf diejenige, die den Untergang der jeweiligen Dynastie mit der des Jerobeam vergleicht (V.3). In 1.Kön 21 umrahmen die beiden Sprüche (V.22b = 16,3; V.24 = 16,4) eine mit einer eigenen Redeeinleitung versehene Unheilsankündigung gegen Isebel (V.23).[12]

Bei der Gegenüberstellung der Unheilsankündigungen in 1.Kön 21 und 2.Kön 9 fällt jedoch auf, daß in 2.Kön 9,7-9 durchgehend vom „Haus Ahabs“ gesprochen wird (V.7a.8a. 8b.9), was der durch die Erzählung von der Jehu-Revolution vorgegebenen Situation angemessen ist, denn hier spricht ja der Prophetenjünger Elisas zu Jehu über die von diesem auszurottende Dynastie Ahab. In 1.Kön 21,21b.22.24 hingegen, wo Elia sich mit seinen Androhungen direkt an Ahab wendet (21,17ff.), trägt nur die Formulierung in V.22a „dein Haus“ dieser Tatsache Rechnung, während in V.21b.24 unpersönlich vom „Haus Ahabs“ gesprochen wird. Dieser Wechsel von persönlicher zu unpersönlicher Redeweise findet sich ebenfalls in der Unheilsankündigung gegen Baesa (1.Kön 16,3.4): Auch hier folgt auf die 1.Kön 21,22 entsprechende Formulierung „Und ich werde dein Haus dahingeben, wie ...“ (16,3), die sich direkt an Baesa wendet, der unpersönlich gehaltene Ausspruch „Wer von ... in der Stadt stirbt, den werden die Hunde fressen, wer von ... auf dem freien Feld stirbt, den werden die Vögel des Himmels fressen.“ (V.4), der 1.Kön 21,24 entspricht. Der Wechsel in der Anredeform zwischen der zweiten und dritten Person kann auf die Verwendung geprägter Formeln[13] durch die Deuteronomisten in Kombination mit von diesen selbst formulierten Sprüchen zurückgeführt werden und ist aus diesem Grund kein literarkritisches Indiz.[14] Sowohl bei der „Ausrottungsformel“ (V.21b),[15] als auch bei der „Leichenformel“ (V.24),[16] die beide unpersönlich gehalten sind, legt sich die Annahme einer vordeuteronomistischen Existenz als vorgeprägter Spruch, sozusagen als gängige „Untergangsprophezeiung“ gegen eine Dynastie, nahe.[17] Demgegenüber hat der persönlich for-

---

Dagegen sprechen zum einen die Übereinstimmungen zwischen 1.Kön 21,21-24* und 1.Kön 14,9-11; 16,2-4, die, was von Schmoldt allerdings bestritten wird (a.a.O., 50), auf einen Verfasserkreis hindeuten, zum anderen die aus dieser Folgerung zu ziehenden Konsequenzen für die Textgeschichte von 1.Kön 21,17ff.: Der nach Schmoldt früher als V.21.24 entstandene Spruch V.19 soll, obwohl er nicht erfüllt wurde, nachträglich in die die Verse 1-19aα(ß).21.24 umfassende Erzählung eingefügt worden sein, wofür H.Schmoldt keinen Grund anzugeben vermag. Das wieder auf die Erzählebene zurückführende, unglücklich abbrechende Gespräch Ahabs mit Elias wäre dann ebenfalls ohne ersichtlichen Grund nachträglich eingefügt worden. Außerdem entspricht der von Schmoldt angenommene predigtartige Schluß so gar nicht dem knappen und konkreten Stil der Erzählung, wohl aber dem der Deuteronomisten: Für ein konkretes Verbrechen (vgl. V.19) wird Ahab hier eine sehr allgemein formulierte, gleich aus vier Elementen bestehende Unheilsankündigung gegen ihn selbst (V.21a) und seine Angehörigen (V.21b.24) – die außer Isebel in der Erzählung nie erwähnt werden – entgegengeschleudert. Auch M.White, *Naboth's*, 73f., rechnet V.21 (und die Verse 27-29) zum ursprünglichen Bestand der Erzählung von Naboths Weinberg.

12 Siehe dazu unten Seite 129-132.

13 Vgl. auch R.Bohlen, *Fall*, 220f.

14 Gegen H.Schmoldt, *Botschaft*, 50f.

15 Vgl. 1.Sam 25,22.34; Dtn 32,36.

16 V.24 ist nach W.Dietrich, *Prophetie*, 78, „in allen wichtigen Bestandteilen“ bei Jeremia (vgl. Jer 15,3; 14,18) vorgeprägt.

17 Auch G.von Rad, *Geschichtstheologie*, 196, macht auf die „undeuteronomistische, bildergesättigte Redeweise“ dieser Wendungen aufmerksam. G.Hentschel, *Elijaerzählungen*, 17, erwägt, daß die beiden Sprüche, die von einem deuteronomistischen Redaktor „an ihren heutigen Platz gestellt worden“ seien, ihren ursprünglichen (vordeuteronomistischen) Ort in der Ahijatradition (1.Kön 14,10f.*) haben. Dafür spricht auch die Überlieferung der Septuaginta Sondertradition 1.Kön 12,24 g-n LXX^{B}: Dort fehlen (u.a.) die

mulierte Vergleich mit Jerobeam (V.22a) eine kompositorische Funktion innerhalb der Königsbücher. Seine Formulierung wird daher auf die Deuteronomisten selbst zurückgehen, für die ja der Verursacher der „Ursünde" des Nordreiches, Jerobeam, der Vergleichspunkt schlechthin ist.[18]

Das Gericht gegen Ahab

Die Unheilsankündigung gegen Ahab in 1.Kön 21,19 ist von den übrigen Gerichtsankündigungen dadurch separiert, daß sie in einen erzählerisch gestalteten Dialogteil (V.17ff.) eingebettet ist, der mit V.20bα abbricht[19] und sich, im Unterschied zur folgenden Gerichtsrede (V.20bß-24), nicht auf deuteronomistische Verfasser zurückführen läßt.

Die für eine deuteronomistische Provenienz des Abschnittes angeführten Argumente überzeugen nicht:

In V.17-20bα treten – im Unterschied zum folgenden Abschnitt – keine „typisch deuteronomistischen" Redewendungen auf.[20] Es ist wohl richtig, daß die Wortergehensformel (V.17) in deuteronomistisch formulierten Texten verwendet wird,[21] ihr Vorkommen ist jedoch kein sicheres Indiz für eine tatsächlich deuteronomistische Herkunft des jeweiligen Textes. Die Formel scheint ihren Ursprungsort eher in der Prophetie zu haben,[22] von wo die Deuteronomisten ja erwiesenermaßen[23] viele ihrer Wendungen übernommen haben, als eine originär deuteronomistische Formulierung zu sein.[24] Auch legt der Zusammenhang (21,1-20bα), in den die Wortergehensformel nahtlos eingebettet ist, durch nichts die Annahme einer deuteronomistischen Bearbeitung nahe.

Zwar erweist nach E.Würthwein[25] die enge Verwandtschaft des Befehls Jahwes an Elia (V.18a: קום רד) mit den – nach Würthwein – deuteronomistischen Versen 1.Kön 17,3.9; 18,1b[26] (17,3: לך; V.9: קום לך; 18,1: לך הראה) die deuteronomistische Herkunft von 21,18a, dabei übersieht er jedoch die ebenfalls bestehende Verwandtschaft von V.18a mit V.15 (קום רש)![27] Diese erweist zum einen die literarische Zusammengehörigkeit von V.18a

Ausgestaltung der Unheilsankündigungen zur Gerichtsrede (1.Kön 14,7-10aα) und die Ankündigung des Untergangs Israels (V.14-16), die sicher auf die Deuteronomisten zurückzuführen sind, während die „Ausrottungsformel" und die „Leichenformel" (12,24 m) vorhanden sind.

[18] Vgl. nur 1.Kön 16,26; 22,53; 2.Kön 3,3; 10,29.31; 13,2.6.11.

[19] Auf eine literarische Naht weist neben stilistischen Differenzen auch das fehlende Suffix in Elias Erwiderung („Ich habe gefunden" statt des zu erwartenden „Ich habe *dich* gefunden") hin.

[20] Anders E.Würthwein, *Naboth-Novelle*, 378; ders., *Bücher II*, 251; R.Smend, *Elijah*, 40; S.Timm, *Dynastie*, 126; M.Beck, *Elia* 54ff., die zumindest die Wortereignisformel als deuteronomistisch betrachten. Auch W.Dietrich, *Prophetie*, 70f., weist auf den bevorzugt deuteronomistischen Gebrauch der Formel hin, die aber auch schon vordeuteronomistisch im Jeremiabuch verwandt wird (vgl. Jer 1,4.11.13; 2,1; 13,3.8; 18,5; 24,4; 28,12; 29,30; 36,27; 37,6; 42,7).

[21] So z.B. in 1.Kön 6,11; 16,1; 2.Kön 20,4; Jer 30,1; 34,12.

[22] So auch W.Thiel, *Redaktionsarbeit*, 161; vgl. noch E.Schütz, *Formgeschichte*, 9 Anm. 9, der den Ursprungsort der Wortereignisformel im „Tradentenkreis der vorklassischen Prophetenerzählungen" sieht.

[23] Vgl. W.Dietrich, *Prophetie*, 70-82; zur Wortereignisformel a.a.O. 71f.

[24] Vgl. O.H.Steck, *Überlieferung*, 42 Anm. 1; G.Hentschel, *Elijaerzählungen*, 51.

[25] *Naboth-Novelle*, 380.

[26] Die deuteronomistische Herkunft der genannten Verse ist jedoch keinesfalls sicher. Siehe S.165ff.

[27] Sowohl ירש als auch ירד ist ein Leitwort in 21,15-19! Siehe S.141.

mit V.1-16, zum anderen zeigt die Verwendung des analog zu 1.Kön 17,9; 21,18 gestalteten Befehls in V.15 die wohl gängige Verwendung solcher Aufforderungen.[28]

E.Würthwein[29] interpretiert V.19 im Zusammenhang mit V.21.22.24 als „dynastisches Drohwort“, indem er Vers 20, welcher den Zusammenhang der Gottesrede unterbräche,[30] literarkritisch ausscheidet.[31] Dabei übersieht er den qualitativen Unterschied zwischen den formelhaften, allgemeingehaltenen Ankündigungen und Beschuldigungen in V.(20bß.)21-24 und den spezifischen, originellen Formulierungen in V.19, der gegen die Zusammengehörigkeit von V.19 und V.21-24 spricht. Wenn aber V.17-19.21-24 tatsächlich eine ursprünglich zusammenhängende Jahwe-Rede gewesen wäre, dann ist nicht einzusehen, warum ein Bearbeiter, der – so Würthwein[32] – eine Auseinandersetzung zwischen Ahab und Elia einfügen wollte (V.20), dies nicht am Ende der Jahwe-Rede getan hat, sondern statt dessen durch seine Einfügung die Rede zerstörte.

Wenn aber V.17-20bα nicht auf die Deuteronomisten zurückzuführen ist, dann ist mit einer vordeuteronomistischen Herkunft des Abschnitts zu rechnen, denn die Deuteronomisten gehen ja von Elia (21,17.20) als Überbringer der Gerichtsbotschaft aus (2.Kön 9,36; 10,10.17).

Der in V.19b vorliegende Spruch Jahwes gegen Ahab „An dem Ort, an dem die Hunde das Blut Naboths leckten, werden die Hunde auch dein Blut lecken!“ hat sich nicht erfüllt: Weder der vordeuteronomistische Bearbeiter der Erzählung von der Jehu-Revolution, der von einem ähnlichen Spruch gegen Ahab wußte (2.Kön 9,26a),[33] noch die Deuteronomisten können von seiner Erfüllung an Ahab berichten. Nach Aussage[34] der Deuteronomisten starb Ahab sozusagen friedlich „in seinem Bett“ (1.Kön 22,40): „Und Ahab legte sich zu seinen Vätern“[35]. Da die Sprüche gegen Ahab (1.Kön 21,19b; 2.Kön 9,26a) nicht in Erfül-

---

[28] Vgl. Ri 7,9; 1.Sam 23,4; Num 22,20; 2.Kön 4,3.

[29] *Naboth-Novelle*, 380, ähnlich auch ders., *Bücher II*, 246ff.

[30] Diese literarkritische Operation beruht auf einem Zirkelschluß: Nur wenn V.20 herausfällt, kann man V.18-19.21-24 als Gottesrede interpretieren, weil aber V.18-19.21-24 eine Gottesrede ist, muß V.20 ausgeschieden werden.

[31] Auch nach S.Timm, *Dynastie*, 129 und H.Schmoldt, *Botschaft*, 44, ist V.20abα als sekundär zu betrachten. Schmoldts Argument – im jetzigen Zusammenhang spreche Elia ein anderes Wort aus (V.21f.) als ihm aufgetragen sei (a.a.O. 44) – gilt allerdings nur dann, wenn man von vornherein einen Zusammenhang zwischen V.17-20* und V.21ff annimmt. Die Argumentation Timms, a.a.O. 129, hier werde nicht der Auftritt Elias erzählt, „der nach V.19 folgen muß“, nimmt sich recht apodiktisch aus: Es ist ja immerhin möglich, daß sowohl die plötzliche Einführung Elias (V.17) als auch sein plötzliches Auftauchen bei Ahab – von der Ausführung des Befehls, zu Ahab herab zu steigen, wird nicht berichtet – vom Erzähler bewußt als didaktisch äußerst wirksames Stilmittel eingesetzt wird: Das Eingreifen Gottes in das Geschehen erfolgt unerwartet und erschreckend schnell. Während sich das Böse langsam und planvoll entwickelt und schon (fast) etabliert hat (21,1-16), so wird dies, wie aus heiterem Himmel, vom Eingreifen Jahwes in Frage gestellt.

[32] *Naboth-Novelle*, 380.

[33] Siehe S.55-64.

[34] Die Notiz über den natürlichen Tod Ahabs ist sicherlich zuverlässig. Da sie sich im Zusammenhang mit den – den Deuteronomisten vorgegebenen – Prophetensprüchen 1.Kön 21,19b; 2.Kön 9,26a (siehe dazu S.61-64) als problematisch erweist, kann eine deuteronomistische Formulierung ausgeschlossen und eine Herkunft aus den Quellen der Deuteronomisten angenommen werden.

[35] Diese Formulierung wird von den Deuteronomisten nur bei nicht gewaltsam umgekommenen Königen verwandt: 1.Kön 2,10 (David); 11,43 (Salomo); 14,20 (Jerobeam); 14,31 (Rehabeam); 15,8 (Abiam); 15,24 (Asa); 16,6 (Baesa); 16,28 (Omri); 22,40 (Ahab); 22,51 (Josaphat); 2.Kön 8,24 (Joram von Juda); 10,35 (Jehu); 13,9 (Joahas von Israel); 13,13; 14,16 (Joas von Israel); 14,29 (Jerobeam); 15,7 (Asarja);

lung gingen, ist anzunehmen, daß sie (oder ihre überlieferungsgeschichtlichen Vorläufer) noch zu Lebzeiten Ahabs entstanden sind und dem vordeuteronomistischen Bearbeiter (2.Kön 9,26a) bzw. den Deuteronomisten (zusätzlich: 1.Kön 21,19b) vorgegeben waren.

Würthweins Argument, die Unheilsankündigung in V.19b[36] gehe auf die Deuteronomisten zurück,[37] da sie zusammen mit 1.Kön 22,38 das für diese charakteristische Schema von „Weissagung und Erfüllung“ bilde, verfängt nicht: Zum einen steht 1.Kön 22,38 in einem krassen Widerspruch zu 22,40, denn ein gewaltsames Ende und die Formulierung „Und er legte sich zu seinen Vätern“ schließen sich nach dem in den Königsbüchern enthaltenen Material aus. Zum anderen gibt es einige Gründe anzunehmen,[38] 22,1-38 sei erst nachträglich, das heißt nach der Entstehung von 1.Kön 21,1-29; 22,39ff., in den Zusammenhang des DtrG eingefügt worden.[39] Auch die wunderbaren Verwicklungen – das Blut Ahabs fließt in den Wagen, der nach Samaria gebracht und dort gewaschen wird, so daß das Blut in einen Teich fließt, wo es dann die Hunde trinken können – die in 22,38 notwendig sind, damit der Spruch in Erfüllung gehen kann, lassen nicht auf einen Verfasser von Unheilsankündigung und Erfüllungsvermerk schließen[40] – dieser hätte es sich bestimmt einfacher gemacht. Wesentlich wahrscheinlicher ist dagegen eine nachträgliche Interpolation der Erzählung 1.Kön 22,1-38* durch einen nachdeuteronomistischen Verfasser auf den vorgegebenen Vers 21,19b hin.

Der vordeuteronomistische Bearbeiter von 2.Kön 9/10 interpretierte den Tod Jorams als Erfüllung des ihm überlieferten Jahwe-Spruches (9,26a), wobei ihm möglicherweise die Formulierung „das Blut Naboths und das Blut seiner Söhne“ entgegenkam. Die Deuteronomisten scheinen im Umgang mit dem ihnen in 1.Kön 21,19b vorliegenden unerfüllten Prophetenwort zunächst den vorgezeichneten Weg eingeschlagen zu haben: Das Wort, das gegen Ahab unerfüllt blieb, erfüllt sich in der Ausrottung des Hauses Ahabs während der Jehu-Revolution. Zu diesem Zweck formulierten sie – nun anders als der Naboth-Bearbeiter in 2.Kön 9 – neue Unheilsankündigungen und zwar gegen das Haus Ahabs (1.Kön 21,21b.22a.24) und wiederholten sie – jedenfalls V.21b.22a – in der Prophetenrede in 2.Kön 9,7-10a.

Schwierigkeiten bereiten in diesem Zusammenhang jedoch die persönlich formulierten Unheilsankündigungen gegen Ahab in 1.Kön 21,21a, für die im Unterschied zu 21,19b eine deuteronomistische Herkunft anzunehmen ist:[41]

15,22 (Menachem); 15,38 (Jotam); 16,20 (Ahas); 20,21 (Hiskia); 21,18 (Manasse); 24,6 (Jojakim). Sie fehlt bei Königen, die eines gewaltsamen Todes starben oder in Gefangenschaft gerieten: Nadab, Ela, Simri, Joram von Israel, Ahasja von Juda, Ataljah, Joas von Juda, Amasja, Seraja, Schallum, Pekachja, Pekach, Amon verstarben im Verlauf einer Revolution, Ahasja von Israel an einer Krankheit als Strafe Gottes; Hosea, Joahas von Juda, Jojachin und Zedekia wurden von den jeweils herrschenden Großmächten gefangen genommen, Josia fiel in der Schlacht.

[36] Siehe dazu auch unten S.142f.

[37] So E.Würthwein, *Naboth-Novelle*, 380. Auch J.M.Miller, *Fall*, 312f. und W.Dietrich, *Prophetie*, 27f.48-51, nehmen eine deuteronomistische Herkunft für V.19b an; vgl. A.Jepsen, *Quellen*, 80.

[38] Siehe S.197ff.

[39] Aus diesem Grund rechnet E.Würthwein, *Bücher II*, 246 Anm. 12. 252, V.19b jetzt einem nachdeuteronomistischen Bearbeiter zu, der das deuteronomistische „Weissagung-Erfüllung“ Schema nachahmt.

[40] Dies gilt auch für eine nachdeuteronomistische Verfasserschaft beider Verse.

[41] Gegen H.Schmoldt, Botschaft, 51f.; M.White, *Naboth's*, 72-76.

Die Formulierung „Ich bringe Böses über ...“ leitet wie in 1.Kön 21,21aα auch die Unheilsankündigungen gegen Jerobeam ein (1.Kön 14,10); in 2.Kön 21,12 (vgl. 22,16) steht sie ebenfalls am Beginn einer Kette von Unheilsankündigungen. Sowohl gegen Jerobeam (1.Kön 14,10) als auch gegen Baesa (16,3) wird die 1.Kön 21,21aß entsprechende Drohung „ich fege aus hinter ...“ ausgestoßen. Beide Elemente der Unheilsankündigung aus 1.Kön 21,21a finden sich also in 1.Kön 14,10 wieder, die dritte Teildrohung aus 1.Kön 14,10 entspricht 1.Kön 21,21b. Darüber hinaus spricht die vergleichbare Begründungsstruktur der Gerichtsreden[42] in 1.Kön 14,7-11; 16,2-4; 21,20bß-24; 2.Kön 21,11-16 für eine gemeinsame (deuteronomistische) Verfasserschaft.

Die Ankündigungen, das Böse zu bringen bzw. hinter jemandem auszufegen, liegen allerdings nur in 1.Kön 21,21a persönlich formuliert vor: „Ich bringe *dir* Böses und fege hinter *dir* aus!“ An allen anderen Stellen, auch wenn das zu bestrafende Objekt wie in 1.Kön 21 mit der angeredeten Person identisch ist, ist die Formulierung unpersönlich gehalten: „Ich bringe Böses über *sie* (1.Kön 9,9)/ über *das Haus Jerobeams* (14,10)/ über *Jerusalem und Juda* (2.Kön 21,12)/ über *diese Stätte und ihre Einwohner*“ (22,16) bzw. „ich fege aus hinter *dem Haus Jerobeams* (1.Kön 14,10)/ *Baesa und seinem Haus*“ (16,3). Die Abweichung in 1.Kön 21,21 gegenüber dem üblichen Sprachgebrauch scheint darin begründet zu liegen, daß die Deuteronomisten hier bewußt eine Unheilsankündigung gegen Ahab persönlich formulierten. Sie begnügten sich also nicht damit, durch Formulierung von 1.Kön 21,21b-22.24; 2.Kön 9,7-9* auf das am Haus Ahabs erfüllte Unheil auszuweichen, sondern griffen die ihnen vorliegende unerfüllte Ankündigung gegen Ahab allein (21,19b) auf und verstärkten sie durch weitere persönlich formulierte Unheilsankündigungen (21,21a). Dies macht aber angesichts ihrer Nichterfüllung nur einen Sinn, wenn die Deuteronomisten von Anfang an die Reue und Verschonung Ahabs (21,27-29) als Möglichkeit des Umgangs mit dem unerfüllten Prophetenwort im Blickfeld hatten. Die Annahme einer nachdeuteronomistischen Entstehung der Verse 27-29[43] hat also wenig Wahrscheinlichkeit für sich.

Durch die Einführung der Reue Ahabs wird erklärt, warum das „Böse“ (V.21.29) nicht über Ahab selbst hereinbricht, sondern erst nach seinem Tode über sein Haus kommt (V.29). Wie im Falle Isebels nehmen die Deuteronomisten hier den nicht oder nicht exakt erfüllten Prophetenspruch, der ihnen überliefert wurde, ernst. Doch während sie dort die Erfüllung gewissermaßen erzwingen,[44] so erklären sie im Falle Ahabs die Nichterfüllung durch Ahabs Reue wie folgt: Nach dem schändlichen Verbrechen an Naboth erging ein Wort gegen Ahab selbst (21,21a) und gegen sein Haus (21,21b-22.24). Der durch die Gerichtsrede geläuterte Ahab bereut seine Sünden und demütigt sich vor Jahwe, woraufhin dieser Elia (dem Leser/Hörer) erklärt, daß aufgrund dieser Demütigung der eine Teil des Gerichts, nämlich der Ahab persönlich betreffende, nicht eintreffen wird, der andere, der gegen das Haus Ahabs gerichtet ist, aber wohl. Und dieser erfüllt sich ja dann auch in der Jehu-Revolution, so daß tatsächlich alles so kommt, wie es angekündigt wurde.

---

[42] Vgl. die Abfolge von Gerichtsbegründung (יען אשר: 1.Kön 14,7; 16,2; 2.Kön 21,11 bzw. יען: 1.Kön 21,20) und Gerichtsandrohung (לכן ... הנני: 1.Kön 14,10; 2.Kön 21,12 bzw. הנני: 1.Kön 16,3; 21,21).

[43] So R.Bohlen, *Fall*, 87-90.304ff.; E.Würthwein, *Bücher II*, 247ff.; A.Jepsen, *Ahabs*, 145-155; S.Timm, *Dynastie*, 130f.; A.Rofé, *Vineyard*, 95; S.L.McKenzie, *Trouble*, 68f.

[44] Siehe S.44f.129-132.

Die oben aufgestellte These, die Deuteronomisten hätten den Abschnitt 1.Kön 21,21-22.24 bereits im Hinblick auf die Reue Ahabs verfaßt, läßt nun zwei Schlüsse hinsichtlich der Herkunft von 1.Kön 21,27-29 zu: Die V.27-29 könnten ganz[45] oder zum Teil[46] den deuteronomistischen Bearbeitern der Naboth-Erzählung vorgegeben gewesen bzw. als Ganzes von diesen verfaßt[47] worden sein. Für eine Abfassung des Abschnitts durch die Deuteronomisten spricht seine Übereinstimmung mit der Darstellung der Demütigung des Königs Josia: Der Zusammenhang zwischen dem Zerreißen der Kleider durch den vom Gotteswort betroffenen König (1.Kön 21,27; 2.Kön 22,11) und der Demütigung des Königs (1.Kön 21,29; 2.Kön 22,19) wird nur an diesen beiden Stellen[48] hergestellt. Beide Könige werden infolge ihrer Reue vor dem Bösen verschont, welches Jahwe zu bringen beabsichtigt (1.Kön 21,29; 2.Kön 22,20). Dieses ist aber darum nicht aufgehoben, sondern tritt nach ihrem Tode unweigerlich ein.

2.Kön 22,19.20a ist nun aufgrund des Sprachgebrauchs[49] als deuteronomistisch einzustufen, daher ist eine deuteronomistische Formulierung auch für 1.Kön 21,29 anzunehmen. V.29 nimmt darüber hinaus die deuteronomistische Formulierung aus V.21 „ich bringe Böses“ wieder auf, was auf eine bewußte Rahmenbildung durch die Deuteronomisten schließen läßt. Das Böse, das Ahab angekündigt wurde (V.19b: vorgegeben; V.21a: von den Deuteronomisten formuliert), trifft wegen seiner Reue „in seinen Tagen“ nicht ein (V.29). „In den Tagen seines Sohnes“ (V.29) aber trifft es ein, als das Haus Ahabs gemäß den Prophezeiungen in V.21b-22.24 untergeht.

Nun zeichnen sich die Verse 27f. nicht durch einen speziell deuteronomistischen Stil aus. V.27 beschreibt den Trauergestus Ahabs; V.28 wiederholt die Wortergehensformel aus V.17. Darüber hinaus wendet W.Thiel gegen eine deuteronomistische Herkunft der V.27f. ein, daß schwerlich anzunehmen sei, die Deuteronomisten hätten „für den Prototyp des Götzendieners, Ahab, einen Bußakt“[50] geschaffen, der „ihn mit Josia in eine Linie stellt, der für die Deuteronomisten der idealste König seit David und das gerade Gegenbild zu Ahab ist“[51]. Thiel kommt so zu der Folgerung, der Bußakt Ahabs müsse den Deuteronomisten bereits vorgegeben gewesen sein.

---

45 Eine Entstehung der Verse 27-29 als „Weiterbildung“ der Nabotherzählung 1.Kön 21* in den Anfangsjahren des Königtums Jehus nimmt O.H.Steck, *Überlieferung*, 45f., an. Vgl. auch G.Fohrer, *Elia*, 28f.; O.Eißfeldt, *Komposition*, 51; M.A.O'Brien, *History*, 203f.; M.White, *Naboth's*, 73f.

46 Eine Kombination von vordeuteronomistischer Entstehung und deuteronomistischer Bearbeitung (V.29) erwägt G.Hentschel, *Elijaerzählungen*, 18-20; ders., *1 Könige*, 127f.; vgl. auch W.Thiel, *Redaktionsarbeit*, 162-164.

47 So W.Dietrich, *Prophetie*, 47.51, der die Verse DtrP zuschreibt; R.Smend, *Elijah*, 41f. und M.Beck, *Elia*, 60.

48 Und den Parallelstellen zu 2.Kön 22,11.19f. in 2.Chr 34,19.27f.

49
- „über diesen Ort und seine Bewohner“ (V.19): 2.Kön 22,16; vgl. 2.Kön 21,12; Jer 18,11; 19,3.15; 35,17; 36,31.
- „daß sie zum Entsetzen und Fluch werden sollen“ (V.19): Jer 25,18; 42,18; 44,12; 49,13 u.ö.
- „das Unheil, das ich über diesen Ort bringe“ (V.20): vgl. Jer 44,2; 51,60.64.

Vgl. auch W.Thiel, *Redaktionsarbeit*, 163. Anders E.Würthwein, *Bücher II*, 448-452, der eine nachdeuteronomistische Erweiterung (2.Kön 22,18-20a) des deuteronomistischen Grundbestandes der „Huldaerzählung“ (2.Kön 22,12-17*.20b) annimmt.

50 W.Thiel, *Redaktionsarbeit*, 164.

51 a.a.O. 164.

Demgegenüber spricht die eindeutig auf das DtrG bezogene kompositorische Funktion der Verse 27-29 für eine deuteronomistische Verfasserschaft. Denn hier wird nicht nur das Prophetenwort Elias gegen Ahab mit seinem friedlichen Tod (22,40) in Einklang gebracht,[52] sondern darüber hinaus ermöglicht, in 2.Kön 9/10 die Erfüllung des Eliawortes zu postulieren. Denn nur wenn man – wie durch die identischen Einleitungsformeln (1.Kön 21,17.28) nahegelegt wird – beide Worte Jahwes an Elia, 1.Kön 21,17-24 und 21,28-29, „zusammenliest", kann man mit gutem Gewissen die Behauptung aufstellen, alles was Jahwe durch Elia angekündigt hat, habe sich erfüllt (2.Kön 10,10.17b).

Weiterhin ist die Annahme, die Deuteronomisten könnten am Negativbeispiel Ahab demonstrieren, was sie auch beim „guten" König Josia schildern, nämlich daß durch persönliche Verhaltensänderung/Reue eine Veränderung zumindest des eigenen Schicksals möglich ist, so abwegig nicht. Denn auf diese Weise erhalten sie innerhalb der Geschichte des Nordreichs eine Stütze für die Erklärung der unfaßbaren Geschehnisse im Südreich: Wie im Falle Judas, das trotz Reue und Reform Josias unterging, ging auch im Falle Ahabs sein Haus trotz seiner Reue unter. Beidemal war ein gewisses Maß an Unheil überschritten worden, und zwar durch die Sünden Manasses bzw. Ahabs, so daß das Gericht zwar aufschiebbar aber nicht aufhebbar war.

Das Wort gegen Isebel

Das Wort gegen Isebel (1.Kön 21,23b) wird sowohl in der ankündigenden Rede des Prophetenjüngers in 2.Kön 9,10a als auch in 9,36, wo seine Erfüllung vermerkt ist, von den Deuteronomisten erneut zitiert. Allerdings entfällt bei der Wiederholung in 9,7-10a die Einleitung des Gerichtswortes (1.Kön 21,23a), hier folgt es direkt auf die 1.Kön 21,21b.22a entsprechenden Unheilsankündigungen gegen das Haus Ahabs (2.Kön, 9,8b.9). Die Markierung des Neueinsatzes – nach den Unheilssankündigungen gegen das Haus Ahabs erfolgt nun die Gerichtsankündigung gegen Isebel – wird in 2.Kön 9,10a allein durch den gegenüber 1.Kön 21,23b veränderten Satzbau angezeigt: Der Spruch beginnt hier mit ואת־איזבל.[53]

1.Kön 21,23 wird nun wegen der gesonderten Einleitung der Unheilsankündigung häufig als sekundär gegenüber seinem Kontext beurteilt.[54] Das Vorhandensein bzw. das Fehlen der Einleitung des Isebelspruches ist aber auf die unterschiedlichen Sprechsituationen in 1.Kön 21 und 2.Kön 9 zurückzuführen. In 1.Kön 21,20ff. ergeht durch den Mund Elias eine Gerichtsrede an Ahab, während Isebel abwesend ist. Diese Gerichtsrede enthält Anklagen gegen Ahab und Unheilsankündigungen gegen ihn und sein Haus. Wenn Elia nun Ahab außerdem den Inhalt einer speziell gegen Isebel (nicht gegen Isebel als Mitglied des

---

[52] Wie wichtig es für die Deuteronomisten war, die Unheilsankündigungen Elias mit der Notiz vom friedlichen Tode Ahabs auszugleichen, wird noch deutlicher, wenn man, ein Ergebnis der vorliegenden Arbeit vorwegnehmend (siehe S.197-202), bedenkt, daß die Todesnotiz in der DtrG-Grundschrift, die 1.Kön 22,1-38 noch nicht umfaßte, unmittelbar hinter der Erzählung von Naboths Weinberg und ihren deuteronomistisch gestalteten Anhängen zu stehen kam: Die vehemente Gerichtsrede Elias hätte sich ohne die Einführung der Reue Ahabs sehr mit dem Vermerk, Ahab sei friedlich entschlafen, gestoßen.

[53] Vgl. hier die fett hervorgehobenen Stellen in der Tabelle S.121.

[54] So E.Schütz, *Formgeschichte*, 133; G.Hentschel, *Elijaerzählungen*, 42; ders. *1 Könige*, 127f.; vgl. O.H.Steck, *Überlieferung*, 37; W.Thiel, *Redaktionsarbeit*, 160-162; E.Würthwein, *Naboth-Novelle*, 382; ders., *Bücher II*, 246.251; B.Lehnart, *Prophet*, 230f.

Hauses Ahabs) gerichteten Gerichtsankündigung mitteilt, bedarf dies, nach der gegebenen Sprechsituation, einer eigenen Einleitung: „Und auch gegen Isebel hat Jahwe gesprochen ...“. Die Existenz der Einleitungsformel in V.23 ist also kein Indiz für die Inhomogenität des Zusammenhangs.[55] In der Rede des Prophetenjüngers (2.Kön 9,7-10a) ist die Einleitungsformel dagegen unnötig, denn hier werden die bereits früher ergangenen Drohungen in Abwesenheit beider Bedrohten wiedergegeben, alle Drohungen befinden sich damit auf einer logischen Ebene.

Die Wortstellung des Isebelspruches im Erfüllungsvermerk (2.Kön 9,36) ist wiederum verändert. Jetzt beginnt dieser mit der Nennung des Ortes der Strafe: „Auf dem Acker von Jesreel“. Hinzu kommt die Ergänzung des Spruches um בשר, was dessen Aussage dahingehend verändert, daß nicht Isebel (als Ganzes), sondern nur ihr „Fleisch“ von den Hunden gefressen wird. Beide Veränderungen in 2.Kön 9,36 gegenüber 1.Kön 21,23 scheinen eine Konzession an die in der Erzählung geschilderte Situation zu sein, die nicht ganz mit dem Isebelspruch, wie er in 1.Kön 21,23; 2.Kön 9,10a vorliegt, übereinstimmt:[56]

- Wenn die Leute Jehus, die ausgeschickt werden, Isebel zu begraben, noch Kopf, Füße und Hände von ihr vorfinden, so kann sie nicht als Ganzes von den Hunden gefressen worden sein, sondern allenfalls ihr Fleisch, das בשר איזבל.
- Auch legt nichts in der ursprünglichen Erzählung von der Jehu-Revolution nahe, daß Isebel auf dem „Acker von Jesreel“ zu Tode kam, wie in 1.Kön 21,23; 2.Kön 9,10a.36 implizit behauptet wird. Sie stirbt vielmehr innerhalb der Stadt Jesreel, denn bei einem Sturz aus einem Palastfenster, von dem aus sie Jehu durch das Tor treten sehen und zu ihm sprechen konnte (V.30-33), muß sie zwangsläufig innerhalb der Stadt und nicht auf einem Acker – egal wie nah der „Acker von Jesreel“ auch an der Stadt lag – gelandet sein. Auch V.33 weist auf den Hof des Palastes als Todesort Isebels hin: Ihr Blut spritzte an die Wand und an die dort stehenden Pferde, dort wurde sie zertrampelt. Da von einer Verlagerung der Leiche nichts berichtet wird und nach V.35 zumindest noch Kopf, Füße und Hände Isebels von Jehus Leuten ohne weitere Suche vorgefunden wurden, besteht auch hinsichtlich des Ortes, an dem Isebels Leiche so schmählich zugerichtet wurde, zwischen Erzählung und Isebelspruch eine Differenz. Indem die deuteronomistischen Redaktoren nun den Ort des vorgeblichen Geschehens im zitierten Spruch gegen Isebel voranstellen, behaupten sie ganz einfach, daß geschah, was nach der Erzählung nicht geschehen ist: Durch die Gleichsetzung der Ereignisse in der Stadt Jesreel mit den für den Acker von Jesreel angekündigten wird dem Hörer/Leser suggeriert, hier habe sich das Wort Jahwes erfüllt, das dieser durch Elia angekündigt hat (V.36).

Mit den aufgeführten Unstimmigkeiten zwischen Isebelspruch und der Erzählung von der Jehu-Revolution, die die Deuteronomisten in 2.Kön 9,36 durch Veränderung der Wortstellung gegenüber 1.Kön 21,23 und durch die Einfügung von בשר in den Spruch verschleiern, begründet R.Bohlen die Annahme, 1.Kön 21,23 habe dem Verfasser von 2.Kön

[55] Vgl. W.Dietrich, *Prophetie*, 27.

[56] Vgl. R.Bohlen, *Fall*, 298; O.H.Steck, *Überlieferung*, 37.

9,36 bereits vorgelegen.[57] Auch W.Thiel[58] nimmt an, der Spruch in 1.Kön 21,23 müsse den Deuteronomisten bereits vorgelegen haben, da er ihnen so viel Mühe bereitete.

Nun ist aber ein wesentliches Argument für die These, Erzählung und Spruch widersprächen sich, weshalb der Spruch nicht von den Deuteronomisten in Hinblick auf 2.Kön 9/10 gebildet worden sein könne, hinfällig:

Nach Ansicht Thiels[59] schließen sich die Erzählung, nach der Isebel von den Pferden zertrampelt wird, und der Isebelspruch hinsichtlich des „Gefressen-Werdens“ von den Hunden aus. Dies ist jedoch nicht der Fall: Die Deuteronomisten nehmen mit ihrer Behauptung, der Spruch sei eingetreten (V.36), nur eine mögliche Interpretation der Erzählung vor,[60] ein Widerspruch entsteht dabei nicht. Denn die Erzählung setzt voraus, daß zwischen dem Zertrampeln durch die Pferde (V.33) und dem Bestattungsversuch (V.35) eine überraschende, Jehu nicht bekannte Veränderung mit der Leiche Isebels vor sich gegangen sein muß, so daß eine vollständige Bestattung nicht mehr vorgenommen werden konnte.[61] Wie es zu dieser Veränderung gekommen ist, wird in der Erzählung nicht berichtet. Die Deuteronomisten erklären sie mittels des Isebelspruches durchaus im Rahmen des Vorstellbaren: Die von den Pferden zertrampelte Leiche, die Jehu gesehen hatte und auf die er den Begräbnisbefehl bezog, wurde von den Hunden gefressen und konnte darum nicht begraben werden. Dieses Erklärungsmuster bewegt sich nun allerdings ganz im Rahmen der von den Deuteronomisten favorisierten Vorstellung vom Umgang mit den Leichen eines verworfenen Geschlechts,[62] was auf die Deuteronomisten als Verfasser des Isebelspruchs (an allen drei Stellen) hinweist.

Durch Formulierung und Stellung des Spruchs in 1.Kön 21,23 zeigen die Deuteronomisten an, daß das Ende Isebels als besonderer Fall der „Leichenformel“ (V.24) zu betrachten ist. Durch die Aufteilung der Drohung der Leichenschändung in zwei Sprüche – V.23 gilt Isebel allein, V.24 allen anderen des Hauses Ahabs – wird die herausragende Stellung Isebels (als Verführerin Ahabs) unterstrichen: Sie erleidet ihr grausiges Schicksal alleine, es unterscheidet sich von dem der anderen und gleicht ihm doch. Zudem kann bei ihr von einer Erfüllung der Drohung berichtet werden, während die Erfüllung bei allen anderen ungewiß bleibt. W.Thiel wendet gegen eine Gestaltung des Isebelspruches von V.24 her ein, daß V.23 eine „Ausnahme von dem Schicksal“ ankündige, „das in V.24 dem gesamten Haus Ahabs zugedacht ist: Isebel wird auf der 'Feldmark' Jesreels (l. *ḥelaeq*) sterben und den-

---

[57] R.Bohlen, *Fall*, 298f. Dabei erwägt er für 1.Kön 21,23 eine Autorenschaft DtrPs (a.a.O.298 Anm. 86) bzw. eine vordeuteronomistische Herkunft (a.a.O. 299 Anm. 88), während er 2.Kön 9,36 DtrN (a.a.O. 297f.) zuweist.

[58] W.Thiel, *Redaktionsarbeit*, 162.

[59] W.Thiel, *Redaktionsarbeit*, 162; vgl. auch R.Bohlen, *Fall*, 297; O.H.Steck, *Überlieferung*, 36.

[60] Weil die Deuteronomisten hier die Situation über das in der Erzählung Beschriebene hinausgehend interpretieren, wiederholen sie im Falle Isebels die Gerichtsankündigung auch bei seiner Erfüllung, anders als bei den Erfüllungsvermerken in 2.Kön 10,10f.17, wo nur die Erfüllung vermerkt, der Spruch aber nicht erneut zitiert wird.

[61] Vgl. auch M.Mulzer, *Jehu*, 241 Anm. 82.

[62] Nur in 1.Kön 14,11; 16,4; 21,23.24; 2.Kön 9,10.36 ist im AT davon die Rede, daß die Hunde Menschen/ menschliche Leichen fressen. Von diesen Stellen gehen 1.Kön16,4; 21,24; 2.Kön 9,10.36 sicher auf die Deuteronomisten zurück. Bezüglich 1.Kön 14,11 wurde erwogen, ob hier der ursprüngliche Ort der „Leichenformel“ zu suchen ist; auf jeden Fall wurde sie auch hier von den Deuteronomisten übernommen und in ihren Entwurf der Gerichtsrede gegen Jerobeam eingebaut (siehe oben S.123 Anm. 17).

noch von den Hunden gefressen werden, nicht etwa von den Vögeln des Himmels".[63] Diese Ausnahme liegt allerdings zum einen in der oben geschilderten Ausnahmestellung Isebels gegenüber dem Haus Ahabs begründet, zum anderen sahen sich die Deuteronomisten vermutlich durch die Formulierung von V.19 veranlaßt, die Hunde und nicht die Vögel des Himmels zum Strafwerkzeug Jahwes zu wählen.[64] Auf diese Weise stellt das Schicksal Isebels nicht nur eine Ausnahme gegenüber dem des Hauses Ahabs dar, sondern zugleich eine Steigerung gegenüber dem Los Ahabs. Denn nach V.19 lecken die Hunde „bloß" das Blut Ahabs, nach V.23 wird Isebel von ihnen aufgefressen. Wenn aber die Deuteronomisten V.23 als Spezialfall von V.24 her gestalteten, dann erklärt sich auch, warum sie hier – im Unterschied zu 2.Kön 9,36, wo es von der Situation erzwungen ist, – nicht davon sprechen, daß das Fleisch Isebels gefressen wird: Die Formulierung von V.24 „Wer von Ahab ..." verlangt als Spezifizierung die Nennung einer Person, nicht die eines Bestandteiles dieser Person.

Nun stellt sich die Frage, aus welchem Grund die Deuteronomisten den Spruch in Bezug auf den Todesort Isebels nicht der Schilderung ihres Todes in 2.Kön 9,30ff. angemessener gestalteten (z.B. „In der Stadt Jesreel ..."). Wenn man allerdings davon ausgeht, daß den Deuteronomisten sowohl 1.Kön 21,19 vorlag, wo festgelegt wird, daß der Todesort Naboths auch der Todesort des Verbrechers sein soll, als auch 2.Kön 9,25f., wo dieser Todes- und Strafort als „Acker" bei Jesreel identifiziert wird,[65] dann wird klar, daß die Deuteronomisten kaum eine andere Formulierung wählen konnten, wenn sie auch in Bezug auf Isebel die Identität von Ort des Mordes und Ort der Strafe wahren wollten. Da in der Drohung in 9,26a nur der „Acker" erwähnt wird („Ich werde dir auf diesem Acker vergelten"), erklärt sich auch das merkwürdige Verschweigen des Namens 'Naboth' im Isebelspruch: Die Deuteronomisten erwähnen ihn auch sonst nicht und werden von 9,26a her ebenfalls nicht gezwungen, ihn zu erwähnen. Es geht ihnen nicht um den „Fall Naboth", sondern allein um die Erfüllung des Gotteswortes, und dafür ist es (in Analogie zu 9,26a) notwendig, daß Isebel auf dem Acker von Jesreel stirbt.

So steht also der Annahme, auch 1.Kön 21,23 sei von den Deuteronomisten formuliert worden, nichts entgegen. Geht man aber von einer vordeuteronomistischen Existenz des Isebelspruches aus, so gerät man in die Schwierigkeit zu erklären, in welcher Weise der Spruch entstand,[66] wie er mit der vordeuteronomistischen Naboth-Erzählung verbunden war und warum die Deuteronomisten ihn, im Unterschied zum Ahabspruch in V.19, aus dieser – hypothetischen – Verbindung herauslösten.

---

[63] W.Thiel, *Redaktionsarbeit*, 162.

[64] Dazu kommt, daß die Erklärung des Verschwindens Isebels in 2.Kön 9,34f. durch ihren Leichnam auffressende Vögel wesentlich obskurer und weniger dramatisch gewirkt hätte als die sie auffressenden Hunde.

[65] Die Formulierung „Acker" legt sich nicht von 1.Kön 21,1ff. her nahe, wie W.Dietrich, *Prophetie*, 27, annimmt: Wohl stimmt „Acker von Jesreel" mit der Vorstellung aus 21,1-16 überein, daß Naboth außerhalb der Stadt Jesreel gesteinigt wurde. Allerdings ist doch wohl anzunehmen, die Deuteronomisten hätten, wenn ihnen nur 1.Kön 21 und nicht 2.Kön 9,25f. vorgelegen hätte, diesem Umstand eher – ihrem Spruch in 1.Kön 21,24 entsprechend – mit dem Ausdruck שדה Rechnung getragen.

[66] Die Wahl des Ackers von Jesreel als Ort der Strafe in Unkenntnis von 2.Kön 9,25f. wäre schon ein sehr großer Zufall, die gleichzeitige Verwendung des bei den Deuteronomisten so beliebten Motivs der die Leichen fressenden Hunde ein noch größerer.

2.3 Die deuteronomistische Gestaltung der Ankündigungen Elias an Ahab

Die oben betrachteten, deuteronomistisch formulierten Unheilsankündigungen gegen Ahab, sein Haus und Isebel (21,21.22a.23.24) sind eingebettet in den Zusammenhang einer Gerichtsrede an Ahab (V.20aß-24), zu der der Dialog zwischen Ahab und Elia nachträglich ausgeweitet wurde.[67]

Aufgrund der Parallelität des Aufbaus der Gerichtsrede zu 1.Kön 14,7-11; 16,2-4; 2.Kön 21,11-16[68] sowie der auch in den Unheilsbegründungen (1.Kön 21,20bßγ.22b) zu findenden deuteronomistischen Sprachelemente[69] kann man davon ausgehen, daß die Gerichtsrede als Ganze von den Deuteronomisten gestaltet wurde.[70] Dabei fällt folgendes auf: Die Gerichtsbegründungen nehmen in keiner Weise Bezug auf den „Fall Naboth",[71] statt dessen wirken sie zunächst stereotyp und allgemeingehalten. Erst im Zusammenhang mit der deuteronomistischen Beurteilung Ahabs in 1.Kön 16,30-33[72] werden sie sprechend:

- Wie die Beurteilung Ahabs in 1.Kön 16,30 beginnt auch die Gerichtsrede an Ahab mit dem Vorwurf, das Böse in den Augen Jahwes getan zu haben (1.Kön 21,20bß). Die in 1.Kön 21,20bß vorliegende Formulierung „sich verkaufen, das Böse ... zu tun" soll vermutlich das besondere Ausmaß an Schlechtigkeit,[73] das hier erreicht wird, widerspiegeln, denn auch nach 1.Kön 16,30 war Ahab schlimmer als „alle, die vor ihm waren".
- Die erneute Gerichtsbegründung (1.Kön 21,22b) nimmt den die Beurteilung Ahabs beschließenden Vorwurf, Ahab habe Jahwe mehr gereizt als alle, die vor ihm waren, (16,33) stichwortartig („Zorn, zu dem du gereizt hast") auf und bringt anschließend das gesamte, in 1.Kön 16,31f. geschilderte Verhalten Ahabs auf den Punkt: Er hat – mit seinem Baalsdienst – Israel zur Sünde verführt.[74] Der Vorwurf, Israel zur Sünde verführt zu haben, wird in den Königsbüchern sonst nur gegen Jerobeam (1.Kön 14,16) und Baesa/Ela (1.Kön 16,13; vgl. 16,2) erhoben, also nur gegen diejenigen Könige, deren Haus nach Ankündigung eines Propheten untergeht. Alle anderen Könige wandeln lediglich in

[67] Vgl. Seite 124.

[68] Siehe oben S.122 Anm. 11 und S.127 Anm. 42.

[69] „das Böse in den Augen Jahwes tun" (V.20bß): vgl. 1.Kön 11,6; 14,22; 15,26.34; 16,19.25.30; 21,25; 22,53; 2.Kön 3,2; 8,18.27; 13,2.11; 14,24; 15,9.18.24.28; 17,2.17; 21,2.6.16.20; 23,32.37; 24,9.19.
„Zorn, zu dem ... gereizt hat" (V.22bα): vgl. 1.Kön 15,30; 2.Kön 23,26.
„Israel zur Sünde verführen" (V.22bß): vgl. 1.Kön 14,16; 15,26.30.34; 16,13.19.26; 22,53; 2.Kön 3,3; 10,29.31; 13,2.6.11; 14,24; 15,9.18.24.28; 23,15.
Zu „sich dazu hergeben, das Böse in den Augen Jahwes zu tun" (V.20bß) siehe unten Anm. 73.

[70] So auch W.Thiel, *Redaktionsarbeit*, 160.

[71] Wie bei der Analyse der deuteronomistischen Bearbeitung der Erzählung von der Jehu-Revolution (siehe S.114-117) stößt man auch hier wieder auf das merkwürdige Desinteresse der Deuteronomisten am konkreten sozialen Vergehen.

[72] Wie sich zeigen wird, wurde in der DtrG-Grundschrift, in der die Erzählungen 1.Kön 17-19.20.22* noch nicht enthalten waren (siehe dazu S.151ff.197ff.255), die Erzählung von Naboths Weinberg (ohne 21,1aα) vom Königsrahmen für Ahab (1.Kön 16,29-33; 22,39f.) gerahmt: Dem Leser stand also der Bezug zwischen der Verurteilung Ahabs (16,30-33) und den Unheilsankündigungen Elias klar vor Augen!

[73] Der Vorwurf „sich verkaufen, das Böse in den Augen Jahwes zu tun" findet sich außer in 1.Kön 21,20.25 nur noch in der dtr. Generalabrechnung mit dem Nordreich in 2.Kön 17,17.

[74] Daß in 1.Kön 21,22b nicht auf dem „Fall Naboth" Bezug genommen wird, ergibt sich aus der Formulierung „Israel zur Sünde verführen", die von den Deuteronomisten nur in Bezug auf kultische Vergehen angewandt wird. Vgl. 2.Kön 23,15 und die in Anm. 69 aufgeführten Stellen.

der Sünde, zu der *Jerobeam* Israel verführt hat.[75] Hier wird also erneut die besonders negative Stellung Ahabs innerhalb der Reihe der Nordreichkönige hervorgehoben: Er wandelte nicht nur in den Sünden Jerobeams (1.Kön 16,31), sondern fügte noch andere, eigene Sünden hinzu (1.Kön 16,31f.; 21,22) und reizte so, nach 1.Kön 16,33, „Jahwe, den Gott Israels, mehr als alle Könige, die vor ihm waren".

Durch die Umgestaltung der Antwort Elias (1.Kön 21,20bα) zu einer Gerichtsrede Jahwes an Ahab (V.20bß-24) binden die Deuteronomisten die Naboth-Erzählung und die Erzählung von der Jehu-Revolution in ihr „Schema von Verheißung und Erfüllung" ein. Die von ihnen formulierten Gerichtsankündigungen gegen Isebel (V.23) und das Haus Ahabs (V.21b.22a.24) werden, bis auf V.24, in der Rede des Prophetenjüngers in 2.Kön 9,7-10a wiederholt, so daß sie quasi als Beauftragung Jehus zum Vollzug der Strafe zu verstehen sind. Durch die Notierung ihrer Erfüllung an den entsprechenden Stellen der Erzählung von der Jehu-Revolution wird diese zur Beispielgeschichte für die Erfüllung des Gotteswortes in der Geschichte.

Weiterhin nehmen die Deuteronomisten das ihnen überlieferte, unerfüllt gebliebene Wort gegen Ahab (1.Kön 21,19b) auf (V.21a) und erklären ihren Hörern/Lesern durch die Einführung der Reue Ahabs (V.27-29), warum dieses Wort Jahwes im Unterschied zu den übrigen nicht in Erfüllung gegangen ist.

Durch die vom „Fall Naboth" abstrahierenden, auf 1.Kön 16,30ff. zurückweisenden Gerichtsbegründungen wird darüber hinaus verdeutlicht, daß die Ausrottung des Hauses Ahabs nur bedingt als Strafe für sein Verbrechen an Naboth anzusehen ist, viel mehr aber als Strafe für seine – in 1.Kön 16,31-33a geschilderten – kultischen Sünden, zu denen er Israel verführt hat (1.Kön 21,22). Dadurch nimmt die Gerichtsrede eine Brückenstellung zwischen 1.Kön 16,30ff. und 2.Kön 9/10[76] ein: Die eigentlichen Vergehen Ahabs werden in 1.Kön 16,30ff. aufgelistet, die Strafe wird in 1.Kön 21,20ff. zwar anläßlich des Todes Naboths – doch kaum auf ihn bezogen –[77] angekündigt, ihre Erfüllung wird in 2.Kön 9/10 bezeugt.

Wenn aber das leitende Interesse der Deuteronomisten das Aufzeigen der Erfüllung des Gotteswortes in der Geschichte ist, sie aber gleichzeitig ein Desinteresse am konkreten „Fall Naboth"[78] erkennen lassen, dann stellt sich die Frage, aus welchem Grund sie die Naboth-Erzählung überhaupt in ihr Geschichtswerk integrierten. Sie hätten ja auch beispielsweise, anlog zu 1.Kön 16,1ff., im Anschluß an den Königsrahmen einen Propheten mit der Gerichtsbotschaft an Ahab (1.Kön 21,20bßff.) auftreten lassen können. Dies erklärt sich jedoch leicht, wenn man bedenkt, daß die Verbindung zwischen dem „Fall Naboth"

[75] 1.Kön 15,26.30.34; 16,19.26; 22,53; 2.Kön 3,3; 10,29.31; 13,2.6.11; 14,24; 15,9.18.24.28.

[76] Vgl. עבד את־הבעל in 1.Kön 16,31 mit 2.Kön 10,18; die Kultnotiz in 1.Kön 16,32.33a mit 2.Kön 10,21ff.!

[77] Der Tod Isebels bildet hier eine Ausnahme, denn im Isebelspruch wird durch die Wendung „auf dem Acker von Jesreel" zumindest eine lose Beziehung zum „Fall Naboth" geknüpft. Ihr wird aber auch in 1.Kön 16,30ff. kein konkretes Verbrechen zur Last gelegt; Ahab ist derjenige, der die Sünden begeht, wenn auch infolge seiner Heirat. Im Falle Isebels steht also der Rückgriff auf den „Fall Naboth" durchaus im Rahmen der aufgezeigten Logik.

[78] Dieses wurde sowohl in Bezug auf 1.Kön 21 als auch in Bezug auf 2.Kön 9/10 beobachtet. Auch in der deuteronomistischen Beurteilung Ahabs in 1.Kön 16,30ff. findet sich kein Hinweis auf seine sozialen Vergehen.

und der Jehu-Revolution den Deuteronomisten in der Erzählung von der Jehu-Revolution bereits vorgegeben war (2.Kön 9,21*.25f.) und sie dazu anregte, die Erfüllung des Wort Jahwes nicht nur – wie bereits vorgegeben – im Falle des Todes Jorams aufzuzeigen, sondern am Untergang des gesamten Hauses Ahabs zu demonstrieren. Auch aus dieser Überlegung heraus wird also die Annahme einer vordeuteronomistischen Naboth-Bearbeitung der Erzählung von der Jehu-Revolution bestätigt.

Nicht behandelt wurde bisher die zwischen Gerichtsrede und Läuterung zu findende Beurteilung Ahabs (21,25-26). Hier wird die Erzählebene verlassen, auf der sich die übrigen deuteronomistischen Ergänzungen (V.21bß-24.27-29) noch bewegen, denn die Anklagen wenden sich nun nicht analog V.20bßγ.22b an Ahab, es wird vielmehr über Ahab gesprochen.[79] Auch setzt V.27 wohl eher an Ahab gerichtete Worte voraus, die ihn, bestehend aus Anklage und Strafankündigung wie V.20bß-24, aufrütteln und zur Buße führen, als eine abstrakte Reflexion über ihn (V.25-26). Da sich nun die Verse 27-29 ohne weiteres an V.20-24 anschließen – auf die Gerichtsrede folgen Buße und Verschonung – ist wohl für 21,25f. eine nachträgliche Einfügung anzunehmen. Diese fügt sich allerdings sprachlich und sachlich gut in den deuteronomistisch geprägten Horizont der Königsbücher ein, so daß man von einem „sekundär-dtr. Nachtrag“[80] sprechen kann:

- In V.25 wird die Anklage gegen Ahab aus V.20bßγ wieder aufgegriffen.
- Die Anklage, wie die Amoriter (21,26) gehandelt zu haben, wird auch gegen Manasse erhoben, ebenso der Vorwurf der Verehrung von „Götzen“ (2.Kön 21,11).[81] Hier fällt auf, daß nicht auf das eigentliche Verbrechen Ahabs, nämlich den Baalskult in Israel eingeführt zu haben (1.Kön 16,32; vgl. 2.Kön 21,3; 1.Kön 22,54; 2.Kön 3,2), rekurriert wird, sondern auf den Götzendienst der Urbevölkerung des Landes. Der Vergleich mit den Handlungen der Völker, „die Jahwe vor den Söhnen Israels vertrieben hat“, ist innerhalb der Königsbücher nur an jeweils exponierten Stellen zu finden: Bei Rehabeam, dem ersten König des Südreiches (1.Kön 14,24), bei Manasse, dem schlimmsten König von Juda (2.Kön 21,2; vgl. V.11), und in 2.Kön 17,8 in der deuteronomistischen Begründung für den Untergang des Nordreiches.
- Die Einleitung der Beurteilung „Keiner war wie Ahab“ erinnert an die deuteronomistischen Vorwürfe gegen Jerobeam und Omri, schlimmer als alle vor ihnen gewesen zu sein (1.Kön 14,9, 16,25; vgl. auch 14,22; 2.Kön 21,11). Sie findet sich in exakt der gleichen Formulierung allerdings nicht mehr im AT. Ein dem Vergleich Omris mit seinen Vorgängern genauer entsprechender Vergleich Ahabs mit dessen Vorgängern liegt allerdings bereits in 1.Kön 16,30b vor: Im Anschluß an die auf die Eingangsformel des Kö-

[79] Die unpersönlich gehaltenen Unheilsankündigungen, die sich explizit gegen das Haus Ahabs wenden (V.21b.24), sind nicht mit den unpersönlichen Beurteilungen Ahabs vergleichbar: Während die Sprechsituation es durchaus zuläßt, daß Ahab das Schicksal seines Hauses in unpersönlicher Weise formuliert („Haus Ahabs“) angekündigt wird, wird diese durch Reflexionen über Ahab in dessen Gegenwart gesprengt.

[80] So W.Thiel, *Redaktionsarbeit*, 160; vgl. G.Fohrer, *Elia*, 29; R.Bohlen, *Fall*, 303f.; S.Timm, *Dynastie*, 130; E.Würthwein, *Bücher II*, 252; A.F.Campbell, *Prophets*, 98 Anm. 82; W.M.Schniedewind, *History*, 654; B.Lehnart, *Prophet*, 231; H.-Chr.Schmitt, *Geschichtswerk*, 268ff.

[81] 2.Kön 21,11 ist Teil eines sekundär-deuteronomistischen Nachtrages innerhalb der deuteronomistischen Beurteilung Manasses (2.Kön 21,1-18); vgl. dazu Anm. 85.

nigsrahmens (16,23.29) folgende[82] Verurteilung der Könige, das Böse in den Augen Jahwes getan zu haben (16,25a.30a), folgt jeweils der Vergleich mit den Vorgängern: „schlimmer als alle, die vor ihm waren".[83] Die in ihrer Art singuläre Wiederholung des Vergleichs, die Ahabs schlechterdings einzigartige Stellung innerhalb der Geschichte des Nordreiches verglichen mit 1.Kön 16,30ff; 21,20bß-24 noch stärker herausstreicht, ist vermutlich ebenfalls ein Hinweis auf die – gegenüber 1.Kön 21,20-24.27-29 (und dem Königsrahmen) – sekundäre Natur der Verse 25-26.

Hier scheint ein zweiter deuteronomistischer Bearbeiter eine weit über den Horizont der Ahab-Jehu-Geschichte hinausgehende gesamtgeschichtliche Perspektive[84] zu eröffnen:

Zum einen stellt er dezidiert fest, daß Ahab nicht nur, wie auch Jerobeam (1.Kön 14,9) und Omri (16,25), schlimmer war, als „alle, die vor ihm waren" (16,30.33), sondern daß er den absoluten Tiefpunkt in der Geschichte der Nordreichkönige verkörpert (V.25): „Keiner war wie Ahab ...".

Die zahlreichen Bezüge zu 2.Kön 21 deuten darauf hin, daß allein Manasse, der in 2.Kön 21,3.13 explizit mit Ahab verglichen wird, in den Augen des Verfassers ein vergleichbares Ausmaß an Schlechtigkeit erreichte.[85]

Zudem wird der qualitative Unterschied zwischen Ahabs Sünden und der Sünde Jerobeams, in der seine Vorgänger und Nachfolger verharren, durch den Verweis auf das Handeln der Amoriter verdeutlicht: So zu handeln wie Ahab bedeutet einen Rückfall hinter alles, was die Existenz Israels ausmacht, in den „gottlosen" Zustand der Völker, die von Jahwe vertrieben wurden. So zu handeln wie die Völker, führt letztlich auch Israel in die Vertreibung (2.Kön 17,7-23).

Für Ahabs drastisches Fehlverhalten gibt es allerdings eine Erklärung, die in V.25 angeführt wird: Er wurde von seiner Frau Isebel dazu verführt (vgl. Dtn 13,7). Hier wird nun der Bogen nach vorne geschlagen, nämlich zu der Sünde, die die Reichsteilung zur Folge hatte: Auch Salomo führte, irregeleitet durch seine ausländischen Frauen, Fremdgötterkulte in Israel ein (1.Kön 11,1-13).

---

[82] Bei Omri ist eine Notiz über die Etablierung der Hauptstadt Samaria zwischengeschaltet (1.Kön 16,24).

[83] Die Stellung der vergleichenden Beurteilung bei Rehabeam ist äquivalent (1.Kön 14,21f.). Vgl. auch die positive Beurteilung Hiskias (2.Kön 18,5).

[84] Auch S.Timm, *Dynastie*, 130, macht darauf aufmerksam, daß es sich bei 1.Kön 21,25f. nicht um einen bloßen „Nachtrag" handelt, sondern um die „bewußte Arbeit einer übergreifenden Bearbeitung"; vgl. auch O.H.Steck, *Überlieferung*, 38 Anm.3. Die Tendenz zur Abstraktion vom konkreten „Fall Naboth" setzt sich auch hier fort und wird sogar noch verstärkt. Auch die Schuld Isebels wird jetzt ganz im kultischen Bereich gesehen und konkret benannt: Sie verführte Ahab zu seinem Tun.

[85] Da auch die Beurteilung Manasses (2.Kön 21,1-18) nachträglich in deuteromistischem Stil überarbeitet wurde (vgl. E.Würthwein, *Bücher II*, 439-443; N.Lohfink, *Rückblick*, 183f.) könnte man erwägen, den Bearbeiter, der 1.Kön 21 um die Verse 25f. ergänzte, mit dem sekundär-deuteronomistischen Bearbeiter von 2.Kön 21 gleichzusetzten (vgl. B.Lehnart, *Prophet*, 231). Dieser schuf mit dem Vergleich Manasses mit Ahab (21,3.13) ein gegenüber den üblichen deuteronomistischen Vergleichssystemen (Vergleich mit Jerobeam im Nordreich; Vergleich mit David im Südreich) neues Vergleichsmuster und verstärkte die in 2.Kön 21 postulierte Ähnlichkeit der „schlechten" Könige durch die Erhebung ähnlicher Vorwürfe (1.Kön 21,26 – 2.Kön 21,11).

Zusammenfassend soll im folgenden der Aufbau des durch die Deuteronomisten geschaffenen Abschlusses der Naboth-Erzählung (1.Kön 21,20bß-29) dargestellt werden:

20bßγ **Gerichtsbegründung**
„Weil du dich dazu hergegeben hast,
das Böse in den Augen Jahwes zu tun.“
21-22a **Unheilsankündigungen**
- gegen Ahab
21aα „Siehe ich bringe dir Böses!“
21aß „Und ich fege hinter dir aus.“
- gegen das Haus Ahabs
21b „Und ich werde von Ahab ausrotten, was an die Wand pißt,
alle ohne Ausnahme in Israel.“
22a „Und ich werde dein Haus dahingeben,
wie das Haus Jerobeams ben Nebat und wie das Haus Baesas ben Ahia!“
22b **Erneute Gerichtsbegründung**
„Wegen des Zorns, zu dem du gereizt hast,
als du Israel zur Sünde verführtest.“
23 **Gerichtswort gegen Isebel**
„Und auch über Isebel hat Jahwe gesprochen:
'Die Hunde sollen Isebel fressen auf dem Acker von Jesreel!'“
24 **Unheilsankündigung gegen das Haus Ahabs**
„Wer von Ahab in der Stadt stirbt, den sollen die Hunde fressen,
und wer auf dem Feld stirbt, den sollen die Vögel des Himmels fressen.“

25 **Abschließende Beurteilung Ahabs** (sekundär-deuteronomistisch)
„Nicht einen gab es wie Ahab, der sich dazu hergegeben hat,
das Böse in den Augen Jahwes zu tun,
wozu ihn Isebel, seine Frau, verführte.“
26 „Er handelte ganz abscheulich,
indem er hinter den Götzenbildern herlief,
wie es die Amoriter getan hatten,
die Jahwe vor den Söhnen Israels vertrieben hatte.“

27 **Reue Ahabs**
„Als Ahab diese Worte hörte, da zerriß er seine Kleider,
legte einen Trauerschurz auf seinen Leib und fastete.
Er legte sich in dem Trauerschurz nieder und ging bedrückt umher.“
28 **Wortergehen**
„Da erging das Wort Jahwes an Elia, den Thisbiter:“
29 **Gerichtsaufschub**
„Hast du gesehen, daß sich Ahab vor mir gedemütigt hat?
Weil er sich vor mir gedemütigt hat,
werde ich das Böse nicht in seinen Tagen kommen lassen,
in den Tagen seines Sohnes werde ich das Böse
über sein Haus kommen lassen.“

2.4 Die literarische Gestalt der vordeuteronomistischen Naboth-Erzählung[86]

Die Entstehung von 1.Kön 21,20bß-27 wurde oben auf deuteronomistische Autoren zurückgeführt. Aus den vorangehenden Betrachtungen hatte sich ebenfalls ergeben, daß das Wort gegen Ahab (V.19b) samt szenischer Einkleidung (21,17-20bα) den Deuteronomisten bereits vorgelegen hatte. Fügten nun die Deuteronomisten die Szene von der Beauftragung Elias durch Jahwe und seiner Begegnung mit Ahab (21,17-20bα) mit einer ihnen gleichfalls vorgegebenen Naboth-Erzählung (21,1-16*)[87] zu einem Ganzen zusammen,[88] oder fanden sie den Zusammenhang bereits gegeben vor und knüpften daran mit ihrer Gerichtsrede an?[89]

Die literarische Zugehörigkeit des Abschnittes 1.Kön 21,17-20bα zu 21,1-16 wird häufig bestritten und 21,1-16 als abgeschlossene Einheit anzusehen.[90] Zwar lassen sich feinere Differenzen zwischen den beiden Abschnitten aufzeigen,[91] was auf die Notwendigkeit ei-

---

86 Die Erzählung von Naboths Weinberg wurde bereits vielfach gewürdigt; vgl. nur K.Baltzer, *Naboths*; O.H.Steck, *Überlieferung*, 32ff; P.Welten, *Naboths*; H.Seebass, *Fall*; E.Würthwein, *Naboth-Novelle*; G.Hentschel, *Elijaerzählungen*, 14ff.; R.Bohlen, *Fall*; S.Timm, *Dynastie*, 111ff.; H.Schmoldt, *Botschaft*; M.Oeming, *Naboth*; A.Rofé, *Vineyard*; R.Albertz, *Macht*; M.White, *Naboth's*; F.Crüsemann, *Elia*, 90-100; zur Forschungsgeschichte siehe R.Bohlen, *Fall*, 13-42 und R.Martin-Achard, *Vigne*. Immer noch strittig und für die vorliegende Arbeit relevant ist die Frage der Abgrenzung der vordeuteronomistischen Naboth-Erzählung und die Bestimmung des überlieferungsgeschichtlichen Verhältnisses von 1.Kön 21,17-20 zu 2.Kön 9,25f. Diese Punkte sollen daher im folgenden erörtert werden, während auf eine Analyse von 1.Kön 21,1-16 (siehe Anm. 87) und eine Interpretation der Naboth-Erzählung (siehe dazu P.Welten, *Naboths*; R.Bohlen, *Fall*; S.Timm, *Dynastie*, 111ff.; H.Schmoldt, *Botschaft*; M.Oeming, *Naboth*; R.Albertz, *Macht*) verzichtet wird.

87 Da in V.1aß-16 keine Spuren einer deuteronomistischen Bearbeitung vorhanden sind (vgl. nur R.Bohlen, *Fall*, 44-71 und E.Würthwein, *Bücher II*, 245-251), – nur V.1aα ist als redaktionelle Überleitung anzusehen (siehe dazu S.160 Anm. 54) – wird hier, mögliche Wachstumsstufen außer acht lassend, 21,1aß-16 als vordeuteronomistische Einheit aufgefaßt.

88 R.Bohlen, *Fall*, 319, erwägt beispielsweise ob 21,1-16 durch DtrP mit 21,17-20* verbunden wurde.

89 Mit 1.Kön 21,1-20bα als literarischem Grundbestand der Naboth-Erzählung rechnet P.Welten, *Naboths*, 26f.; A.Rofé, *Vineyard*, 89-95; R.Albertz, *Religionsgeschichte*, 236-238 sowie W.Thiel, *Todesrechtsprozeß*, 74; vgl. G.Hentschel, *Elijaerzählungen*, 14-43 und M.Oeming, *Naboth*, 364-367, die allerdings V.1-16 und V.17-20bα unterschiedlichen Überlieferungsschichten zuweisen. Einen über V.16 hinausgehenden Grundbestand nehmen auch H.Seebass, *Fall*, 483f. (21,1-20abα.23.27-29a); H.Schmoldt, *Botschaft*, 39-52 (21,1-19aα(ß).21.24); A.F.Campbell, *Prophets*, 35f.96-98 (21,1-7a.8.11a.14-19a.21-22a*.24); F.Crüsemann, *Elia*, 91f. (21,1-19) und M.White, *Naboth's*, 66ff. (21,1-16.21.27-29) an.

90 O.H.Steck, *Überlieferung*, 40ff.; E.Würthwein, *Naboth-Novelle*, 375ff.; ders., *Bücher II*, 247-251; R.Bohlen, *Fall*, 71ff.; S.Timm, *Dynastie*, 117f.; R.Smend, *Elijah*, 39ff.; S.L.McKenzie, *Trouble*, 67; B.Lehnart, *Prophet*, 227f.; V.Fritz, *Das erste Buch*, 187ff; M.Beck, *Elia*, 52-54; dagegen mit Recht zuletzt W.Thiel, *Todesrechtsprozeß*, 74.

91
- Während Ahab in V.18 als „König von Israel, der in Samaria ist" bezeichnet wird, so ist in V.1 vom „König von Samaria" die Rede (vgl. B.D.Napier, *Omrides*, 366-378; R.Bohlen, *Fall*, 72; S.Timm, *Dynastie*, 126f.; B.Lehnart, *Prophet*, 227).
  Wenn allerdings in V.1 nicht ein Titel, sondern eine Ortsbestimmung im Sinne von „der König in Samaria" als Gegensatz zu Naboth, „dem aus Jesreel", intendiert ist, entfiele der Widerspruch zwischen V.1 und V.18. Dann drückte V.1 aus, was in V.18 aufgeschlüsselt ist: Ahab ist der König von Israel (vgl. V.7) in Samaria. Der in 1.Kön 21 geschilderte Konflikt zwischen Ahab und Naboth wäre nach dieser Interpretation auf zwei Ebenen angesiedelt: Vordergründig geht es um den Konflikt zwischen König und Bürger, hintergründig schwingt aber auch der Konflikt zwischen Metropole (Samaria) und Peripherie (Jesreel) mit. Vgl. auch J.A.Todd, *Elijah*, 7-11.32-35.
- In V.17-20 geht es um die Schuld Ahabs, während in V.1-16 Isebel und andere als Mitschuldige identifiziert werden (vgl. O.H.Steck, *Überlieferung*, 41f.; S.Timm, *Dynastie*, 128; R.Bohlen, *Fall*, 73; B.Lehnart, *Prophet*, 227).

ner überlieferungsgeschichtlichen Scheidung hindeutet;[92] ein sprachlicher oder sachlicher Bruch, der zu einer literarkritischen Operation Anlaß geben könnte, liegt jedoch nicht vor:

Nach Ansicht Würthweins ist die „Novelle" mit der Inbesitznahme des zuvor verweigerten Weinbergs durch Ahab abgerundet.[93] Dies ist aber gerade nicht der Fall: In V.16 wird be-

---

Hier liegt zwar tatsächlich eine Differenz in der Darstellung, aber kein Widerspruch vor: Es ist gerade die Leistung von V.17-20*, die Schuld gegenüber der verwirrenden Schuldgeschichte in V.1-16 wieder auf den ursprünglich Schuldigen, nämlich Ahab, zurückzuführen. Gerade durch die Kombination von verwickelter Schuldanhäufung in V.1-16, angesichts derer der Hörer/Leser empört aber hilflos verstummt, und dem Spruch (V.19), der für ein klar umrissenes Verbrechen eine konkrete Strafe ankündigt, ergibt sich ein für den an der strukturellen Gewalt Verzweifelnden hilfreiches Konzept: Das für „kleine Leute" ohne Rechtskenntnisse Unbenennbare wird namhaft gemacht, die Schuld auf einen Nenner gebracht, indem gesagt wird, daß das, was in V.1-16 geschildert wird, nichts anderes ist als Raub und Mord. So groß die (Mit-)Schuld Isebels auch sein mag (vgl. B.Lehnart, a.a.O. 227), Ahab ist sowohl persönlich als auch als König von Israel für die Untat verantwortlich: Durch sein persönliches Verhalten (V.4-6) setzt er das Geschehen in Gang, an dessen Ende sein (vermeintlicher) Profit steht (V.16); als König von Israel (V.7!) läßt er zu, daß in Israel nicht Recht, sondern Unrecht regiert.

- Nach 21,1-16 wird Naboth gesteinigt, nach V.19 fließt bei seiner Ermordung Blut (vgl. S.Timm, *Dynastie*, 128).
  Daß auch bei einer Steinigung Blut fließt, ist allerdings nicht auszuschließen. Vermutlich entstehen zumindest Wunden, an denen Hunde lecken können. Zu Hunden, die an Wunden lecken, vgl. Lk 16,21.

Eine wesentliche Differenz zwischen V.1-16 und V.19b bleibt allerdings zu berücksichtigen:

- Die in V.19b erwähnten Hunde kommen in V.1-16 nicht vor (vgl. dazu S.Timm, *Dynastie*, 128; O.H.Steck, *Überlieferung*, 41f.).

[92] Eine überlieferungsgeschichtliche Scheidung nehmen M.Oeming, *Naboth*, 366ff. und G.Hentschel, *Elijaerzählungen*, 14-43, vor. Aufgrund des Fehlens (V.1-16) bzw. Vorkommens (V.19b) des „Hunde-Motivs" ist eine überlieferungsgeschichtliche Scheidung zwischen der Schilderung des Tatherganges, die V.1-16 zugrundeliegt, und dem Spruch gegen Ahab (V.19b) zumindest erwägenswert: Das Motiv der blutleckenden Hunde kann kaum aus der Schilderung des Naboth-Mordes eruiert worden sein. Wenn aber – umgekehrt – die Schilderung des Tatherganges auf das vorhandene Wort hin erfolgt wäre, müßte man erwarten, daß das Motiv von den blutleckenden Hunden wenigstens andeutungsweise Verwendung gefunden hätte. Durch die Annahme, in 1.Kön 21,1aß-20bα seien zwei ursprünglich getrennt überlieferte (mündliche) Traditionen (21,1aß-16; 21,19b) zu einer Erzählung (21,1aß-20bα) verschmolzen worden, lassen sich auch die oben (Anm. 91) aufgeführten leichten Unstimmigkeiten hinsichtlich der Vorstellung über den Mord an Naboth erklären.
Nach M.Oeming, *Naboth*, 378-380, hat die „*Naboth-Novelle*" (21,1-16) einen weisheitlichen Hintergrund; in der „lebensweisheitlich-skeptischen" Erzählung werde „am Exempel des Falles Naboths das Thema Macht ›narrativ durchdacht‹" (a.a.O. 380). Die Erzähl-Tradition in V.1-16 ist meines Erachtens jedoch nicht auf einer derart abstrakten Ebene anzusiedeln: Wohl werden hier, vom konkreten „Fall Naboth" abstrahierend, grundlegende Unrechts- und Machtstrukturen aufgedeckt, es geht dabei aber um das Machtgebaren einer ganz bestimmten Art von Königtum, das durch Isebel repräsentierte absolutistische omridische Königtum (V.7). Auch bleibt die Erzählung nicht beim bloßen Aufdecken der Verhältnisse stehen, sondern fordert durch die Art ihrer Darstellung den Hörer/Leser dazu auf, Partei zu beziehen, sich in das Schema „auf seinen Rechten bestehender Bürger" – „korrumpierbare Obrigkeit" einzuordnen und zu erkennen, daß unter den Bedingungen eines omridischen Königtums das Recht des Bürgers keine Chance hat. Gegenüber dem Prophetenspruch gegen Ahab (V.19b), der wohl noch zu Ahabs Lebzeiten entand (siehe S.125f.), zeichnet sich die Erzählung allerdings durch einen höheren Abstraktionsgrad aus, sie ist wohl nicht mehr zur Zeit Ahabs, sondern erst in einigem Abstand zu den hier berichteten Ereignissen entstanden (vgl. W.Thiel, Ursprung, 36). Die sich gegen den omridischen Absolutismus richtende Intention der Erzählung macht eine Entstehung in Zeit der gegen pro-omridische Einflüsse kämpfenden Jehu-Dynastie wahrscheinlich. Wegen des Aufgreifens des „Falles Naboth" kann eine Entstehung in der Zeit Jerobeams II. erwogen werden: In dieser Zeit griffen auch die ersten Bearbeiter der Erzählung von der Jehu-Revolution (Naboth-Bearbeitung, siehe S.111-113) das Thema auf, der „Fall Naboth" scheint ein „gängiges Argument" in der Regierungszeit Jerobeams II. gewesen zu sein.

[93] E.Würthwein, *Bücher II*, 251; vgl.R.Bohlen, *Fall*, 71; B.Lehnart, *Prophet*, 228.

richtet, wie Ahab sich aufmacht, um zum Weinberg hinab zu gehen und ihn in Besitz zu nehmen (zwei Infinitive)[94] und nicht, daß er es gerade tut. Damit wird beim Leser/Hörer, der sich über das berichtete Unrecht empört, doch gerade die Hoffnung geweckt, daß Ahab an seiner Absicht gehindert wird, daß die bösen Pläne Isebels nicht auch noch zum Erfolg führen.[95] Und genau das Erhoffte scheint einzutreffen, wenn Ahab bei seinem Vorhaben von Elia ertappt wird (V.20).[96] Möglicherweise ist auch die Frage Ahabs „Hast du mich gefunden, mein Feind?" in diesem Licht besser zu deuten: Ahab wird von Elia bei der Inbesitznahme des ersehnten Weinbergs gestört, darum ist Elia sein „Feind/Widersacher".[97] Er, der nicht bei seinem Tun angetroffen werden wollte, wird doch gefunden und – sozusagen in letzter Minute – überführt: Der Erfolg der bösen Tat wird verhindert.[98]

Insofern ist auch das für die Trennung von 21,1-16 und V.17-20bα vorgebrachte Argument, Elias plötzliches Auftreten (V.17) sei von V.1-16 nicht vorbereitet und geschehe völlig unerwartet,[99] hinfällig: Die Handlung wird bis zu einem Punkt geführt, an dem sich das Böse fast schon etabliert hat – Ahab macht sich auf, den Weinberg in Besitz zu nehmen (V.16). Bis zu diesem Punkt hat der Hörer/Leser mitgefiebert, vernommen wie Untat an Untat gereiht wird, um das Unrecht in Kraft zu setzen. Hier ist nun die letzte Möglichkeit für eine Wendung in der Geschichte gekommen, hier liegt auch die größte Spannung in der Erzählung.[100] Diese löst sich auf durch das – fast schon zu späte – Eingreifen Jahwes (V.17ff.).

Auch ein stilistischer Abfall zwischen den Versen 1-16 und 17ff., der ins Feld geführt wird, um den Abschluß der „Novelle" mit V.16 zu begründen,[101] ist so pauschal postuliert nicht zu beobachten: Zwar werden auch im Abschnitt 21,17-20bα einige „Formeln" (Wortergehensformel [V.17]; Redeauftrag und Botenformel [V.19]) verwandt, diese haben jedoch aufgrund der vorausgesetzten Situation (Rede Jahwes zu Elia) ihre Funktion und

94 Auch nach R.Bohlen, *Fall*, der die Funktion der Infinitive in der von ihm herausgearbeiteten „kleinen Einheit" untersucht, verweisen die Infinitive (לרדת, לרשתו) in V.16 auf eine „von einer Person intendierte, in der Zukunft liegende Handlung" (a.a.O. 141).

95 So auch M.Oeming, *Naboth*, 365.

96 Vgl. V.18: Auch hier wird davon ausgegangen, daß Ahab den Weinberg noch nicht (endgültig) in Besitz genommen hat (לרשתו): er scheint vielmehr noch dabei zu sein.

97 Die Bezeichnung Elias als „Feind" Ahabs ist also aus dem Kontext zu verstehen und muß nicht „in Hinblick auf 18,41ff. als späte Überlieferungsstufe" (S.Timm, *Dynastie*, 129) identifiziert werden.

98 Anders S.Timm, *Dynastie*, 117: „Keiner der nachfolgenden Verse (V.17ff.) berichtet, daß Naboths Recht wieder in Kraft gesetzt wurde. Auch eine Ahndung des Unrechts an Ahab oder Isebel wird nicht berichtet". Allerdings wird Ahab bei seinem Tun empfindlich gestört, wie seine Frage in V.20α zeigt: Er kommt nicht zum erhofften Erfolg und wird vielmehr – nach V.18f. – mit einem äußerst bedrohlichen Jahwespruch belegt werden. Ob und wie die Erzählung weitergeht, erfährt man leider nicht, da diese mit V.20bα abzubrechen scheint. Zudem ist Naboth tot. Darum geht es zunächst. Natürlich könnte berichtet werden, wie seine Familie den Weinberg wiedererhält oder wie er rehabilitiert wird. Dies würde allerdings die Härte der Anklage „Du hast gemordet und auch in Besitz genommen" aufweichen und vom Mord an Naboth, den es mit dem Tod des Schuldigen zu sühnen gilt, ablenken.

99 R.Bohlen, *Fall*, 71.

100 Auffällig ist, daß die Erzählung nur dieses Spannungsmoment hat, was ebenfalls gegen ein Erzählende in V.16 spricht: Alles, was geschieht (V.1-16), wird äußerst lapidar geschildert; gerade durch die genaue Entsprechung von Befehl und Ausführung im ersten Teil (vgl. V.9-10 mit V.11-13) und die dezidierte Vorhersage Isebels, was sie zu tun beabsichtigt (V.7), wird dem Geschehen jede Spannung genommen, es wird als geradezu zwangsläufig dargestellt. Die Erzählung aber lebt von der Hoffnung des Hörers/Lesers auf die Durchbrechung ebendieses Zwanges.

101 E.Würthwein, *Bücher II*, 247; S.Timm, *Dynastie*, 126.

nehmen dem Geschehen nicht seinen Schwung: Der von Jahwe ausgesandte Elia (V.17-19) trifft auf den sich ertappt fühlenden Ahab, es kommt zu einem scharfen Wortwechsel,[102] von dem vermutlich nur noch der Anfang erhalten ist (V.21abα). Der tatsächliche stilistische Abfall von der Erzählung zu einem Aneinanderreihen von Formeln erfolgt erst ab V.20bß, wo der Dialog zwischen Ahab und Elia zu einer Gerichtsrede Elias an Ahab umfunktioniert wird.

Weiterhin sind die Verse 21,17-20bα literarkritisch auch deshalb nicht von V.1-16 zu trennen, weil sie nicht nur motivlich, sondern auch terminologisch eng mit V.1-16 verknüpft sind:

- ירשׁ beherrscht als Schlüsselbegriff den gesamten Schlußteil: Die Wurzel findet sich je einmal in V.15.16.18.19.[103]
- Den Impuls zu beiden entscheidenden Schlußhandlungen (Versuchte Inbesitznahme [V.15-16] – Elias/Jahwes Intervention [V.17-19]) geben zwei Aufforderungen an Ahab bzw. Elia, die jeweils durch zwei Imperative gebildet werden: „Auf (קוּם), nimm in Besitz!" (V.15) – „Auf (קוּם), steige hinab!" (V.18).
- V.18b nimmt den Vorgang aus V.16 – Ahab steigt hinab (ירד), um den Weinberg in Besitz zu nehmen, – wieder auf. Bei diesem entscheidenden Vorgang soll er durch das Hinabsteigen (ירד) Elias gestört werden (V.18a).

Die gesuchte vordeuteronomistische Naboth-Erzählung besteht also aus den eine literarische Einheit bildenden Versen 21,1aß-20bα. Ihr ursprüngliches Ende, wenn sie denn eines hatte, ist durch die Anfügung der deuteronomistischen Gerichtsrede weggebrochen. Es ist aber auch ein offenes Ende, das heißt ein Abschluß der Erzählung mit der erschreckten Frage Ahabs in V.20, denkbar.

Innerhalb des Abschnittes 21,17-20bα bereitet V.19, obwohl er im Zusammenhang fest verankert ist,[104] einige Probleme: Die Gerichtsankündigung gegen Ahab (V.19b) ist Bestandteil eines Gerichtswortes, bestehend aus Anklage: „Du hast gemordet und auch in Besitz genommen" (19aß) und Unheilsankündigung: „An dem Ort, an dem die Hunde das Blut Naboths leckten, werden die Hunde auch dein Blut lecken!" (V.19bßγ). Beide Teile des Gerichtswortes werden mit Redeauftrag „Und du sollst zu ihm sagen" und Botenformel eingeleitet (V.19aα/bα). Dies führt in der Forschung vielfach dazu, daß der eine (19a)[105] oder andere Versteil (V.19b)[106] als gegenüber dem jeweils anderen sekundäre Ergänzung

---

[102] Auch E.Würthwein, *Bücher II*, 247, bezeichnet den Dialog als wesentliches Gestaltungsmittel der „Naboth-Novelle". Daß auch im Abschnitt 21,17-20 ein Dialog im Zentrum der Aufmerksamkeit des Lesers/Hörers steht, beachtet er nicht, da er V.20 literarkritisch streicht und so natürlich zu einem Abschnitt gelangt, in dem – im Gegensatz zu V.1-16 – nur Gottesrede vorkommt.

[103] Dies ist sehr auffällig, denn ירשׁ (qal) kommt in den Königsbüchern sonst nur noch in 2.Kön 17,24 vor.

[104] Nach V.18 ist ein Gerichtswort gegen Ahab zu erwarten, dieses erwartet auch der erschreckte Ahab von Elia zu hören (V.20). V.19 ist darüber hinaus über ירשׁ mit V.15.16.18 verknüpft.

[105] So E.Würthwein, *Naboth-Novelle*, 381, 1978: V.19a ist gegenüber V.19b sekundär (spätdeuteronomistisch).

[106] E.Würthwein, *Bücher II*, 247.252, 1984: V.19a gehört zur Schrift von DtrP, V.19b ist nachdeuteronomistisch eingefügt; ähnlich B.Lehnart, *Prophet*, 229-231: V.19a geht auf die erste deuteronomistische Redaktion zurück, V.19b wurde nachträglich ergänzt. Vgl. auch W.Dietrich, *Prophetie*, 27f.48ff.; G.H.Jones, *Kings*, 358; S.L.McKenzie, *Trouble*, 67. H.Schmoldt, *Botschaft*, 43, hält V.19b wohl für alt, dennoch sei

gewertet wird.[107] Dagegen löst W.Thiel[108] das Problem der doppelten Einleitung durch die Annahme eines Textfehlers.

Von der oben erwogenen überlieferungsgeschichtlichen Scheidung zwischen Schilderung des Tatherganges (V.1aß-16) und Unheilsankündigung (V.19b)[109] her legt sich jedoch eine dritte Lösung nahe: Die doppelte Einführung des Gerichtsworts kann auf die Verwendung eines ursprünglich frei umlaufenden Prophetenwortes (V.19bßγ) zurückgeführt werden,[110] das auch nach seiner Integration in die Erzählung seine Kennzeichnung als Gotteswort (V.19bα) beibehielt. Die neu – weil passend[111] – formulierte Anklage (V.19aß) wurde dann, unter Aufnahme der Formulierung aus V.19b, ebenfalls als Gotteswort eingeführt (V.19aα).

Für eine zunächst unabhängige Existenz des Prophetenwortes in V.19b spricht darüber hinaus folgendes: In den vorhergehenden Betrachtungen wurde bereits darauf hingewiesen, daß der Spruch gegen Ahab noch zu dessen Lebzeiten entstanden sein muß, da er nicht erfüllt wurde.[112] Die Verse 21,17-19a.20abα, die den Spruch mit der andersartigen, 1.Kön 21,1aß-16 zugrundeliegenden Tradition über den Justizmord an Naboth[113] zu einer Erzählung (21,1aß-20bα) verschmelzen, sind aber aller Wahrscheinlichkeit nach wesentlich jünger: In Kapitel II.2.2 war festgestellt worden, daß die Naboth-Bearbeitung (2.Kön 9,21*.25f.) im Unterschied zu 1.Kön 21,17-19a.20bα die Verbindung des „Falles Naboth" mit Elia nicht kannte. Auch die Unheilsankündigung in V.19b läßt, für sich genommen, keine Rückschlüsse auf den übermittelnden Propheten zu. Wegen des wahrscheinlicheren Übergangs einer Tradition vom anonymen zum bekannten Propheten,[114] spricht dies dafür, daß die Verse 21,17-19a.20bα und damit die Naboth-Erzählung (21,1aß-20bα) jünger sind als der zur Zeit Ahabs entstandene Prophetenspruch V.19b. Sie sind ebenfalls jünger als die zur Zeit Jerobeams II. entstandene Naboth-Bearbeitung.[115] Da aber nichts für eine Abfassung der Naboth-Erzählung im Südreich spricht, ist es sinnvoll, eine Entstehung noch in der Zeit des ausgehenden Nordreichs, in Anbetracht der antiomridischen Tendenz der Er-

---

dieser Spruch erst nachträglich in den Zusammenhang von 21,1-16.17-19aα(ß).21.24 eingefügt worden. Für diese Einfügung gibt es allerdings keinen ersichtlichen Grund.

[107] Als weiteres Argument für die Trennung von Anklage und Unheilsankündigung führt E.Würthwein, *Naboth-Novelle*, 381, an, sie seien „inhaltlich nicht so aufeinander abgestimmt, wie das zu erwarten wäre, wenn beide von *einem* Verfasser formuliert worden wären". Dies scheint aber zum einen für ein prophetisches Gerichtswort nicht zwingend zu sein (vgl. 2.Kön 1,3f.6.16), zum anderen ist die Übereinstimmung zwischen Anklage und Ankündigung nach der Rekonstruktion Würthweins, *Bücher II*, 246, nach der V.19a.21.22 das Gerichtswort bilden, auch nicht größer.

[108] W.Thiel, *Redaktionsarbeit*, 161.

[109] Siehe oben S.138f.

[110] Siehe dazu auch R.Albertz, *Religionsgeschichte*, 237 Anm. 46.

[111] Vgl. nur die neuerliche Verwendung von ירש!

[112] Siehe oben S.125f.

[113] Siehe oben S.138f.

[114] Daß der – spätere – Erfüllungsvermerk des Spruchs gegen Ahab (1.Kön 22,38) ebenfalls nicht erwähnt, daß es sich um einen Spruch Elias handelt, ist kein Gegenargument (anders W.Thiel, *Ursprung*, 35), denn in 1.Kön 22,38 geht es dem Ergänzer darum zu zeigen, daß sich sowohl das durch Elia ausgerichtete Wort Jahwes als auch das durch Micha ben Jimla ergangene (22,17.27) erfüllt hat. Durch den Verzicht einer Zuweisung des Jahweswortes zu einem bestimmten Propheten kann er diesen Eindruck beim Leser/Hörer erwecken. Siehe auch S.207f.

[115] Vgl. R.Bohlen, *Fall*, 318f.

zählung sogar noch in der letzten Zeit der Jehuiden, anzunehmen.[116] Wenn aber der Spruch gegen Ahab (V.19b) erst etwa ein Jahrhundert nach seiner Entstehung mit der Naboth-Tradition zu einer Erzählung verknüpft wurde, so muß er während dieser Zeitspanne als unabhängiger Prophetenspruch tradiert worden sein.

Eine ähnliche Überlegung war ebenfalls für 2.Kön 9,26a angestellt worden,[117] was aber bedeutet, daß zur Zeit Ahabs zwei Prophetenworte bezüglich des „Falles Naboth" entstanden sind oder daß beide auf eine gemeinsame Urform zurückgehen. Für eine überlieferungsgeschichtliche Nähe[118] zwischen beiden Sprüchen spricht ihr gemeinsamer „Nenner", der größer ist als die zwischen ihnen bestehenden Unterschiede:

- Nach dem Tode Naboths ergeht eine anonyme Gerichtsankündigung gegen Ahab.
- Der Todesort Naboths soll auch der Todesort Ahabs sein.
- An diesem Ort ist das Blut Naboths vergossen worden.

Die sprachlichen und inhaltlichen Unterschiede zwischen beiden Sprüchen – nach 1.Kön 21,19b geht es allein um das Blut Naboths, in 2.Kön 9,26a auch um das seiner Söhne, nach 1.Kön 21,19b lecken die Hunde das Blut Naboths und des Übeltäters, während nach 2.Kön 9,26a das Blut lediglich vergossen wird – lassen jedoch keine gemeinsame Ursprungsform erkennen. Es scheinen sich um den einen „Fall Naboth" also tatsächlich verschiedene, voneinander unabhängige Traditionen gerankt zu haben.[119] Während das eine Prophetenwort (9,26a) von der Naboth-Bearbeitung verwandt und in 2.Kön 9/10 eingefügt wurde, so wurde das andere (1.Kön 21,19b) mit einer dritten Naboth-Tradition (21,1aß-16) unter Einbeziehung der Mittlerrolle Elias zu einer Naboth-Erzählung (1.Kön 21,1aß-20bα) verarbeitet, die in keiner Weise – weder in V.1aß-16, noch in den neu geschaffenen Versen 17-19a.20abα – einen Kontakt zu 2.Kön 9/10 erkennen läßt. Beide Traditionswege (2.Kön 9,26a – 2.Kön 9/10* – 2.Kön 9,21*.25f. // 1.Kön 21,19b – 1.Kön 21,1aß-16* – 1.Kön 21,1aß-20bα) verliefen auf diese Weise voneinander unabhängig, bis sie durch die Deuteronomisten miteinander in Kontakt gebracht wurden.

---

[116] In dieser Zeit wurde, wie noch dargelegt werden wird, Elia mit Elisa in Verbindung gebracht (siehe S.236f.), um Elisa, der wegen seiner Beteiligung an der Jehu-Revolution in Kritik geriet, aufzuwerten. Möglicherweise ist auch die Verknüpfung des „Falles Naboth", der ja von den Apologeten der Jehu-Dynastie zur Rechtfertigung Jehus herangezogen wurde (2.Kön 9,21*.25f.), mit Elia im Lichte dieser Bemühungen zu sehen: Daß der untadelige Elia Ahab Unheil angesagt hat, legitimiert das Vorgehen all derer, die an der Jehu-Revolution beteiligt waren. Zu Datierung und Überlieferungsträgern von 1.Kön 21,1aß-20bα siehe auch S.139 Anm. 92.

[117] Wo ebenfalls die Integration eines vorgegebenen Spruchs in einen neu geschaffenen Zusammenhang zu einer doppelten Markierung des Spruchs als Jahwe-Wort führte. Siehe oben S.60.

[118] Vgl. R.Bohlen, *Fall*, 290.

[119] So auch W.Thiel, *Todesrechtsprozeß*, 76.

3 Die Befragung des Baal von Ekron

3.1 Die Zugehörigkeit der Erzählung zum DtrG

Bei der Darstellung der Geschichte Ahabs sahen sich die Deuteronomisten durch die ihnen mit 2.Kön 9,21*.25f. vorgegebene Verbindung des „Falles Naboth“ mit der Jehu-Revolution[120] genötigt, ihre – sich in 2.Kön 9/10 erfüllenden – Unheilsankündigungen gegen das Haus Ahabs und Isebel (1.Kön 21,20bßff.) mit einer Erzählung über ein soziales Vergehen Ahabs (1.Kön 21) zu verknüpfen. Den Bezug auf das ihrer Ansicht nach eigentliche Verbrechen Ahabs – die durch die Heirat mit Isebel forcierte Einführung des Baalskultes in Israel – konnten sie lediglich über die von ihnen geschaffene logische Verbindung von 1.Kön 21,20ff. mit 1.Kön 16,29-33[121] herstellen. Demgegenüber lag ihnen mit der Erzählung von der Befragung des Baal von Ekron (2.Kön 1,2-17aα*) eine ideale Illustration der Verworfenheit des Nachfolgers Ahabs (vgl. 1.Kön 22,52-54) vor: Mit seiner geplanten Baalsbefragung ignoriert Ahasja[122] – wie zuvor sein Vater Ahab durch die Einführung des Baal nach Israel –, daß Jahwe Gott in Israel (2.Kön 1,3.6.16) und daß damit für Baalsverehrung und Baalsbefragung in Israel kein Platz ist. Wie Ahab, so wird auch Ahasja bei der Ausführung seines Verbrechens durch Elia, den Thisbiter, gestört (1.Kön 21,17ff.; 2.Kön 1,2-17aα*). Dieser zeigt ihm – im Auftrag Jahwes – sein Vergehen auf und kündigt seine Strafe an. Anders als bei Ahab, der seine Sünden bereut und so seiner Strafe entgeht (1.Kön 21,27-29), wird bei Ahasja der Wunsch nach der Befragung des Baal von Ekron sofort geahndet: Ahasja stirbt gemäß der Unheilsankündigung Elias an seiner Krankheit (2.Kön 1,17aα_1).

Die Erzählung von der Befragung des Baal von Ekron paßt sich also hervorragend in die von den Deuteronomisten gestaltete Geschichte des Baalskultes in Israel ein. Zum einen bestätigt sie die bis Jehu andauernde Baalsverehrung in Israel (2.Kön 10,28), die nach Darstellung der Deuteronomisten durch das Haus Ahabs unter der Ägide Isebels betrieben wurde (1.Kön 16,29ff.; 22,52-54; 2.Kön 3,1-3); zum anderen zeigt sie drastisch auf, daß allein der Wunsch nach Baalsbefragung ins Verderben führt. Weiterhin bestätigt sie die von den Deuteronomisten in 1.Kön 21,20bßff.; 2.Kön 9,36; 10,10.17 betont herausgearbeitete Rolle Elias als Antagonist des Hauses Ahabs, der diesem im Auftrag Jahwes Unheil ankündigt, welches sich im Laufe der Geschichte erfüllt.[123]

---

[120] Siehe S.55-64.

[121] Siehe S.133-135.

[122] Die Ursprünglichkeit des Namens Ahasja wird in Folge der diesbezüglichen Überlegungen M.Noths, *Studien*, 83, von W.Dietrich, *Prophetie*, 125 und E.Würthwein, *Bücher II*, 268, bezweifelt; wofür aber, außer daß der Name Ahasja nur einmal (V.2) in der ursprünglichen Erzählung (V.2.5-8.17aα_1, siehe S.147-149) vorkommt, kein Argument beigebracht werden kann. Innerhalb der kurzen Anekdote, die mit Namen ohnehin sehr sparsam umgeht, gibt die nur einmalige Erwähnung des Königsnamens jedoch keinen Anlaß zu Zweifeln an dessen Ursprünglichkeit: Ahasja wird in V.2 namentlich eingeführt, im Verlauf der Erzählung wird er nur als „er“ bezeichnet. Die Boten (V.2.5) werden nicht namentlich benannt, Elia nur zweimal, wie der König an jeweils exponierter Stelle (V.8: Erkenntnis des Königs, daß es sich bei dem Mann, der ihm Unheil ansagte, um Elia handelt; V.17aα_1: Konstatierung der Erfüllung des Wortes Elias).

[123] Die Erzählung von der Befragung des Baal von Ekron ist geradezu ein Musterbeispiel für das (deuteronomistische) Schema von Ankündigung und Erfüllung (V.4.6.16 – V.17aα_1). Dieses ist hier allerdings nicht erst deuteronomistisch eingetragen, könnte vielmehr ein Vorbild für deuteronomistisches Vorgehen geliefert haben. Siehe S.147 Anm. 137.

Angesichts des oben Ausgeführten erstaunt es, daß seit W.Dietrich[124], der 2.Kön 1,2-17aα* zu den erst von DtrP aufgenommenen Erzählungen rechnet,[125] die Zugehörigkeit der Erzählung von der Befragung des Baal von Ekron zur DtrG-Grundschrift von einigen Forschern mit z.T. recht dürftigen Argumenten bestritten wird. Nach E.Würthwein[126] ist die Grunderzählung von 2.Kön 1, weil hier Elia als „Kämpfer für das 'Jahwe allein'" auftrete, erst in nachdeuteronomistischer Zeit entstanden und demgemäß als nachdeuteronomistische Erweiterung des DtrG aufzufassen.[127] Auch S.L.McKenzie[128] rechnet 2.Kön 1 – vor allem aufgrund der Überlegungen A.Rofés[129] – zu den späten, prophetischen Erweiterungen des Deuteronomistischen Geschichtswerks.

Es sprechen jedoch – außer der oben dargestellten guten inhaltlichen Einpassung von 2.Kön 1,2ff. in die deuteronomistische Geschichte des Baalskultes in Israel – gewichtige Argumente dafür, daß die Erzählung von der Befragung des Baal von Ekron integraler Bestandteil des DtrG war.[130]

---

[124] *Prophetie*, 125-127.

[125] Die Argumentation W.Dietrichs, *Prophetie*, 126f., erscheint mir nicht stichhaltig: Die 2.Kön 3,1 widersprechende Datierung des Regierungsantritts Jorams von Israel in 2.Kön 1,17aβγ sei erst mit der Einfügung von 2.Kön 1,2ff. in das DtrG entstanden, vorher sei die Schlußformel für Ahasja korrekt aufgebaut gewesen. Der Redaktor, der 2.Kön 1,2ff. einfügte, habe nun die „Notiz 1.Kön 22,51b dahingehend" mißverstanden, „daß ab jetzt Joram in Juda herrschte" (a.a.O.126), deshalb habe er den Königsrahmen geändert. Da nun der Erfüllungsvermerk in 2.Kön 1,17aα_1 „so völlig der Absicht von DtrP entspricht" (a.a.O. 127), sei der 1.Kön 1,2ff. einfügende Redaktor mit DtrP gleichzusetzen. Nun ist aber die Datumsangabe im Schlußformular des Königsrahmens unüblich. Warum aber sollte ein Deuteronomist die Arbeit eines anderen, ersten Deuteronomisten, derart mißverstehen und durch eine unnötige Veränderung in Verwirrung bringen? Gegen W.Dietrich nehmen auch H.-J.Stipp, *Elischa*, 87 Anm. 62 und B.Lehnart, *Prophet*, 236, Stellung. Es ist wesentlich wahrscheinlicher, wie auch das Fehlen der Notiz in LXX nahelegt, daß es sich bei 2.Kön 1,17a$\alpha_2\beta\gamma$.b um einen Nachtrag handelt (so auch E.Würthwein, *Bücher II*, 267). Dieser könnte im Zuge der nachträglichen Einfügung der Elisa-Erzählungen vorgenommen worden sein und zwar in der Absicht, die außerhalb des Königsrahmens stehende Erzählung 2.Kön 2 insofern etwas besser in das Rahmensystem einzubinden, als nun der Regierungsantritt Jorams wenigstens schon vor 2.Kön 2 erwähnt wird; vgl. H.-J.Stipp, *Elischa*, 87.449f. und B.Lehnart, *Prophet*, 235.

[126] *Bücher II*, 271; vgl. O.Kaiser, *Grundriß 2*, 16.

[127] Die Rolle Elias als Kämpfer gegen das Haus Ahabs und seinen Baalskult wird nach dem Zeugnis von 1.Kön 21,20bβff. (vgl. 2.Kön 9/10) zumindest schon von den Deuteronomisten selbst postuliert (siehe oben S.114.133ff.). Es hat jedoch einige Wahrscheinlichkeit für sich, daß sie Vorbilder für dieses Verständnis der Rolle Elias hatten, so zum Beispiel in der Erzählung von der Befragung des Baal von Ekron. Überdies geht es ja in 2.Kön 1,2ff. darum, daß Jahwe der Gott in Israel und daher der für Israeliten zu verehrende und zu befragende Gott ist; von später mit Elia in Verbindung gebrachten monotheistischen Aussagen, daß Jahwe allein Gott ist und keiner sonst (vgl. 1.Kön 18,21.24.37.39 und dazu S.174f.), ist hier noch nichts zu spüren; siehe auch W.Thiel, *Ursprung*, 33.

[128] *Trouble*, 93f.

[129] *Stories*, 33-40. Nach A.Rofé ist 2.Kön 1,2-17aα eine „epigonic devolution" der ursprünglichen Form der „legenda" und stellt eine Art Synthese aller Elia-Erzählungen dar (a.a.O. 37f.). Auch die Verwendung des Titels „König von Samaria" (1,3) und die sprachlichen Merkmale der Erzählung (die Verwendung der Kurzform יה (1,2.3.4.8.12) anstelle der in der vorexilischen Zeit gebräuchlicheren Langform יהו in theophoren Namen; der Gebrauch von אם (statt ה) als Fragepartikel (1,2) und der Formulierung חלי זה statt החלי הזה (1,2), der typisch sei für das rabbinische Hebräisch; die Wahl der Wendung דרש ב (1,2.3.6.16), die im AT sonst nur noch in 2.Chr 34,26 und Ez 14,7 belegt ist; der häufige Gebrauch von דבר anstelle von אמר, der belege, daß für den Autor Hebräisch keine lebendige Sprache mehr gewesen sei [a.a.O. 35-37]), sprechen nach Rofé für eine späte Entstehung; er datiert die Erzählung in die Zeit des zweiten Tempels (a.a.O. 36). Zur Widerlegung dieser Datierung siehe B.Lehnart, *Prophet*, 291.

[130] Vgl. dazu auch W.Thiel, *Redaktionsarbeit*, 156-159; H.-D.Hoffmann, *Reform*, 82-84; M.Beck, *Elia*, 44-45.149.

Zunächst ist die Erzählung formal sehr gut in das deuteronomistische Rahmenschema für Ahasja (1.Kön 22,52-54; 2.Kön 1,18) eingebettet: Im Königsrahmen wird Ahasja von den Deuteronomisten als ebenso großer Baalsanhänger wie seine Mutter und sein Vater vorgestellt (1.Kön 22,53): „Er diente dem Baal und betete ihn an" (22,54). Die auf dem Fuß folgenden Strafen für seine Vergehen zeigen die Deuteronomisten zunächst anhand des an das Eingangsformular des Königsrahmens angeschlossenen militärischen Kurzberichtes auf: Ahasja erleidet eine militärische Niederlage, der bisherige Vasall Moab fällt nach Ahabs Tod von Israel ab (2.Kön 1,1).[131] Die Nachricht von der zweiten Strafe schließt sich, obwohl sie bereits Teil der aufgenommenen Erzählung ist, nahtlos an: Auf die politisch-militärische Niederlage folgt das persönliche Unglück, Ahasja stürzt und liegt krank danieder (2.Kön 1,2). Da Ahasja sich aber, ganz wie es einem Baalsverehrer zukommt, in seiner Not nicht an Jahwe, sondern an den Baal-Sebub[132] von Ekron wendet, steigert sich sein Unheil und er stirbt. Weil die Notiz vom Tode Ahasjas den Schluß der aufgenommenen Erzählung bildete (V.17aα_1), wiederholten die Deuteronomisten diese nicht im Abschlußformular des Königsrahmens. Aus diesem Grund fehlte dort – vor der nachträglichen Ergänzung von V.17a$\alpha_2\beta\gamma$.b[133] – vermutlich auch die sich üblicherweise an die Nachricht vom Tode anschließende Notiz über den Nachfolger. Die Begräbnisnotiz wurde wohl wegen der Ankündigung Elias, daß die Toten aus dem Hause Ahabs nicht begraben, sondern von den wilden Tieren gefressen werden (1.Kön 21,24), ausgelassen. Von einer Erfüllung des Spruches wird zwar nicht explizit berichtet, die Begräbnisnotiz jedoch würde die Erfüllung definitiv ausschließen. Statt dessen schlossen die Deuteronomisten das Kapitel über Ahasja mit der Formel von den übrigen Taten (2.Kön 1,18), die sonst vor der Nachricht vom Tode zu stehen kommt.

Weiterhin würde, wenn 2.Kön 1,2-17aα* nicht Bestandteil des DtrG gewesen wäre, die Nachricht vom Tode Ahasjas fehlen,[134] es sei denn, man würde wie W.Dietrich annehmen, das ursprünglich intakte Schlußformular für Ahasja sei bei der Einfügung der Erzählung teilweise ausgefallen.[135] Dies ist wohl möglich, aber nicht sehr wahrscheinlich. Das Beispiel 1.Kön 22 zeigt, daß selbst wenn es zu einem Widerspruch zwischen vorher vorhandenem Königsrahmen (1.Kön 22,39-40) und nachträglich aufgenommener Erzählung (22,1-38*) kommt,[136] der Königsrahmen nicht zerstört wird.

---

[131] Zu 2.Kön 1,1 als an den Königsrahmen angehängter militärischer Kurzbericht, vgl. H.-D.Hoffmann, *Reform*, 33-35. Zum Verhältnis von 2.Kön 1,1 und 3,4 ff. siehe S.200.

[132] Für die Deutung des Namens Baal Sebub werden im wesentlichen zwei Erklärungen geboten: Üblicherweise wird Sebub als Verballhornung von Baal Zebul (Wurzel zbl), des in Ugarit belegten Titels „Fürst Baal" interpretiert, so G.Fohrer, *Elia*, 82f.; E.Würthwein, *Bücher II*, 267; G.Hentschel, *Elijaerzählungen*, 304 Anm. 880; ders. *Elija*, 58 Anm. 20; H.D.Preuß, *Verspottung*, 101f.; W.Herrmann, *Art. Baal Zebub*, 295f., vgl auch O.Loretz, *Ugarit*, 76 Anm. 174. Die zweite – dem Wortlaut entsprechende – Deutung als „Baal (Herr) der Fliegen" (Wurzel zbb), die von K.A.Tångberg, *Note*, 293-296 und G.W.Ahlström, *History*, 588 Anm. 2, vertreten wird, wurde wohl von E.Würthwein, *Bücher II*, 267, zu Recht als unwahrscheinlich zurückgewiesen; vgl. auch B.Lehnart, *Prophet*, 233 Anm. 4.

[133] Siehe oben S.145 Anm. 125.

[134] So nach der Rekonstruktion E.Würthweins, *Bücher II*, 265, nach der 2.Kön 1,18 im DtrG direkt auf 2.Kön 1,1 folgte.

[135] *Prophetie*, 126.

[136] Siehe dazu S.197f.

Außerdem würde es den aufmerksamen Leser der deuteronomistischen Geschichte des Baalskultes in Israel doch sehr verwundern, wenn trotz der massiven Drohungen gegen die Nachfolger Ahabs (1.Kön 21,21b.22.24.29) und trotz der erheblichen Vorwürfe gegen Ahasja (22,52-54), die von den Deuteronomisten erhoben werden, keine Notiz über einen gewaltsamen Tod Ahasjas vorliegen würde. Denn anschließend trifft Joram, den zweiten Sohn Ahabs, obwohl dieser eine moderatere Kultpolitik verfolgte (2.Kön 3,3), das volle Ausmaß der Vernichtung des Hauses Ahabs (2.Kön 9/10). Es ist vielmehr recht wahrscheinlich, daß die Deuteronomisten die Beurteilung Ahasjas (1.Kön 22,53f.) nur deswegen so extrem kritisch formulierten, weil ihnen – anders als beim milder beurteilten Joram (3,1-3) – mit 2.Kön 1,2ff. eine Erzählung über die Bevorzugung Baals durch Ahasja vorgegeben war. Mit anderen Worten, im Fall von 2.Kön 1,2ff. hat die „Überlieferung ... auf den Rahmen eingewirkt, während sich die Redaktion eines Eingriffs in das vorgegebene Material enthielt.“[137]

3.2 Zur Entstehung der Erzählung

Die Erzählung von der Befragung des Baal von Ekron ist in sich nicht einheitlich: Ein weitgehender Konsens besteht hinsichtlich der nachträglichen Erweiterung des Textes um V.9-16, wo Elia nicht als Bote Jahwes, sondern als potentiell äußerst gefährlicher, wundermächtiger Gottesmann dargestellt wird.[138] Die Erweiterung ist in Hinblick auf die übrige Erzählung (vgl. V.16 mit V.2) sowie auf 1.Kön 17,17-24 und 2.Kön 4,8-37 gestaltet worden,[139] stellt also keine ehemals selbständige Anekdote dar.[140]

Eine zweite, die erste voraussetzende Erweiterungsschicht bilden die Verse 2.Kön 1,3-4.15a:[141] Mit der verfrühten Mitteilung an den Hörer/Leser, wie das Ansinnen Ahasjas, den Baal zu befragen, gestört und durch wen welche Botschaft übermittelt werden wird, wird der Anekdote die Spannung genommen. Diese soll sich eigentlich – wie die verzögernde Szene in V.5-7 deutlich zu erkennen gibt – erst mit der gleichzeitigen Erkenntnis von Leser/Hörer und König auflösen, daß es sich bei dem Mann, der die Boten, die ihn zwar beschreiben aber nicht benennen können (V.8a), zurückkehren ließ (V.5-6), um Elia handelt (V.8b). Weiterhin unterscheidet sich die Botschaft, die Elia im Auftrag des Engels den

[137] W.Thiel, *Redaktionsarbeit*, 157. Noch in einem weiteren Punkt bildete 2.Kön 1,2ff. ein Vorbild für die deuteronomistische Arbeit: Der Erfüllungsvermerk in 2.Kön 1,17aα_1, der mit W.Dietrich, *Prophetie*, 125 und W.Thiel, *Redaktionsarbeit*, 158, als ursprünglicher Abschluß der Erzählung aufzufassen ist, könnte den Deuteronomisten das Muster für die „Formulierung ihrer eigenen Erfüllungsverweise“ geliefert haben; so W.Thiel, *Redaktionsarbeit*, 158.

[138] Vgl. G.Fohrer, *Elia*, 52; H.Gunkel, *Elias*, 29f.; H.Gressmann, *Geschichtsschreibung*, 282f.; O.H.Steck, *Erzählung*, 547; M.Rehm, *Das zweite Buch*, 20; G.H.Jones, *Kings*, 376; A.F.Campbell, *Prophets*, 98f.; M.A.O'Brien, *History*, 197 Anm. 80; W.Thiel, *Redaktionsarbeit*, 156f.; G.Hentschel, *Elija*, 55; B.Lehnart, *Prophet*, 234; V.Fritz, *Das zweite Buch*, 7ff.; M.Beck, *Elia*, 141f. Eine Zusammenstellung der Argumente für die Ausscheidung von V.9-16 findet sich bei G.Hentschel, *Elija*, 55. Ausnahmen bilden J.R.Lundbom, *Elijah's*, 39-50; Chr.T.Begg, *Factors*, 75-86 und A.Rofé, *Stories*, 33-40, die die Einheitlichkeit der Erzählung betonen.

[139] Siehe dazu S.244f.

[140] Gegen S.L.McKenzie, *Trouble*, 93f. Vgl. auch M.Rehm, *Das zweite Buch*, 20; B.Lehnart, *Prophet*, 234.

[141] So auch E.Würthwein, *Bücher II*, 266-269; M.Beck, *Elia*, 142; ähnlich V.Fritz, *Das zweite Buch*, 7ff.; vgl. dagegen B.Lehnart, *Prophet*, 234.

Boten ausrichtet, von derjenigen, die die Boten dem König ausrichten.[142] V.5 schließt darüber hinaus besser an V.2 als an V.4 an, denn nach V.4 würde man eher „Die Boten kehrten zum König zurück“ als „Die Boten kehrten zu ihm zurück“ erwarten. Wie in V.3.4 so wird auch in V.15a das Handeln Elias auf den Impuls eines Engels zurückgeführt. Die Trostbotschaft des Engels „Fürchte dich nicht vor ihm!“ nimmt sich angesichts des zuvor Fünfzigschaften vernichtenden Elias recht unpassend aus, was für eine nachträgliche Erweiterung der Erzählung auch um V.15a spricht.[143]

Während die Erweiterungsschichten, wie unten gezeigt werden wird,[144] als nachdeuteronomistisch anzusehen sind, so ist die Erzählung selbst (2.Kön 1,2.5-8.17aα_1) wohl noch vor dem Untergang des Nordreichs entstanden:[145] Der Horizont der Anekdote ist das Nordreich. Sie setzt voraus, daß dem Hörer/Leser der Wunsch Ahasjas nach einer Befragung des Baal von Ekron plausibel ist, er also den Baal von Ekron und seine spezielle Funktion kennt. Ebenso vorausgesetzt wird das Wissen um das Aussehen und die Bedeutung Elias, denn nur mit diesem Wissen erschließt sich dem Hörer/Leser die erschreckte Reaktion des Königs in V.8. Auch kann ein Erzähler wohl nur bei einem im Nordreich angesiedelten Publikum darauf verzichten, explizit zu erwähnen, daß es sich bei Ahasja um den König von Israel handelt.

Die Tradition von der Befragung des Baal von Ekron nimmt sich unerfindlich und damit alt aus: Es ist hier – ohne Abstraktion – an einen ganz bestimmten Baal gedacht, den man wohl besonders bei Krankheiten bzw. Stürzen zu befragen pflegte (V.2). Auch der Prophetenspruch: „Ist denn kein Gott in Israel, daß du hinsendest, den Baal Sebub von Ekron zu befragen?“ (V.6a*) könnte durchaus noch aus der Zeit prophetischer Opposition gegen die Omriden stammen.[146] Die Anekdote selbst ist, wegen der sich in der Verwendung des Erfüllungsvermerks (V.17aα_1) ausdrückenden theologischen Vorstellung vom Wort Jahwes, später, wohl erst gegen Ende der Nordreichsgeschichte, anzusetzen. Sie teilt mit der Erzählung von Naboths Weinberg (1.Kön 21,1aß-20bα) die Vorstellung von der Rolle Elias als Antagonisten der omridischen Könige. Sowohl in 1.Kön 21,1aß-20bα als auch in 2.Kön 1,2.5-8.17aα_1 wird der Name „Elia, der Thisbiter,“ verwandt (1.Kön 21,17; 2.Kön 1,8). Darüber hinaus ist beiden Texten der Erzählzug gemeinsam, daß der König von Elia beim Unrechttun, das heißt bei der Inbesitznahme des Weinberges (1.Kön 21,17-20bα) bzw. bei dem Versuch, den Baal zu befragen (2.Kön 1,5-8), ertappt wird. Aufgrund dieser Beobachtungen könnte man erwägen, ob nicht die Komposition der Naboth-Erzählung aus der Tradition 1.Kön 21,1-16 und dem überlieferten Prophetenspruch (V.19*) und die literarische Gestaltung der Anekdote 2.Kön 1,2.5-8.17aα_1 aus der älteren Baal-von-Ekron-Überlieferung (V.2.6*) auf die gleichen Kreise zurückzuführen sind. Dabei ist an propheti-

[142] In V.3 ist die kritische Anfrage an die Boten gerichtet und nicht als Jahwewort gekennzeichnet, in V.6 hingegen ist bereits die kritische Anfrage als Jahwewort gekennzeichnet und richtet sich ausschließlich an den König.

[143] Diese Erweiterungsschicht bezieht sich, mit den Motiven der Furcht Elias und des Elia leitenden und aufrichtenden Engels, auf 1.Kön 19.

[144] Siehe S.244-246.

[145] So auch B.Lehnart, *Prophet*, 291. O.H.Steck, *Erzählung*, 547, datiert die Erzählung noch in die Zeit der Aramäerkriege. Vgl. außerdem G.Hentschel, *2 Könige*, 5; A.F.Campbell, *Prophets*, 98f.; W.Thiel, *Redaktionsarbeit*, 156-159; ders., *Ursprung*, 32f.

[146] Vgl. W.Thiel, *Ursprung*, 32f.

sche Kreise zu denken, die sich um das Erbe Elias sammelten und in ihm einen durch das Wort Jahwes geleiteten Propheten sahen (1.Kön 21,17-19), dessen im Namen Jahwes überbrachte Worte sich in der Geschichte erfüllt haben (2.Kön 1,6.17aα_1).[147] Doch ging es ihnen nicht nur um die Darstellung Elias als wahren Überbringer des göttlichen Wortes. Unter Verwendung der vorgegebenen Traditionen konnten sie überdies einen Elia zeichnen, der sich im Kampf gegen die „gottlosen" Omriden besonders verdient gemacht hat.[148] Daher legt sich die Annahme einer Entstehung der beiden Erzählungen noch zu Zeiten der ausgehenden Dynastie Jehu (um 750) nahe.[149]

---

[147] Vgl. hierzu auch M.Beck, *Elia*, 146.

[148] Siehe auch S.139 Anm. 92.

[149] Zur Datierung von 2.Kön 1* vgl. B.Lehnart, *Prophet*, 278-291 und auch M.Beck, *Elia*, 146, der allerdings frühestens das ausgehende 8. Jh. in Erwägung zieht.

IV Die nachdeuteronomistischen Erweiterungen der DtrG-Grundschrift

1 Elias Sieg über den Baalskult und sein Scheitern

1.1 Die Geschichte des Baalskultes in Israel und 1.Kön 17-19 – ein konzeptionelles Problem

Die Erzählung vom Götterwettstreit auf dem Karmel, eingebettet in die Komposition 1.Kön 17-19, markiert eine erhebliche Verwerfung in der sonst klaren Linie der deuteronomistischen Darstellung der Geschichte der Baalsverehrung in Israel.

Betrachtet man die von den Deuteronomisten gestalteten Rahmenpassagen im Bereich von 1.Kön 16,29 bis 2.Kön 10,36, dann liest sich die kultische Geschichte des Nordreichs von Ahab bis Jehu wie folgt: Ahab führte, verführt durch seine Frau Isebel, den Baalskult in Israel ein (1.Kön 16,29-33); sein Sohn Ahasja setzte die Kultpolitik seiner Eltern unvermindert fort (22,52-54), während Ahasjas Nachfolger Joram wohl einige, wenn auch nicht ausreichende Reformen unternahm (2.Kön 3,1-3). Erst der Revolutionär Jehu bereitete der Periode der Baalsverehrung in Israel ein endgültiges Ende (10,28). In dieses Bild fügen sich die Erzählungen von der Baalsbefragung Ahasjas (2.Kön 1,2ff.) und der Jehu-Revolution (2.Kön 9/10) bruchlos ein; ja die Deuteronomisten schöpfen aus ihnen ganz wesentlich ihre Vorstellungen über die Vorgänge in Israel.[1]

Demgegenüber erstaunt, daß die in 1.Kön 17-19 geschilderten Vorgänge in keiner Weise von den Deuteronomisten aufgegriffen werden, obwohl gerade die dramatischen Geschehnisse in 1.Kön 18 aufgrund ihrer theologischen Ausrichtung und Thematik für sie von großer Bedeutung hätten sein müssen. Bei genauerer Betrachtung ergibt sich darüber hinaus, daß 1.Kön 17-19 in Spannung zu dem oben skizzierten Geschichtsbild der Deuteronomisten steht:[2]

- Das nach der Erzählung von der Jehu-Revolution in Samaria bestehende Zentrum der Baalsverehrung wird von den Deuteronomisten in 1.Kön 16,29ff. auf eine Gründung Ahabs zurückgeführt. Dagegen erwähnen sie das nach 1.Kön 18 darüber hinaus bestehende Zentrum der Verehrung auf dem Karmel[3] nicht, obwohl sich ihnen doch hier ein

---

[1] Die Erzählung von der Jehu-Revolution liefert grundsätzliche Informationen über Ahabs Baalskult in Samaria (2.Kön 10,18ff.), die Rolle Isebels (2.Kön 9,22.30ff.), die Machtverhältnisse in Israel zur Zeit Jorams (9,22; 10,13), die in die Königsrahmen für Ahab (1.Kön 16,29-33) und Joram (2.Kön 3,1-3) einfließen. Die Anekdote von der Befragung des Baal von Ekron (2.Kön 1,2ff.) bildet die Grundlage für die Beurteilung Ahasjas (1.Kön 22,53f.), darüber hinaus gibt sie, gemeinsam mit der Erzählung von Naboths Weinberg (1.Kön 21,1-20a), Einblick in die Bedeutung Elias als Kontrahent des Hauses Ahabs und legt damit den Grundstein für die deuteronomistische Zeichnung Elias als Verkünder des sich in der Geschichte erfüllenden Wort Jahwes (1.Kön 21,20b-29; 2.Kön 9,36; 10,10.17). Die Charakterisierung Isebels und der Machtkonstellation innerhalb der Königsfamilie in der Erzählung von Naboths Weinberg ergänzt das deuteronomistische Isebel-Bild, das Bild der verhaßten fremden Frau (1.Kön 16,31f.; 21,23; 2.Kön 9,36; vgl. 1.Kön 21,25f.; 2.Kön 9,37).

[2] Vgl. auch J.M.Miller, *Elisha*, 450f.

[3] Die analog zur Einladung Jehus zum Baalsfest nach Samaria (2.Kön 10,19.21 [siehe S.38f.55.176]) gestaltete Einberufung des Volkes/der Baalspropheten auf den Karmel (1.Kön 18,19f.) setzt voraus, daß die

Beleg für die Verbreitung des Baal „in ganz Israel" (2.Kön 10,21aα; vgl. 10,28) geboten hätte.

- Nach 1.Kön 18 mußte die Baalsverehrung in Israel unter Ahab einen herben Rückschlag einstecken: Das Volk entschied sich geschlossen für Jahwe und gegen Baal (1.Kön 18,39), die Baalspropheten wurden getötet (18,40). Im Gegensatz zu der von 1.Kön 18 implizierten Diskontinuität in der Geschichte der Baalsverehrung steht die von den Deuteronomisten postulierte ungebrochene Kontinuität. Ahasja verfuhr nach Darstellung der Deuteronomisten hinsichtlich des Baalskultes wie seine Mutter und sein Vater (1.Kön 22,53f.): Wie sie verehrte auch er den Baal.[4] Ahab und Ahasja werden also in einer religionspolitischen Linie stehend gesehen, ohne daß der durch 1.Kön 18 markierte Bruch ausgeglichen wird: Von einer Wiederherstellung des nach 1.Kön 18 unter Ahab als nutzlos erwiesenen und durch die Abschlachtung des Kultpersonals existentiell geschädigten Baalskultes wird nichts berichtet.[5]

- Die Kultreform des Elia[6] findet keinen Eingang in die deuteronomistische Geschichtsdarstellung, während die Kultreform des Jehu von ihnen prononciert herausgearbeitet wird.[7] Warum aber schweigen die Deuteronomisten, die über jede abgeschaffte Mazzebe Buch zu führen scheinen,[8] bei einem so entscheidenden Ereignis wie es in 1.Kön 18 geschildert wird?

- Aus dem Nebeneinander von 1.Kön 18 und 2.Kön 9/10 ergibt sich darüber hinaus das konzeptionelle Problem der Notwendigkeit der Jehu-Kultreform: Warum war diese nach dem Sieg Elias über den Baal überhaupt noch erforderlich? Woher kommen die Baalsverehrer in 2.Kön 10,18ff., da sich das Volk doch bekehrt hat (1.Kön 18,39)? Wer betrieb den Kult in Samaria, wenn Elia alle Baalspropheten getötet hat (V.40)?

In 1.Kön 19 wird zwar versucht, das Problem der doppelten Ausrottung des Baalskultes in Israel zu lösen, indem der Sieg Elias in eine Niederlage umgemünzt und die Beseitigung der Baalsverehrung als eine in der Zukunft zu bewältigende Aufgabe thematisiert wird (V.15-18), doch in sich konsistent wirkt die Darstellung nicht. Denn von einem Wiederaufflammen der Baalsverehrung wird in 1.Kön 19 gerade nicht berichtet. Statt dessen werden neue Motive eingeführt, nämlich die Prophetenverfolgung Isebels (19,1-

---

Verehrung des Baal auf dem Karmel nichts Ungewöhnliches ist. Jedenfalls wird der Einladung widerspruchslos Folge geleistet.

[4] Nur in Bezug auf die Könige Ahab und Ahasja verwenden die Deuteronomisten die Formulierung עבד אתהבעל (1.Kön 16,31; 22,54; 2.Kön 10,18). Sie findet sich – allerdings nicht auf einen König bezogen – sonst nur noch in 2.Kön 17,16 in den Königsbüchern.

[5] Auch in 1.Kön 19 wird nicht von einer Wiederherstellung des Baalskultes berichtet! Vgl. im Unterschied dazu die deuteronomistische „Vorbereitung" der Kultreform Josias (2.Kön 23): Manasse führt nach der Reform des Hiskia alle Greuel wieder ein (2.Kön 21,1-18), so daß Josia sie (nochmals) ausrotten kann; siehe auch H.-D.Hoffmann, *Reform*, 165.

[6] Als solche ist die Abschlachtung der Baalspropheten innerhalb des deuteronomistischen Interpretationsschemas wohl zu bewerten. Die Vertreibung/Beseitigung von Kultpersonal ist jedenfalls auch Bestandteil deuteronomistischer Kultreformberichte (1.Kön 15,12; 22,47; 2.Kön 23,5.20.24; vgl. auch 2.Kön 10,18ff.; 11,18). Auffällig ist die Analogie zwischen der Tätigkeit Elias auf dem Karmel und der Kultreform Josias: Auch das Wirken Josias im ehemaligen Nordreich endet mit der Abschlachtung der Höhenpriester (2.Kön 23,20).

[7] Siehe oben S.54f.

[8] Vgl. nur 2.Kön 3,2.

3)[9] und die aktive Bekämpfung des Jahweglaubens durch Israel (19,10.14). Dabei sollte man doch annehmen, daß es gerade den Deuteronomisten hätte leicht fallen müssen, die Erzählungen 1.Kön 18 und 2.Kön 9/10 analog zu ihrer sonstigen Vorgehensweise miteinander in Einklang zu bringen.[10] Denkbar wäre hier beispielsweise eine ‘regionale’ Lösung: Während Elia nur eine unvollständige Entfernung des Baalskultes vornahm und den Kult in Samaria nicht antastete, so rottete Jehu den Baal aus ganz Israel aus.

- Die Rolle Ahabs als aktiver Förderer und Verehrer Baals im Sinne der Deuteronomisten (1.Kön 16,29ff.) wird von 1.Kön 17-19 her nicht bestätigt. In 18,18 findet sich zwar die Anschuldigung, Ahab sei den Baalen nachgelaufen; diese ist aber aufgrund der pauschalisierenden Verwendung des Plurals „die Baale“, welcher auf Fremdgötterkulte im allgemeinen verweist,[11] gerade nicht mit den Anschuldigungen der Deuteronomisten gleichzusetzen. Denn diese sprechen in Bezug auf die Zeit von Ahab bis Jehu ganz konkret von „dem Baal“ (1.Kön 16,31f.; 22,54; 2.Kön 3,2; 10,28), der von Ahab nach Israel eingeführt und von Jehu wieder ausgerottet wurde.[12] Statt Ahab tritt in 1.Kön 18-19 Isebel als aktive Unterstützerin des Baalskultes (1.Kön 18,19; 19,1-3) in Erscheinung, während sie nach deuteronomistischer Darstellung eher als Verführerin Ahabs (1.Kön 16,31f.; vgl. 21,25f.) und weniger als aktive Kultbetreiberin zu sehen ist.

1.Kön 17-19 steht jedoch nicht nur mit der Geschichtsdarstellung innerhalb der deuteronomistischen Rahmenpassagen in Spannung, sondern auch mit dem sich in den Erzählungen 1.Kön 21 und 2.Kön 1 widerspiegelnden, von den Deuteronomisten aufgenommenen Eliabild (1.Kön 21,20bff.; 2.Kön 9,36; 10,10.17):

- Nach Darstellung der Deuteronomisten ist Elia der Gegenspieler der baalsverehrenden Könige Ahab (1.Kön 21,17ff.; 2.Kön 10,10.17) und Ahasja (2.Kön 1,2ff.)[13]. In 1.Kön 17-18 hingegen ist die Beziehung zwischen Ahab und Elia komplizierter; in 1.Kön 18,41ff. arbeiten sie gar Hand in Hand. Auch in 1.Kön 19 ist nur von einer Verfolgung Elias durch Isebel zu lesen, während Ahab den passiven Part eines Zuträgers von Nachrichten für Isebel übernimmt (19,1).
- Das Scheitern Elias in 1.Kön 19 paßt so gar nicht zu seinem entschiedenen Auftreten in 1.Kön 21 und 2.Kön 1,2ff. Es verwundert doch sehr, daß der furchtsame (19,2f.), völlig entkräftete (19,4ff.) und mit der Berufung seines Nachfolgers schon beauftragte Elia

---

[9] Zu 1.Kön 18,4.13; 2.Kön 9,7b siehe unten S.188f.

[10] Vgl. dazu z.B. die Kultreformberichte bezüglich Asa (1.Kön 15,9-15) und Josaphat (1.Kön 22,43-47): Beide Könige sollen offensichtlich als Kultreformer dargestellt werden. Da aber schon Asa alle ‘Greuel’ bis auf die Höhen aus dem Land entfernt hatte, konstruieren die Deuteronomisten in 1.Kön 22,47 den Fall, daß – entgegen der Darstellung in 15,12 – doch noch Geweihte im Land verblieben seien. Auf diese Weise ermöglichen sie es sich, auch Asas Nachfolger Josaphat als Kultreformer zu zeichnen: eine Aufgabe blieb für ihn ‘übrig’.

[11] Vgl. H.-D.Hoffmann, *Reform*, 362.

[12] Innerhalb einer Erzählung ist die Rolle Ahabs als Diener Baals allein in 2.Kön 10,18 belegt. Die hier verwandte Wendung עבד את־הבעל findet sich im Königsrahmen für Ahab (1.Kön 16,31) wieder.

[13] Zu 2.Kön 1,2ff. als Bestandteil der DtrG-Grundschrift siehe S.144-147. Das hier skizzierte Eliabild entspricht exakt dem deuteronomistischen: Wie in 1.Kön 21 (vgl. 2.Kön 9,36; 10,10.17) tritt Elia dem sich auf Abwegen befindlichen König mit einer Unheilsansage entgegen, die sich im folgenden gemäß dem Wort Jahwes erfüllt.

(19,16f.) in 1.Kön 21 und 2.Kön 1,2ff.[14] plötzlich energisch und mutig dem König entgegentritt.

Hinzu kommt, daß die Darstellung in 1.Kön 18.19 trotz ihrer mit deuteronomistischer Theologie übereinstimmenden Anti-Baal-Grundhaltung mit einem wesentlichen 'Dogma' der Deuteronomisten nicht in Einklang zu bringen ist:

- Die in 19,10.14 erwähnten Jahwealtäre (Plural!) widersprechen dem Kultzentralisationsgesetz und stehen damit im krassen Gegensatz zur deuteronomistischen Theologie.[15]
- Im Sinne der Kultzentralisation ist die Anbetung Jahwes auf dem Karmel (1.Kön 18,21ff.) zumindest bedenklich.

Die bisherige Forschung, die bis auf wenige Ausnahmen[16] davon ausgeht, daß 1.Kön 17-19 als vordeuteronomistische Komposition von den Deuteronomisten in das DtrG integriert bzw. von ihnen selbst komponiert[17] worden ist, kann der oben skizzierten Problematik nur in ungenügender Weise Rechnung tragen. Denn eine kompositionsgeschichtliche Konzeption, die von einer deuteronomistischen Einfügung von 1.Kön 17-19 ausgeht, führt gerade zu den aufgezeigten Widersprüchen und Spannungen innerhalb des vermeintlich deuteronomistischen Gesamtsystems.

Weil die These eines Deuteronomistischen Geschichtswerkes in wesensbestimmender Weise darauf basiert, daß in ihm nach bestimmten erkennbaren Strukturprinzipien gearbeitet und in sich konsistente Geschichtsbilder entwickelt werden, ist die Annahme zu verwerfen, die Deuteronomisten hätten derart inkonsistent gearbeitet: Nämlich ihr eigenes Werk durch die Aufnahme von 1.Kön 17-19 verwirrt, ohne – wie oben angedeutet – leicht mögliche Ausgleichsversuche zu unternehmen.[18] Auch die These, zwei verschiedene Deu-

---

[14] Die Episode vom furchtsamen Elia (2.Kön 1,9-16) ist, wie oben (S.147f.) ausgeführt, eine sekundäre Erweiterung der Erzählung von der Befragung des Baal von Ekron (2.Kön 1,2.5-8.17aα).

[15] Vgl. J.M.Miller, *Elisha*, 450.

[16] Ausnahmen bilden die neueren Untersuchungen H.-J.Stipps, *Elischa*, 477f. und S.L.McKenzies, *Trouble*, 81-87. Vgl. aber auch die älteren Arbeiten J.M.Millers, *Elisha*, 450f. und G.Hölschers, *Buch*, 184f. Während jedoch McKenzie – wie schon Miller und Hölscher – sachliche (in 1.Kön 17-19 liegt ein gegenüber 1.Kön 21 stark verändertes Elia-Bild vor; die Antagonisten sind in 1.Kön 17-19 im Unterschied zur deuteronomistischen Darstellung nicht Ahab und Elia, vielmehr Elia und Isebel) und sprachliche (das Fehlen jeder deuteronomistischen Sprache in 1.Kön 17-19) Argumente für seine Beurteilung geltend macht, so leitet H.-J.Stipp, *Elischa*, 477, seine These völlig anders her: Aufgrund der sprachlichen Anlehnungen in 1.Kön 17-19 an den Elisa-Zyklus sei der Zeitpunkt der nachdeuteronomistischen Einfügung der Elisa-Erzählungen der Terminus a quo für die Abfassung der „Dürreeinheit". Diese Argumentation geht davon aus, daß es außerhalb der Königsbücher keinen Kontakt zwischen den einzelnen Traditionen gegeben haben kann. Sie wird damit den komplexen überlieferungsgeschichtlichen Vorgängen innerhalb der Elia- und Elisatradition nicht gerecht. Denn warum sollte für 1.Kön 17-19 nicht gelten, was für die Elisa-Tradition gilt, nämlich daß die einzelnen Traditionen bereits vor der Aufnahme in die Königsbücher miteinander in vielfältigem Kontakt standen? Siehe dazu S.220ff.

[17] Das Ausmaß der deuteronomistischen Bearbeitung von 1.Kön 17-19 wird in der Forschung sehr unterschiedlich beurteilt, siehe dazu S.11-25.155-157.

[18] Daß die Deuteronomisten, auf eine in sich konsistente Geschichtsdarstellung bedacht, Ausgleichsversuche unternehmen, belegt eindrücklich das innerhalb des behandelten Textbereichs liegende Beispiel von Ahabs Tod: Er stirbt nach den aus den Quellentexten der Deuteronomisten („Annalen der Könige von Israel" vgl. 1.Kön 22,39) stammenden Informationen eines natürlichen Todes (1.Kön 22,40). Da aber den Deuteronomisten gleichzeitig die Erzählung von Naboths Weinberg mit der Unheilsankündigung Elias an Ahab (1.Kön 21,19) vorlag, die ein friedliches Entschlafen des Königs eigentlich ausschließt, sahen sie sich gezwungen, ausgleichende Maßnahmen zu ergreifen und konstruierten die Szene von der Reue und

teronomisten(-gruppen) seien hier am Werk gewesen, verringert die Problematik nicht: Warum sollte ein Deuteronomist (DtrP) die Konzeption eines anderen (DtrH) so zerstören? Wenn zwei Redaktoren nicht in gewisser Weise in einem Sinne arbeiten, warum sollte man sie beide „deuteronomistisch“ nennen?

Das Dilemma löst sich jedoch leicht durch die Annahme einer „nachdeuteronomistischen“[19] Einfügung von 1.Kön 17-19 in das vorgegebene DtrG: Die deuteronomistische Geschichtsdarstellung von 1.Kön 16,29 bis 2.Kön 10,36 ohne 1.Kön 17-19 ist in sich konsistent, die merkwürdige Ignoranz der Deuteronomisten gegenüber 1.Kön 17-19 erklärt sich daraus, daß ihnen die Komposition offenkundig nicht vorlag. Für die These einer nachdeuteronomistischen Integration von 1.Kön 17-19 spricht auch, daß weder das Konzept einer deuteronomistischen Einfügung eines vordeuteronomistischen Komplexes in das DtrG noch das einer deuteronomistischen Gestaltung der Komposition 1.Kön 17-19 evident gemacht werden können:

Die Annahme einer deuteronomistischen Komposition von 1.Kön 17-19 im Sinne R.Smends[20] bzw. W.Dietrichs[21] wurde bereits von W.Thiel[22] überzeugend zurückgewiesen:

– Gegen eine kompositorisch wirkende deuteronomistische Redaktion, die auf den Erweis der Wirksamkeit des Wortes Jahwes abzielte, spricht schon, daß sich kein Jahweauftrag aufweisen läßt, auf den sich 1.Kön 18,36b beziehen könnte.[23] Dieser wäre allerdings bei einer konsequent arbeitenden deuteronomistischen Redaktion zu erwarten: Warum hätten sie ausgerechnet hier auf die Komplettierung des Schemas von Verheißung und Erfüllung verzichten sollen? Darüber hinaus wird die Vorhersage Jahwes an Elia, er werde Regen auf die Erde geben (1.Kön 18,1), an der entsprechenden Stelle nicht als erfüllt vermerkt.

Verschonung Ahabs (1.Kön 21,27-29). In Anbetracht der in der Erzählung von der Jehu-Revolution dargestellten Auslöschung des Geschlechts Ahabs konnten die Deuteronomisten, nach ihrer Ausweitung des Gerichts gegen Ahab auf das gesamte Haus Ahabs und Isebel (21,21-24), in 1.Kön 21,29 jedoch klarstellen, daß es sich bei der Verschonung Ahabs lediglich um einen Gerichtsaufschub, jedoch nicht um eine Aufhebung der Unheilsankündigung Elias handelte.

[19] Zur Terminologie siehe S.27.

[20] R.Smend, *Elijah*, 37-39; ders., *Wort*, 528-532. Nach Smend prägten die Deuteronomisten 1.Kön 17-19 entscheidend durch Eintragung der Theologie des Jahwewortes (Gestaltung von 17,2-5a.8f.16b.24; 18,1aßgb.31.32a.36; 19,9b.10; Einfügung der Öl- und Totenerweckungsepisoden). In seiner neuesten Arbeit zum Thema (R.Smend, *Elijah*, 37-39) führt er auch die Aufnahme des „Leidensmotiv“ (1.Kön 18,3b.4; 19,10) auf die kompositorische Arbeit der Deuteronomisten zurück. Zu einer der Smendschen Position ähnlichen, diese in Bezug auf den Umfang der Bearbeitungsschicht jedoch ausweitenden Einschätzung der deuteronomistischen Redaktionsarbeit in 1.Kön 17-18 gelangt jetzt B.Lehnart, *Prophet*, 243ff. Er weist 1.Kön 17,2-5a.8-9.14a*(„so spricht Jahwe, der Gott Israels“).16b; 18,1aßγ.2a.9-11.24aß. 25b.26aα*(„den er ihnen gegeben hatte“)ß*(ohne לאמר הבעל עננו)b.27.29a.31a.32.35b.38aγb.45b der „ersten deuteronomistischen Redaktion“ zu, der es darum gehe, „Elia als vom *dbr jhwh* geleitet und gesteuert darzustellen“ (a.a.O. 243).

[21] W.Dietrich, *Prophetie*, 122-125. Nach Dietrich ist 1.Kön 17,1; 18,2b.3ff. Bestandteil des DtrG. DtrP wirkte nun insofern kompositorisch, als er 1.Kön 17,2-18,1.2a mittels der Wortereignisformel (17,2.3f.8f; 18,1.2a) in den Zusammenhang einfügte und so die jetzige Strukturierung von Kapitels 17 durch das Jahwewort erzeugte.

[22] W.Thiel, *Redaktionsarbeit*, 167-169.

[23] Vgl. W.Thiel, *Redaktionsarbeit*, 168.

– Die Wortereignisformel und die Bezugnahme auf das Wort Gottes in 1.Kön 17,1-24; 18,1.2a allein genügen nicht als Kriterium für eine deuteronomistische Bearbeitung,[24] zumal die Wortereignisformel zumindest in 1.Kön 21,17 schon zum festen Bestand der Elia-Erzählungen gehört[25] und gerade in Kapitel 17 jedes weitere Anzeichen deuteronomistischer Terminologie fehlt.

Hinzu kommt, daß sich die in 1.Kön 17 begegnende Vorstellung vom Wort Gottes und seiner Erfüllung grundlegend von der deuteronomistischen unterscheidet: Während es den Deuteronomisten vorrangig um den Erweis der Wirksamkeit des Gotteswortes in der Geschichte geht,[26] geht es in Kapitel 17 zunächst darum, daß Elia sich nach den rettenden Anweisungen Jahwes richtet (V.2-4 – V.5f.; V.8f. – V.10) bzw. darum, daß sich das Wort Jahwes in Bezug auf die Not des Alltages ganz situationsgebunden erfüllt (V.14 – V.16). Nun ist es natürlich denkbar, daß beide Konzeptionen vom Gotteswort nebeneinander existieren, angesichts des sonst zu beobachtenden Desinteresses der Deuteronomisten am konkreten sozialen Einzelfall[27] und an den Bereichen persönlicher Frömmigkeit der „kleinen Leute"[28] aber kaum wahrscheinlich. Auffällig ist auch, daß der Regen auf ein Wort Elias und nicht auf ein Wort Jahwes hin ausbleibt (1.Kön 17,1), was nicht gerade für eine übergreifende Wort-Jahwe-Bearbeitung spricht.

Die nach Thiel verbleibenden Anzeichen deuteronomistischer Bearbeitung, die sich auf Anbringen einiger „Retuschen" und „Glanzlichter" sowie auf die Verbindung des vorgefundenen Stoffs „mit der z.T. von ihr formulierten Beurteilung Ahabs in 1.Kön xvi 29-33"[29] beschränkt, sind minimal:[30]

1. Die Verschmelzung der Komposition 1.Kön 17-19 mit dem Königsrahmen durch Auslassung des Königstitels Ahabs und der von 17,3 geforderten Ortsangabe in 17,1[31]
2. Die Bezugnahme auf den Königsrahmen durch Einfügung von 18,18bß[32]

---

[24] Siehe W.Thiel, a.a.O. 169.

[25] Vgl. W.Thiel, a.a.O. 156-171. Zur Stelle siehe S.140f.

[26] Vgl. nur die auf geschichtliche Ereignisse bezogene Anwendung des Weissagungs-Erfüllungs-Schemas in 1.Sam 2,30-36 – 1.Kön 2,27 (Verstoßung der Eliden); 2.Sam 7,4-16 – 1.Kön 8,20 (Thronbesteigung und Tempelbau Salomos); 1.Kön 11,31-39 – 1.Kön 12,15-20 (Reichsteilung); 1.Kön 13,1-3.32 – 2.Kön 23,16f. (Entweihung des Altars von Betel); 1.Kön 14,12f. – 1.Kön 14,17f. (Tod und Totenklage für den Sohn Jerobeams); 1.Kön 14,10-14 – 1.Kön 15,29 (Untergang des Hauses Jerobeams); 1.Kön 16,1-4 – 1.Kön 16,12 (Untergang des Hauses Baesas); 1.Kön 21,17-29 – 2.Kön 9,36; 10,10f.17 (Untergang des Hauses Ahab); 2.Kön 10,30 – 2.Kön 15,12 (Bestand der Jehu-Dynastie über vier Generationen); 2.Kön 20,17 – 2.Kön 24,13f. (Plünderung Jerusalems); vgl. auch W.Dietrich, *Prophetie*, 103-109.

[27] Vgl. nur das Desinteresse am konkreten „Fall Naboth" und dazu oben S.57f.62.134f.

[28] Die Fürsorge Jahwes für Elia und die Rettung der Witwe aus der Not (1.Kön 17,2-16.17-24) sind dem Bereich der persönlichen Frömmigkeit zuzuordnen. Demgegenüber steht die „Geschichtsschreibung von oben" der Deuteronomisten, die fast ausschließlich am Ergehen von Königen interessiert ist: So wird in 2.Kön 20,5 zwar einem Kranken Heilung angekündigt, dabei handelt es sich allerdings um einen König! Vgl. auch R.Albertz, *Religionsgeschichte*, 399.

[29] W.Thiel, *Redaktionsarbeit*, 171.

[30] G.Hentschel, *Elijaerzählungen*, 52, kommt sogar zu dem Ergebnis, daß sich „außerhalb von 18,36 dtr. Einfluß kaum nachweisen" läßt. Etwas anders ders., *1 Könige*, 111 und *Elija*, 63f., wo er außerdem V.18bß den Deuteronomisten zurechnet. Zu V.36 siehe S.157.173f. Anm. 111.
Zur Fohrer'schen Bestimmung des deuteronomistischen Bestandes von 1.Kön 17-19 (Elia, 53-55) siehe die Gegenargumentation S.L.McKenzies, *Trouble*, 85f.

[31] W.Thiel, *Redaktionsarbeit*, 169.

[32] a.a.O. 166.

3. Die Einbringung des deuteronomistischen Prophetenbildes durch die Ergänzung von 18,36aßb*[33]
4. Die Einfügung des Namens „Horeb" in 1.Kön 19,8[34]

Zu 1: Die genannten Arbeitsschritte sind nicht als Kennzeichen für eine deuteronomistische Redaktion zu werten: Wenn wirklich in 17,1 ursprünglich ein Titel und ein Ort angegeben gewesen wären,[35] hätten sie von jeder beliebigen Redaktion, die eine vorgegebene Dürre-Komposition einfügte, vollzogen werden können.

Zu 2: Trotz der deuteronomistisch geprägten Wortwahl ist in 18,18bß die Zuweisung zu einer deuteronomistischen Bearbeitung fraglich, denn hier wird gerade kein Bezug zum Königsrahmen hergestellt. V.18bß steht vielmehr in Spannung zur deuteronomistischen Geschichtsdarstellung: Die Deuteronomisten benutzen, wie bereits oben dargestellt,[36] in Bezug auf die Epoche Ahabs den Begriff Baal ausschließlich im Singular, sie haben also die Verehrung eines ganz konkreten Baal im Auge. Demgegenüber findet sich in 1.Kön 18,18 der Plural „die Baale", womit weit weniger konkret auf die Verehrung von fremden Göttern überhaupt abgezielt wird.[37]

Zu 3: Die Erwähnung des Gottes Abrahams, Isaaks und Israels, die sich nicht ohne weiteres aus 1.Kön 18,36aßb herauslösen läßt,[38] macht es wahrscheinlicher, das Gebet Elias in V.36 als ganzes einem späten, nachdeuteronomistischen Ergänzer zuzuschreiben, der das deuteronomistische Bild von Elia als Knecht Jahwes übernommen hat, als einem deuteronomistischen Redaktor (V.36aßb ohne „Gott Abrahams, Isaaks und Jakobs") und einem nachdeuteronomistischen Ergänzer („Gott Abrahams, Isaaks und Jakobs").[39] Diese Überlegung wird durch die Beobachtung verstärkt, daß die Deuteronomisten Elia wohl als Diener Jahwes (vgl. 2.Kön 9,36; 10,10.17) und indirekt auch als Propheten kennzeichnen, die Bezeichnung „Prophet" für Elia[40] jedoch nie verwenden!

Zu 4: Die Erwähnung des Berges Horeb allein ist kein Indiz für die deuteronomistische Aufnahme und Bearbeitung der Komposition 1.Kön 17-19.

Es gibt also weder zwingende Argumente für die These einer deuteronomistischen Komposition von 1.Kön 17-19, noch für die deuteronomistische Aufnahme eines vordeuteronomistischen Komplexes. Die oben aufgezeigten Widersprüche zwischen der deuteronomistischen Konzeption der Geschichte der Baalsverehrung in Israel und 1.Kön 17-19 sind bei der Betrachtung der Argumente, die für eine deuteronomistische Integration des Komplexes sprächen, vielmehr noch um weitere ergänzt worden. So erhärtet sich die These einer „nachdeuteronomistischen" Aufnahme von 1.Kön 17-19 in das DtrG.

---

[33] a.a.O. 166f.
[34] a.a.O. 165f.
[35] Siehe dazu aber S.163f.
[36] Siehe S.153.
[37] Vgl. H.-D.Hoffmann, *Reform*, 362.
[38] Gegen W.Thiel, *Redaktionsarbeit*, 167, der die Erwähnung des Gottes Abrahams, Isaaks und Israels in 18,36 auf eine nachexilische Redaktion zurückführt.
[39] Zur Stelle siehe S.173f. Anm. 111.
[40] Elia wird nur in 1.Kön 18,22.36a; 19,16 als Prophet bezeichnet.

Damit stellt sich die Frage nach dem Vorgang dieser nachdeuteronomistischen Integration: Wurde eine bereits vorgegebene Komposition (1.Kön 17-19) *en bloc* eingefügt, oder ist auch hier – analog zur schrittweisen Erweiterung des DtrG im Bereich des Elisa-Zyklus[41] – mit einem sukzessiven Wachstum zu rechnen?[42]

1.2 Die Abgrenzung der ersten Erweiterung – 1.Kön 17,1-18,46

1.Kön 17,1 knüpft unmittelbar an den Königsrahmen für Ahab (1.Kön 16,29-33)[43] an. Hier werden die dort vermittelten Informationen über Ahabs Person und sein Tun vorausgesetzt: Ahab wird im Unterschied zu Elia in 17,1 nicht vorgestellt, der Grund für die Ankündigung Elias nicht genannt. Aus 16,29-33 ergibt sich jedoch, daß Ahab der König von Israel und der wahrscheinliche Grund für die Unheilsankündigung Elias Ahabs Baalsdienst ist. Auch ein Ort, an dem das Zusammentreffen Ahabs und Elias stattfindet und von dem Elia nach 1.Kön 17,3 weggehen soll, wird in V.1 nicht eingeführt. Dieser kann nur aus den vorangehenden Versen 16,29-33 als Samaria erschlossen werden.

Die Deutung des erzählerisch nicht vermittelten Einsatzes der Komposition 1.Kön 17-19 ist allerdings umstritten: G.Fohrer geht davon aus, daß die von ihm rekonstruierte „Dürreerzählung“ vor ihrer Einfügung in das DtrG eine Einleitung gehabt habe, die „von Ahabs Baalsdienst gehandelt und die von Elia angekündigte Dürre als Strafe dafür bezeichnet hat“.[44] Diese Einleitung sei bei der Einfügung in das DtrG von den Deuteronomisten ausgelassen worden, da der Götzendienst Ahabs schon in der Eingangsformel des Rahmenschemas für Ahab erwähnt wurde.

G.Hentschel wendet gegen diese These zu Recht ein, daß alle Inhaltsangaben über einen vermeintlichen Vorspann zu 17,1 „reine Vermutungen bleiben“. Seiner Meinung nach kann 17,1 auch ohne die Annahme einer Auslassung von zusätzlichen Informationen der „Anfang dieses Elijakomplexes gewesen sein“, denn Elia trete „auch sonst plötzlich und überraschend auf“.[45] Auch R.Smend erachtet vorausgehende Informationen über die in 18,10.

---

[41] Siehe dazu S.197ff. und H.-Chr.Schmitt, *Elisa*, 131-138; E.Würthwein, *Bücher II*, 366-368; H.-J.Stipp, *Elischa*, 463ff.

[42] So H.-J.Stipp, *Elischa*, 477ff.; vgl. auch E.Würthwein, *Bücher II*, 220ff.269-272; S.L.McKenzie, *Trouble*, 81ff.; B.Lehnart, *Prophet*, 247ff. und dazu S.19ff.

[43] 1.Kön 16,34 unterbricht den engen Zusammenhang zwischen 1.Kön 16,29-33 und 17,1. Bereits G.Hölscher, *Buch*, 184f., machte darauf aufmerksam, daß sich die „Eliasage“ in 1.Kön 17-18 nicht an 1.Kön 16,34, sondern an 1.Kön 16,29-33 anschließt. Bei 1.Kön 16,34 handelt es sich um eine nachträgliche Verknüpfung mit dem Buch Josua (Jos 6,26), wofür auch das Fehlen des Verses in LXX^L spricht. Vgl. W.Dietrich, *Prophetie*, 136; S.Timm, *Dynastie*, 55 Anm.9 und auch Ch.Conroy, *Hiel*, 218. Diese fand vermutlich im Zusammenhang mit dem – nach der Einfügung von 1.Kön 17-18 erfolgenden – Einbau der „Elisa-Biographie“ in die Königsbücher (siehe dazu S.248-250) statt: Mit der Einführung der Ortsnamen Betel und Jericho in 1.Kön 16,34 wird bereits zu Beginn der Elia-Erzählungen eine Verbindung zu den Elisa-Erzählungen (vgl. 2.Kön 2) geschaffen; ähnlich Ch.Conroy, *Hiel*, 216ff. und M.Beck, *Elia*, 45f.

[44] G.Fohrer, *Elia*, 34f. Vgl. auch O.H.Steck, *Überlieferung*, 5; W.Dietrich, *Prophetie*, 136; J.Wellhausen, *Composition*, 278. W.Thiel, *Redaktionsarbeit*, 169, nimmt zumindest die Auslassung eines ehemals in 17,1 vorhandenen Ortsnamen durch die Deuteronomisten an.

[45] G.Hentschel, *Elijaerzählungen*, 49f. Die Argumentation Hentschels bezüglich des Fehlens einer Begründung für die Unheilsankündigung Elias an Ahab (a.a.O. 50.) ist allerdings fragwürdig: Weil in 17,1 keine Dürre angesagt, sondern nur die Bedingung für die Beendigung der Dürre genannt werde, brauche keine Begründung für die Dürre voranzugehen. Das Wort Elias besteht jedoch aus zwei Teilen: Im ersten wird

13.17 vorausgesetzten Verhältnisse für nicht notwendig, da sie im Laufe der Erzählung „in der hier erforderlichen Deutlichkeit zutage“ träten.[46] Dennoch bleibt das Problem des im Unterschied zu Elia nicht eingeführten Ahabs bestehen. Dazu kommt die syntaktische Schwierigkeit des relativ unwahrscheinlichen Erzählanfanges mit ויאמר.[47]

Die beiden vorgeschlagenen Lösungen führen also in die Aporie: Durch die Neueinführung Elias und den Aufbau der am Ende gelösten Spannung wird ein Erzählanfang suggeriert, dieser ist jedoch syntaktisch nicht gekennzeichnet, die zweite Hauptperson Ahab wird nicht offiziell eingeführt.[48] Das Dilemma löst sich jedoch durch die Annahme, 1.Kön 17,1ff. sei in das DtrG „hineingeschrieben“, das heißt von einem Erzähler (BE1)[49] mittels seiner Gestaltung von V.1 an den Königsrahmen für Ahab angefügt worden. Damit erübrigt es sich, eine die Informationen von 16,29-33 enthaltende ursprüngliche Exposition zu postulieren, bzw. 1.Kön 17,1 als – vermeintlich unkonventionellen – Erzählanfang zu deklarieren.

Die Erweiterung des DtrG um 1.Kön 17-19 begann also mit der auf den Königsrahmen bezogenen Ankündigung Elias an Ahab. Nun stellt sich die Frage nach dem Ende dieser ersten Einfügung, die wieder eine Anknüpfung an das vorgegebene DtrG erkennen lassen müßte. Grundsätzlich sind hier zwei Ansätze sinnvoll:

- Die in 17,1 aufgebaute Spannung findet ihr Ende in der Episode von der Wiedergewinnung des Regens (1.Kön 18,41-46). Die Mindestabgrenzung der Einfügung in das DtrG wäre also 1.Kön 17,1-18,46.[50] Dafür spricht die von H.-J.Stipp[51] plausibel gemachte ursprüngliche Anknüpfung von 1.Kön 18,45b.46 an die Erzählung von Naboths Weinberg (MT: 1.Kön 21; LXX: 3.Kön 20): Die Itinerarnotizen in 18,45b.46 lassen Ahab und Elia den Weg nach Jesreel, dem Schauplatz der Ereignisse um Naboths Weinberg, nehmen.[52] Nach LXX, die hier den Vorrang verdient, folgt die Erzählung von Naboths Weinberg auf 1.Kön 19.[53] Wenn nun Kapitel 19 erst in einem späteren Stadium an 1.Kön 17-18

die Dürre angekündigt/angedroht: „Es wird diese Jahre weder Tau noch Regen geben!“, erst im zweiten Teil wird eine Möglichkeit genannt, diese zu verhindern bzw. zu beenden: „Es sei denn ich sage es.“ Es ist also sehr wohl eine Begründung für die den ersten Teil des Spruchs bildende Ankündigung zu erwarten!

[46] R.Smend, *Wort*, 534f.

[47] Vgl. H.-J.Stipp, *Elischa*, 176f.; W.Gross, *Erscheinungen*, 131ff.; ders., *Otto Rössler*, 64 Anm. 149 und auch M.Eskhult, *Studies*, 50ff.

[48] Eine vermeintlich dritte Lösung des Problems der Einleitung der Elia-Erzählung bietet B.Lehnart, *Prophet*, 181f.: Seiner Ansicht nach erklärt sich die „Kargheit dieser Einleitung“ daraus, daß „die Begegnung von Elija und Ahab in 17,1 ... nicht als ursprüngliche Erzähleröffnung, sondern als redaktionell gestaltete Szene ... zu begreifen“ ist. „Von der redaktionellen Gestaltung her“ sei es „klar, daß in 17,1 keine weiteren Hintergrundinformationen geboten werden“ (a.a.O. 182). Es ist allerdings nicht einzusehen, aus welchem Grunde für einen Redaktor, der die Komposition 1.Kön 17-18 (bei Lehnart: „Dürre-Karmel-Komposition“) erstellte, andere literarische Grundsätze gelten sollten als bei jedem anderen Erzähler: 1.Kön 17,1 fungiert innerhalb der Komposition des Redaktors als Erzähleinleitung! Das Problem, daß er diese nicht dementsprechend gestaltet hat, bleibt also bestehen.

[49] BE1 = Erste nachdeuteronomistische Bearbeitung im Bereich der Elia-Erzählungen.

[50] Womit keine Aussage über die Einheitlichkeit von 1.Kön 17-18 gemacht werden soll.

[51] H.-J.Stipp, *Elischa*, 432ff.

[52] LXX[B+] bietet die Lesart καὶ ἔτρεχεν ἔμπροσθεν Αχααβ εἰς Ισραελ, was וירץ לפני אחאב יזרעאלה entspricht. Damit läuft Elia nicht nur bis zum Eingang von Jesreel (MT: וירץ לפני אחאב עד־באכה יזרעאלה), sondern wie Ahab nach Jesreel hinein; vgl. H.-J.Stipp, *Elischa*, 432-435.

[53] Für den Vorrang der durch LXX repräsentierten Reihenfolge Elia-Komposition/ Elia am Horeb (3.Kön 17-19 [MT 1.Kön 17-19]) – Erzählung von Naboths Weinberg (3.Kön 20 [MT 1.Kön 21]) – Erzählungen von den Kriegen Ahabs (3.Kön 21.22 [MT 1.Kön 20.22]) spricht folgendes:

angewachsen wäre, so bildete das Itinerar einen guten Übergang zur Nabotherzählung.[54] In Bezug auf Kapitel 19 haben die Itinerarnotizen dagegen wenig Sinn, denn nichts in Kapitel 19 zwingt zu der Annahme, das Gespräch zwischen Ahab und Isebel habe in Jesreel stattgefunden, nach 1.Kön 16,29-33 würde man eher annehmen, Isebel und Ahab agierten von Samaria aus.[55]

- Mit der Annahme, das DtrG sei – grob gesagt – in zwei Schüben, zunächst um 1.Kön 17-18 und anschließend um 1.Kön 19, erweitert worden, stellt sich allerdings erneut das Problem der Notwendigkeit der Jehu-Revolution: Denn ohne Kapitel 19, wo der „Triumph des Elia zu einem vorläufigen"[56] gemacht wird, stehen der Sieg Elias über den Baalskult und Jehus Revolution unvermittelt „nebeneinander" in den Königsbüchern. Weil dann aber „Jehu nicht mehr nötig gewesen wäre", gelangt R.Smend[57] zu der Ansicht, daß die Komposition „in annähernd ähnlicher Form wie jetzt in xvii-xviii" ohne ihre „Fortsetzung und also ohne dieses retardierende Moment", das heißt ohne 1.Kön 19, nie erzählt worden sei. Folgt man der Argumentation Smends, so hieße das in Bezug auf eine nachdeuteronomistische Erweiterung der Königsbücher um 1.Kön 17-19, daß diese in einem Schritt erfolgt wäre. Die gesuchte Anknüpfung der Großerzählung an das DtrG wäre dann erst mit den Aufträgen Jahwes an Elia (19,15-18)[58] gegeben.

- Die Bemerkung, Ahab sei nach Jesreel gefahren, macht nur einen Sinn, wenn er im folgenden in Jesreel agiert. In 1.Kön 19 ist sein Aufenthaltsort unbestimmt, in 1.Kön 20 (MT) befindet er sich in Samaria (vgl. 1.Kön 20,1f.). Allein in der Erzählung von Naboths Weinberg befindet sich Ahab in Jesreel (vgl. 1.Kön 21,1-3.15f.)!
- Nach dem Itinerar in 1.Kön 20,43 (MT; LXX: 3.Kön 21,43) begibt sich Ahab nach Samaria, was nicht zur Erzählung vom Weinberg in Jesreel, wohl aber zur Kriegserzählung 1.Kön 22 (MT; LXX: 3.Kön 22) paßt (vgl. 1.Kön 22,10). Die durch Itinerarnotizen verbundenen Erzählungen passen also auch in diesem Punkt in der Reihenfolge der Septuaginta besser zusammen.
- MT 1.Kön 21,4a (ויבא אחאב אל־ביתו סר וזעף .... אבותי) weicht entscheidend von der Version, die LXX$^{B\,L}$ 3.Kön 20,4a zugrundeliegt (ותהי רוח אחאב סרה), ab. Hier ist der Lesart der Septuaginta (B, L) die Priorität zu geben, denn dort stimmt die Reaktion Isebels (V.5b: מה־זה רוחך סרה) mit dem in V.4a beschriebenen Vorgang wesentlich besser überein als im MT. Die Formulierung des MT in V.4a (סר וזעף) entspricht nicht dem Kontext von 1.Kön 21, sondern 1.Kön 20,43 (MT). Von dort ist sie nach der Umstellung der Kapitel zur jetzigen Reihenfolge des MT nach 1.Kön 21,4 eingedrungen.

Vgl. auch H.-J.Stipp, *Elischa*, 432ff.484; S.Timm, *Dynastie*, 112; O.Thenius, *Bücher*, 28f.; I.Benzinger, *Bücher*, 114.

[54] Diese setzt nach LXX direkt mit „Einen Weinberg hatte Naboth der Jesreeliter" ein, was sich gut an eine Notiz über den Marsch Elias und Ahabs nach Jesreel anschließt. Demgegenüber wird sie nach dem MT durch eine redaktionelle Überleitung (MT: 1.Kön 21,1aα) eingeleitet, die eher auf Diskontinuität zu dem zuvor Berichteten schließen läßt. Diese Überleitung „Es geschah nach diesen Ereignissen" wurde wohl erst nach der Umstellung der Kapitel zur durch den MT repräsentierten Reihenfolge für nötig befunden.

[55] Nach H.-J.Stipp, *Elischa*, 433f., hat sich das sukzessive Anwachsen des DtrG zunächst um 1.Kön 17-18 und anschließend um 1.Kön 19 in der Textgeschichte von 1.Kön 18,46 niedergeschlagen (siehe auch Anm. 53): Während es zunächst, das heißt vor der Einfügung von 1.Kön 19, hieß, Ahab und Elia seien nach Jesreel gegangen (LXX^{B+}), so sei der Text im Zuge der Einfügung von 1.Kön 19 dahingehend geändert worden, daß sich Ahab und Elia vor Jesreel trennten: Ahab ging nach Jesreel; Elia zu einem Ort, von dem aus er in die Wüste und zum Horeb fliehen konnte.

[56] R.Smend, *Wort*, 541.

[57] a.a.O. 541-543.

[58] Zu 1.Kön 19,19-21 siehe S.220-222.

Nun ist das Argument der Notwendigkeit der Jehu-Revolution verwandt worden, um die nachdeuteronomistische Einfügung von 1.Kön 17-19 zu begründen.[59] Ist es aber mit der gleichen Gewichtigkeit auch in diesem Fall anzuwenden?

Oben war davon ausgegangen worden, daß die deuteronomistische Geschichte der Baalsverehrung in Israel in sich stimmig sein müßte. Aus diesem Grund war die das deuteronomistische Geschichtskonzept für die Epoche von Ahab bis Jehu sprengende Komposition (1.Kön 17-19) als „nachdeuteronomistisch" charakterisiert worden. Nun kann aber bei einem nachdeuteronomistischen Bearbeiter der Königsbücher nicht a priori davon ausgegangen werden, daß er das deuteronomistische Geschichtskonzept beachtet und die Erzählung von Elias Sieg auf dem Karmel (1.Kön 18,21-40) samt ihrer Vor- und Nachgeschichte (17,1-18,20; 18,41ff.) nur mit einem die Spannung zur Erzählung von der Jehu-Revolution ausgleichenden Schluß eingefügt hätte.

Das in 1.Kön 18,45b.46 vorgefundene Itinerar ist ein starkes Argument dafür, daß die genannten Verse das Ende der ersten nachdeuteronomistischen Erweiterung der Königsbücher im Bereich der Elia-Erzählungen bildeten. Das Itinerar wäre dann, da es für die Erzählung selbst ohne Bedeutung ist, daß Ahab und Elia nach Jesreel zurückkehren, auf BE1 zurückzuführen, der damit die Anknüpfung an die Nabotherzählung schuf. Für diese Abgrenzung der ersten Einfügung spricht auch die Übereinstimmung des von BE1 geschaffenen Anfanges der Komposition (1.Kön 17,1)[60] mit ihrem Ende: Mit 1.Kön 18,45f. ist nicht nur das Problem des ausbleibenden Regens gelöst, hier schließt sich auch der Kreis des persönlichen Konfliktes der beiden Protagonisten der Kapitel 1.Kön 17-18: Ahab und Elia, die sich am Anfang feindlich gegenüber stehen (17,1), gehen am Ende „gemeinsam nach Hause".

Die Erwähnung Isebels und die Verfolgung Elias durch Isebel (19,1-3) sowie die folgenden Ereignisse (19,4-18) eröffnen dagegen eine neue Problematik, die nicht von BE1 intendiert gewesen sein kann: 1.Kön 17,1 zeigt eine Auseinandersetzung zwischen Ahab und Elia, nicht zwischen Ahab/Isebel und Elia an (19,1-3), zudem läßt die Ankündigung Elias an Ahab einen souveränen Elia erkennen, dessen am Ende stehenden Sieg der Hörer/Leser hier schon ahnen kann, wohingegen in 1.Kön 19 ein furchtsamer, letztlich erfolgloser Elia auftritt. Während BE1 in 1.Kön 17,1 die Beurteilung Ahabs im Königsrahmen (1.Kön 16,30-33) dahingehend interpretiert, daß Ahab als König für den Baalskult in Israel die Verantwortung trägt, egal wie es ursprünglich dazu kam, wird in 1.Kön 19,1-3 die Rolle Isebels als aktive Unterstützerin des Baalskultes betont.[61] Im folgenden soll daher vom Ende der ersten Einfügung in 1.Kön 18,45f. ausgegangen werden, wobei die Frage nach Sinn und Funktion dieser ersten Einfügung in einem nachdeuteronomistischen Königsbuch

---

[59] Siehe S.151ff.

[60] Vgl. S.163f.

[61] Das Motiv der Prophetenverfolgung Isebels kann in 1.Kön 17-18 als sekundär eingetragen erwiesen werden, siehe dazu S.169 Anm. 92. Dagegen geht es in 1.Kön 19 auf denjenigen zurück, der die Verbindung zwischen 1.Kön 17-18 und 1.Kön 19 mittels der Verse 19,1-3 schuf. Nach R.Smend, *Wort*, 541, ist 1.Kön 19,1-3 „auf 'den' Autor von xvii-xviii zurückzuführen". Dies erscheint mir jedoch aufgrund der oben aufgezeigten Tendenzunterschiede zwischen 1.Kön 17-18 und 1.Kön 19 (Rolle Isebels; siegreicher/erfolgloser Elia) relativ unwahrscheinlich. Denn warum sollte ein Autor zunächst eine grandiose Erfolgsgeschichte entwerfen, um sie zugleich und ohne Übergang zu einer Geschichte des bitteren Scheiterns zu machen?

noch zu klären ist. Dafür ist es aber von entscheidender Bedeutung, den Anteil des Erzählers (BE1) herauszuarbeiten, der diese Einfügung mittels seiner Gestaltung von 1.Kön 17,1 und des Itinerars in 18,45b.46 vornahm.[62]

1.3 Die Komposition von 1.Kön 17-18

1.3.1 Vorbemerkungen

1.Kön 17-18 ist als wohlgestaltete Komposition bereits vielfach gewürdigt worden.[63] Die Großerzählung von der Verweigerung und Wiedergewährung des Regens setzt sich aus einzelnen Episoden zusammen, die durch das Motiv des Regens erzählerisch miteinander verknüpft sind: Mit einem Schwur kündigt Elia Ahab eine mehrjährige Dürre an, die nur durch das Wort Elias beendet werden kann (17,1). Daraufhin ergeht ein Wort Jahwes an Elia, er solle sich am Bach Kerit verbergen (17,2f.). Während der Zeit der Dürre wird Elia auf wunderbare Weise von Jahwe versorgt (V.4.9): Zunächst durch die Raben am Bach Kerit und als dieser, bedingt durch das Ausbleiben des Regens, austrocknet (V.7), von einer Witwe in Sarepta (V.8-16), deren Öl- und Mehlkrug aufgrund eines Wunders Elias während der Dürrezeit nicht leer wird (V.14). Endlich ergeht wieder ein Wort an Elia, er solle sich Ahab zeigen, denn Jahwe werde es wieder regnen lassen (18,1-2a). Den Abschluß der Großerzählung bildet dann auch folgerichtig eine Erzählung, in der es durch Elias Magie zu einem großen Regen kommt (18,41-46).

Mit dem Ausbleiben und Wiederkommen des Regens ist jedoch ein zweites Motiv verknüpft: Innerhalb des Kontextes des DtrG ist die Ankündigung des Ausbleibens des Regens (1.Kön 17,1) als direkte Konsequenz von Ahabs, in 1.Kön 16,29-33 geschilderten, verwerflichen Taten anzusehen. In 1.Kön 18,17f. wird dies dann explizit ausgedrückt: Nicht Elia, der die Dürre ankündigte, trägt die Schuld an Israels Verderben, sondern allein Ahab, der das Verderben durch seinen Baalsdienst hervorgerufen hat. Erst als – unter Mitarbeit Ahabs (18,19f.) – das Volk bekehrt und die Baalspropheten getötet sind (18,21-40), kann es zum erlösenden großen Regen kommen (18,41-46).

Innerhalb der Auseinandersetzung um Regen und Baalskult verändert sich auch das Verhältnis Ahabs und Elias: Nach seiner schroffen Ankündigung (17,1) muß sich Elia vor Ahab verbergen (17,3). Erst nach drei Jahren der Dürre soll er sich Ahab wieder zeigen (18,1.2a). Während dieser Zeit gab es eine große Hungersnot in Samaria (18,2bff.) und der König ließ den Propheten verzweifelt suchen. Bei der Begegnung zwischen Ahab und Elia kommt es zu einem scharfen Wortwechsel, in dem Elia Ahab anscheinend von seiner Schuld an der Dürre überzeugen kann (18,17f.), so daß sich der König eifrig an der Beseitigung der Mißstände beteiligt (18,19-40). Wie zur Besiegelung der neu geschlossenen Allianz wird Ahab anschließend von Elia in die Aktionen zur Wiedergewinnung des Regens einbezogen (18,41-46).

---

[62] Zu 1.Kön 18,45b.46 siehe S.171f.

[63] Vgl. nur W.Thiel, *Komposition*, 215-223; R.Smend, *Wort*, 540f.; R.L.Cohn, *Logic*, 333-350; F.C.Fensham, *Observations*, 227-236; U.Simon, *Elijah's*, 51-118; E.Blum, *Prophet*, 277-292.

Die Komposition 1.Kön 17-18, betrachtet man sie unter dem Aspekt des Verhältnisses Ahabs und Elias, zerfällt – trotz ihrer oben herausgestellten Einheit – in zwei Teile. Die Grenze bildet der harte Übergang im Dialog zwischen Ahab und Elia in 1.Kön 18,17-19: Während sich die beiden in V.17b.18 in einer scharfen Auseinandersetzung gegenüberstehen, so erteilt Elia Ahab in V.19 Anweisungen, als habe es nie Unstimmigkeiten gegeben. Diese Anweisungen werden dementsprechend im folgenden von Ahab getreulich ohne Rückfragen und Widerspruch ausgeführt (V.20). Im ersten Teil der Komposition (Regen-Auseinandersetzung) steht die Gegnerschaft Ahabs und Elias im Vordergrund. Diese tritt deutlich zutage in Elias schroffer Ankündigung einer katastrophalen Dürre (17,1), in Ahabs verzweifelter Suche nach Elia, die hochpolitische, ja geradezu lebensbedrohliche Formen annimmt (18,9-12), und gipfelt schließlich in der gegenseitigen Schuldzuweisung, der „Verderber" Israels zu sein (18,17b-18). Gänzlich anders stellt sich das Verhältnis von König und Elia im zweiten Teil der Komposition (Baal-Regen-Erfolgsgeschichte) dar. Hier arbeiten sie sozusagen Hand in Hand (18,19f.41-46), wobei am Ende ihr gemeinsamer Erfolg, die (Rück-)Gewinnung des Regens und die gemeinsame Triumphfahrt nach Jesreel steht (18,41-46). In diesem Teil der Komposition werden keinerlei Vorwürfe gegen Ahab erhoben; im Gegenteil, er wird als ein König geschildert, der den Anweisungen des Propheten sehr genau Folge leistet (18,19f.41f.)[64].

Die geschilderte Diskrepanz zwischen den beiden Teilen der Komposition berechtigt, das Werden der beiden Teilstücke zunächst getrennt zu betrachten.

1.3.2 Die Regen-Auseinandersetzung (1.Kön 17,1-18,18)

Unheilsankündigung und Beschimpfung (1.Kön 17,1; 18,17b.18)

Die überlieferungsgeschichtlich ältesten Elemente liegen mit der Unheilsankündigung Elias an Ahab (17,1) und dem Streit um den „Verderber Israels" (18,17f.) vor. Obwohl die Einleitung der Komposition in 1.Kön 17,1 in ihrer jetzigen Form erst von BE1 stammt, so kann doch der Spruch als solcher („Diese Jahre wird es weder Tau noch Regen geben, es sei denn, ich sage es!") nicht von ihm in Kenntnis der Gesamtkomposition gebildet worden sein. Dies wird deutlich an der sonst in der Erzählung nicht belegten Wortwahl „*Tau und Regen*". Auch die Ankündigung „es sei denn, ich sage es" findet kein Pendant in der folgenden Erzählung: Nach 18,1 soll Elia Ahab zwar die Wiederkunft des Regens ankündigen, doch hier handelt es sich nicht um *Tau und Regen*, die nach dem *Willen* Elias ausbleiben (17,1), sondern um *Regen*, den *Jahwe* wieder auf die Erde geben will. Im folgenden kommt es dann auch nicht zur formalen Ankündigung von Regen (מטר), in 1.Kön 18,41 teilt Elia Ahab lediglich mit, er höre das Rauschen des Regens (גשם). Die aus ihrem Kontext herausfallende, prägnante Sprache des Spruches in 17,1 weist darauf hin, daß hier ein altes, ursprünglich frei umlaufendes Prophetenwort Elias an Ahab verwandt wurde. Dieses

[64] Zu den Abweichungen in V.20 gegenüber V.19 siehe S.171.

könnte – ebenso wie die Unheilsankündigung in 1.Kön 21,19[65] – noch aus der Zeit Ahabs stammen.[66]

Auch der Streit um den „Verderber Israels“ (18,17b.18a)[67] zwischen Ahab und Elia erscheint unerfindlich und damit alt.[68] Obwohl das Schimpfwort „Verderber Israels“ allein keine Rückschlüsse auf seinen Hintergrund zuläßt[69] und ein ursprünglicher Zusammenhang der beiden Überlieferungselemente Unheilsankündigung (17,1) und Streit (18,17b.18a) nicht zu erweisen ist, ist es wegen der in die Zeit Ahabs weisenden Unheilsankündigung 17,1 nicht unwahrscheinlich, daß zur Zeit Ahabs eine erbitterte Auseinandersetzung um die Ursache bzw. den Verursacher einer großen Dürre geführt wurde und auch der Streit um den „Verderber Israels“ in diesem Zusammenhang stattfand.[70]

Wie der überlieferte Spruch in 1.Kön 17,1 von BE1 durch die Anknüpfung an 16,29-33 mit dem Baalskult Ahabs in Verbindung gebracht wird, so wird auch die Auseinandersetzung um den „Verderber Israels“ (18,17b-18a) erst durch Anfügung der nachträglichen Begründung 18,18b[71] redaktionell in den Kontext der Baalsverehrung gestellt. Da sowohl in 17,1 als auch in 18,18b auf den Königsrahmen für Ahab Bezug genommen wird und beidemal Elemente deuteronomistischer Sprache[72] aufgegriffen werden, ohne jedoch das spezifisch deuteronomistische Vokabular der Beurteilung Ahabs und seiner Zeit zu treffen, erscheint es mir plausibel, auch die Einbettung der „Verderber-Auseinandersetzung“ in ihren Kon-

---

[65] Siehe S.125f.

[66] Der Nachweis mehrerer ehemals frei umlaufender Prophetenworte gegen Ahab im Bereich von 1.Kön 17 bis 2.Kön 9 (1.Kön 17,1*; 21,19*; 2.Kön 9,26*) macht die Annahme wahrscheinlich, daß in Folge der prophetischen Bewegung gegen die Omriden im 9.Jahrhundert (vgl. R.Albertz, *Religionsgeschichte*, 233ff.) eine Sammlung (oder Sammlungen) von damals umlaufenden Sprüchen gebildet wurde (zu 1.Kön 19,17 siehe S.184f. Anm. 161). Aus dieser Sammlung konnten dann – auch über längere Zeit hinweg – verschiedene Autoren schöpfen. So auch BE1, der ja in großem zeitlichen Abstand zur Zeit Ahabs (nach der Entstehung des DtrG, siehe dazu S.178f.) arbeitete.

[67] Zur Bedeutung von עכר siehe S.Timm, *Dynastie*, 62f. und R.Albertz, *Religionsgeschichte*, 238 Anm. 49. Auf die doppelte Bedeutung, die „Verderber Israels“ im Kontext von 1.Kön 17-18 erlangt, weist T.B.Dozeman, *Troubler*, 81-93, hin: Zum einen bezieht sich der Ausdruck auf die „Behexung“ Israels durch den Schwur Elias in 1.Kön 17,1, zum anderen auf die Verderbnis Israels durch den Abfall Ahabs von Jahwe.

[68] Vgl. R.Albertz, *Religionsgeschichte*, 238; S.Timm, *Dynastie*, 61-63.

[69] So S.Timm, *Dynastie*, 62.

[70] Kenntnis von Dürren/Hungersnöten zur Zeit Elias/Elisas geben jedenfalls 1.Kön 18,2b.3a.5; 2.Kön 4,38ff.; 8,1-6; vgl. noch 2.Kön 6,24ff. In 1.Kön 18,41ff. geht es um die Fähigkeit Elias, Regen zu machen. Daß er diese Fähigkeit umkehrt, Regen verweigert (17,1) und damit zum „Verderber“ Israels wird, ist durchaus denkbar; anders S.Timm, *Dynastie*, 63.

[71] Die von deuteronomistischer Sprache beeinflußte Wendung in V.18b „Gebote Jahwes verlassen, den Baalen nachlaufen“ unterscheidet sich stark von dem archaisch wirkenden Streitgespräch, wer denn der „Verderber Israels“ sei; vgl. S.Timm, *Dynastie*, 62.

[72] Deuteronomistisch geprägte Sprachelemente sind „Gott Israels“ in 17,1 (vgl. die deuteronomistische Erweiterung der Botenformel um „Gott Israels“ in 1.Kön 11,31; 14,7; 2.Kön 9,6; 21,12; 22,15.18. In 1.Kön 17,1 ist im Unterschied zu den genannten Stellen die Schwurformel um die Wendung „Gott Israels“ ergänzt), „die Gebote Jahwes verlassen“ (vgl. 2.Kön 17,16; Jer 9,12), „den Baalen nachlaufen“ in 1.Kön 18,18b (vgl. Jer 2,23; 9,13).
Die Bezeichnung „Elia, der Tisbiter“ (17,1) findet sich nicht in den von BE1 aufgenommenen Traditionen (in 1.Kön 18,21-39 wird Elia als Prophet bezeichnet (V.36; vgl. V.22), sonst überall nur mit seinem Namen genannt [zu 1.Kön 17,17-24 siehe S.179-183]). Sie scheint von BE1 aus 1.Kön 21 entnommen und zu einer Herkunftsbeschreibung ausgeweitet worden zu sein.

text auf BE1 zurückzuführen.[73] Diesem kommt damit ein erheblicher Anteil an der Gestaltung der Gesamtkomposition zu: Denn erst er stellt explizit die Verbindung zwischen dem Ausbleiben des Regens und dem Baalskult Ahabs her, indem er aufzeigt, daß das Verderben Israels seinen Grund allein im Baalskult Ahabs und in seiner Untreue gegenüber den Geboten Jahwes hat. Da aber V.18b genau die Schnittstelle zwischen Regen-Auseinandersetzung und Baal-Regen-Erfolgsgeschichte bildet, heißt das, die Verbindung zwischen den beiden oben herausgearbeiteten „Teilstücken" von 1.Kön 17-18 geht auf BE1 zurück.

Die göttliche Führung Elias (1.Kön 17,2-16)

Die Episoden „Elia am Bach Kerit" (17,2-7) und „Elia in Sarepta" (17,8-16), die in der Zeit der von Elia angesagten Dürre spielen, sind durch ihre redaktionellen Einleitungen parallelisiert[74] und auf die Notsituation Elias bezogen, die sich aus seiner schroffen Ankündigung an Ahab (V.1; vgl. V.3) und der darauffolgenden Trockenheit (V.7) ergibt.[75] Ein Wort ergeht an Elia – die Wortereignisformeln (V.2.8) stimmen exakt überein -, diesem wird ein Befehl zum Aufbruch an den Bach Kerit (V.3) bzw. nach Sarepta (V.9) gegeben. Dort soll er, so wird ihm zugesichert, auf den Befehl Jahwes hin (צוה) auf jeweils spezifische Weise versorgt werden (כול). Der Übergang zwischen beiden Episoden wird durch das Regenmotiv (גשם) hergestellt: Der Bach, aus dem Elia getrunken hat, trocknet aus, „weil es keinen Regen im Land gab" (V.7).[76] Dies macht einen Ortswechsel und anderweitige Versorgung Elias notwendig (V.8f.). Auch die Not der Witwe (V.14b) wird redaktionell auf das Ausbleiben des Regens (גשם) zurückgeführt.[77] Da mit der Anspielung auf den Konflikt zwi-

---

73 Vgl. S.Timm, *Dynastie*, 62 Anm. 18.

74 Die Verschmelzung der ursprünglich selbständigen, wohl noch aus der Zeit Elias/Elisas stammenden Episoden mit dem redaktionellen Rahmen ist unterschiedlich stark: Während im Erzählduktus von V.2-7 kein Bruch vorliegt – der Übergang zwischen dem Rahmen (V.2-5a.7) und der aufgenommenen Tradition von der Versorgung Elias in der Ödnis (V.5b-6; vgl. 1.Kön 19,3aß-6) ist allein am doppelten וילך in V.5 zu erkennen –, besteht in V.8-16 ein inhaltlicher Bruch zwischen dem Rahmen (V.8.9) und der aufgenommenen Erzählung vom Öl- und Mehlwunder (V.10-14a.15f.): Jahwe hat – so versichert er Elia – einer Witwe in Sarepta geboten, ihn zu versorgen (V.9). Diese ist jedoch nach der Erzählung so arm, daß sie Elia nicht ernähren kann, sondern auf seine Hilfe angewiesen ist (V.12). Hier ist noch der Kern der ursprünglichen Wundergeschichte (vgl. die ähnliche Tradition in 2.Kön 4,1-7) zu erkennen: Ein wundertätiger „Gottesmann" hilft den „kleinen Leuten", in diesem Fall einer armen Witwe, in ihrer existenzbedrohenden Not und nicht umgekehrt (vgl. aber 2.Kön 4,8ff.).
Zur stark divergierenden Literarkritik bezüglich 1.Kön 17,2-16 vgl. W.Dietrich, *Prophetie*, 71f.122-125; R.Smend, *Wort*, 528f.533; O.H.Steck, *Überlieferung*, 9f.; G.Hentschel, *Elijaerzählungen*, 50f.84ff.; S.Timm, *Dynastie*, 55ff.; Chr.Levin, *Erkenntnis*, 329ff.; B.Lehnart, *Prophet*, 179ff.

75 Die Notsituation deutet sich darin an, daß Elia „von hier" fortgehen und sich am Bach Kerit verbergen bzw. nach Sarepta aufbrechen soll (V.3.9), wo er dann versorgt werden (V.4.9) muß. Da Flucht und Bedürftigkeit Elias ohne seine Auseinandersetzung mit Ahab nicht begründet sind, setzt 1.Kön 17,2ff. 1.Kön 17,1 voraus, so auch B.Lehnart, *Prophet*, 185. Daher empfiehlt es sich nicht, wie S.Timm, *Dynastie*, 57, 1.Kön 17,2-16* als ursprünglich eigenständige Tradition anzusehen, bzw. wie E.Würthwein, *Bücher II*, 205.221f., 1.Kön 17,1 einer nachdeuteronomistischen, 17,2ff. dagegen einer früheren, deuteronomistischen Schicht zuzuordnen.

76 Zum Überleitungscharakter von V.7 vgl. S.Timm, *Dynastie*, 56 Anm. 15; B.Lehnart, *Prophet*, 186.

77 Zum redaktionellen Charakter von V.14b – hier wird innerhalb eines Jahwespruches von Jahwe in der 3.Person Singular gesprochen; die in V.14b vorliegende zeitliche Begrenzung der Zusage Jahwes auf die Zeit der Dürre fehlt bei der Wiedergabe des Jahwespruches in V.16 – vgl. E.Würthwein, *Bücher II*, 206.211; G.Hentschel, *Elijaerzählungen*, 199; H.Schmoldt, *Wiederaufnahmen*, 425; W.Thiel, *Jahwe*, 99; B.Lehnart, *Prophet*, 189. Dagegen ist es nicht notwendig, auch die Botenformel (V.14aα_1) auf eine Bear-

schen Ahab und Elia (V.3) und dem Bezug auf die Situation der Dürre (V.4.7.9.14b)[78] das Thema von BE1, die Regen-Auseinandersetzung,[79] aufgegriffen wird, legt sich die These nahe, die Einbindung der ursprünglich eigenständigen Traditionen (1.Kön 17,5b.6; 17,10-14a.15f.)[80] in die Elia-Komposition ebenfalls auf BE1 zurückzuführen.[81]

Für diese These spricht auch, daß die redaktionell gestalteten Verse 17,3 und 17,9, wie die durch BE1 gestaltete Einleitung der Elia-Komposition (17,1), einen Bezug zum Königsrahmen für Ahab erkennen lassen. Die Aufforderung Jahwes an Elia, „von hier“ fortzugehen (V.3), wird erst sprechend im Zusammenhang mit 1.Kön 16,29ff.: Elia, der Ahab das Ausbleiben des Regen heraufbeschwor, soll sich aus Samaria, der Stätte des Baalsdienstes, dem Machtbereich Ahabs, fortbegeben (1.Kön 16,29.32). Die analog gestaltete Aufforde-

---

beitung zurückzuführen. Der immer wieder herausgestellte Widerspruch zwischen V.14aα_1 und V.15 (vgl. nur B.Lehnart, *Prophet*, 188) existiert nicht: Wenn es in V.15 heißt, die Frau handele nach dem Wort Elias, so bezieht sich dies auf Elias Anweisungen an die Frau in V.13 und nicht auf das Wort Jahwes in V.14, das keine Anweisung sondern eine Zusicherung enthält. Der Botenformel entspricht dagegen die Konstatierung des Wunders in V.16: Dieses hat sich erfüllt „nach dem Wort Jahwes, das er durch Elia geredet hatte“.

[78] In V.7.14b wird die Situation der Regenlosigkeit explizit aufgegriffen, in V.4.9 ergibt sich aus ihr (und aus der Konfrontation zwischen Elia und Ahab) die Notwendigkeit, Elia zu versorgen.

[79] Man könnte gegen die These, daß das „Regenmotiv“ in V.7.14b auf den Verfasser von 1.Kön 17,1 (BE1) zurückzuführen ist, allerdings einwenden, daß in V.7.14b, im Unterschied zu V.1 (טל ומטר), von גשם die Rede ist (vgl. nur S.Timm, *Dynastie*, 56f.). Der Unterschied im Sprachgebrauch erklärt sich jedoch aus der Art des Umgangs von BE1 mit den von ihm zu einer Erzählung verknüpften Traditionen: Ausgehend von der ihm vorliegenden Unheilsankündigung (1.Kön 17,1*; siehe dazu S.163f.), verwendet er für die beiden entscheidenden Ankündigungen vom Ausbleiben bzw. von der Wiedergewährung des Regens das Wort מטר (17,1; 18,1 [da hier von BE1 selbst formuliert, ohne den feierlichen Zusatz des טל des alten, in 17,1 zitierten Prophetenspruches]), für die Einzelepisoden jedoch das ihm in der 1.Kön 18,41ff. zugrundeliegenden Tradition vorgegebene Wort גשם. Gegen die Verwendung der unterschiedlichen Bezeichnungen des Regens in 1.Kön 17-18 als literarkritisches Kriterium wenden sich auch E.Schwab, *Dürremotiv*, 333; B.Lehnart, *Prophet*, 182.186; R.Smend, *Wort*, 535; siehe noch unten S.168 Anm. 90.

[80] Siehe S.165 Anm. 74.

[81] Vgl. E.Blum, *Prophet*, 278-281. Die von B.Lehnart (*Prophet*, 184-186; vgl. auch W.Dietrich, *Prophetie*, 124; R.Smend, *Wort*, 529; E.Würthwein, *Bücher II*, 211; E.Schwab, *Dürremotiv*, 330-332; J.Rentrop, *Elija*, 126-139; G.Hentschel, *Elijaerzählungen*, 84-90; ders, *1 Könige, 105f.*; Chr.Levin, *Erkenntnis*, 329-342) für die Herauslösung von 1.Kön 17,2-5a.8f. aus der ursprünglichen „Dürre-Karmel-Komposition“ (1.Kön 17,1*[ohne אשר עמדתי לפניו].5b-7.10.11b-14a*[ohne כה אמר יהוה אלהי ישראל]b.15a.16a; 18,1aα.2b-3a.5-8.16-18a.19abα.20-23.24aγb.25.26aα*[ohne אשר־נתן להם]ß*[nur ויקראו לאמר הבעל עננו]γ.28.29b.30.33-34a.35a.36aß.27.38aαß.39.40.42.45a) angeführten Argumente vermögen nicht zu überzeugen: Die Wiederholung der Ortsbestimmung על־פני הירדן aus 17,3 in V.5 ist, wie die Übereinstimmung von Auftrag und Ausführung (V.3f. – V.5f.; V.9 – V.10a) überhaupt, ein der Absicht des Erzählers, Elia als von Jahwe geleitet darzustellen, entsprechendes Stilmittel. Die Wiederaufnahme des וילך in V.5 erklärt sich durch die Verarbeitung älterer Traditionen durch den Erzähler der Elia-Komposition (siehe oben S.165 Anm. 74; auf die Möglichkeit, daß es sich auch hier um ein Gestaltungsmittel des Erzählers handeln könnte, verweist E.Blum, *Prophet*, 281 Anm. 16). Bei den Versen 7 und 8f. handelt es sich überdies nicht, wie Lehnart (a.a.O. 186) anführt, um eine doppelte Überleitung der nachfolgenden Anekdote: V.7 erklärt, warum ein Ortswechsel notwendig wird, während V.8f. Elia die Richtung seines Ortswechels angibt und ihm auch dort Versorgung verheißt. Ohne V.8f. wäre völlig unklar, warum Elia überhaupt nach Sarepta geht und sich dort so voller Gewißheit, daß er versorgt wird, an eine Witwe wenden kann. Schwerwiegender erscheint das Argument, daß in 17,2-5a.8f. aller Nachdruck auf das Jahwewort gelegt wird, während die Erzählung mit einem Wort Elias beginnt (17,1). Allerdings bezeichnet sich Elia in 17,1 ausdrücklich als im Dienste Jahwes stehend, was seinen exakten Ausführungen der Anweisungen Jahwes entspricht und die Fürsorge Jahwes für seinen Diener erklärt. Auf diese Weise mildert BE1 die leise Differenz zwischen dem, ihm in dem alten Prophetenspruch (17,1aßb) vorgezeichneten (siehe S.163f.), eigenmächtig eine Dürre heraufbeschwörenden Elia und dem von Jahwe geführten Elia, den er in 17,2ff. darstellt.

rung, nach Sarepta, „das bei Sidon liegt“, zu gehen (17,9), spielt ebenfalls auf den Königsrahmen für Ahab an: Elia soll sich nun in das Land der sidonischen Frau Ahabs, Isebel (16,31), begeben. Im Unterschied zur ersten Episode, wo sich Elia in der Ödnis verbergen muß, deutet sich hier bereits der am Ende der Elia-Erzählung stehende Triumph über den Baalskult (1.Kön 18,21-40) an: Sogar im Bereich des von Isebel verehrten Baal von Sidon[82] erweist Jahwe seine Wirkmacht![83]

Zudem bildet die mittels der redaktionellen Episodeneinleitungen (17,2-5a.8f.) überdeutlich herausgearbeitete Aussage, daß der sich streng nach dem Wort Jahwes richtende Elia in seiner bedrängten Situation von Jahwe getreulich versorgt wird, auf der Ebene persönlicher Frömmigkeit das Pendant zu 1.Kön 18,18b, einem Vers, der als wesentlich für die Arbeit von BE1 erkannt worden war:[84] Das Verlassen der Gebote Jahwes und die Hinwendung zu den Baalen führte Israel ins Verderben, das Vertrauen des Einzelnen auf Jahwe und die genaue Beachtung seiner Anweisungen dagegen bringt Rettung in der Zeit der Bedrohung.

Unter Verwendung der ihm überkommenen Traditionen von der wunderbaren Versorgung Elias in der Ödnis (17,5b.6) und einem Mehrungswunder (17,10-16*) gibt BE1 im Abschnitt 1.Kön 17,2-16 einen Einblick in das Ergehen Elias zur Zeit der Dürre. Dieser sieht sich nach seinem Auftritt vor Ahab der doppelten Bedrohung durch die Trockenheit und die Nachstellungen Ahabs ausgesetzt. Die Betonung liegt jedoch nicht auf der Not Elias, sondern auf der wunderbaren Fürsorge Jahwes für seinen Diener (V.1), die allerdings die strikte Befolgung seiner Anweisungen zur Voraussetzung hat. In seiner Fürsorge für Elia – und damit verbunden – in der Rettung der sidonischen Witwe erweist Jahwe seine Wirkmacht gegenüber der todbringenden Dürre[85] und implizit auch hier schon gegenüber dem macht- und wirkungslosen Baal.[86]

Die Episode von der Auferweckung des Knaben (17,17-24) stellt eine nach dem Wirken von BE1 erfolgte Erweiterung der Elia-Komposition dar und wird daher an späterer Stelle behandelt.[87]

---

[82] Siehe S.98 Anm. 393.
[83] Vgl. auch E.Blum, *Prophet*, 282; B.Lehnart, *Prophet*, 239f.
[84] Siehe S.164f.
[85] Vgl. auch A.J.Hauser, *Yahweh*, 12-22.
[86] Vgl. L.Bronner, *Stories*, 119-122.
[87] Siehe S.179-183.

Die Wiederbegegnung der Kontrahenten (1.Kön 18,1aß-2a.17a)[88]

Die Überleitung zum erneuten Zusammentreffen Ahabs und Elias (18,1aß-2a) ist ebenfalls nach dem Schema „Wortereignisformel – Befehl zum Aufbruch" gestaltet, wenn auch in gegenüber 17,2f.8f. etwas abgewandelter Form.[89] Die Verse 18,1aß-2a knüpfen inhaltlich an 17,1-16 an, indem sie ein Gegenstück zu 1.Kön 17,1-3 bilden: Nach drei Jahren der Dürre (18,1aγ) – hier wird die Ankündigung Elias einer mehrjährigen Dürre aus 17,1 aufgenommen – beabsichtigt Jahwe wieder Regen (מטר) auf die Erde zu geben (18,1bß).[90] Da es nach dem Schwur Elias erst auf seine Ankündigung hin wieder regnen soll (1.Kön 17,1), ist es notwendig, daß Elia, der sich bisher vor Ahab verborgen hatte (17,3ff.), diesem erneut gegenübertritt (18,1bα). In Anbetracht der Parallelität der Szeneneröffnungen (17,2-4.8-9; 18,1aß-2a) und der ihnen gemeinsamen Intention, das gesamte Handeln Elias als durch das Wort Jahwes bestimmt darzustellen, empfiehlt es sich, auch 1.Kön 18,1aß-2a auf BE1 zurückzuführen.

Ist aber 18,1aß-2a von BE1 geschaffen, so ist auch V.17a auf diesen zurückzuführen, denn hier wird, unter Aufnahme der Formulierung aus 18,1aß-2a, das Zusammentreffen der Kontrahenten geschildert: Ahab erblickt Elia (V.17a: ראה), der von Jahwe den Auftrag erhalten hatte, loszugehen und sich Ahab zu zeigen (V.1b.2a: ראה ni.).

Durch 18,1aß-2a.17a wird der BE1 als ältere Tradition überkommene „Verderber-Israels-Streit" (V.17b.18a) in den durch die Bestimmung des lokalen und personalen Verhältnisses zwischen Ahab und Elia[91] strukturierten Erzählablauf fest eingebunden. Er wird zum scharfen Wortwechsel bei der Wiederbegegnung der Kontrahenten und bezieht sich im Kontext der Elia-Komposition auf Elias Ankündigung an Ahab (17,1) und die darauffolgende Dürre (17,2-16): Ahab beschuldigt Elia, Israel durch seinen Schwur „behext" zu haben (18,17b). Elia aber weist den Vorwurf zurück und wendet ihn gegen Ahab, denn dieser habe ja die Gebote Jahwes verlassen und sei den Baalen nachgelaufen (18,18).

---

[88] Die mit 1.Kön 18,1aγ („im dritten Jahr") konkurrierende Zeitangabe „es geschah nach vielen Tagen" (V.1aα) ist mit W.Thiel, *Redaktionsarbeit*, 168, als eine mit dem Einbau des Textabschnittes 17,17-24 zusammenhängende Ergänzung anzusehen (vgl. die Einleitung mit ויהי in 1.Kön 17,17aα). Siehe auch S.180.

[89] Die Inversion der Wortereignisformel in 1.Kön 18,1aß gegenüber 17,2.8 ist wohl darauf zurückzuführen, daß hier, mittels des invertierten Verbalsatzes der Afformativkonjugation, ein neuer Anfangspunkt gesetzt werden sollte: Mit der Verheißung der Wiedergewährung des Regens tritt die Auseinandersetzung zwischen Ahab und Elia in eine neue Phase ein, die Wendung zum Guten ist in Sicht. Anders W.Thiel, *Redaktionsarbeit*, 168, der die Umstellung der Wortereignisformel auf die nachträgliche Einfügung von 1.Kön 17,17-24; 18,1aα zurückführt.

[90] In 1.Kön 18,1bß wird der Begriff מטר aus 1.Kön 17,1 in Verbindung mit der Wendung על־פני האדמה aus 1.Kön 17,14b (hier in Kombination mit גשם) verwandt. Auch dies ist ein Hinweis darauf, daß die Differenz zwischen dem für die Einzelszenen konstitutiven גשם (1.Kön 17,7.14b; 18,41ff.) und dem מטר der szenenübergreifenden Rahmen der Elia-Komposition (1.Kön 17,1; 18,2) kein literarkritisches Kriterium ist. Siehe oben S.166 Anm. 79.

[91] Ankündigung (17,1) – Trennung (17,2ff.) – Wiederbegegnung (18,1aß-2a.17a) – Streit (17b.18)

Die Elia-Obadja-Episode (1.Kön 18,2b-3a.5-12a.15f.)[92]

Die Elia-Obadja-Episode setzt den von BE1 geschaffenen Zusammenhang von Dürre und dem Streit um den „Verderber Israels" voraus: Die Hungersnot in Samaria (1.Kön 18,2b), die im Kontext der Elia-Komposition als Folge der Dürre zu interpretieren ist, veranlaßt König Ahab nicht nur mit seinem Hausvorsteher Obadja auf Grassuche für die verhungernden Tiere zu gehen (V.3a.5f.)[93], sondern auch zu einer internationalen Fahndung nach Elia (V.10). Der verzweifelten Suche nach Elia liegt die Vorstellung zugrunde, daß Elia die Dürre hervorgerufen hat (17,1; 18,17) und nur er sie beenden kann (17,1; 18,1.2a.41ff.). Der zweite Teil der Elia-Obadja-Episode läuft genau auf die in 18,17f. geschilderte Begegnung zwischen Ahab und Elia zu: Die Auseinandersetzung zwischen Obadja und Elia entzündet sich allein an Elias Aufforderung, ihn Ahab mit den Worten „Elia ist jetzt da!" (V.8; vgl. V.11) anzukündigen; die Kontroverse wird von Elia mit dem Schwur „Heute werde ich mich ihm zeigen!" (V.15; vgl. V.1) beendet.

Da sich 1.Kön 18,17 nahtlos an 18,2a anschließt, wird die Elia-Obadja-Episode vielfach als spätere Ausgestaltung der Elia-Komposition beurteilt.[94] Es spricht aber einiges dafür, diese ebenfalls auf BE1 zurückzuführen:[95]

---

[92] Zur Literarkritik von 1.Kön 18,2b-16: Die näheren Erläuterungen zur Person Obadjas (18,3b-4) unterbrechen den Zusammenhang zwischen V.3a und V.5. Die Erwähnung Isebels und der Verfolgung der Jahwepropheten erfolgt völlig unvermittelt und ist im Kontext der Regen-Auseinandersetzung nicht verankert. Daher ist anzunehmen, daß es sich hier um einen Nachtrag handelt. Hinsichtlich des Nachtragscharakters von V.3b-4 besteht in der Forschung ein weitreichender Konsens; vgl. nur A.Klostermann, *Bücher*, 365; R.Kittel, *Bücher*, 138.141f.; H.Gunkel, *Elias*, 15; A.Šanda, *Bücher I*, 427f.; G.Fohrer, *Elia*, 11 Anm 10; O.H.Steck, *Überlieferung*, 11 Anm. 4; G.Hentschel, *Elijaerzählungen*, 69ff.; E.Würthwein, *Bücher II*, 221; G.H.Jones, *Kings*, 314; B.Lehnart, *Prophet*, 197. 1.Kön 18,12b-14 ist ein nach dem Prinzip der Wiederaufnahme eingefügter Zusatz (V.14bα ist eine Wiederaufnahme von V.11; V.14bß wiederholt die Befürchtung Obadjas aus V.12aß); so auch G.Hentschel, *Elijaerzählungen*, 71; vgl. noch A.Jepsen, *Nabi*, 61; E.Würthwein, *Bücher II*, 221; B.Lehnart, *Prophet*, 198. Da hier die in V.3b.4 gegebenen Informationen über Obadja wiederholt werden, sind beide Nachträge, V.3b.4 und V.12b-14, wohl auf eine Hand zurückzuführen. Durch die Ergänzung von V.3b.4.12b-14 wird einerseits die Frömmigkeit Obadjas betont (V.3b.7), andererseits die Auseinandersetzung des Königshauses mit Elia/Jahwe wesentlich verschärft dargestellt: Unter Isebel hatte es eine regelrechte Prophetenverfolgung gegeben und nicht nur Elia, sondern noch 100 (andere) Jahwepropheten mußten sich vor der gewaltsamen Verfolgung in Sicherheit bringen. Wie Elia durch die Fürsorge Jahwes, so wurden diese Jahwepropheten in der Zeit der Dürre durch Obadja versorgt (V.4.13). Der Bezug auf die wunderbare Führung Jahwes in Kapitel 17 zeigt sich auch an der Stichwortaufnahme von כול aus 1.Kön 17,4.9 in 18,4.13.

[93] In 1.Kön 18,2b.3a.5f. wurde vermutlich ein älteres Motiv von der Grassuche des Königs zur Zeit einer Hungersnot in Samaria verarbeitet (vgl. G.Hentschel, *Elijaerzählungen*, 125; B.Lehnart, *Prophet*, 196f.). Dieses wird jedoch nicht weiter verfolgt – nach V.6 spielen Grassuche und hungernde Tiere keine Rolle mehr –; es diente lediglich zur Einleitung der folgenden Begegnung Obadjas mit Elia. Daß die Episode „Elia und Obadja" inhomogen ist, aus einem älteren Motiv und einer neu entworfenen Fortschreibung (V.7ff.) besteht, zeigt sich auch an den inhaltlichen Verschiebungen zwischen V.2b-6 und V.7ff.: Der hilflose, mit dem Hausvorsteher grassuchende König (V.5) hat nach V.10 Macht über „alle Völker und Königreiche". Der rührend um seine Tiere besorgte König (V.5) tötet nach Aussage Obadjas in V.12a ohne weiteres Menschen wegen Überbringung falscher Botschaften.

[94] So G.Fohrer, *Elia*, 36; H.Gunkel, *Elias*, 13-15; O.H.Steck, *Überlieferung*, 12; G.Hentschel, *Elijaerzählungen*, 126-131; E.Würthwein, *Bücher II*, 221. Anders B.Lehnart, *Prophet*, 196-199, der die Verse 2b-3a.5-8.16 zur ursprünglichen „Dürre-Karmel-Komposition" hinzurechnet und E.Blum, *Prophet*, 283f., der von einer weitgehenden literarischen Einheitlichkeit von 1.Kön 17-19 ausgeht (a.a.O. 280f.).

[95] Vgl. E.Blum, *Prophet*, 283f.

- Mit der Information über die Situation in Samaria und das Tun Ahabs zur Zeit der Dürre bildet die Episode das Pendant zu 1.Kön 17,2-16, wo über das Ergehen Elias berichtet wird, der aus Samaria und von Ahab fortging.[96]
- Wie in 1.Kön 17,2-16 wird mit dem Motiv der Grassuche (18,2b-6) auch hier eine ältere Tradition verwendet.[97]
- Der zweite Teil der Episode (V.7-16) ist, wie die Stichwortverknüpfungen mit dem Kontext belegen, speziell für den Zusammenhang 1.Kön 17,1-16; 18,1aß-2a.17f. gestaltet worden: Die Schwurformeln „Beim Leben Jahwes, in dessen Dienst ich stehe" (18,15) bzw. „Beim Leben Jahwes, deines Gottes" (18,10) verwendete BE1 auch in 1.Kön 17,1.12; die Frage Obadjas „Bist du das ...?" (18,7) findet sich in 18,17b wieder, das Verb ראה (18,15) ist für die gesamte Phase vom Auftrag Jahwes an Elia, sich Ahab zu zeigen (18,1aß-2a), bis zur Wiederbegegnung der Kontrahenten (V.17a) konstitutiv.
- Der von BE1 in die Regen-Auseinandersetzung eingebettete Streit um den „Verderber Israels" (V.17b.18a) findet seine Entsprechung in Ahabs internationaler Suche nach Elia (V.10): Elia hat sich in den Augen Ahabs nicht nur der Verderbnis Israels schuldig gemacht, als er die Dürre heraufbeschwor, sondern auch durch sein Verschwinden eine Abwendung der nationalen Katastrophe verhindert. Denn nur durch sein Wort kann die Dürre beendet werden (17,1). Daher läßt Ahab nichts unversucht, Elia zu finden. Die Suche ist, angesichts der Hungersnot in Samaria (18,2b.5), so dringlich, daß Ahab Völker und Königreiche Eide schwören läßt (V.10) und Obadja für eine fälschliche Ankündigung Elias den Tod befürchten muß (V.11.12a).

Als Rückschau auf die Zeit der Dürre in Samaria und als Vorbereitung auf den Streit zwischen Ahab und Elia bindet die Elia-Obadja-Episode die beiden Eckpunkte der Regenauseinandersetzung, die Ankündigung der Dürre durch Elia und den „Verderber-Israels-Streit", fester zusammen und nimmt damit eine wichtige Funktion innerhalb der Komposition von BE1 ein. Das nach 18,1aß-2a erwartete Zusammentreffen Ahabs und Elias (V.17f.) wird durch das Zwischenspiel hinausgezögert, die Spannung erhöht. Indem der Konflikt zwischen Ahab und Elia durch den Dialog Elia-Obadja noch verstärkt herausgearbeitet wird, wird die Gewichtigkeit der nachfolgenden Konfrontation zusätzlich betont. Der Streit um den Verderber Israels wird so zum absoluten Gipfelpunkt der Regen-Auseinandersetzung. Seine Aussage, daß nicht der augenscheinlich Schuldige, nämlich Elia, der die Dürre heraufbeschwor und verschwand, die Verantwortung für das daraus resultierende Leid trägt, sondern Ahab, der den Baalen diente und die Gebote Jahwes verließ, wird zur zentralen Botschaft des Textes.

---

[96] Siehe S.165-167.

[97] Die Vorstellung, daß der Geist Jahwes Elia entführen könnte (V.10), macht überdies eine Kenntnis der Tradition von der Himmelfahrt Elias (vgl. 2.Kön 2 und S.221 Anm. 300) wahrscheinlich.

1.3.3 Die Baal-Regen-Erfolgsgeschichte (1.Kön 18,19-46)

Während der erste Teil der Elia-Komposition ganz wesentlich von BE1 geprägt ist, der verschiedenartige, unabhängige Traditionen[98] zu einer Erzählung über die Regenauseinandersetzung zwischen Ahab und Elia zusammenfügte und sie durch Schaffung des Übergangs zur Baal-Regen-Erfolgsgeschichte (18,18b) zu deren Vorgeschichte machte, so scheint diese bereits einen längeren eigenständigen Weg hinter sich zu haben. Hier sollen einige überlieferungsgeschichtliche Überlegungen skizziert werden:

Die Notizen über die Zusammenarbeit Ahabs und Elias finden sich in den Rahmenpassagen der „Baal-Regen-Erzählung“:

- In 1.Kön 18,19*.20[99] beruft Ahab im Auftrag Elias eine Versammlung auf dem Karmel ein. Zwischen dem Auftrag Elias (V.19*) und der Ausführung durch Ahab (V.20) besteht allerdings eine leichte Inkongruenz: Nach V.19* soll Ahab umhersenden und ganz Israel sowie 450 Baalspropheten auf den Karmel versammeln. Nach V.20 sendet dann Ahab zwar in ganz Israel[100] umher, versammelt aber nur die Propheten. Die beiden Verse können literarkritisch nicht mehr sicher rekonstruiert werden.[101] In V.19* klappt jedoch die Formulierung „und die 450 Propheten des Baal“ nach; in V.20 wird der in V.19 hergestellte syntaktische Zusammenhang von „schicken“ und „versammeln“ aufgebrochen, so daß Ahab „in ganz Israel umherschickt“ und „die Propheten auf den Berg Karmel versammelt“. Dies legt die Vermutung nahe, daß ursprünglich nur von einer Versammlung Israels auf den Karmel die Rede war.[102] Durch Anfügung von „und die 450 Propheten des Baal“ in V.19* und Übermalungen in V.20 wird nachträglich der Eindruck erweckt, es seien hauptsächlich die Baalspropheten von Ahab auf den Karmel gerufen worden.
- In 18,41.42a folgt Ahab genau den Anweisungen Elias, das Kommen des Regens mit einem Mahl auf dem Berg zu begrüßen.
- Am Ende steht eine gemeinsame Fahrt Ahabs und Elias, die sich wie eine Triumphfahrt nach der erfolgreichen Beschwörung des Regens ausnimmt (18,45b*.46*).[103]

Den Kern der Regenerzählung bildet die Notiz über Elias Magie auf dem Karmel (18,42b.45a)[104]. Da es sich beim Regenzauber Elias um ein unerfindliches, „sperriges“

[98] Unheilsankündigung (17,1aßb); „Elia in der Ödnis“ (17,5b.6); „Elia und die hungernde Witwe“ (17,10-14a.15f.); „Die Hungersnot in Samaria“ (18,2b-6); Verderber-Israels-Streit (17,17b.18a).

[99] „und die 400 Propheten der Aschera, die vom Tisch Isebels essen“ in V.19b ist ein sekundärer Nachtrag: Die Propheten der Aschera tauchen in V.21ff. nicht auf, auch die Zugehörigkeit der Propheten zu Isebel wird in 1.Kön 17-18 – im Unterschied zu 1.Kön 19,1-3 – nicht thematisiert. Siehe dazu S.188f.

[100] Es ist hier mit LXX בכל־ישראל statt mit MT בכל־בני ישראל zu lesen, denn es ist anzunehmen, daß im MT בני, analog zur Ergänzung von גבול in vielen Handschriften, nachträglich eingefügt worden ist.

[101] Vgl. auch B.Lehnart, *Prophet*, 203.

[102] Vgl. O.H.Steck, *Überlieferung*, 16f.

[103] Wobei die Verbindung zu 1.Kön 21, das heißt die Fahrt nach *Jesreel*, auf BE1 zurückzuführen ist (siehe oben S.161f.). Der gemeinsame Aufbruch Ahabs und Elias war ihm jedoch vermutlich in der Erzählung vom Regenmachen bereits vorgegeben.

[104] Zur Literarkritik vgl. G.Hentschel, *Elijaerzählungen*, 134-139.178ff., dem ich mich hier weitgehend angeschlossen habe: Der älteste Kern der „Regenepisode“ ist in V.42b.45a zu suchen. Dieser Kern, der von Elia allein handelt, wird durch einen Rahmen (V.41-42a.45bf.*) zu einer Episode über Elias und Ahabs gemeinsames Bemühen um Regen. Durch die Zufügung des Rahmens kommt es zu der viel beobachteten

Motiv handelt, liegt hier wohl ein authentisches Zeugnis aus der Wirkungszeit Elias vor.[105] Dieses wurde vermutlich noch zur Zeit Ahabs zu einer Erfolgsgeschichte Ahabs und Elias umgestaltet, in der König und „Magier“ in einer großartigen Zusammenarbeit Regen erwirken (18,41-42.45-46*). Die Datierung in die Zeit Ahabs legt sich nahe, da die prokönigliche Erzählung hier – eventuell im Kontext der „Verderber-Israels-Auseinandersetzung“[106] – den besten Sinn macht. In der Zeit nach der Jehu-Revolution ist das Ahab-Bild vermutlich bereits zu schlecht,[107] als daß es durch eine derart einfache Erzählung hätte verändert werden können.

Zur Geschichte des Regenmachens von Ahab und Elia könnte auch die Einberufung des Volkes auf den Karmel (18,19*.20*) gehört haben:

- Wenn hier, wie oben angenommen, ursprünglich nur das Volk einberufen wurde, so wäre dies eine gute Einleitung für die pro-königliche Erfolgsgeschichte vom Regenmachen, denn zum einen ist es ja vor allem das Volk, das unter einer Dürre leidet, zum anderen wird es auf diese Weise zum Zeugen des Erfolgs von Ahab und Elia.[108]
- Wenn 1.Kön 18,19*.20* ursprünglich die Einleitung der Regenmacher-Geschichte war, dann erklären sich auch die in V.19f. vorgefundenen, oben beschriebenen Spuren von

Spannung bezüglich des „Hochsteigens“ Ahabs (V.41.42a) bzw. Elias (V.42b) auf den Karmel. Die V.43-44 sind auf eine zugewachsene Variante zurückzuführen, in der plötzlich ein Diener Elias eine entscheidende Rolle spielt (vgl. 1.Kön 19,3). Auch die in V.43f. vorliegende Vorstellung vom Regenzauber unterscheidet sich von der in V.42b: Während in V.43f. ein siebenmaliges Hinaufsteigen und Ausschauhalten des Dieners zum Aufsteigen einer kleinen Wolke vom Meer und schließlich zum Regen führt (was als eine Art Analogiezauber interpretiert werden kann; vgl. R.Albertz, *Art. Magie*, 692f.), so führt in V.42b.45 die von Elia eingenommene Haltung, er beugt sich zur Erde und legt seinen Kopf auf seine Knie, zum großen Regen (wegen des auch in 2.Kön 4,34f. verwendeten Lexems גהר könnte man hier an eine Art Kontaktmagie denken, vgl. R.Albertz, *Art. Magie*, 692f.).

Es wurde vielfach diskutiert, ob das in 1.Kön 18,42 verwandte Lexem גהר („sich niederbeugen“, vgl. KBL I, 174) Beschreibung eines magischen Aktes oder eines Gebetsgestus sei (vgl. H.-Chr.Schmitt, *Elisa*, 185 Anm. 31 und die dort angegebene Literatur). Mangels Belegen kann dies nicht sicher entschieden werden, es spricht jedoch viel für die Interpretation des Niederbeugens als Bestandteil einer magischen Handlung: גהר kommt im Alten Testament außer in 1.Kön 18,42 nur noch in 2.Kön 4,34f. vor, wo es ebenfalls im Kontext einer magischen Handlung verwandt wird (Elisa beugt sich auf den Knaben nieder). Dies deutet an, daß der Begriff גהר als wesentlich für die Beschreibung von bestimmten Wundern Elias bzw. Elisas (Kontaktzauber) angesehen wurde. In diesen Wundern spielt das Gebet aber keine (1.Kön 18,41ff.) bzw. eine untergeordnete (2.Kön 4,8-37) Rolle. In 1.Kön 17,17-24, der theologisierten und umgeformten Fassung von 2.Kön 4,8-37 hingegen, wo das Gebet Elias im Vordergrund steht, während der magische Akt gegenüber 2.Kön 4,8-37 verkürzt und nur noch andeutungsweise dargestellt wird, taucht der Begriff גהר nicht auf.

[105] Vgl. auch R.Albertz, *Religionsgeschichte*, 238. Später wurden die magischen Züge Elias zugunsten seiner prophetischen immer mehr verwischt (vgl. nur 1.Kön 21,17-20a; 2.Kön 1,2ff.).

[106] Siehe S.163-165.

[107] Vgl. das Ahab-Bild der Erzählung von der Jehu-Revolution (S.104ff.) und der Erzählung von Naboths Weinberg (S.138ff.)

[108] Vgl. zur Anwesenheit des Volkes die Präsenz des ganzen Stammes Saba' Kahlan und der Einwohnerschaft der Stadt Mārib (Ja 735,8) bei der Regenbeschwörung (vgl. Ja 735,9) nach einer drei Regenzeiten anhaltenden Dürre (Ja 735,3). Der Text aus Mārib weist darüber hinaus weitere interessante Parallelen zur Regenbeschwörung in 1.Kön 18,41.42.45f. auf: Die entscheidende Handlung zur Wiedergewährung des Regens vollziehen – analog zum „Magier“ Elia – Beschwörerinnen (Ja 735,9). Das Niedergehen des erbetenen Regens erfolgt in beiden Texten relativ kurze Zeit nach dem Ritus (Ja 735,12: am gleichen Tag, bei der Rückkehr vom Ort des Rituals; vgl. 1.Kön 18,45), dieser wird in Ja 735,6 als Gewitterregen, in 1.Kön 18,45 als starker Regenguß (גשם גדול) charakterisiert. Der Text der Widmungsinschrift aus Mārib (Ja 735 [+ Ja 754]) liegt übersetzt vor bei W.W.Müller, *Rituale*, 438-452.

Bearbeitung, die auf die Einbeziehung der Baalspropheten abzielt: Als die Verse zur Einleitung der später eingeschobenen Erzählung vom Götterwettstreit (1.Kön 18,21-39)[109] wurden, mußte zusätzlich zur Einberufung des Volkes von der Versammlung der Baalspropheten die Rede sein. Denn sie stehen ja – gemeinsam mit Elia – als Propheten ihres Gottes im Mittelpunkt der folgenden Ereignisse.

- In der Erzählung vom Götterwettstreit (1.Kön 18,21-39) ist die Lokalisierung auf dem Karmel nicht verankert. Dagegen spielt sie in der Regenmacher-Episode schon in der ältesten Version (V.42b) eine entscheidende Rolle. Auch dies spricht eher für eine Gestaltung der Einberufung des Volkes auf den Karmel (V.19f.) von 1.Kön 18,42b als von 18,21-39 her.

Literarisch rekonstruieren läßt sich die hier postulierte Erzählung über das erfolgreiche Regenmachen Ahabs und Elias (V.19*.20*.41-46*) jedoch nicht, zumal ihr Anfang, über dessen Inhalt man nur Vermutungen anstellen kann,[110] verloren gegangen ist.

In einem weiteren Schritt wurde die Erzählung vom Götterwettstreit (18,21-39)[111] mit der Überlieferung von der erfolgreichen Beschwörung des Regens verbunden.

---

[109] Zu V.40 siehe S.176f.

[110] Regenmangel, Not der Bevölkerung, Hilfeersuchen des Königs an Elia

[111] Die Erzählung vom Götterwettstreit (18,21-39) ist bereits Gegenstand ebenso zahlreicher wie divergierender Veröffentlichungen (vgl. nur D.R.Ap-Thomas, *Elijah*, 146-155; R.L.Cohn, *Logic*, 333-350; F.C.Fensham, *Observations*, 227-237; G.Fohrer, *Elia*, 7ff.; R.Gregory, *Irony*, 91ff.; H.Gunkel, *Elias*, 8ff.; A.J.Hauser, *Yahweh*, 36-54; G.Hentschel, *Elijaerzählungen*, 156ff.; ders. *1 Könige*, 108ff.; ders. *Elija*, 62ff.; A.Jepsen, *Elia*, 291-306; C.Kopp, *Sacrificio*, 11-13; J.Rentrop, *Elija*, 39-106.271ff.; A.Rofé, *Stories*, 183ff.; H.H.Rowley, *Elijah*, 190-219; H.Seebass, *Elia*, 121-136; R.Smend, *Wort*, 525-543; O.H.Steck, *Überlieferung*, 5-31.78-130; S.Timm, *Dynastie*, 71ff.; J.A.Todd, *Elijah*, 20ff.; N.J.Tromp, *Water*, 480-502; E.Würthwein, *Bücher II*, 208ff.; ders., *Erzählung*, 131-144; ders., *Opferprobe*, 277-284). Sie kann in diesem Rahmen nicht in der ihr gebührenden Form behandelt werden. Einige Andeutungen müssen genügen:

- Zur Benennung und der damit einhergehenden Klassifizierung der Erzählung 1.Kön 18,21ff. als „Gottesurteil auf dem Karmel", die seit H.Gunkel, *Elias*, 13 und R.Kittel, *Bücher*, 141, weitgehend gebräuchlich ist, siehe die Diskussion bei S.Timm, *Dynastie*, 71f. Die Bezeichnung „Götterwettstreit" hat sich als der Erzählung weit angemessener erwiesen. Vgl. W.Thiel, *Komposition*, 221; S.Timm, *Dynastie*, 71f.; R.Albertz, *Religionsgeschichte*, 239 Anm. 52.
- Zur Abgrenzung der Erzählung vom Götterwettstreit siehe E.Würthwein, *Erzählung*, 132-134 und S.Timm, *Dynastie*, 72-74.84f. Der ursprüngliche Anfang der Erzählung ist wohl bei der Verbindung derselben mit der Regenmacher-Geschichte zugunsten von V.19f. ausgelassen worden. Ob die Erzählung auch ursprünglich auf dem Karmel lokalisiert war, bleibt damit ungewiß. Eine gewisse Vorsicht gegenüber Versuchen, aus 1.Kön 18 Schlußfolgerungen in Bezug auf den Karmel und ein mögliches Heiligtum zu ziehen, ist also angebracht. Die vermeintlich sichere Lokalisierung der Erzählung auf dem Karmel hatte für die Beurteilung und religionsgeschichtliche Einordnung des Textes in der Forschung weitreichende Konsequenzen. Auf dieser Lokalisierung basiert vor allem die einflußreiche These Alts, daß mit der sogenannten Karmelerzählung „der sagenhafte Niederschlag eines historischen Ereignisses" vorliege (A.Alt, *Gottesurteil*, 137f.). Bei diesem historischen Ereignis ging es, so Alt, um die Beseitigung eines seit der Zeit Salomos auf dem Karmel etablierten Baal-Heiligtums und dessen Rückführung in das Jahwe-Heiligtum, das hier in der Zeit Davids existiert habe (a.a.O. 138-148). Zur Diskussion der Altschen These und ihrer Modifizierungen in der Forschung vgl. R.Albertz, *Religionsgeschichte*, 240f.; S.Timm, *Dynastie*, 87ff. und die dort angegebene Literatur.
- Der Text der Erzählung vom Götterwettstreit ist – soweit er vorliegt – weitgehend einheitlich und auf gelungene Weise durchkomponiert (vgl. W.Thiel, *Komposition*, 215-223). Es liegen nur einige nachträgliche Ergänzungen vor (zu den literarkritisch umstrittenen Stellen V.22.26*.31f.34f. siehe S.Timm, *Dynastie*, 75ff.):

Die Entstehungszeit der Erzählung vom Götterwettstreit ist relativ spät anzusetzen.[112] Weil „the story in itself expresses an unquestionable monotheistic view", geht A.Rofé mit seiner Datierung bis in die Zeit Manasses hinab; eine spätere Entstehung schließt er wegen des Widerspruchs zwischen der Anbetung Jahwes auf dem Karmel und der josianischen Reform aus.[113] Mit Berufung auf die der gedankliche und sprachliche Nähe des Textes zu deuteronomisch/deuteronomistischen Texten[114] und die über die „spätdeuteronomistischen" Formulierungen in Dtn 4,35.39; 7,9 noch hinausgehende monotheistische Aussage

* Das Gebet Elias in V.36* (ab יהוה) ist eine sekundäre Variante zu V.37 (so auch R.Smend, *Wort*, 526f.; B.Lehnart, *Prophet*, 208f.; anders E.Blum, *Prophet*, 284f.). Durch die Wortwahl „heute möge erkannt werden, daß du Gott bist in Israel" in V.36 ergibt sich eine entscheidende Spannung zwischen der Bitte Elias und ihrem Kontext. Denn in der Erzählung geht es – anders als in 2.Kön 1 – nicht darum, *wer Gott in Israel ist*, sondern darum, daß *Jahwe der (alleinige und einzige) Gott ist* (1.Kön 18,22.24.37). Für den direkten Anschluß von V.37 an V.36aα* (bis ויאמר) spricht weiterhin, daß dann die Anrufung Elias streng parallel zur Erhörungsbitte der Baalspropheten in V.26 gestaltet ist. Daß das Gebet Elias zu klärenden Ergänzungen Anlaß bot, zeigt auch die stark abweichende Lesart von LXX in V.36f. Da es hier, wie in 1.Kön 17,1-16, um die Betonung des unmittelbaren Zusammenhangs zwischen dem Wort Jahwes und dem Tun Elias geht (vgl. S.165ff. und auch E.Blum, *Prophet*, 284f.), Elia zudem als „Diener" Jahwes (vgl. 1.Kön 17,1) bezeichnet wird, legt es sich nahe, die Ergänzung von V.36* auf BE1 zurückzuführen.

* V.30b ist eine Doublette zu V.31f., die in Folge der Erweiterung der Komposition um 1.Kön 19 in den Text eingefügt wurde (vgl. die Übereinstimmung in der Terminologie; die Kombination von הרס und מזבח kommt nur in 1.Kön 18,30b; 19,10.14 in den Königsbüchern vor, im AT sonst nur noch in Ri 6,25). Durch die Zufügung von V.30b findet eine Tendenzverlagerung statt: Während es in der Erzählung vom Götterwettstreit um ein unentschiedenes, zwischen Baalskult und Jahweglauben schwankendes bzw. beidem anhängendes Volk geht (V.21), so setzt V.30b eine aktive Verfolgung des Jahweglaubens und die Zerstörung seiner Heiligtümer, wie sie in 1.Kön 19,10.14 geschildert wird, voraus. Für eine nachträgliche Erweiterung des Textes um 18,30b spricht auch, daß V.30b in der Textüberlieferung der Septuaginta an anderer Stelle eingebaut ist; hier folgt der Versteil auf V.32a. Vgl. auch S.Timm, *Dynastie*, 78f; E.Würthwein, *Erzählung*, 133f. Anders, allerdings ohne einleuchtende Begründung, R.Smend, *Wort*, 527f.; B.Lehnart, *Prophet*, 206.

* Die Analyse E.Würthweins, *Bücher II*, 208ff., der eine Grundschicht abzuheben sucht, in welcher nur das Volk und Elia, aber nicht die Baalspropheten auftreten, kann nicht überzeugen: Das Volk hat sich nach V.21 weder für Baal noch für Jahwe entschieden, es „tanzt" sozusagen „auf beiden Hochzeiten". Der Aufforderung Elias, sich zu entscheiden, kann oder will es nicht nachkommen, darum schweigt es. Der folgende Götterwettstreit soll dem Volk als Entscheidungshilfe dienen; es entscheidet sich am Ende für Jahwe, weil es erkennt, daß es in Wirklichkeit nur diesen einen Gott gibt (V.39). Wenn aber das Volk zu Beginn der Erzählung noch unentschlossen ist, dann kann die Aufforderung Elias in V.24 („Ihr sollt den Namen eures Gottes anrufen ...!", von E.Würthwein zur Grundschicht der Erzählung gerechnet) nicht dem Volk gelten, sondern nur den Baalspropheten, für die feststeht, daß Baal ihr Gott ist. Das unentschiedene Volk soll sich zwischen Jahwe, der von Elia vertreten wird, und Baal entscheiden. Zu diesem Zweck ist es unabdingbar, daß eine klar für Baal eintretende Partei, nämlich die Baalspropheten, anwesend ist.

[112] Gegen O.H.Steck, *Überlieferung*, 79f.132f. (Entstehung noch zu Lebzeiten Ahabs); G.Hentschel, *Elijaerzählungen*, 43ff. (8.Jh.); vgl. auch die Frühdatierungen (um 800) bei I.Benzinger, *Bücher*, 106ff.; O.Eißfeldt, *Gott*, 33 Anm.1; G.Fohrer, *Elia*, 50; H.Gunkel, *Elias*, 43; A.Jepsen, *Nabi*, 68; R.Kittel, *Bücher*, 151; A.Šanda, *Bücher I*, 455-459; J.Wellhausen, *Composition*, 281. Zur Auseinandersetzung mit den Argumenten für eine Frühdatierung der Eliaerzählungen vgl. H.-Chr.Schmitt, *Elisa*, 119ff. und E.Würthwein, *Opferprobe*, 281f.

[113] A.Rofé, *Stories*, 188-193.

[114] E.Würthwein, *Opferprobe*, 282f. Entscheidend für diese Beurteilung sind drei, für die Erzählung typische Formeln: „hinter Jahwe bzw. dem Baal hergehen", „damit dieses Volk erkennt, daß du, Jahwe, Gott bist", „Jahwe, er ist der Gott".

von der Nichtexistenz Baals in 1.Kön 18,21ff. siedelt E.Würthwein die Erzählung in der exilisch/nachexilischen Zeit an.[115]

Die Demonstration der Nichtigkeit Baals (1.Kön 18,21ff.) weist tatsächlich „auf eine weit fortgeschrittene Stufe in der Reflexion über das Verhältnis Jahwes zu der außerisraelitischen Götterwelt“[116] und damit auf eine Entstehung der Erzählung gegen Ende der Exilszeit hin. Ähnlich wie in den „Gerichtsverfahren“ gegen die Götter im Deuterojesajabuch (vgl. Jes 41,1-5.21-29; 44,6-7) wird hier die Nichtigkeit anderer Götter – in diesem Fall Baals – und die Einzigkeit Jahwes demonstriert. Baal bewirkt nichts, darum ist er kein Gott (1.Kön 18,26-29; vgl. Jes 41,23.29). Jahwe hingegen weist sich handelnd als Gott aus (1.Kön 18,36-39, vgl. Jes 41,4). Die Verspottung Baals in 1.Kön 18,27 erinnert ebenfalls an die deuterojesajanische Götzenpolemik (Jes 40,19f.; 41,6f; 44,9-20; 46,5-8): Ein vermeintlicher Gott, der wie ein Mensch schlafen und urinieren muß und dadurch von seinen Aufgaben als Gott abgehalten wird, ist eben kein Gott.[117] Die Diskussion der Götzenproblematik im Deuterojesajabuch zeigt, daß auch noch und gerade in der Exilszeit die Auseinandersetzung mit anderen Göttern und das Ringen um die Einzigkeit Jahwes eine große Rolle spielte. In erzählerischer Weise wird in 1.Kön 18,21ff. anhand eines in der Vergangenheit spielenden Götterwettstreits zwischen Jahwe und Baal demonstriert, was im Jesajabuch auf theoretischere Weise anhand fiktiver Gerichtsverhandlungen und Götzenbildpolemiken durchexerziert wird: Alle anderen Götter außer Jahwe sind „wie ein Nichts“. Sie haben nichts bewirkt, können auch nichts bewirken und darum sind sie machtlos, ja nicht existent. Jedes Gebet und alles Geschrei zu ihnen ist müßig, denn es kann zu nichts führen (1.Kön 18,26-29; vgl. Jes 46,7). Warum der Verfasser für seine Demonstration das Nordreich des 9.Jahrhunderts auswählte, liegt auf der Hand: Dort hatte sich ja bereits in der Protestbewegung gegen den Synkretismus der Omriden, die in der erfolgreich verlaufenden Jehu-Revolution ihren Höhepunkt hatte, die Machtlosigkeit Baals und die Geschichtsmächtigkeit Jahwes herausgestellt. An diesen Erfolg erinnert der Autor von 1.Kön 18,21ff., wenn er mit Elia den wohl bekanntesten Vertreter der damaligen Jahwe-Allein-Bewegung auftreten läßt. Dabei geht er allerdings nicht auf die konkreten historischen Ereignisse ein, sondern entwirft ein hochtheologisches, diese Ereignisse ausdeutendes Szenario, in welchem die alleinige Göttlichkeit Jahwes nicht durch Revolutionen, Siege oder Niederlagen, sondern in einem fairen Wettstreit unter den Göttern erwiesen wird.

Bei der Verknüpfung der Erfolgsgeschichte vom Regenmachen Ahabs und Elias mit der Erzählung vom Götterwettstreit wurden die ursprünglich zur Einleitung der Erzählung vom Regenmachen gehörenden, von der Einberufung des Volkes handelnden V.19.20 zu einer

---

[115] *Opferprobe*, 283. Hier korrigiert Würthwein, meiner Ansicht nach zu Recht, seine früher vertretene Auffassung (ders., *Bücher II*, 219), daß 1.Kön 18,21ff. früher als die entsprechenden Stellen des Deuteronomiums zu datieren sei. Zur Spätdatierung von 1.Kön 18,21-40* vgl. jetzt auch M.Beck, *Elia*, 80-87; J.Pakkala, *Monolatry*, 161f.

[116] *Opferprobe*, 283; vgl. V.Fritz, *Das erste Buch*, 170ff. F.Crüsemann, *Elia*, 47-51, bestreitet dagegen die monotheistische Perspektive von 1.Kön 18 und setzt die Erzählung früh- bzw. vordeuteronomistisch an. Zur Auseinandersetzung mit der Argumentation Crüsemanns vgl. M.Beck, *Elia*, 81ff., der die Erzählung vom Götterwettstreit ebenfalls als „Ausdruck monotheistischen Glaubens“ versteht.

[117] Zur Deutung der Verspottung Baals als Anspielung auf den kanaanäischen Baal als sterbender und auferstehender Gott vgl. die Widerlegung bei M.Weippert, *Israhel*, 77ff. Zur Übersetzung (und einer ugaritischen Parallele zum „Austreten“ eines Gottes) vgl. G.A.Rendsburg, *Mock*, 414-417.

Versammlung der Propheten und des Volkes umgestaltet[118] und zur Einleitung des Gesamtkomplexes gemacht. Auch 1.Kön 18,40 geht vermutlich auf den Vorgang der Verknüpfung und Bearbeitung zurück. Denn hier wird durch die Abwärtsbewegung der Protagonisten deren Aufwärtsbewegung in V.41 logisch vorbereitet. Im Kontext von V.19ff. steigen Elia, das Volk und implizit mit ihnen auch Ahab in V.40 vom Karmel zum Bach Kischon hinab, in V.41 weist Elia Ahab an, wieder (auf den Berg Karmel) hinaufzusteigen, in V.42 steigt er selbst hinauf. Im neu geschaffenen Kontext wird die Bekehrung des Volkes zu einer notwendigen Voraussetzung für den erfolgreichen Regenzauber. Doch zusätzlich wird hier der Blick auf das Schicksal der in V.19.20 eingeführten Baalspropheten gelenkt. Erst mit ihrem Tod ist der Wettstreit endgültig beendet, die Abkehr des Volkes vom Baalskult besiegelt.

Die 1.Kön 18,21-39 und 1.Kön 18,19f.*41-46* verknüpfende Bearbeitung läßt deutliche Anklänge an die Erzählung von der Jehu-Revolution erkennen:[119]

- Die von Elia angestrebte vollständige Ausrottung der Baalspropheten in 1.Kön 18,40 (איש אל־ימלט מהם) entspricht der Bemühung Jehus um vollständige Vernichtung der Baalsanbeter in 2.Kön 10,24 (האיש אשר־ימלט מן ...).[120]
- Das Abschlachten der Baalspropheten an einem Bach (1.Kön 18,40: שחט) gemahnt an das Abschlachten der Prinzen aus Juda an einer Zisterne (2.Kön 10,14: שחט; vgl. auch V.7).[121]
- Dem Abschlachten geht beidemal die Aufforderung voraus, die Betroffenen zu ergreifen (תפש).[122]
- Auch die Einberufung der Propheten auf den Karmel in 1.Kön 18,20 (וישלח ... בכל־ישראל)[123] wird mit der gleichen Formulierung wie die Versammlung der Baalsverehrer nach Samaria in 2.Kön 10,21 beschrieben (וישלח ... בכל־ישראל).[124]

---

[118] Siehe dazu S.171ff.

[119] Bereits O.H.Steck, *Überlieferung*, 88, wies auf verschiedene Formulierungen in 1.Kön 18,19f.40 hin, die „Bekanntschaft mit der festformulierten Jehuerzählung verraten". Diese Überlegung wurde von R.Smend, *Wort*, 538f., aufgenommen und in Bezug auf das gesamte Kapitel 18 erweitert. Doch nicht alle Belege Smends (a.a.O. 539) sind wirklich aussagekräftig: So ist die Beobachtung, daß 1.Kön 18,19 (ועתה שלח קבץ אלי ... את נביאי הבעל) der Formulierung (ועתה כל־נביאי הבעל ... קראו אלי) in 2.Kön 10,19 nahekommt, mit O.H.Steck, a.a.O. 88 Anm. 3, nicht heranzuziehen. Die Wendungen sind wenig spezifisch, die Ähnlichkeit zu gering. Auch das Vorkommen von ויקבץ am Ausgangspunkt sowohl der Ereignisse, die zur Vernichtung der Baalspropheten führten (1.Kön 18,20), als auch derer, die in der Ausrottung der Baalsanhänger gipfelten (2.Kön 10,18), ist allein nicht aussagekräftig.
Nach Steck beschränken sich die Bezüge zwischen 1.Kön 18 und 2.Kön 9/10 auf redaktionelle Akzentuierungen der vorgegebenen Karmelszene (1.Kön 18,19bf.40). Smend wendet dagegen ein, die „Nähe zur Jehugeschichte" scheine „nicht nur für den Rahmen der Karmelgeschichte zu bestehen, sondern auch für deren Substanz". Dies ist insofern richtig, als die Erzählung vom Götterwettstreit die Ereignisse um Elia, Elisa, Ahab und Jehu theologisch ausdeutet. Die literarischen Bezüge häufen sich jedoch in auffallender Weise an den Rändern/Verbindungsstücken der Einzeltraditionen.

[120] Vgl. O.H.Steck, a.a.O. 88 Anm. 3; R.Smend, a.a.O. 538. Die Wortkombination איש מלט מן kommt nur in 1.Kön 18,40 und 2.Kön 10,24 im AT vor.

[121] Vgl. O.H.Steck, a.a.O. 88 Anm. 3; R.Smend, a.a.O. 538.

[122] Ähnlich R.Smend, a.a.O. 238. Die Kombination von Ergreifen (תפש) und Abschlachten (שחט) als zwei aufeinander folgende Vorgänge findet sich nur in 1.Kön 18,40 und 2.Kön 10,14 im AT!

[123] Zur Textänderung mit LXX siehe oben S.171 Anm. 100.

– Sowohl in 1.Kön 18,41f. als auch in 2.Kön 9,34 findet sich das Motiv vom essenden und trinkenden König.[125]

Da die Erzählung vom Götterwettstreit ohnehin thematisch eng mit dem Ereignis „Jehu-Revolution“ verbunden ist,[126] ist es wahrscheinlich, daß die Verbindung mit der Erfolgsgeschichte vom Regenmachen Ahabs und Elias und die damit einhergehende literarische Anspielung auf die Erzählung von der Jehu-Revolution in ähnlichen Kreisen wie die Erzählung vom Götterwettstreit selbst[127] und damit bald nach dieser, wohl gegen Ende der Exilszeit, geschaffen wurde. Diese Datierung legt sich nahe, da durch die Verknüpfung der Erzählung vom Götterwettstreit mit der Geschichte vom Regenzauber der deuteronomistischen These, daß der Baalsdienst der Omriden bzw. des Volks im Nordreich zwangsläufig in den Untergang geführt hat, eine weit versöhnlichere Botschaft entgegengesetzt wird: Nach der Bekehrung zu Jahwe, dem einen Gott, steht der Weg ins Leben, hier verdeutlicht durch die Gabe des lebensspendenden Regens, auch für ehemalige Baalsanbeter wieder offen. Mit seiner hoffnungsvolleren Perspektive aber rückt der Erzähler von 1.Kön 18,19-46* in die Nähe der gegen Ende der Exilszeit wirkenden „Jeremia-Deuteronomisten“.[128]

Auch in diesem Überlieferungsstadium (1.Kön 18,19-46*) handelt es sich noch um eine Erfolgsgeschichte, in der Ahab nicht auf negative Weise mit dem Baalskult in Verbindung gebracht wird. Er hat zwar – wie Jehu – die Macht, die Baalspropheten auf den Karmel einzuberufen (V.19f.), wird aber nicht als ihr Schutzherr geschildert; entsprechend verhindert er auch in V.40 die Ermordung der Baalspropheten nicht. Er steigt vielmehr nach dieser Metzelei – deren Teilnehmer er durch die Voranstellung der V.19.20 vor die Erzählung vom Götterwettstreit wird – vom Bach Kischon hinauf auf den Berg Karmel, um nach den Anweisungen Elias eine Art Festmahl zu halten.

Die positive Rolle Ahabs in 1.Kön 18,19-46 verstärkt den appellativen Charakter der postulierten Erzählung: Wenn sogar der traditionell als baalsverehrend bekannte König Ahab an der Bekehrung des Volkes zu Jahwe-Allein mitwirkt und wenn der – implizit selbst bekehrte – König nach Bekehrung und Reinigung des Landes vom Baalskult (1.Kön 18,19-40) von Elia an der Erwirkung des segenspendenden Regens beteiligt wird (18,41ff.), dann

---

124 Siehe O.H.Steck, a.a.O. 88 Anm. 3; R.Smend, a.a.O. 539. Die Wendung ist in den Königsbüchern nur an diesen beiden Stellen belegt. Die übrigen Vorkommen der Wortkombination „schicken“ – „ganz Israel“ sind bis auf 1.Chr 13,2, wo aber im ganzen *Land* (ארץ) Israel umhergeschickt wird, nicht direkt vergleichbar: In Ri 19,29; 20,6 werden Körperteile der ermordeten Frau im ganzen Gebiet (גבול) bzw. im ganzen Erbbesitz (שדה נחלה) Israels herumgeschickt; in 1.Sam 11,3 werden Boten, in 1.Sam 11,7 Stücke des Rindes im ganzen Gebiet (גבול) Israels umhergesandt; in 2.Sam 15,10 werden Kundschafter an alle Stämme Israels gesandt. Es geht also – im Unterschied zu 1.Kön 18,20; 2.Kön 10,21 – jeweils um Objekte beziehungsweise Personengruppen, die in Israel umhergeschickt werden. In allen Fällen, auch in 1.Chr 13,2 ist „ganz Israel“, anders als in 1.Kön 18,20; 2.Kön 10,21, jeweils näher spezifiziert.

125 R.Smend, *Wort*, 539.

126 Siehe oben S.175.

127 Die Aussage der Erzählung vom Götterwettstreit wird durch die Verknüpfung nicht verändert, der Realitätsbezug des dort demonstrierten lediglich weiter ausgebaut: Die Notwendigkeit der entschiedenen Abkehr vom Baalskult wird zum einen durch die Radikalität des Handelns Elias und des Volkes in 18,40 und die damit verbundene konkrete Anspielung auf die Jehu-Revolution betont, zum anderen durch das Aufzeigen der Konsequenzen für das Wohlergehen des Landes (18,41ff.) werbend nahegelegt.

128 Vgl. R.Albertz, *Religionsgeschichte*, 390-397. Zur Verknüpfung von Bekehrung und Heil vgl. Jer 7,3.5ff.; 24,6.7; 29,10-14; zur „Zurück-Wendung“ der Herzen durch Jahwe (1.Kön 18,37) Jer 24,7; 31,33; 32,39.

wird jedem, der zwischen Baal und Jahwe schwankte, gezeigt, daß eine Bekehrung zu und Versöhnung mit dem einzigen Gott Jahwe möglich ist.

1.3.4 Die Elia-Komposition und ihr Einbau in das DtrG durch BE1

Die Arbeit von BE1 beschränkt sich im zweiten Teil der Komposition im wesentlichen auf die Übernahme des ihm vorgegebenen Komplexes (1.Kön 18,19-46) – lediglich die Anpassung der Elia-Komposition mittels der Einführung des Itinerars 1.Kön 18,45b*.46* an 1.Kön 21 und die Erweiterung des Gebets Elias um 1.Kön 18,36* ist auf ihn zurückzuführen.[129] Um so größer ist sein Anteil am ersten Teil der Komposition, den er unter Aufnahme kleinerer Traditionsstücke als Vorgeschichte des zweiten Teils und – was die Kontroverse Ahab – Elia / Jahwe – Baal betrifft – als dessen Negativfolie gestaltete.[130] Erst durch die Arbeit von BE1 wird das Ausbleiben des Regens in den im ersten Teil enthaltenen Traditionen mit dem Baalskult Ahabs in Verbindung gebracht.[131] Entscheidend für die Kombination von Regenauseinandersetzung und Baal-Regen-Erfolgsgeschichte ist 1.Kön 18,18b und die Verknüpfung von 17,1 mit 16,29-33. Allein in 18,18b wird die Verbindung explizit hergestellt: Das Verderben Israels hat seinen Grund im Baalskult Ahabs und in seiner Untreue gegenüber Jahwes Geboten. Die erfolgreiche Zusammenarbeit zwischen Ahab und Elia auf dem Karmel – zunächst in Sachen Baalskult und anschießend beim Regenzauber – werden durch die Zusammenstellung zur Konsequenz des Streites: Ahabs Mitwirken an der Baalskultvernichtung muß in diesem Zusammenhang auf ein Einlenken, ja gewissermaßen eine Bekehrung zurückgeführt werden, die sofort auf Elias Beschuldigung (V.18) erfolgte. Die Einsicht Ahabs in den ihm von Elia aufgezeigten Zusammenhang zwischen Baalskult und Dürre führt zur entscheidenden Wende, der Bekehrung des ganzen Volkes und zur Wiedergewährung des Regens.

BE1 setzte damit die Arbeit des Autors der Erzählung vom Götterwettstreit und des Erzählers der Baal-Regen-Erfolgsgeschichte fort, wobei er die Anbindung an die – fiktive – geschichtliche Situation verstärkte: Zum einen durch die Anfügung der Erzählung an die historische Verortung Ahabs im Königsrahmen (1.Kön 16,29-33), zum anderen durch Bezugnahme auf eine damals von Elia herbeigehexte Dürre (17,1) und einen vermutlich historisch gewordenen Streit zwischen Ahab und Elia (18,17b.18a). Durch die Vorordnung der von ihm entworfenen Entwicklungsgeschichte Ahabs vom Baalsdiener zum jahwetreuen

---

[129] Siehe S.161 bzw. S.173f. Anm. 111.

[130] Es wurde in der Forschung immer wieder vergeblich versucht, eine vordeuteronomistische „Dürreerzählung" zu rekonstruieren (beispielsweise von O.H.Steck, *Überlieferung*, 28f.; G.Fohrer, *Elia*, 44ff.; G.Hentschel, *Elijaerzählungen*, 78ff.217-220; B.Lehnart, *Prophet*, 179-212.237-241; M.Beck, *Elia*, 107ff.; siehe dazu auch S.Timm, *Dynastie*, 65 und oben S.11ff.). Diese Dürreerzählung mit den Elementen „Verweigerung des Regens" – „Dürre" – „Wiedergewährung des Regens" geht nach der hier entworfenen Wachstumsgeschichte von 1.Kön 17-18 erst auf die Hand des nachdeuteronomistischen Redaktors (BE1) zurück.

[131] Damit stellt sich die Frage nach der seit L.Bronner, *Stories*, diskutierten, diesen Traditionen vorgeblich inhärenten Baalspolemik (vgl. A.J.Hauser, *Yahweh*, 9ff.; R.Gregory, *Irony*, 91ff.). Liegt wirklich in 1.Kön 17,2-16 oder auch in 17,17-24, betrachtet man die Erzählstücke losgelöst von ihrem Kontext, eine Baalspolemik vor? Wäre dann nicht (vgl. 1.Kön 18,21ff., wo wirklich gegen Baal polemisiert wird) eine deutlichere Sprache gewählt und das Thema „Wer ist Gott bzw. wer nicht" explizit angesprochen worden? Es drängt sich der Verdacht auf, daß die Erzählungen erst durch ihre Einbindung in die Gesamtkomposition in diese Richtung deutbar werden.

König vor die Erzählung von Naboths Weinberg und der dort geschilderten Buße Ahabs,[132] gibt BE1 dieser ein größeres theologisches Gewicht: Die Buße Ahabs und Vergebung Jahwes ist nach Ansicht von BE1 erst nach der Hinwendung Ahabs zu Jahwe möglich. Mit dem Einbau der Elia-Komposition in das DtrG zerstörte BE1 aber zugleich das von den Deuteronomisten entworfene Geschichtsbild von der Baalsverehrung Ahabs und deren Ausrottung durch Jehu. Daß er dies in Kauf nahm, liegt an seiner – trotz terminologischer und gedanklicher Anklänge[133] – völlig anders gearteten Intention: An einem Beispiel aus der Vergangenheit demonstriert er die Bedeutung und den Sieg der Alleinverehrung Jahwes und lädt dazu ein, wie Ahab die Verknüpfung zwischen dem Wohlergehen des Landes und der alleinigen Verehrung Jahwes (18,18) zu erkennen und sich wie er zu bekehren. Mit ihrem ins Leben zurückführenden Ausgang gibt die Elia-Komposition eine andere, positive Antwort auf die Verworfenheit des Geschlechts Ahabs (1.Kön 16,29-33; 18,18) als das DtrG, wo diese zwangsläufig in den Untergang führt. Auch die Funktion des Propheten Elia wird von BE1 versöhnlicher gesehen als im DtrG: Während er dort Unheil ankündigt, das kaum einen Ausweg offenläßt (vgl. 1.Kön 21,17-29[134]; 2.Kön 1,2ff.; 9/10), so ist seine Aufgabe hier eine pädagogische: Die „Strafe" für den Baalsdienst und das Verlassen der Gebote Jahwes, die durch Elia heraufbeschworene Dürre, zielt nicht auf Untergang und Tod ab, sondern auf die Bekehrung von König und Volk, die wiederum zur Gewährung des Regens und damit ins Leben führt. Mit dieser positiven Sicht der Unheilsprophetie setzt die Elia-Komposition die Hervorhebung der didaktischen Aufgabe der Prophetie durch die Jeremia-Deuteronomisten bereits voraus.[135] Das optimistische Ende der Elia-Komposition – hier eröffnet sich für das bekehrte Volk eine neue Lebensperspektive – verweist auf eine Entstehungszeit zwischen 539 und 518, wo einerseits ein hoffnungsvoller Neuanfang Israels in greifbarer Nähe schien und andererseits die Prophetie durch das Scheitern der Heilsprophetie Haggais und Sacharjas noch nicht in Mißkredit geraten war.[136]

1.3.5 Nachträgliche Erweiterungen der Elia-Komposition

Die Auferweckung des Knaben (1.Kön 17,17-24)

Die Episode von der Auferweckung des Knaben ist nicht auf BE1 zurückzuführen: Hier fehlt die auf BE1 zurückgehende, für den Abschnitt 17,2-16; 18,1aß-2a konstitutive Szeneneinleitung[137] ebenso wie eine Verknüpfung mit dem Regen-Motiv (מטר/גשם). Auch geht es hier nicht, wie im Abschnitt 1.Kön 17,2-16, um Jahwes Fürsorge für Elia oder mit diesem in Kontakt stehende Personen in der Zeit der Dürre, sondern um die dunkle Seite Jahwes: Er hat den Tod des Knaben letztlich zu verantworten, ihm muß das Leben des Knaben abgetrotzt werden (V.20-22). Mit der Theodizee-Frage „Jahwe, mein Gott, fügst du auch der Witwe, bei der ich zu Gast bin, Unheil zu, indem du ihren Sohn tötest?" (V.20)

---

[132] Zur ursprünglichen Abfolge der Kapitel im Bereich von 1.Kön 19 – 1.Kön 22 siehe S.159 Anm. 53.

[133] Zur Terminologie vgl. S.164 Anm. 72; zur Thematik nur die Ausrottung des Baalskultes.

[134] Ahab hat durch seine Buße zwar die Möglichkeit, sein persönliches Schicksal zu beeinflussen, die Auslöschung seines Geschlechts kann er jedoch nicht verhindern (1.Kön 21,27-29); vgl. S.128-130.

[135] Vgl. R.Albertz, *Religionsgeschichte*, 393.

[136] Vgl. R.Albertz, *Religionsgeschichte*, 483ff.

[137] Siehe oben S.165-168.

geht die Wundergeschichte weit über den Horizont der Elia-Komposition hinaus, denn dort wird das als Konsequenz des aufgezeigten Zusammenhangs von Tun und Ergehen (vgl. 1.Kön 16,29-33 – 17,1; 17,2-16; 18,17f.; 18,21-40 – 18,41-46) entstehende Leid (vgl. 18,2bff.) nicht reflektiert. Auch die in 1.Kön 17,17-24 mit der Theodizee verknüpfte Frage nach dem Wesen der Prophetie bzw. nach dem, was den wahren Gottesmann ausmacht (V.18.23f.), ist in der Elia-Komposition nicht verankert: Dort agiert der Prophet Elia souverän und unangefochten.[138] Seine Aufgabe ist die Bekehrung von König und Volk zum Glauben an den einen Gott Jahwe (18,18.37), sei es auch unter Einsatz drastischer Mittel (vgl. 17,1; 18,40). Die lebensspendende Seite des Propheten (18,41ff.) tritt erst nach erfolgter Bekehrung von Volk und König (18,19-40) zutage. In 1.Kön 17,17-24 hingegen wird das schuldaufdeckende, todbringende Wirken Elias in Frage gestellt (V.18); erst seine lebenschaffende Kraft erweist ihn als wahren Gottesmann (V.24).

Ein weiteres Indiz für eine nachträgliche Einfügung der Episode in die bereits fertige Elia-Komposition ist ihre syntaktisch holprige Anbindung an 18,1aß durch 18,1aα[139] und die aus der „durchgestylten“ Elia-Erzählung herausfallende „lieblose“ Anbindung nach vorne durch die Verknüpfungsformel „Es geschah nach diesen Ereignissen“[140]. Zum anderen steht die Episode in Spannung zu ihrem Kontext:[141]

- Die arme Witwe (17,12) ist jetzt stolze Besitzerin eines Hauses mit Obergemach, was auf einigen Reichtum hindeutet (17,17-19).
- Elia wird nur hier innerhalb der Elia-Komposition als Gottesmann bezeichnet.

---

138 E.Blum, *Prophet*, 283, stellt die Gemeinsamkeiten der Frage Obadjas an Elia (18,9) mit der Anklage der Witwe (17,18) heraus: Beidemal werde die Möglichkeit thematisiert, daß Elia auch Menschen, die mit ihm in wohlwollender Weise in Kontakt treten, durch Aufdeckung einer verborgenen Schuld den Tod bringen könne. Nun sind allerdings die beiden Anfragen an Elia von ganz unterschiedlicher Qualität: In 1.Kön 17,17-24 geht es ganz prinzipiell um die unheilbringende Seite von Elias Wirken. Dieser wird dezidiert die heil- und lebensspendende Seite seines Tuns entgegengesetzt, mit der Aussage, daß diese wesensbestimmend für einen Gottesmannes sei (V.24). In 1.Kön 18,2b-16 geht es dagegen um die konkrete Situation, daß angesichts der prekären Lage in Samaria (V.2b) und der dringenden Suche Ahabs nach Elia (V.10) dem Boten, der Ahab das Erscheinen Elias fälschlicherweise ankündigt, der Tod droht. Es geht nicht darum, daß Elia, in seiner Eigenschaft als Prophet/Gottesmann, bei Jahwe eine Schuld Obadjas aufdecken und Jahwe Obadja strafen könnte. Obadja fürchtet vielmehr, ganz in Übereinstimmung mit dem Kontext der Elia-Komposition, daß Elia erneut verschwinden könnte (V.12 vgl. 17,3).

139 Den Abschluß der Episode von der Auferweckung des Knaben bildet das Bekenntnis der Frau in 17,24. 18,1aα soll – in Anlehnung an 17,7.15, wo ebenfalls auf das Verstreichen von Tagen Bezug genommen wird – den Übergang zu 18,1aß schaffen. Durch die Voranstellung von „Und es vergingen viele Tage“ wird aber die betonte Setzung des neuen Anfangspunktes („Und das Wort Jahwes erging an Elia im dritten Jahr ...“) durch BE1 syntaktisch verunstaltet. Siehe auch S.168 Anm. 89.

140 Vgl. Gen 22,1.20; 39,7; 40,1; 48,1; Jos 24,29; 1.Kön 21,1.

141 Die Unstimmigkeiten zwischen 1.Kön 17,17-24 und 1.Kön 17,2-16 sind in der Septuaginta-Fassung des Textes noch größer (vgl. H.-J.Stipp, *Elischa*, 452f.):

- Der Befehl, sich bei der Frau niederzulassen in V.9 fehlt in LXX*, während MT auf diese Weise das Wohnen Elias bei der Witwe in V.17ff. vorbereitet.
- In V.12 und V.13 liest LXX „Söhne“ statt „Sohn“ (MT). Auch hier könnte der MT eine nachträgliche Anpassung an die eingefügte Episode vom „Sohn“ (Singular) der Frau in 17,17-24 darstellen.
- Auf eine Angleichung an 17,17-24 könnte auch die Lesart „ihr Haus“ des MT statt „ihr Sohn“ (LXX) in V.15 zurückgehen (vgl. 17,17), zumal es ja vorher darum gegangen war, daß die Witwe für sich und ihren/ihre Sohn/Söhne das letzte, was sie hatte, zubereiten wollte (V.12.13).

- Die Anklage der Frau gegen Elia (17,18) wirkt nach der vorhergehenden Rettung (17,10-16) unvermittelt. Ebenso erstaunt es, daß die Frau erst nach der Auferweckung ihres Sohnes und nicht schon nach der wunderbaren Vermehrung von Öl und Mehl angesichts ihrer Todesnot davon überzeugt ist, einen Gottesmann vor sich zu haben.

Trotz dieser Widersprüche ist die Episode mit ihrem Kontext verbunden: In V.17 wird durch die Bezeichnung „die Frau", in V.20 durch die Wiederaufnahme des Begriffs „die Witwe" (V.9.10) verdeutlicht, daß es sich bei der Mutter des auferweckten Knaben um die notleidende Frau aus Sarepta handelt, die Elia zuvor aus ihrer Not errettet hat (17,8-16). Die Anklage Elias, Jahwe füge auch (גם) der Witwe Unheil zu (V.20), hat zudem die Situation der Dürre, die für Israel zur Bedrängnis wird (vgl. 18,17f.), im Blick.[142] Weiterhin wird mit dem Bekenntnis der Witwe in 17,24 „Jetzt weiß ich, ... daß das Wort Jahwes in deinem Munde Wahrheit ist!" das 1.Kön 17,2-16; 18,1aß-2a prägende Stichwort „Wort Jahwes" (17,2.5.8.16) aufgegriffen.[143] Der Bezug der Geschichte von der Auferweckung des Knaben auf ihren Kontext legt die Annahme nahe, daß diese für ihren jetzigen Zusammenhang verfaßt, in diesen quasi „hineingeschrieben" wurde.

Während hinsichtlich der nachträglichen Einfügung der Episode 17,17-24 in ihren jetzigen Kontext ein weitreichender Konsens besteht,[144] wird die Frage nach dem Verhältnis von 1.Kön 17,17-24 zu der Parallelüberlieferung in 2.Kön 4,8-37 recht kontrovers diskutiert.[145]

Für ein zwischen den beiden Versionen bestehendes literarisches Abhängigkeitsverhältnis sprechen die bis in einzelne Formulierungen reichenden Übereinstimmungen zwischen beiden Erzählungen:[146]

- Ein Gottesmann (1.Kön 17,18.24; 2.Kön 4,9.16.21 u.ö.) rettet das Kind einer Frau vor dem Tode.
- Er wohnt im Obergemach (עליה 1.Kön 17,19.23; 2.Kön 4,10.11.21) des Hauses der Frau.
- Als das Kind erkrankt, macht die Mutter dem Gottesmann bittere Vorwürfe (1.Kön 17,18; 2.Kön 4,28).

142 So auch E.Blum, *Prophet*, 283.

143 Im Unterschied zum Abschnitt 17,2-16 geht es hier jedoch nicht in erster Linie darum, daß demjenigen, der sich wie Elia streng nach dem Wort Jahwes richtet, die Fürsorge Jahwes gewiß ist, sondern daß Elia, als wahrer Gottesmann, das sich erfüllende Wort Jahwes verkündet! Gegen E.Blum, *Prophet*, 281-283, der die theologische Kongruenz der drei Episoden in 1.Kön 17 betont.

144 So A.Rofé, *Stories*, 133; H.-J.Stipp, *Elischa*, 452f.; W.Thiel, *Redaktionsarbeit* 168f.; G.Hentschel, *Elijaerzählungen*, 83; H.Seebaß, *Art. Elia*, 498. Anders M.Ottosson, *Prophet*, 191; E.Blum, *Prophet*, 277ff.

145 Zwei literarisch unabhängige Erzählungen, die lediglich auf die gleiche Tradition zurückzuführen sind, nehmen G.Hentschel, *Elijaerzählungen*, 194 und J.Gray, *Kings*, 467, an.
Eine Abhängigkeit der Elisa-Version (2.Kön 4,8-37) von der Elia-Version (1.Kön 17,17-24) postulieren I.Benzinger, *Bücher*, 129; M.Rehm, *Das erste Buch*, 172 und R.Kilian, *Totenerweckungen*, 44-56; während A.Schmitt, *Totenerweckung in 1 Kön XVII 17-24, 454f.*; A.Rofé, *Stories*, 132-135; J.Blenkinsopp, *History*, 76 Anm. 33; E.Würthwein, *Bücher II*, 294; H.-Chr.Schmitt, *Elisa*, 153f.; W.Thiel, *Gemeinsamkeiten*, 365; S.L.McKenzie, *Trouble*, 82; H.-J.Stipp, *Elischa*, 454-458 und B.Lehnart, *Prophet*, 194f., eine literarische Abhängigkeit der Elia-Erzählung von der Elisa-Geschichte annehmen.

146 Vgl. hierzu auch A.Schmitt, *Totenerweckung in 1 Kön XVII 17-24*, 454f. und H.-J.Stipp, *Elischa*, 454ff.

- Das kranke Kind wird jeweils in das vom Gottesmann bewohnte Obergemach getragen und auf das Bett des Gottesmannes gelegt (עלה ... שכבהו על מטה: 1.Kön 17,19; 2.Kön 4,21).
- In beiden Erzählungen stellt die Mutter fest, daß es sich bei Elia/Elisa um einen Gottesmann handelt: ידעתי איש אלהים (1.Kön 17,24; 2.Kön 4,9).
- Der Gottesmann heilt den Knaben mittels eines magischen Aktes, der in die Kategorie Kontaktmagie fällt: Er legt sich mehrmals im Geheimen auf ihn, und seine Lebenskraft geht auf ihn über (1Kön 17,19-22; 2.Kön 4,33-35).[147]
- Der wiedererweckte Knabe wird seiner Mutter übergeben (1.Kön 17,23; 2.Kön 4,36f.).

Nun steht die Episode 1.Kön 17,17-24 gerade in den Punkten mit ihrem Kontext in Widerspruch, in denen sie mit 2.Kön 4,8-37 übereinstimmt:

- Das Wohnen des Gottesmannes im Obergemach der Frau und der damit verbundene Reichtum der Frau
- Die Bezeichnung des Wundertäters als Gottesmann
- Die nach 1.Kön 17,10-16 ungerechtfertigte Anklage der Frau

Da diese Punkte in der Erzählung 2.Kön 4,8-37 funktional verankert sind,[148] während sie in 1.Kön 17,17-24 keine Funktion haben,[149] ist – im Anschluß an A.Schmitt und H.-J.Stipp[150] – die Priorität der Elisa-Fassung anzunehmen.

Der Verfasser von 1.Kön 17,17-24 gestaltete unter Verkürzung und Theologisierung[151] nach dem Vorbild von 2.Kön 4,8-37 ein Auferweckungswunder für Elia, das er an die Epi-

[147] Siehe R.Albertz, *Art. Magie*, 693; vgl. auch E.Würthwein, *Bücher II*, 222f. Anders N.Kiuchi, *Elijah's*, 74-79, der Elias Handeln in 1.Kön 17,17-24 nicht als magische Praktik sondern als einen Akt der Selbstopferung interpretiert, wobei er die in 1.Kön 17,17-24 gegenüber 2.Kön 4,8-37 vorgenommene Theologisierung der Wundergeschichte sicherlich zu sehr auf die Spitze treibt.

[148] Die Erkenntnis der Frau, daß Elisa ein Gottesmann ist, führt zum Bau des Obergemachs als Wohnraum Elisas (2.Kön 4,9f.). Die Frau lebt in gehobenen Verhältnissen, denn sie und ihr Mann haben Knechte, Landbesitz und Reittiere, sie können sich den Bau des Obergemachs leisten (V.10.19.22.24). Die Bemühungen der Frau werden mit der Verheißung des Knaben belohnt (V.13-17). Die Bitte der Frau, ihr keine falschen Hoffnungen zu machen (V.16), gibt ihr eine gewisse Berechtigung, mit dem Gottesmann zu hadern, als das ersehnte und versprochene Kind stirbt (V.28).

[149] In 1.Kön 17 wird nicht berichtet, wie es dazu kommt, daß der Gottesmann im Obergemach wohnt. Das Wohnen im Obergemach ist hier weder Auslöser für eine Handlung des Gottesmannes, noch für die Heilung relevant. Die Anklage der Frau ist nicht motiviert. Gegen R.Kilian, *Totenerweckungen*, 49f., der für die Priorität der Eliafassung anführt, daß der Erzähler der Elisafassung die Mutter des Knaben in 2.Kön 4 nur so „zielbewußt handeln und auch das tote Kind gleich in die Kammer und in das Bett Elisas bringen lassen" konnte, weil er aus 1.Kön 17 bereits wisse, daß das Kind im Zimmer Elias auferweckt werde, ist einzuwenden, daß dieser Erzählzug innerhalb von 2.Kön 4 völlig klar ist: Die Mutter hat dieses Bett und dieses Obergemach für den Gottesmann bereitgestellt. Dieser hat ihr dort – entgegen ihrer Bitte – falsche Hoffnungen in Bezug auf das Kind gemacht, das ihr nun entrissen wurde. Weil sie den Gottesmann anklagen und ihr Recht auf Hilfe einfordern wird, legt sie schon im Vorfeld das Kind gleichsam wie eine Anklage und einen Schrei um Rettung auf das Bett des Gottesmannes. Dagegen ist das Hinauftragen des Kindes in das Obergemach in 1.Kön 17 nicht motiviert: Die Begründung, das Wunder müsse im Geheimen vor sich gehen, kann nur aus 2.Kön 4 erschlossen werden, wo Elisa die Tür hinter sich und dem Knaben schließt (vgl. auch H.-J.Stipp, *Elischa*, 456-458).

[150] A.Schmitt, *Totenerweckung in 1 Kön XVII 17-24*, 454f.; H.-J.Stipp, *Elischa*, 453-458.

[151] Vgl. A.Schmitt, *Totenerweckung in 1 Kön XVII 17-24*, 471ff; A.Rofé, *Stories*, 133-135.

sode vom Öl- und Mehlwunder Elias anfügte. Dieser Platz legte sich ihm von 2.Kön 4 her nahe, denn auch dort geht der Totenerweckung Elisas die Errettung einer Witwe aus der Not durch die Vermehrung ihres Öls voraus (2.Kön 4,1-7).[152] Auf diese Weise ergibt sich eine Parallelisierung der beiden Prophetengestalten: Elia ist wie Elisa ein Gottesmann; beide vollbringen je eine Nahrungsvermehrung und eine Totenerweckung. Das Schwergewicht liegt dabei auf der Totenerweckung; der Verfasser zeigt: Nicht nur Elisa, sondern auch Elia hat einen Toten auferweckt! Und erst das Auferweckungswunder weist Elia, obwohl er vorher schon als solcher angeredet werden kann (1.Kön 17,18), als wahren Gottesmann aus.[153]

Die redaktionsgeschichtliche Einordnung der Erweiterung der Elia-Komposition um 1.Kön 17,17-24 wird im Zusammenhang mit der Behandlung der Elisa-Wundergeschichten erfolgen.[154]

Isebel als „Schirmherrin" der Baals- und Feindin der Jahwepropheten (1.Kön 18,3b. 4.12b-14.19b*); die Wiederherstellung des zerstörten Jahwealtares durch Elia (1.Kön 18,30b)

Die Notizen über den Heldenmut des frommen Obadja,[155] der sich in der Zeit der Prophetenverfolgung Isebels 100 Jahwepropheten annahm und sie in einer Höhle mit dem Lebensnotwendigen versorgte (18,3b.4.12b-14), setzen die Erweiterung des DtrG um 1.Kön 19,1-18 voraus, denn dort wird – im Unterschied zur Elia-Komposition – mit einer aktiven religionspolitischen Rolle Isebels gerechnet und über die Verfolgung Elias durch Isebel berichtet (19,1-3).[156] Die Versorgung der Baals- und Aschera-Propheten durch Isebel (18,19b) bildet einen wirkungsvollen Kontrast zur Not der verfolgten Jahwepropheten und setzt ebenfalls eine eigenmächtig zugunsten der fremden Götter handelnde Isebel voraus. Die Erweiterung von 1.Kön 18 um V19b* („und die vierhundert Propheten der Aschera, die vom Tisch Isebels essen") ist also gemeinsam mit 18,3b.4.12b-14 im Lichte von 1.Kön 19,1-18 zu betrachten und wird dort eingehender behandelt werden.[157]

---

[152] Innerhalb von 1.Kön 17 verläuft der Kontakt zur Elisa-Überlieferung (2.Kön 4) auf zwei unterschiedlichen Ebenen: Zwischen den beiden Mehrungswundern (1.Kön 17,10-16; 2.Kön 4,1-7) läßt sich – im Unterschied zu den beiden Auferweckungsgeschichten (1.Kön 17,17-24) – keine literarische Abhängigkeit nachweisen. Die Ähnlichkeit der Wunder, die Verankerung im Milieu der „kleinen Leute" und die Betonung der magischen Komponente der Prophetie lassen vielmehr an einen gemeinsamen traditionsgeschichtlichen Hintergrund der Wundergeschichten denken (vgl. auch B.Lehnart, *Prophet*, 183). Diesen qualitativen Unterschied im Kontakt zur Elisa-Überlieferung übergeht E.Blum, *Prophet*, 279f., wenn er den Umgang mit dem Elisa-Stoff in 1.Kön 17,10-16 und in 17,17-24 wie folgt beschreibt (a.a.O. 280): „Der Eliaerzähler hat einen größeren Zusammenhang von Elischalegenden gekannt und benutzt, der (ausschnittsweise) in 2 Reg iv überkommen ist."

[153] Der Ansicht, daß unter den Taten Elisas die Totenerweckung diejenige ist, die es besonders hervorzuheben gilt, ist auch der Autor von 2.Kön 8,1-6: Aufgefordert, von den großen Dingen, die Elisa getan hat, zu berichten, erzählt Gehasi dem König von der Totenerweckung Elisas. Zu der noch tiefer gehenden inhaltlichen und therminologischen Verwandtschaft von 1.Kön 17,17-24 und 2.Kön 8,1-6 siehe S.242f.

[154] Siehe S.240.

[155] Die Wendung ירא את־יהוה (1.Kön 18,3b.12b) findet sich ebenfalls in 2.Kön 4,1, was auf einen Kontakt der Redaktionsschicht mit der „Elisa-Biographie" (siehe S.220ff.) hinweisen könnte.

[156] Vgl. auch 1.Kön 18,13 (הרג נביא) mit 1.Kön 19,10.14!

[157] Siehe S.188f..

Ebenfalls in Zusammenhang mit der Anfügung von 1.Kön 19 an die Elia-Komposition steht die Ergänzung von 18,30b, wo in Anspielung auf die Klage Elias über die zerstörten Jahwealtäre (19,10.14), von der Wiederherstellung eines zerstörten Jahwealtares berichtet wird.[158]

1.4 Elia am Horeb

1.4.1 Die Einfügung von 1.Kön 19,1-18 in das DtrG

In einem zweiten Schritt wurde das DtrG um die Erzählung „Elia am Horeb" (1.Kön 19,1-18)[159] erweitert. Diese Erweiterung wurde mittels einer kompositorischen Überleitung, welche die vorhergehenden Ereignisse aufnimmt und sie zum motivierenden Moment der nachfolgenden Handlung macht (19,1-3aα), als Fortsetzung der Elia-Komposition (1.Kön 17-18) gestaltet: Ahab berichtet Isebel alles, was Elia getan hat, insbesondere von dessen Hinrichtung der Propheten (19,1). Daraufhin sieht sich Elia der Verfolgung durch Isebel ausgesetzt und flieht (V.2-3aα). Die Verfolgung durch Isebel führt Elia zu der Erkenntnis, daß er – trotz seines Sieges auf dem Karmel – nichts geändert hat: Isebel hat noch immer die Macht in den Händen und führt Prophetenverfolgungen durch. Er selbst ist nicht besser als seine Vorgänger (V.4), die ebenfalls vor Isebel fliehen mußten (18,4.13) und getötet wurden (19,10.14; vgl. 19,2 und auch 18,22). Die religiöse Situation des Volkes hat sich nach den Klagen Elias (19,10.14) gegenüber 1.Kön 18, wo Elia dem Volk vorwirft, Baal und Jahwe zugleich zu dienen (V.21), sogar noch verschlechtert: Die Söhne Israels sind jetzt zu aktiven Gegnern Jahwes geworden, reißen seine Altäre nieder und verfolgen seine Propheten – die Bekehrung des Volkes (18,39) hat sich in ihr Gegenteil verkehrt; Elias Sieg ist zur Niederlage geworden. Er wird seines Amtes gewissermaßen entbunden; das weitere Handeln Jahwes an seinem Volk und die Lösung des Problems der Baalsvehrung Israels wird in die Hände anderer, nämlich Hasaels, Jehus und Elisas, gelegt (19,15-18).

Wie bereits oben gezeigt, kann diese Fortsetzung der Elia-Komposition wegen deren Verknüpfung mit der Erzählung von Naboths Weinberg über das Itinerar 1.Kön 18,45b*.46* und der in 1.Kön 19 gegenüber 1.Kön 17-18 vorgenommenen, gravierenden inhaltlichen Verlagerungen nicht auf BE1 zurückgeführt werden.[160] Hier muß vielmehr ein zweiter nachdeuteronomistischer Redaktor angenommen werden, der zwar mit 19,1-3aα den Erzählfaden von BE1 aufnahm, sich aber dennoch wesentlich von diesem unterschied. Während sich das Wirken von BE1 lediglich auf den engeren Kontext (1.Kön 16,29-33; 21), in den er die Elia-Komposition nachträglich einbettete, bezog und auf das von den Deuteronomisten entworfene Geschichtskonzept keine Rücksicht nahm, so wirkte der das DtrG um 1.Kön 19,1-18[161] erweiternde Erzähler (BE2)[162] in einem hohen Maße kompositorisch auf

---

[158] Siehe auch S.173f. Anm. 111.

[159] 1.Kön 19,19-21 ist von 1.Kön 19,1-18 zu trennen: Hier liegt eine ältere, zur Elisa-Tradition gehörende Anekdote vor. Vgl. H.-Chr.Schmitt, *Elisa*, 75ff.; G.Hentschel, *Elijaerzählungen*, 53-56; S.Timm, *Dynastie*, 110f. Siehe dazu auch S.221 Anm. 300.

[160] Siehe S.158-162.

[161] Hinsichtlich der literarischen Genese von 1.Kön 19,1-18 ist in der Forschung bisher kein Konsens erreicht worden. Zur neueren Forschung vgl. den Überblick bei E.von Nordheim, *Selbstbehauptung*, 130ff. und B.Lehnart, *Prophet*, 213 Anm. 13. Hier müssen einige Anmerkungen zum Text genügen:

- Die Erzählung „Elia am Horeb" ist literarisch einheitlich (vgl. R.L.Cohn, *Logic*, 333-350; E.Blum, *Prophet*, 278.286-290; B.O.Long, *1 Kings*, 196ff.; B.P.Robinson, *Elijah*, 513-536; D.D.Herr, *Variations*, 292-294 und auch W.Thiel, *Ursprung*, 37), obwohl der Text gewisse Unebenheiten aufweist: Nach V.1-3aα flieht Elia vor Isebel, um sein Leben zu retten; dagegen treibt ihn nach V.4ff. sein Todeswunsch in die Wüste. Elia wird vom Boten Jahwes zum Horeb geschickt (V.6b.7), dort angekommen jedoch befragt, was er hier eigentlich will (V.9b.13b). Diese Unebenheiten weisen darauf hin, daß BE2, auf den die Verbindung der Erzählung mit 1.Kön 18 zurückgeht (19,1-3aα), bei der Zusammenstellung des nachfolgenden Textes aus verschiedenen Quellen geschöpft und diese zu einem Erzählablauf verknüpft hat (vgl. W.Thiel, *Ursprung*, 37). Das Fragment einer älteren Geschichte liegt vermutlich in V.3aß-6bα vor (vgl. das in 1.Kön 17,5f. aufgegriffene Motiv „Elia in der Ödnis" und S.Timm, *Dynastie*, 103f.); eine andere Tradition liegt V.9-14 zugrunde, wobei die Klagen Elias in V.10.14 wieder die Hand von BE2 erkennen lassen, der hier an 1.Kön 17-18 anknüpft (siehe dazu die weiteren Ausführungen). Die Verse 15.16.18 nehmen, als Bildung von BE2, mit der Aufforderung an Elia, auf seinen Weg zurückzukehren, die Einleitung wieder auf und bilden gleichzeitig die Verbindung zum DtrG nach hinten (vgl. 1.Kön 19,19-21; 2.Kön 8,7-15; 9/10). Der aus der Prosa seines Kontextes herausragende poetische Spruch in V.17 wiederum könnte auf ein älteres, noch aus der Zeit Elisas, Hasaels und Jehus stammendes Element zurückgehen.
- O.-H.Steck, *Überlieferung*, 20-31, nimmt im Unterschied zu der hier vertretenen einstufigen Erweiterung von 1.Kön 17-18 um 1.Kön 19 eine zweistufige Entwicklung an. So sei der Erzählzusammenhang von 1.Kön 17-18 von einem „redaktionellen Erzähler" zunächst um 1.Kön 19,1-6 ergänzt worden, woran ein „späterer Erzähler" 19,7-8.9abα.*11.12-18 anfügte (a.a.O. 28). Gegen Stecks These einer in zwei Stufen erfolgenden Erweiterung von 1.Kön 17-18 um 1.Kön 19,1-6.7-18* spricht vor allem, daß der Sinn der ersten Erweiterung dunkel bleibt, wie Steck (a.a.O. 28) selbst zugeben muß: „Auch hier ist der redaktionelle Sinn nur zu vermuten." Warum aber sollte ein Redaktor die Elia-Komposition, die einen siegreichen Elia zeigt, ohne zwingende Gründe um eine Anekdote von einem gescheiterten Elia ergänzen? Bei Annahme einer einstufigen Erweiterung von 1.Kön 17-18 um 1.Kön 19,1-18 kann dagegen – wie im Laufe dieses Kapitels gezeigt werden wird – eine klare kompositorische Funktion festgestellt werden. Zudem ist das Verhältnis zwischen der Anekdote (V.3aß-6bα) und der redaktionellen Überleitung (V.1-3aα) nicht unproblematisch: Die in der Überleitung aufgenommene Thematik wird durch V.3aß-6bα zu keinem Ende geführt, Elias Versagen (V.4) durch V.1-3aα allein nicht erklärt. Im Falle einer Ergänzung von lediglich V.1-6 ist aber nicht einzusehen, warum die Überleitung nicht passender gestaltet wurde.
- Stark umstritten ist die Beurteilung der Wiederholung der Frage nach Elias Anliegen und dessen Antwort (V.9b.10) in V.13b.14 (vgl. dazu auch die ausführliche Diskussion bei S.Timm, *Dynastie*, 105-108): Meist werden V.9b-10.11aα als sekundär beurteilt (vgl. nur J.Wellhausen, *Composition*, 280 Anm. 1; F.-L.Hossfeld, *Sinaiwallfahrt*, 433; R.Smend, *Wort*, 526; G.Fohrer, *Elia*, 21.47; G.Hentschel, *Elijaerzählungen*, 76ff.220f.; W.Thiel, *Ursprung*, 37 und auch O.-H.Steck, *Überlieferung*, 21f., der V.9b-10 als Glosse ansieht). Dagegen betrachtet Th.Seidl, *Mose*, 15, die V.13g.14 als sekundär. Eine dritte Lösung schlägt H.Schmoldt, *Elijas*, 24f., vor: Die Theophanie sei sekundär und unter Wiederaufnahme von V.9b-10 in V.13b-14 eingefügt worden (vgl. dazu E.Würthwein, *Bücher II*, 224ff., der ebenfalls die Theophanieschilderung für sekundär hält, insgesamt aber im Bereich von V.9-13 ein wesentlich komplizierteres Textwachstum als Schmoldt annimmt). Meiner Ansicht nach ist es am sinnvollsten, die Wiederholung mit E.Blum, *Prophet*, 286f., als ein vom Autor des Textes bewußt gewähltes Stilmittel zu betrachten (so auch R.L.Cohn, *Logic*, 342f.; R.A.Carlson, *Élie*, 416-420.432ff.; vgl. noch J.Lust, *Elijah*, 92; G.G.Nicol, *Elijah*, 193f.; E.von Nordheim, *Prophet*, 171; B.P.Robinson, *Elijah*, 522; M.Sekine, *Elias*, 54; J.Gray, *Kings*, 405; K.Seybold; *Elia*, 8; D.D.Herr, *Variations*, 292-294; M.Oeming, *Testament*, 311f.). Entscheidend dabei ist die Variation in der Ankündigung der Jahwerede: Während in der Höhle, gewissermaßen vor der „Audienz" Elias bei Jahwe (zur Deutung der Doppelung vor dem Hintergrund der Audienzvorstellung siehe K.Seybold, *Elia*, 8), das Wort Jahwes an Elia ergeht (V.9b), so hört er während der Audienz die Stimme (קוֹל) Jahwes selbst (V.13b; vgl. V.12), die Frage Jahwes an Elia bleibt jedoch die gleiche. Hier wird zweierlei verdeutlicht: 1. „Das prophetische 'Wortereignis', sonst nur dem inneren Ohr des Propheten zugänglich," ist „als die dem Gott Israels wesensadäquate Selbstmitteilung" anzusehen (E.Blum, *Prophet*, 287). 2. Das Gewicht des Textes liegt nicht auf der Theophanie – die Theophanie an sich bewältigt die Krise der Prophetie in Israel nicht, denn die Klage Elias bleibt dieselbe (V.14; vgl. V.10) – sondern auf dem neuen, während der Theophanie erteilten Auftrag für Elia (vgl. E.Blum, *Prophet*, 287).
- S.Timm, *Dynastie*, 106f. und E.Würthwein, *Bücher II*, 229f., nehmen, wenn auch mit unterschiedlichen Schlußfolgerungen, daran Anstoß, daß in 1.Kön 19 eine Theophanie geschildert werde, die Elia

die gesamte nachdeuteronomistische Konzeption der Königsbücher im Bereich von 1.Kön 16,29 bis 2.Kön 10,36 ein: Indem er den Sieg Elias über den Baalskult in eine bittere Niederlage überführte, erzeugte er neuerlich die nach der Einfügung von 1.Kön 17-18 in das DtrG entfallene Motivation für die Jehu-Revolution.[163] Gleichzeitig schuf er mit der Darstellung des sein Amt aufkündigenden Elias und dessen Beauftragung zur Salbung Jehus, Hasaels und Elisas eine Brücke zwischen dem Wirken Elias und Elisas.[164]

1.4.2 Das Scheitern Elias und die Notwendigkeit der Jehu-Revolution

In seinem Bemühen, die Notwendigkeit der Jehu-Revolution nach den in 1.Kön 17-18 geschilderten Ereignissen zu begründen, ging BE2 folgenden Weg:

- Durch die implizite Darstellung der Machtverhältnisse in Israel in 1.Kön 19,1f.[165] – Ahab berichtet Isebel wie ein Handlanger von den Ereignissen; Isebel ergreift die angemessenen Maßnahmen – verdeutlicht er, daß das Wirken Elias und die kurzfristige Zusammenarbeit Elias mit Ahab keine politische Relevanz hatte, denn Isebel und nicht Ahab entscheidet in Israel. Das Königshaus und Elia bleiben verfeindet, die Abkehr des Volkes von Jahwe bleibt auch in Zukunft bestehen und nur ein Rest verbleibt in Israel, der „den Baal nicht geküßt hat" (19,10.14.18).

  Die „fiktive" Entmachtung Ahabs und die Betonung der kultpolitischen Rolle Isebels gegenüber der Darstellung der Deuteronomisten (vgl. 1.Kön 16,29ff; 22,53f.; 2.Kön 10,18 und auch 1.Kön 21,25) und 1.Kön 17-18 (vgl. 1.Kön 17,1; 18,17-19*) macht zum einen die Aktionen Elias auf dem Karmel nachträglich faktisch unwirksam, zum anderen weist sie direkt auf die Machtverhältnisse, die der Erzählung von der Jehu-Revolution zugrunde liegen: Ahabs Sohn Joram ist zwar König, doch die Macht im Staate, zumindest was den Kult angeht (2.Kön 9,22), hat Isebel, die wahre „Königin von Israel" (vgl. 2.Kön 10,13).

- Mittels Aufdeckung der realen Machtverhältnisse in Israel (19,1f.) führt BE2 den Leser/ Hörer mit dem in die Flucht geschlagenen Elia zu der Erkenntnis, daß Veränderungen innerhalb des bestehenden Systems, erwirkt durch Unheilsandrohung (17,1), Machterweis Jahwes und Nichtigkeitserweis Baals (18,21-39), Bekehrung des Volkes (V.39) und Tötung der Baalspropheten (V.40), nutzlos sind, da sie keinen Bestand haben: Elias Wirken, das in einer Reihe zu sehen ist mit dem vergeblichen prophetischen Wirken seiner Vorgänger (19,4), war umsonst, in seiner Verzweiflung will er in der Wüste ster-

---

nicht erlebt habe, denn er sei ja währenddessen in der Höhle gewesen. Dieses Problem löst sich, wenn man mit H.Schmoldt, *Elijas*, 23f., die V.11*(ab והנה).12 futurisch versteht (vgl. die Darstellung der Septuaginta): Hier wird die Theophanie Jahwes, wie sie sein wird und wie sie nicht sein wird, angekündigt. Währenddessen befindet sich Elia noch in der Höhle. Auf die Ankündigung hin verhüllt Elia sein Haupt und tritt hervor (V.13a; vgl. V.11a). Im Eingang der Höhle hört er dann die Stimme (קול), in der Jahwe, nach Aussage von V.12b (קול דממה דקה), gegenwärtig ist. In Gegenwart Jahwes wird er aufgefordert, sein Anliegen vorzutragen, hier erhält er seinen neuen Auftrag.

[162] BE2 = Zweiter nachdeuteronomistischer Bearbeiter im Bereich der Elia-Erzählungen

[163] Die zwischen dem Triumph Elias über den Baalskult (1.Kön 17-18) und der Ausrottung des Baalskultes durch Jehu (2.Kön 9/10) vermittelnde Funktion von 1.Kön 19 erkennt auch R.Smend, *Wort*, 541 (zu den kompositionsgeschichtlichen Schlußfolgerungen Smends siehe aber S.160-162).

[164] Vgl. W.Thiel, *Ursprung*, 38; B.Lehnart, *Prophet*, 251-257.

[165] Vgl. hier auch die Machtverhältnisse in 1.Kön 21!

ben (V.4ff.). Sein Eifer für Jahwe – so klagt Elia am Horeb vor Jahwe – hat den totalen Abfall Israels nicht verhindert (V.10.14).[166] Die Folge der Vergeblichkeit des Wirkens des Propheten Elia und seiner Vorgänger ist ein veränderter Umgang Jahwes mit seinem Volk (V.15-18), zu dessen Akzeptanz BE2 den Leser/Hörer durch Darstellung der tiefen Verzweiflung Elias über das Handeln Israels führen will. Weil das Volk augenscheinlich jede der ihm eröffneten Chancen auf Bekehrung vertan hat (V.4.10.14), ist Elias Aufgabe nun nicht mehr die Sorge für die Umkehr desselben durch Mahnung und Gerichtsankündigung, sondern das aktive Eingreifen in die Politik bis hin zur fast völligen Ausrottung Israels (V.15-18). Denn mit den Salbungen der Könige Hasael und Jehu und des Propheten Elisa, die Elia im Namen Jahwes vornehmen soll, wird eine grausame Vernichtungsmaschinerie in Gang gesetzt, der nur diejenigen entkommen sollen, die nicht von Jahwe abgefallen sind. Diese neue, unerhörte Art prophetischen Wirkens – das politische Eingreifen, ja sogar das Morden des Propheten, im Gegensatz zur mahnenden Wortprophetie – wird durch die Darstellung Elias als zweiter Mose und die Schilderung der Theophanie am Horeb zusätzlich legitimiert.[167]

- Mit der Beauftragung Elias zur Salbung Jehus (1.Kön 19,16), welche den Auftakt zur Jehu-Revolution bildet (2.Kön 9,1-10),[168] stellt BE2 die Verbindung zwischen dem Scheitern Elias und der Jehu-Revolution direkt her: Weil Elia versagt hat, werden neue Maßnahmen notwendig, um den Baalskult ein für allemal auszurotten, auch wenn dies um den Preis der Ausrottung Israels bis auf einen Rest geschieht (1.Kön 19,17f.).[169] Ein Bestandteil dieser Maßnahmen ist die durch die Salbung ausgelöste Jehu-Revolution.

- Die von BE2 begründete Ersetzung des Wirkens Elias durch das Wirken Jehus wird durch seine Formulierung der Klage Elias noch unterstrichen: Die Überwindung der Baalsverehrung und die Tötung der Baalspropheten (1.Kön 17-18) durch Elia wird in 1.Kön 19,10.14 als „Eifern für Jahwe" (קנא ליהוה) charakterisiert. Hier greift BE2 die Wortwahl Jehus, der sein Vorhaben, den Baalskult in Samaria auszurotten, als „Eifer für

---

[166] In V.10.14 wird nochmals der Bezug zu 1.Kön 18 verstärkt: Die Klage Elias (19,10.14), Israel habe den Bund Jahwes verlassen (עזב ברית), greift die Anklage Elias (18,18), Ahab und das Haus seiner Väter habe die Gebote Jahwes verlassen (עזב את־מצות), variierend auf. Die Verfolgung Elias durch Isebel/Israel wird in 19,1f.10.14 explizit, in 1.Kön 18,22 implizit thematisiert. Das Motiv der Zerstörung der Jahwealtäre (19,10.14) ist in 1.Kön 18,30b sekundär eingetragen. Die Verwendung der Stichworte הרס/מזבח in 19,10.14 und 18,30b legt die Annahme nahe, daß auch diese Verbindung zwischen 1.Kön 19 und 1.Kön 18 und damit die Ergänzung von 18,30b auf BE2 zurückgeht; vgl. S.173f. Anm. 111.

[167] So auch K.Seybold, *Elia*, 14ff.; vgl. noch E.Blum, *Prophet*, 288f; anders M.Oeming, *Testament*, 312. Zur Mose-Elia-Analogie vgl. 1.Kön 19 mit Ex 33,18ff. und G.Fohrer, *Elia*, 55-58; O.-H.Steck, *Überlieferung*, 117.124; K.Seybold, *Elia*, 10ff.; O.Wahl, *Gott*, 61-63; S.Wagner, *Elia*, 421f.; Th.Seidl, *Mose*, 1-25; G.Hentschel, *1 Könige*, 116-118; J.Jeremias, *Anfänge*, 486; J.Gray, *Kings*, 409; H.Schmoldt, *Elijas*, 25, die eine traditionsgeschichtliche oder auch literarische Abhängigkeit der Eliatradition von den Mosetraditionen in Ex 32-34 annehmen. Auch R.L.Cohn, *Logic*, 333ff. (vgl. B.S.Childs, *Elijah*, 134f.), sieht diese Abhängigkeit gegeben, kommt aber, m. E. zu Unrecht, anders als die oben genannten Autoren, zu dem Schluß, daß Elia gerade nicht als zweiter Mose gekennzeichnet würde.

[168] Nach 2.Kön 9,1-10 wird Jehu allerdings von Elisa und nicht von Elia gesalbt. Zum Grund der Abweichung von der Darstellung der Jehu-Erzählung in 1.Kön 19,15-18 siehe S.193-195.

[169] Vgl. hier den „Restgedanken" im Jesajabuch, z.B. Jes 1,2-9: Nur diejenigen werden der von Jahwe initiierten Vernichtung entgehen, die nicht von diesem abgefallen sind. Der in 1.Kön 19,18 vorliegende, positiv formulierte Restgedanke ist mit J.Hausmann, *Israels*, 123-135; vgl. auch E.Würthwein, *Bücher II*, 231f., spät, das heißt frühestens in die Exilszeit (so Hausmann), eher noch in die frühnachexilische Zeit (zur Datierung von 1.Kön 19,1-18 siehe S.196) anzusetzen (anders M.Oeming, *Testament*, 310 Anm. 63).

Jahwe" (קנאה ליהוה, 2.Kön 10,16) beschreibt, auf und wendet sie ins Negative: Das Eifern Elias für Jahwe war vergeblich. Damit aber schafft er die Voraussetzung für den höchst erfolgreichen Jahwe-Eifer Jehus, der den Baal endgültig aus Israel ausrottet (2.Kön 10,28).[170]

Die Darstellung des Scheiterns der bisherigen Art der Prophetie leitet BE2 mit dem Motiv der Verfolgung Elias durch Isebel in 1.Kön 19,1-3aα ein. Das Motiv der Prophetenverfolgung Isebels findet sich auch an anderen – ihrem Kontext gegenüber jedoch sekundären – Stellen im Bereich von 1.Kön 16,29 bis 2.Kön 10,36 wieder: In 1.Kön 18,3b.4.12b-14[171] berichtet Obadja von einer großangelegten Prophetenverfolgung und -ermordung durch Isebel und auch in 2.Kön 9,7b[172] wird auf eine solche angespielt: Jahwe will das Blut seiner Propheten an Isebel rächen. Da nur in 1.Kön 18,3b.4.12b-14; 19,1f. eine Prophetenverfolgung bzw. die Ermordung von Propheten durch Isebel thematisiert wird, ist anzunehmen, daß der Nachtrag in 2.Kön 9,7b, der eine solche ja voraussetzt, zeitgleich oder nach der Einfügung von 1.Kön 18,3b.4.12b-14 und/oder 19,1f. in das DtrG vorgenommen wurde. Nun wirkte, wie oben dargelegt, BE2 ohnehin im Hinblick auf die Erzählung von der Jehu-Revolution, darüber hinaus geht es sowohl in 1.Kön 19,1f. als auch in 2.Kön 9,7b um Rache für den Tod von Propheten. Daher ist es relativ wahrscheinlich, daß BE2 auch den Nachtrag in 2.Kön 9,7b vornahm.

Mit dem Motiv der Prophetenverfolgung Isebels ist deren Rolle als Förderin des Baalskultes in Israel fest verbunden. Sie verfolgt Elia, weil dieser die Propheten getötet hat, die in dem Nachtrag in 1.Kön 18,19b* (ונביאי האשרה ארבע מאות אכלי שלחן איזבל)[173] als unter der Obhut Isebels stehend charakterisiert werden. Die Propheten des Baal und der Aschera essen von ihrem Tisch, das heißt, sie werden von ihr protegiert. Es liegt also nahe, auch diese Ergänzung auf BE2 zurückzuführen, der ja mit der Rache Isebels für „ihre" Propheten die Fortsetzung von 1.Kön 18 durch 1.Kön 19 motiviert: Erst im Licht von 1.Kön 18,19b* wird vollkommen klar, warum Isebel den Tod der Propheten rächt. Da sie für sie sorgt und sie unterhält, ist sie auch im gewissen Maße für sie verantwortlich. Wenn 1.Kön 18,19b* auf BE2 zurückgeht, erklärt sich auch die Verwendung der Formulierung „die Propheten" statt „die Baalspropheten" in 1.Kön 19,1: Isebel unterstützte, nach Ansicht des Ergänzers von 1.Kön 18,19b*, Baals- und Aschera-Propheten. Auf all diese und nicht nur auf die nach 18,40 von Elia getöteten Baalspropheten soll sich die Mitteilung vom Pro-

---

[170] S.Timm, *Dynastie*, 107f., führt, unter Hinweis auf die „schwerfällige כי-Satzkonstruktion" (a.a.O. 107), die Anklage Israels in V.10.14 (ab כי) auf eine spätere (deuteronomistische) Ergänzung zurück; zur Uneinheitlichkeit von V.10.14 vgl. auch R.M.Frank, *Note*, 410ff. Da jedoch – wie oben gezeigt – sowohl durch den ersten Teil der Klage Elias („ich habe gar sehr für Jahwe, den Gott Zebaoth, geeifert"), als auch durch deren zweiten Teil („aber die Söhne Israels haben deinen Bund verlassen, deine Altäre zerstört, deine Propheten mit dem Schwert getötet und nun trachten sie danach, mir das Leben zu nehmen") kompositorische Verbindungen zu 1.Kön 18 bzw. 2.Kön 9/10 hergestellt werden (siehe oben S.187 Anm. 166), ist meiner Ansicht nach die Klage Elias (1.Kön 19,10.14) als Ganze auf die Hand des kompositorisch wirkenden Redaktors (BE2) zurückzuführen. Zur Auffassung des כי als deiktische Interjektion und seiner Übersetzung mit „aber" vgl. O.-H.Steck, *Überlieferung*, 120f. Anm. 3, der auf die Verwendung des deiktischen כי in Rechtsverfahren aufmerksam macht.

[171] Zum Nachtragscharakter von 1.Kön 18,3b.4.12b-14 siehe S.169 Anm. 92.

[172] Zu 2.Kön 9,7b als Erweiterung der deuteronomistischen Prophetenrede siehe S.42f.; zum Text – „und das Blut aller Diener Jahwes" ist als erweiternde Glosse anzusehen – siehe S.30 mit Anm. 6.

[173] Siehe S.171 Anm. 99.

phetenmord Elias in 19,1 beziehen. Da die Ergänzung von 1.Kön 18 um V.3b.4.12b-14 das vom Autor von 1.Kön 19,1-18; 18,19* und 2.Kön 9,7b geschaffene Panorama einer Prophetenverfolgung Isebels in ihrer Rolle als Förderin des Baalskultes um wesentliche, von 2.Kön 9,7b vorausgesetzte Informationen ergänzt – Isebel hat eine Verfolgung von Jahwepropheten im großen Stil durchgeführt – ist es sinnvoll, auch diese Ergänzung auf BE2 zurückzuführen.[174]

Es läßt sich also innerhalb von 1.Kön 17-18; 2.Kön 9/10 eine kleine, auf BE2 zurückgehende redaktionelle Schicht erkennen, welche 1.Kön 17-18 und die Erzählung von der Jehu-Revolution über das Motiv der Prophetenverfolgung Isebels miteinander verbindet: Isebel hat die Propheten Jahwes verfolgt und getötet (18,3b.4.12b-14) und verfolgt nun auch noch Elia (19,1f.). Dafür unterstützt und schützt Isebel Baals- und Ascherapropheten (18,19b*; 19,1f.). Am Ende der Kette der Gewalt steht jedoch die Jehu-Revolution mit der Rache Jahwes für das von Isebel vergossene Blut der Jahwepropheten (2.Kön 9,7b).

BE2 nimmt dabei Elemente aus der ihm bereits vorgegebenen Komposition 1.Kön 17-18 auf und interpretiert sie: In 1.Kön 18,19-40 wird von einer zahlenmäßigen Überlegenheit der Baalspropheten gegenüber dem allein übriggebliebenen Elia ausgegangen (1.Kön 18,19.22.25), ohne sie näher zu begründen. Diese wird von BE2, mittels der Ergänzung von 1.Kön 18,3b.4.12b-14.19b*, auf die Förderung der Baalspropheten und Verfolgung der Jahwepropheten durch Isebel zurückgeführt.[175] Damit weitet er – wie bereits oben in Bezug auf die kultpolitische Machtposition Isebels ausgeführt – die negative Rolle Isebels gegenüber der deuteronomistischen Darstellung noch wesentlich aus: Während sie sich dort nur als Verführerin Ahabs zum Baalskult schuldig machte, wird sie jetzt zur aktiven Gegnerin des Jahwekultes. Der grausige Tod Isebels im Verlauf der Jehu-Revolution erfährt durch diese Bearbeitung eine zusätzliche Begründung. Während die Deuteronomisten den Tod Isebels auf ihre Rolle im Konflikt um Naboths Weinberg zurückführen (2.Kön 9,10a.36), so ist dieser nach 2.Kön 9,7b auch als Rache Jahwes für seine von ihr ermordeten Propheten zu verstehen. Durch die Bezugnahme auf den Prophetenmord Elias (1.Kön 18,40) in 1.Kön 19,1f. läßt BE2 den Leser/Hörer diesen im Licht der Prophetenverfolgung Isebels sehen (vgl. הרג נביא in 1.Kön 19,1 mit נביא הרג in 1.Kön 18,13): Was die Propheten Baals (und Isebels) durch Elia erleiden mußten, das hatten die Propheten Jahwes bereits erlitten und auch Elia droht ein gewaltsames Geschick. Gleichzeitig schlägt BE2 wiederum durch seine Wortwahl eine Brücke zur Jehu-Revolution: Nach Darstellung von BE2 hat Elia die Propheten mit dem Schwert getötet (19,1; vgl. aber 1.Kön 18,40), mit dem Schwert tötet auch Jehu die Baalsanhänger in 2.Kön 10,25.[176]

---

[174] Vgl. G.Hentschel, *Elijaerzählungen*, 73, der eine einheitliche Redaktionsschicht bestehend aus 1.Kön 18,3b.4.12b.13.(14.)19bß; 19,1-3aα annimmt, und auch B.Lehnart, *Prophet*, 225.

[175] „alleine übrigbleiben“ (יתר לבד) kommt außer in 1.Kön 18,22; 19,10.14 nur noch in Gen 32,25; 44,20 im AT vor.

[176] vgl. S.Timm, *Dynastie*, 102.

1.4.3 Die Salbung Hasaels

BE2 arbeitete bei seiner Fortsetzung von 1.Kön 17-18 um 1.Kön 19,1-18 in Kenntnis von 1.Kön 17-18 und 2.Kön 9/10, die ihm beide bereits im erweiterten DtrG vorlagen. Dabei verfolgte er das Ziel, einen Ausgleich und eine Verbindung zwischen beiden Erzählungen zu schaffen. Wie verhält es sich jedoch mit der Thronusurpation Hasaels, in die Elisa nach 2.Kön 8,7-15 verwickelt ist und die Elia nach 1.Kön 19,15 durch die Salbung Hasaels in die Wege leiten soll?

Für eine zwischen 1.Kön 19,1-18 und 2.Kön 8,7-15 bestehende Abhängigkeit spricht, daß die beiden Texte – obwohl sie auf den ersten Blick verschiedenartig wirken – kunstvoll aufeinander bezogen sind:[177]

- In 2.Kön 8,12 klagt Elia, Hasael werde „den Söhnen Israels“ (בני ישראל) Böses antun, ihre Jungmannschaft „mit dem Schwert töten“ (הרג בחרב). Nach 1.Kön 19,1-18 ist aber die Antwort auf den Abfall der „Söhne Israels“ (בני ישראל), welche die Propheten Jahwes „mit dem Schwert getötet haben“ (הרג בחרב 19,10.14)[178], u.a. die „Salbung Hasaels“, der todbringend – mit dem Schwert (חרב 19,17) – unter Israel wirken wird. Die Verwendung gleicher Stichwörter unterstreicht eindringlich, daß mit den Greueltaten Hasaels das vorhergehende gottlose, ja grausame Verhalten Israels vergolten wird.
- Die totale Vernichtung Israels durch Hasael wird durch die Beschreibung von vier Einzelmaßnahmen ausgedrückt: Er wird die Festungen mit Feuer verbrennen, die Jungmannschaft mit dem Schwert töten, Kinder zerschmettern und Schwangere aufschlitzen (2.Kön 8,12). Ebenso wird der totale Abfall Israels durch vier Einzelklagen verdeutlicht: Die Söhne Israels haben den Bund Jahwes verlassen, die Altäre Jahwes zerstört, die Propheten mit dem Schwert getötet und trachten auch noch Elia nach dem Leben (19,10.14).

Gegen die hypothetisch mögliche Annahme, 2.Kön 8,7-15 sei auf 1.Kön 19,1-18 hin gestaltet worden, ist einzuwenden, daß in diesem Fall die prophetische Einwirkung auf die Usurpation Hasaels genauer an den Auftrag Jahwes an Elia angepaßt sein müßte. Der Erzählstoff von 2.Kön 8,7-15 hätte durchaus die Möglichkeit eröffnet, von einer prophetischen Salbung Hasaels zu berichten, selbst wenn die Gestalt Elisas aus historischen Gründen nicht durch die Elias hätte ersetzt werden können. Hinzu kommt die Diskrepanz im theologischen Reflexionsgrad: 2.Kön 8,7-15 erzählt ohne jede Bemühung um Rechtfertigung von der anstößigen Mitwirkung Elisas am Sturz Ben-Hadads durch Hasael und weist auf die sich daraus für Israel ergebenden Verluste hin; 1.Kön 19,1-18 hingegen deutet dies theologisch aus: Weil die Prophetie Elias und seiner Vorgänger am Verhalten Israels gescheitert ist, muß Jahwe und mit ihm seine Propheten zu diesen schrecklichen Maßnahmen greifen. Daher legt sich ein genau umgekehrtes Abhängigkeitsverhältnis nahe.[179]

---

[177] Anders O.H.Steck, *Überlieferung*, 96-98, der von voneinander unabhängigen Traditionen ausgeht, wobei er 1.Kön 19,1-18 für die ältere, 2.Kön 8,7-15 für die jüngere hält.

[178] הרג בחרב („mit dem Schwert töten“) kommt außer in 1.Kön 19,1.10.14 und 2.Kön 8,12 nur noch in 1.Kön 2,32 in den Königsbüchern vor.

[179] Zu 2.Kön 8,7-15 siehe auch S.233f.

Die Bezugnahme von BE2 auf die „Salbung Hasaels" macht deutlich, daß das Interesse von BE2 nicht nur dem Ausgleich von 1.Kön 17-18 mit der Erzählung von der Jehu-Revolution gilt, sondern daß es ihm auch ganz allgemein um die Rechtfertigung des – anscheinend stark umstrittenen[180] – Eingreifens Elisas in die Politik mit seinen verheerenden Konsequenzen für Israel geht: Seine „Verteidigungslinie" deckt sich dabei im wesentlichen mit der oben bereits in Bezug auf die Verbindung zur Jehu-Revolution beschriebenen:

- Die Propheten Jahwes, die zur Umkehr riefen, sind gescheitert und umgekommen (1.Kön 18,3b.4.12b-14; 19,1-3aα.4.10.14; 2.Kön 9,7b). So bleibt nur noch die gewaltsame Dezimierung Israels bis auf den Restbestand des wahren Israels als Aufgabe für den Propheten übrig (1.Kön 19,15-18).
- Das Blutbad an der Bevölkerung (1.Kön 19,17; vgl. 2.Kön 8,12) wird zusätzlich mit dem von Israel verursachten Blutbad an den Jahwepropheten (19,10.14; vgl. 18,3b.4. 12b-14; 19,4; 2.Kön 9,7b) gerechtfertigt.[181]
- Der Prophet Elisa wird als der von Jahwe vorgesehene Nachfolger Elias legitimiert (1.Kön 19,16); ebenso sein Wirken in Bezug auf die Revolutionen Hasaels und Jehus, denn es sind die Aufträge Jahwes an Elia, die er durchführt (19,15).

1.4.4 Elisa – der Nachfolger Elias

Die „Brücke" zwischen den Elia- und Elisa-Erzählungen wird von BE2 explizit mit dem Auftrag Elias zur Salbung Elisas geschlagen: Elia erhält auf seine verzweifelte Klage am Horeb (19,10.14) keine direkte Antwort, statt dessen wird er von Jahwe beauftragt, Elisa zum Propheten an seiner Statt zu salben (V.16). In diesem Auftrag ist jedoch implizit die Antwort auf die Klage Elias enthalten: Sein Wirken als Prophet ist mit diesem Auftrag abgeschlossen; die Zeit seines vergeblichen Eiferns für Jahwe ist vorbei. Der Kampf gegen den Baalskult Israels tritt in eine neue, gewaltsame Phase ein, in der ein neuer Prophet auf neue Art, nämlich mit dem Schwert gegen das ungetreue Israel kämpfend, auftritt (V.17).

Die Übertragung der Aufgaben Elias auf Elisa, wenn auch nicht in Form einer Salbung, wird ebenfalls in der Anekdote 1.Kön 19,19-21 und der Erzählung 2.Kön 2,1-15, welche zu den Elisa-Erzählungen gehören,[182] thematisiert. In der Anekdote 1.Kön 19,19-21, die sich im jetzigen Zusammenhang literarisch nahtlos an die Beauftragung Elias zur Salbung Elisas anschließt[183] und so als Teil der Ausführungen der Aufträge Jahwes an Elia interpretieren läßt, wird Elisa zum Diener Elias berufen, in 2.Kön 2,1-15 erbt Elisa zwei Drittel des Geistes Elias und wird so zu seinem Nachfolger. Daher stellt sich die Frage nach dem Verhältnis von 1.Kön 19,1-18 und 1.Kön 19,19-21; 2.Kön 2,1-15. Nur an diesen Stellen innerhalb der Elia- und Elisa-Tradition wird ein Nachfolgeverhältnis zwischen Elia und Elisa

---

[180] Dies könnte sich in dem nicht durch die Elisa-Erzählungen gedeckten Ausdruck vom Morden Elisas (19,17) widerspiegeln. Siehe dazu auch S.193-195.

[181] Zur Stichwortverknüpfung von 1.Kön 19,10.14 mit 2.Kön 8,12 über הרג בחרב siehe S.190.

[182] Zu Abgrenzung und Zusammengehörigkeit der Erzählstücke und ihrer Zuordnung zur Elisa-Tradition siehe S.221f. mit Anm. 300.

[183] In V.19 („Und er ging von dort weg und fand Elisa ben Schaphat.") wird kein Subjekt genannt, es muß vielmehr aus der vorangestellten Erzählung als Elia erschlossen werden, משם weist auf den Horeb, den Aufenthaltsort Elias in 19,9ff., zurück.

angenommen,[184] die Bezugnahme auf den Mantel Elias findet sich ebenfalls nur in diesen drei Texten (1.Kön 19,13.19; 2.Kön 2,8.13.14), was für ein Abhängigkeitsverhältnis zwischen 1.Kön 19,1-18 einerseits und 1.Kön 19,19-21; 2.Kön 2,1-15 andererseits spricht.

Der Mantel Elias hat in 1.Kön 19,19-21; 2.Kön 2,1-15 eine wichtige Bedeutung: Durch das Überwerfen des Mantels wird Elisa in die Nachfolge gerufen (1.Kön 19,19); Elia teilt mit ihm den Jordan (2.Kön 2,8), der Mantel geht nach der Himmelfahrt Elias in den Besitz Elisas über (2,13), der ihn, wie vorher Elia verwendet, um den Jordan zu teilen und so seine prophetische Macht zu erweisen (2,14f.). Die Information, daß Elia einen Mantel besitzt und dieser eine immense Bedeutung für das Prophet-Sein seines Besitzers hat, wird in 1.Kön 19,13 zwar vorausgesetzt, aber nicht, wie in 1.Kön 19,19-21 und 2.Kön 2,1-15, verdeutlicht bzw. hergeleitet. Dies deutet darauf hin, daß BE2 die Vorstellung einer prophetischen Nachfolge Elias und Elisas und das damit verbundene Motiv des Prophetenmantels aus 1.Kön 19,19-21 und 2.Kön 2,1-15 übernommen hat.

Diese Beobachtung deckt sich mit der Aufnahme des nur in der Elisa-Tradition verankerten Namens „Elisa ben Schaphat“ aus 1.Kön 19,19 in 1.Kön 19,16. Hinzu kommt, daß BE2 seine Fortschreibung von 1.Kön 17-18 von vornherein auf die Ersetzung des gescheiterten Elia durch eine andere Art von Prophetie und einen anderen Propheten, nämlich Elisa angelegt hat.[185] Dies konnte er aber nur, wenn er innerhalb des erweiterten DtrG, dem sein Wirken galt, auf einen Text verweisen konnte, der von der tatsächlichen „Ersetzung“ Elias durch Elisa erzählte. Da 1.Kön 19,19-21; 2.Kön 2,1-15 nicht von BE2 verfaßt worden ist – die Elisa Tradition ist wesentlich älter als 1.Kön 19,1-18,[186] zudem hätte BE2 eine Nachfolgeerzählung wohl unter Bezug auf den Auftrag Jahwes an Elia (19,16) gestaltet –, ist davon auszugehen, daß die Nachfolgeepisoden (1.Kön 19,19-21; 2.Kön 2,1-15) entweder BE2 bereits innerhalb der Königsbücher vorlagen oder – als ihm anderweitig überkommene Tradition – von ihm selbst in diese eingefügt wurden.

Auf diesen Punkt soll nach der Behandlung der „Elisa-Biographie“ nochmals eingegangen werden.[187] Hier jedoch schon einige Vorüberlegungen. – Für eine Einfügung von 1.Kön 19,19-21; 2.Kön 2,1-15 (und der mit den Nachfolgeepisoden verbundenen Wundergeschichtensammlung) in die Königsbücher durch BE2 spricht folgendes:

Die Auftrennung der zusammengehörenden Nachfolgegeschichten kann nur im Zuge der Einfügung von 1.Kön 19,1-18 in die Königsbücher stattgefunden haben. Wenn die Nachfolge- und Wundergeschichtensammlung (= „Elisa-Biographie“) vor 1.Kön 19,1-18 Eingang in die Königsbücher gefunden hätte, müßte man davon ausgehen, beide Teile der Nachfolgegeschichte, nämlich die Berufung Elisas in die Nachfolge und die Entrückung Elias, wären nach 2.Kön 1 zu stehen gekommen, denn nach 1.Kön 18 hätte 19,19-21 keinen „Haftpunkt“ gehabt. Die jetzige Stellung der beiden Nachfolgeepisoden ginge dann auf eine nachträgliche Umstellung durch BE2 zurück, der den ersten Teil, den Ruf Elisas in die Nachfolge, von 2.Kön 2,1-15 abtrennte und an 1.Kön 19,1-18 als Abschluß seiner Fortschreibung von 1.Kön 17-18 anfügte. Dies ist natürlich denkbar, zwingende Gründe für

---

[184] Vgl. noch die Anspielung auf ein solches in der allerdings völlig anders gearteten Tradition 2.Kön 3,11.

[185] Siehe dazu S.193ff.

[186] Siehe S.235-237.

[187] Siehe S.238-240.

diese nachträgliche Umstellung sind jedoch nicht ersichtlich. In 1.Kön 21 und 2.Kön 1 tritt Elisa noch nicht auf und auch die anderen Aufträge an Elia kommen erst sehr viel später zum Tragen.

Wenn allerdings BE2 die Nachfolge- und Wundergeschichtensammlung außerhalb der Königsbücher vorliegen hatte, ist sein Vorgehen verständlicher: Die Entrückung Elias konnte erst nach dem letzten Auftreten Elias in 2.Kön 1 eingefügt werden. Von der Berufung Elisas und der „Ausführung" des einen Auftrags Jahwes an Elia konnte er jedoch sofort berichten und fügte aus diesem Grund die Anekdote von der Berufung Elisas sofort in 1.Kön 19 mit ein, ja er gestaltete seine Darstellung von Elias Scheitern und Neubeauftragung auf diese hin.[188]

Aus der Verteidigungsstellung des Autors von 1.Kön 19,1-18 in Bezug auf den durch die Anstiftung der Revolutionen Jehus und Hasaels todbringend wirkenden Elisa ergibt sich auch sein Beweggrund für die Einfügung der Nachfolge- und Wundergeschichtensammlung. Zum einen kann er an den Nachfolgegeschichten aufzeigen: Elisa ist der rechtmäßige Nachfolger Elias und Erbe seines Geistes. Die Legitimität dieser Nachfolge unterstreicht er noch zusätzlich mit der am Horeb erfolgenden Beauftragung Elias durch Jahwe, Elisa zu salben. Zum andern kann er anhand der Wundergeschichten die andere, lebensspendende Seite Elisas/Jahwes demonstrieren.

1.4.5 1.Kön 19,1-18 als Brücke zwischen dem Wirken Elias und Elisas

Gegen die hier vorgeschlagene Bestimmung der Funktion von 1.Kön 19,1-18 innerhalb des Gesamtgefüges der Elia- und Elisaerzählungen könnte eingewandt werden, daß, obschon die Verknüpfung der Elia- mit der Elisatradition in 1.Kön 19,15-18 unleugbar ist, die Verbindung der Erzählung zu den maßgeblichen Texten (1.Kön 19,19-21; 2.Kön 2,1-15; 8,7-15; 2.Kön 9/10) nicht so exakt ist, als daß man ein kompositorisches, auf die literarische Endgestalt der Königsbücher[189] zielendes Wirken von BE2 annehmen könnte:[190] Denn entgegen den Aufträgen Jahwes in 1.Kön 19,15f. wird Jehu nicht von Elia, sondern von einem Prophetenjünger Elisas gesalbt (2.Kön 9,1-10), Hasael nicht von Elia gesalbt, sondern von Elisa zur Usurpation angestiftet (2.Kön 8,7-15) und Elisa durch den Wurf des Prophetenmantels statt durch Salbung in Elias Nachfolge gerufen (1.Kön 19,19-21). Auch findet sich, im Unterschied zum Morden Jehus und Hasaels (19,17 vgl. 2.Kön 8,12; 9,1-10,33; 13,3.22), für das Morden Elisas (1.Kön 19,17) kein Anhalt in den BE2 vorliegenden

[188] 1.Kön 19,1-18 läuft zum einem inhaltlich auf die Berufung Elisas (19,19-21) zu, zum anderen sind vor allem die Aufträge an Elia (V.15-18) durch Stichwortaufnahmen mit der Anekdote 1.Kön 19,19-21 verknüpft: In 1.Kön 19,16 wird Elia mit der Salbung *Elisas ben Schaphat* beauftragt, in 1.Kön 19,19 begegnet er *Elisa ben Schaphat*. In Israel sollen nur die übrig bleiben, die den Baal nicht geküßt (נשק) haben (19,18), Elisa will zum Abschied seine Eltern küssen (נשק), was ihm von Elia verweigert wird (19,20). Doch auch in der Horebszene (19,13) findet sich ein für 1.Kön 19,19-21 konstitutives Stichwort wieder: Elia verhüllt sein Angesicht mit dem Mantel (אדרת), mit dem er Elisa in die Nachfolge rufen wird (19,19).

[189] Zum Zeitpunkt des Wirkens von BE2 umfaßten die Königsbücher bereits die Elia-Komposition, die Erzählung von Naboths Weinberg (auf die Elia-Komposition folgend), die Kriegserzählungen, die Erzählung von der Befragung des Baal von Ekron und die Erzählung von der Jehu-Revolution. Die „Elisa-Biographie" lag BE2 vor und wurde von diesem in die Königsbücher aufgenommen. Siehe dazu S.238-240.

[190] So wendet sich beispielsweise O.H.Steck, *Überlieferung*, 98 Anm. 1, ausdrücklich gegen eine Harmonisierung von 2.Kön 8,7-15 mit 1.Kön 19,15-18.

Texten. In der „Elisa-Biographie“ tritt er vielmehr als Retter Israels in Erscheinung (vgl. 2.Kön 6,8-23; 13,14-21)!

Weiterhin ist zu fragen, wie die Einfügung von 1.Kön 19 vor den Erzählungen von Naboths Weinberg und der Befragung des Baal von Ekron mit der Annahme eines kompositorisch wirkenden BE2 und der obigen Interpretation der Erzählung „Elia am Horeb“ in Einklang zu bringen ist: Wenn der Prophet gescheitert ist, wie kann er dann noch weiterwirken?[191]

Der Grund, aus welchem der Autor von 1.Kön 19,1-18 die Aufträge Jahwes an Elia nicht stärker an die ihm überlieferten Vorgänge über die Nachfolge Elia – Elisa und die Thronwechsel in Aram und Israel angepaßt hat, ist darin zu suchen, daß BE2 durch die Parallelisierung der je unterschiedlichen Berufungen Hasaels, Jehus und Elisas und deren Übertragung auf Elia eine „theologische Stilisierung und systematisierende Konzentration“[192] vornahm. Dies geschah zum einen, um die direkte Ersetzung der Maßnahmen Elias durch das Wirken Elisas, Hasael und Jehus noch deutlicher herauszustellen: Alle drei sind gleichermaßen als Werkzeuge des von Israel selbstverschuldeten Läuterungsgerichts Jahwes zu betrachten, welches an die Stelle des vergeblichen, auf die Bekehrung Israels zielenden Jahweeifers Elias tritt. Zum andern, um das Eingreifen Elisas in die Politik mit all seinen Konsequenzen für Israel durch die Ableitung von Elia und vom Horeb her noch stärker zu legitimieren. So führt zwar de facto Elisa den Auftrag Jahwes zur Salbung Jehus aus und stiftet Hasael zur Thronusurpation an, nach Darstellung von BE2 handelt er aber gewissermaßen nur stellvertretend für Elia.[193]

Vor dem Hintergrund der Verstrickung Elisas in die blutige Jehu-Revolution (vgl. deren Kritik in Hos 1,4)[194] und seiner Beteiligung an der Machtergreifung Hasaels ist auch die Rolle Elisas als Geißel Israels (19,17) zu sehen. Gleichzeitig wird mit dem Ausspruch vom Morden Elisas – im Rückblick auf den Untergang Israels und die Gerichtspropheten[195] – die Frage nach der „Schuld“ der Propheten am Gericht Jahwes ins Blickfeld gerückt[196] und mit dem Verweis auf die Schuldhaftigkeit Israels (19,10.14) beantwortet. Das mit der „Elisa-Biographie“ aufgenommene Gegenbild eines heilenden, als Retter Israels tätigen Elisa verdeutlicht zusätzlich, daß das Gerichtshandeln Jahwes und das damit verbundene Agieren der Propheten als Notmaßnahme zur Wiederherstellung der „normalen“, durch heil- und lebensspendendes Wirken Jahwes und seiner Propheten gekennzeichneten Gottesbeziehung Israels zu verstehen ist (vgl. 19,18).

---

[191] Vgl. M.Oeming, *Testament*, 312, der die Schilderung eines Umbruchs in der Prophetie in 1.Kön 19,1-18 bestreitet. Seiner Ansicht nach geht es in der Erzählung um „Stärkung des Angefochtenen und um seine Rückführung auf den Weg, den Gott mit ihm vorhat“ (a.a.O. 312). Er begründet seine Auffassung, daß es hier nicht um Korrektur oder Ablösung Elias gehe, u.a. mit dem Argument, daß Elia ja auch später mehrfach als Prophet auftrete.

[192] K.Seybold, *Elia*, 14; vgl. auch B.Lehnart, *Prophet*, 222; E.Blum, *Prophet*, 287; J.Jeremias, *Anfänge*, 490; G.Hentschel, *Elijaerzählungen*, 56f.

[193] Vgl. V.16: „zum Propheten an deiner Statt“.

[194] Vgl. auch S.237 mit Anm. 377.

[195] Vgl. E.Blum, *Prophet*, 288; B.Lehnart, *Prophet*, 251f.; anders K.Seybold, *Elia*, 17-18, der 1.Kön 19,1-18 in die Nähe, aber noch vor den großen Gerichtspropheten ansiedelt und J.Jeremias, *Anfänge*, 489, der den Text in die Jeremia-Zeit datiert.

[196] Vgl. Hos 6,5; Jer 5,14 und E.Blum, *Prophet*, 286-290; B.Lehnart, *Prophet*, 251-253.

Die Stellung von 1.Kön 19 vor den beiden letzten Elia-Erzählungen erklärt sich daraus, daß diese bereits als Veranschaulichung des von BE2 begründeten Wandels im Wirken Elias gegenüber 1.Kön 17-18 dienen können: Dem Scheitern der Pädagogik des Propheten (17,1-18,46) und ihrer Ersetzung durch das Gerichtshandeln Jahwes entspricht die Beschränkung von Elias Tun auf das Aufdecken von Schuld und die Ankündigung von Strafe in 1.Kön 21 und 2.Kön 1. Elia, der Elisa schon in die Nachfolge gerufen, aber noch nicht an seine Stelle hat treten lassen, wirkt bis zu seiner endgültigen Ersetzung durch Elisa nur noch als Unheilsprophet.

1.4.6 BE2 – Versuch eines Profils

Aus obiger Darstellung des kompositorischen Wirkens des Autors von 1.Kön 19,1-18 ergibt sich zugleich ein recht klares Bild des Redaktors selbst: Anders als BE1, der – wie Deuterojesaja – von der bekehrungswirksamen Kraft argumentativer Darstellungen der Allmacht Jahwes gegenüber der Ohnmacht anderer Götter überzeugt war, zeichnet sich BE2 durch eine weit pessimistischere Grundhaltung aus.[197] Selbst anscheinend aus prophetischen Kreisen stammend,[198] zeigt er auf, daß der durch die Propheten Jahwes an Israel ergangene Ruf zur Umkehr ungehört verhallt (vgl. 19,4) und die Beziehung zwischen Jahwe und Israel durch das Tun der Israeliten existentiell bedroht ist (19,10.14). Aus diesem Grund – so BE2 weiter – ist Jahwe zu einem grausamen Gerichtshandeln an Israel gezwungen. Dieses vollzieht sich durch das aktive Eingreifen der Propheten Jahwes in die Politik, auch unter Einbeziehung fremder Herrscher wie Hasael (1.Kön 19,15-17; 2.Kön 8,7-15; 9/10). Doch die von Jahwe in Gang gesetzte Vernichtung hat nicht den totalen Untergang des Volkes zum Ziel, sie erfolgt weder blind noch schrankenlos. Ein Rest von 7000 soll entkommen: Das „wahre Israel“, all jene, die nicht vom Glauben an Jahwe abgefallen sind und sich dem Baal zugewandt haben, wird aus dem Läuterungsgericht hervorgehen und die Basis für eine neue Beziehung zwischen Jahwe und seinem Volk bilden (1.Kön 19,18). Zu Israels Rest zählt sich BE2 und für diesen Rest schreibt er. Er leidet unter dem Schicksal seines Volkes und sucht nach Antworten, warum Jahwe so grausam handelt. Er kommt zu dem Ergebnis, daß das an Israel vollzogene Gericht, angesichts des vorhergehenden Handeln Israels, die notwendige Voraussetzung für eine Fortsetzung der Gottesbeziehung Israels war und nicht deren Abbruch bedeutet. Sein entscheidendes Anliegen ist jedoch die Beleuchtung der – ins Zwielicht geratenen – Rolle der Propheten im Gerichtsgeschehen (vgl. nur 19,17):[199] Indem er die Aporie einer sich auf Umkehrrufe und Überzeugungsarbeit beschränkenden Prophetie aufzeigt (19,1-14) und zugleich die neue Art prophetischen Handelns auf den vom Horeb ausgehenden Willen Jahwes zurückführt, verteidigt er das Eingreifen von Propheten wie Elia und Elisa in die Politik. Die Theophanie am Horeb mit der Aussendung Elias und der Festlegung der Sukzession Elia – Elisa wird gleichsam zur „Gründungsurkunde der politischen Prophetie“. Zusätzlich verweist BE2

[197] Dies übersieht M.Beck, *Elia*, 132, wenn er 1.Kön 18,21-40* und 1.Kön 19,3aß-18 „denselben nachexilischen Kreisen“ zuweist.

[198] Sowohl Elia als auch Elisa werden von BE2 als Propheten bezeichnet; er hat Interesse an dem Phänomenen prophetischer Nachfolge, prophetischer Legitimation und Prophetenverfolgung.

[199] Vgl. E.Blum, *Prophet*, 286ff., der die Funktion von 1.Kön 17-19 als „Apologie der Gerichtsprophetie“ beschreibt.

durch die Aufnahme der „Elisa-Biographie“ auf die Möglichkeit des heilstiftenden Wirkens der Propheten innerhalb der dort vorausgesetzten ungestörten Gottesbeziehung.

Das Wirken von BE2 fügt sich mit seiner Intention zwanglos in den Horizont der frühnachexilischen Zeit ein,[200] welcher sich durch die Abfolge der Entstehung von 1.Kön 17-18 und 1.Kön 19 und die Datierung der Elia-Komposition in das ausgehende 6.Jahrhundert nahelegt: Die nationale Heilsprophetie Haggais und Sacharjas war gescheitert, die prophetischen Gruppierungen wurden wieder ins Abseits gedrängt.[201] Mit der Unterordnung der Prophetie unter die Autorität Moses bei der Erstellung des vorpriesterlichen Pentateuchs (K^D; vgl. Dtn 18,9-22; 34,10)[202] bzw. ihrer Ausklammerung aus dem priesterlichem Pentateuch (K^P)[203] wuchs der Rechtfertigungsdruck prophetischer Gruppen gerade im politischen Kontext. Durch die Legitimation des prophetischen Wirkens Elias und Elisas vom Horeb her und die Demonstration des segenstiftenden Wirkens Elisas unter dem Volk, verankert BE2 – gegen den äußeren Druck – die strittig gewordene Prophetie fester in der (noch vorkanonischen) Geschichtsüberlieferung Israels und verschafft ihr zugleich, durch die Parallelisierung Elias mit Mose, eine theologisch gesicherte Grundlage.

---

200 Zur Datierung vgl. auch E.Blum, *Prophet*, 290-292 und M.Beck, *Elia*, 132. Anders O.H.Steck, *Überlieferung*, 90-95, der 1.Kön 19 in die Zeit um 820 datiert; M.Oeming, *Testament*, 308, geht bis etwa 700 zurück. Siehe auch S.194 Anm. 195.

201 Vgl. R.Albertz, *Religionsgeschichte*, 483ff.

202 Vgl. E.Blum, *Komposition*, 20ff.; R.Albertz, *Religionsgeschichte*, 513-516.

203 Vgl. R.Albertz, *Religionsgeschichte*, 517-535.

2 Die Kriege der Könige von Israel und die Wunder Elisas

2.1 Das Verhältnis der Kriegserzählungen und der „Elisa-Biographie“[204] zur DtrG-Grundschrift

Die Stringenz der deuteronomistischen Darstellung der Geschichte des Baalskultes in Israel tritt unter Zugrundelegung des im vorangehenden Abschnitt vorgestellten Erweiterungsmodelles,[205] nach dem 1.Kön 17-19 nicht in der DtrG-Grundschrift enthalten war, klarer zutage: Zum einen ist diese Grundschicht dann nicht mit den oben aufgezeigten Widersprüchen zwischen 1.Kön 17-19 und dem sonst zu ermittelnden deuteronomistischen Geschichts- und Eliabild behaftet.[206] Zum anderen werden die bereits im Zusammenhang mit dem „Fall Naboth“ dargestellten Verbindungslinien zwischen dem deuteronomistischen Rahmenschema für Ahab (1.Kön 16,29-33) und der deuteronomistisch gestalteten Gerichtsrede Elias an Ahab anläßlich dessen Verbrechen an Naboth (1.Kön 21,20bß-24)[207] deutlicher. Denn nach der ursprünglichen, von LXX wiedergegebenen Kapitelreihenfolge[208] folgt in der 1.Kön 17-19 nicht enthaltenden DtrG-Grundschrift die Erzählung von Naboths Weinberg direkt auf das Rahmenschema für Ahab. Die Erzählung von Naboths Weinberg wird auf diese Weise – obwohl es sich um eine Erzählung von einem sozialen Vergehen Ahabs handelt – gerahmt von deuteronomistischen Anklagen gegen Ahab wegen seiner kultischen Verfehlungen.[209] Die mit den Anklagen in 1.Kön 16,30-33; 21,20bßγ.22b verknüpften Unheilsankündigungen (21,21.22a.23f.) weisen direkt auf die Erzählung von der Jehu-Revolution (2.Kön 9/10), wo das Haus Ahabs – gemäß des angekündigten Gerichtsaufschubes (1.Kön 21,29) – und mit ihm der von Ahab eingeführte Baalskult ausgerottet wird (2.Kön 9,24.33.36; 10,7.11.17.28). Zuvor jedoch erweisen die Worte Elias gegen das Haus Ahabs ihre Wirkmacht im Falle Ahasjas, des ersten Sohnes Ahabs, der wie sein Vater und seine Mutter dem Baalskult verfallen ist: Ahasja stirbt wegen seiner eigenen Vergehen (1.Kön 22,53f.; 2.Kön 1,6), im Lichte von 1.Kön 21,21.22a.29 aber sicherlich auch um der Sünden seines Vaters willen, eines jähen und frühen Todes (2.Kön 1,2-17aα*).

Dieser mit 1.Kön 16,29-33; 21; 2.Kön 1; 9/10 vorgegebene „rote Faden“ deuteronomistischer Geschichtsdarstellung[210] verliert sich allerdings im „Gewirr“ der nun folgenden Erzählungen, die weder eine Verbindung mit dem gegebenen Thema „Baalsverehrung in Israel“ noch sichere deuteronomistische Bearbeitungsspuren wie 2.Kön 9/10 bzw. eine deutliche Einbettung in das deuteronomistische Rahmenschema wie 1.Kön 21; 2.Kön 1 und 2.Kön 9/10 erkennen lassen: So wird der deuteronomistische Entwurf von Ahabs Verschonung (1.Kön 21,29) und seinem friedlichen Tod (22,40) und der damit einhergehenden Verschiebung des Gerichts in die Zeit seines Sohnes Joram, der samt seines Hauses der

[204] Zur Terminologie siehe S.220 Anm. 299.
[205] Siehe S.151-162.
[206] Siehe S.151-154.
[207] Siehe oben S.133-137.
[208] Siehe S.159 Anm. 53.
[209] Vgl. 1.Kön 21,20bßγ.22b mit 16,30-33 und dazu S.133-137.
[210] Vgl. auch die Anknüpfungen in den deuteronomistischen Rahmenstücken 1.Kön 22,53f.; 2.Kön 3,1-3.

Jehu-Revolution zum Opfer fällt, verwirrt durch die Erzählung vom Tod Ahabs im Kampf gegen die Aramäer (1.Kön 22,1-38) inklusive der Notiz von der Erfüllung der Gerichtsankündigung Jahwes (V.38).[211] Zudem wartet der Leser nach dem Bericht vom Regierungsantritt Jorams (2.Kön 3,1-3), anders als bei dessem nur kurz und unglücklich regierenden Vorgänger Ahasja,[212] so lange vergeblich auf ein Eintreffen des von Elia angekündigten Unheils, bis der in 1.Kön 21,17ff. aufgebaute Spannungsbogen nahezu vollständig verflacht. Statt dessen wird er in das gänzlich anders geartete Milieu der Kriegs- und Wundergeschichten geführt, die zum Teil weder vom König handeln noch etwas von der omridenfeindlichen Tendenz der Deuteronomisten spüren lassen.[213]

Die obige Betrachtung gibt Anlaß zu erwägen, ob das DtrG nicht nur im Bereich der Elia-, sondern auch im Bereich der Elisa-Überlieferung nach Abschluß der Arbeit der Deuteronomisten um wesentliche Teile seines jetzigen Bestandes angewachsen ist; die ursprüngliche DtrG-Grundschrift also weniger umfangreich, dafür aber in sich stimmiger war. Die Annahme einer nachdeuteronomistischen Erweiterung des DtrG im Raum der Elisa-Überlieferung ist, anders als die These des nachdeuteronomistischen Wachstums im Bereich der Elia-Erzählungen, die erst in jüngerer Zeit erwogen wird,[214] bereits seit längerem auf breiterer Basis akzeptiert.[215] Dies gilt ebenfalls in Bezug auf die nachdeuteronomistische Einfügung der Kriegserzählungen 1.Kön 20,1-43; 22,1-38.[216]

---

[211] Zum Widerspruch zwischen dem Bericht über den gewaltsamen Tod Ahabs in 1.Kön 22,1-38 und der Darstellung der Deuteronomisten in 1.Kön 22,40 vgl. für viele schon G.Hölscher, *Buch*, 185. Zum Ganzen siehe auch oben S.125f. mit Anm. 35. Mit 1.Kön 22,40 stimmt dagegen der (S.127-129) den Deuteronomisten zugeschriebene Bericht von der Reue und Verschonung Ahabs (21,27-29) überein. Dies macht es wahrscheinlich, daß die Deuteronomisten eine Erzählung vom gewaltsamen Tod Ahabs nicht kannten. Anderenfalls hätten sie ja nicht durch Einführung der Buße Ahabs die Geschichte des notorisch schlechten Königs „aufhellen“ müssen, um sie mit seinem friedlichen Tod in Einklang zu bringen. Sie hätten vielmehr den Tod Ahabs in der Schlacht gegen Aram (22,35) als Erfüllung des Wortes Jahwes (21,19) deuten können. Zur Diskussion des Verhältnisses von 1.Kön 21,27-29 zu 1.Kön 22,1-38 vgl. H.-Chr.Schmitt, *Elisa*, 134f. und H.-J.Stipp, *Elischa*, 435-437 und ders., *Ahabs*, 479ff.

[212] Unmittelbar nach Einführung und Beurteilung Ahasjas (1.Kön 22,52-54) wird von seinen Mißgeschicken (2.Kön 1,1f.) und seinem Tod ($1,17a\alpha_1$) berichtet.

[213] Vgl. J.M.Miller, *Elisha*, 450: Die Elisa-Legenden (2.Kön 2; 4,1-8,15; 13,14-21) und die Kriegserzählungen (1.Kön 20; 22,1-38; 2.Kön 3,4ff.) „seem to serve no particular purpose in his (d.h. des Deuteronomisten [Anm. der Verf.]) work ...“ und auch E.Würthwein, *Bücher II*, 367.

[214] Für 1.Kön 17-19: H.-J.Stipp, *Elischa*, 463-480; S.L.McKenzie, *Trouble*, 81-87; vgl. J.M.Miller, *Elisha*, 450f.; Ch.Conroy, *Hiel*, 217f. M.Beck, *Elia*, 156-158; für 2.Kön 1: E.Würthwein, *Bücher II*, 265-271; O.Kaiser, *Grundriß 2*, 16; S.L.McKenzie, *Trouble*, 93f.; zum Ganzen siehe auch S.11-25.

[215] H.-Chr.Schmitt, *Elisa*, 131-138; J.Van Seters, *History*, 305f.; E.Würthwein, *Bücher II*, 366-368; H.-J.Stipp, *Elischa*, 463-480; ders., *Ahabs*, 475-479; S.L.McKenzie, *Trouble*, 95-100; H.Seebaß, *Art. Elisa*, 506f.; O.Kaiser, *Grundriß 2*, 17f.; M.A.O'Brien, *History*, 26.194ff.; vgl. J.M.Miller, *Elisha*, 450f.; B.Lehnart, *Prophet*, 344-347. Die traditionelle These einer von den Deuteronomisten weitgehend unverändert aufgenommenen Elisa-Tradition vertreten M.Noth, Studien, 83f.; S.J.De Vries, *Prophet*, 116-123; A.D.H.Mayes, *Story*, 109; G.H.Jones, *Kings*, 68-73; vgl. auch A.Rofé, *Stories*, 100f.; A.Lemaire, *Joas*, 252; R.P.Carroll, *Elijah*, 413f.; O.H.Steck, *Bewahrheitungen*, 94f.; M.Rehm, *Das zweite Buch*, 24-27; A.Jepsen, *Quellen*, 76-101; W.Dietrich, *Prophetie*, 139-148; H.Wildberger, *Art. Elisa*, 399-401; T.H.Rentería, *Elijah*, 125f.; M.Sekine, *Beobachtungen*, 56f. Siehe auch oben S.11-25.

[216] So schon G.Hölscher, *Buch*, 185; J.M.Miller, *Elisha*, 450; vgl. S.L.McKenzie, *Trouble*, 88-93; H.-Chr.Schmitt, *Elisa*, 133-136; E.Würthwein, *Bücher II*, 236-244.253-262; H.-J.Stipp, *Elischa*, 463ff. und auch B.Lehnart, *Prophet*, 345. Anders – in Bezug auf 1.Kön 22,1-38 – N.Na'aman, *Stories*, 153-173.

Für die Annahme einer nachdeuteronomistischen Erweiterung des DtrG um 1.Kön 20,1-43; 22,1-38; 2.Kön 2,1-25; 3,4-8,15; 13,14-21 sprechen neben den bereits aufgeführten folgende Argumente:

- 2.Kön 3,4-8,15 „reißt" die Königsrahmen (2.Kön 3,1-3; 8,16ff.) weit stärker auseinander als im DtrG gemeinhin üblich.[217]
- Sowohl 2.Kön 2 als auch 2.Kön 13,14-21, die Rahmenstücke der unten postulierten Sammlung von Elisa-Erzählungen („Elisa-Biographie"),[218] stehen außerhalb des Königsrahmens.[219] Dies ist ein wesentliches Indiz dafür, daß die *en bloc* aufgenommenen Elisa-Erzählungen nicht von den Deuteronomisten, die sie sicherlich innerhalb ihres Rahmens untergebracht hätten, in das Geschichtswerk eingefügt wurden.
- Die Kriege Ahabs gegen Aram haben keinen Eingang in den Königsrahmen für Ahab gefunden. Das deutet darauf hin, daß die entsprechenden Erzählungen (1.Kön 20,1-21.22-43; 22,1-38) den Deuteronomisten nicht vorlagen, denn gewöhnlich nehmen diese auf die Kriege eines Königs zumindest durch Erwähnung der גבורה in der Formel von den übrigen Taten Bezug.[220]

---

[217] Ausnahmen bilden allein die weit ausgeführten Erzählungen von Davids Aufstieg und seiner Thronnachfolge.

[218] Siehe dazu S.220ff.

[219] Vgl. H.-Chr.Schmitt, *Elisa*, 131f.; E.Würthwein, *Bücher II*, 367; G.Hölscher, *Buch*, 184-187; J.M.Miller, *Elisha*, 450f. Dies gilt jedenfalls für die masoretische Textüberlieferung. Die Septuaginta bietet das Einführungsformular für Joram von Juda sowohl vor als auch nach 2.Kön 2 und das Abschlußformular für Joas zusätzlich zum MT (2.Kön 13,12f.; 14,15f.) nach 2.Kön 13,14-25. Die Verdopplung des Einführungsformulars für Joram in LXX geht – wie die Einfügung von 2.Kön 1,17a$\alpha_2\beta\gamma$.b im MT – auf die Bestrebung zurück, 2.Kön 2 nachträglich in das deuteronomistische Rahmenschema zu integrieren. In 2.Kön 13/14 stellt sich der Sachverhalt weit komplizierter dar, eine vollkommen befriedigende Lösung ist noch nicht in Sicht (vgl. nur H.-Chr.Schmitt, *Elisa*, 132; E.Würthwein, *Bücher II*, 362f.; B.Lehnart, *Prophet*, 346; G.Hentschel, *1 Könige*, 60ff.; siehe auch S.238f.). Hier nur einige Anmerkungen: Das Abschlußformular für Joas in 2.Kön 13,12f. weicht von der üblichen Form ab: Die Thronfolgenotiz ist zum einen ungewöhlich formuliert („Jerobeam setzte sich auf seinen Thron" [13,13] statt „sein Sohn Jerobeam wurde König an seiner Statt" [vgl. 2.Kön 14,16]), zum anderen kommt sie vor der Begräbnisnotiz zu stehen. Daher ist mit G.Hentschel, *1 Könige*, 60 und E.Würthwein, *Bücher II*, 362f., gegen H.-Chr.Schmitt, *Elisa*, 132, anzunehmen, daß das Abschlußformular an dieser Stelle – unter Nachahmung des ursprünglichen – im Zuge des Einbaus von 2.Kön 13,14-21 (siehe S.238f.) nachträglich eingefügt wurde. Vermutlich gibt die Septuaginta mit der Stellung nach 2.Kön 13,25 den ursprünglichen Ort des Abschlußformulars wieder (vgl. E.Würthwein, *Bücher II*, 362f., anders G.Hentschel, *2 Könige*, 60, der das Formular in 2.Kön 14,15f. für das ursprüngliche hält. In diesem Fall ist aber die Versetzung nach 2.Kön 13,25 in LXX schwierig zu erklären, zusätzlich muß eine Umstellung des Rahmenschemas für Amasja angenommen werden [a.a.O. 59f.]). Nach Einfügung der sich mit der positiven Beurteilung Amasjas durch die Deuteronomisten (2.Kön 14,3f.) stoßenden, älteren Erzählung vom Krieg zwischen Joas und Amasja (14,8-14) wurde, so E.Würthwein, *Bücher II*, 370ff., das Abschlußformular für Joas nach 2.Kön 14,15f. versetzt (V.17 stellt die Verbindung zum Rahmen von Amasja wieder her), da hier Joas „noch einmal in voller Tätigkeit" (a.a.O. 363), ja sogar als Held der Erzählung auftritt.

[220] Im Abschlußformular für Josaphat werden allerdings Kriege erwähnt (1.Kön 22,46). Wegen dieser Unstimmigkeit – Josaphats Kriege werden aufgeführt und, obwohl ein Kriegszug gemeinsam ausgeführt wurde, die des Ahab nicht –, könnte man erwägen, ob es sich bei 1.Kön 22,46 nicht um einen nach der Einfügung von 1.Kön 22,1-38; 2.Kön 3,4ff. erfolgten Ausgleichsversuch handelt; so S.Timm, *Dynastie*, 47 Anm.11. Anders N.Na'aman, *Stories*, 156, der die Notiz über die Kriege Josaphats in 1.Kön 22,46 als Indiz dafür wertet, daß die Erzählungen 1.Kön 22,1-38 und 2.Kön 3,4-27 Teil der „original Dtr history" waren.

- Die Erwähnung des Königs von Edom in 2.Kön 3,4ff. steht ebenfalls im Widerspruch zum Königsrahmen, denn nach 1.Kön 22,48; 2.Kön 8,20 gab es zur Zeit Josaphats keinen König in Edom.[221]
- Der Abfall des Königs von Moab wird sowohl in 2.Kön 1,1 als auch in 2.Kön 3,4f. notiert. In 2.Kön 3,4f. ist die Notiz in die Erzählung vom Feldzug der drei Könige (3,4-27) eingebunden und gegenüber der in 2.Kön 1,1 vorliegenden Form ausgeweitet. In 2.Kön 1,1 bildet sie als militärischer Kurzbericht einen Teil des Königsrahmens im weiteren Sinne. Wenn aber den Deuteronomisten die Erzählung 2.Kön 3,4ff. vorgelegen hätte, so ist nicht einzusehen, warum sie die Information aus 2.Kön 3,4f. überhaupt und dann auch nur zum Teil, das heißt ohne die Beschreibung der Art des Vasallenverhältnisses zwischen Israel und Moab, hätten vorziehen sollen.[222]
- Die deuteronomistische Beurteilung Jorams (2.Kön 3,2f.), die sich mit seiner Charakterisierung in 2.Kön 9/10 deckt,[223] wäre in Kenntnis von 2.Kön 3,13f. und 6,31f. wohl kaum so glimpflich ausgefallen. Insbesondere die dezidierte Unterscheidung zwischen Joram und seinen Eltern in 2.Kön 3,2 ist nicht mit der Gleichsetzung derselben in 3,13 in Einklang zu bringen.
- Das in 2.Kön 3,19 geweissagte und in V.25 ausgeführte Verhalten der Israeliten stellt einen Verstoß gegen das deuteronomische Kriegsgesetz (Dtn 20,14-20) dar.[224]
- Die „dienstliche" Rimmon-Verehrung des zu Jahwe bekehrten Naemans ist aus deuteronomistischer Sicht wohl kaum gut zu heißen: Gerade das Niederwerfen der Omriden vor einem fremden Gott (חוה hištaf.; vgl. 2.Kön 5,17-19 mit 1.Kön 16,31; 22,54) wird von den Deuteronomisten als schweres Vergehen gewertet.[225]

Mit der Annahme einer nachdeuteronomistischen Erweiterung des DtrG auch im Bereich der Elisa-Überlieferung (und 1.Kön 20,1-43; 22,1-38) enthält die Grundschrift des DtrG außer den Königsrahmen (1.Kön 16,29-33; 22,39-40.41-51.52-54; 2.Kön 1,1.18; 3,1-3; 8,16-24.25-29; 10,28-36) nur die Erzählungen von Naboths-Weinberg (1.Kön 21)[226], von der Befragung des Baal von Ekron (2.Kön 1)[227] und die Erzählung von der Jehu-

---

[221] Vgl. H.-J.Stipp, *Elischa*, 72-76; ders. *Ahabs*, 478.

[222] Anders M.Noth, *Studien*, 83 Anm. 5 (vgl. auch H.Schweizer, *Elischa*, 20f. Anm. 6; B.Lehnart, *Prophet*, 345), der eine literarische Abhängigkeit der Notiz in 2.Kön 1,1 von 2.Kön 3,5 annimmt. Ein umgekehrtes Abhängigkeitsverhältnis nimmt S.J.De Vries, *Prophet*, 88 Anm. 48, an. Indes ist mit E.Würthwein, *Bücher II*, 265, zu betonen, daß eine literarische Beziehung zwischen beiden Stellen nicht mit Sicherheit anzunehmen ist: In 2.Kön 1,1 wird vom Abfall *Moabs* von *Israel*, in 2.Kön 3,5 jedoch vom Abfall des *Königs von Moab* vom *König von Israel* gehandelt. Darüber hinaus ist die Wortwahl zwar identisch, der Sachverhalt, der ja der gleiche ist, läßt sich aber auch kaum anders beschreiben. Anders H.-J.Stipp, *Elischa*, 96 Anm. 79, der gegen Würthwein dezidiert auf einem Abhängigkeitsverhältnis besteht, dessen Art er aber nicht zu bestimmen vermag (a.a.O. 96). A.a.O. 146 erwägt er allerdings, 2.Kön 3,5 könne ein „adaptiertes Zitat" aus 2.Kön 1,1 sein.

[223] Siehe S.85-88.

[224] Vgl. H.-J.Stipp, *Elischa*, 365; ders. *Ahabs*, 477.

[225] Vgl. H.-J.Stipp, *Ahabs*, 476f.

[226] Siehe S.120-137.

[227] Anders S.L.McKenzie, *Trouble*, 93f., der auch 1.Kön 1 zu den nachdeuteronomistischen prophetischen Erweiterungen des DtrG rechnet; vgl. auch E.Würthwein, *Bücher II*, 265ff; O.Kaiser, *Grundriß 2*, 16 und dazu S.144-147.

Revolution (2.Kön 9/10)[228]. Damit aber gewinnt die deuteronomistische Darstellung der Ereignisse in der Zeit von Ahab bis Jehu deutlich an Kontur, die oben eingeforderte Stringenz des Geschichtswerkes wird offenkundig![229]

Nun stellt sich die Frage, wie diese nachdeuteronomistische Erweiterung des DtrG vor sich ging und wie sich die einzelnen Wachstumsstufen sowohl zum DtrG als auch zu den beiden bereits beschriebenen nachdeuteronomistischen Erweiterungen (1.Kön 17-18 und 1.Kön 19) verhalten.

2.2 Modelle des Wachstums

Der Wachstumsvorgang des DtrG im Bereich der Elisa-Überlieferung wird – wie oben dargestellt – in der Forschung bisher sehr unterschiedlich beschrieben.[230] In dieser Hinsicht zeichnet sich also – im Unterschied zur Annahme des Wachstums selbst – kein Konsens ab. Das aktuelle Forschungsspektrum wird repräsentiert durch die Wachstumsmodelle H.-Chr.Schmitts[231], H.-J.Stipps[232], S.L.McKenzies[233] und B.Lehnarts[234].

Die extreme Gegenpole markierenden, traditionsgeschichtlichen Modelle Stipps und McKenzies scheinen mir jedoch nicht weiterführend zu sein: Die Annahme McKenzie einer ohne erkennbare Ordnungsprinzipen *en bloc* erfolgten Einfügung der doch recht divergenten Texte 1.Kön 20; 22,1-38; 2.Kön 2; 3,4-8,15; 13,14-21 läßt – außer daß es sich um „prophetical additions" handelt – wenig Schlüsse auf Intention, Zeit und Hintergrund der für sie verantwortlichen Redaktoren zu. Trotz seiner Differenziertheit führt aber auch das Modell Stipps nicht zu Erkenntnissen hinsichtlich des redaktionellen Sinns der sich ergebenden Erweiterungsschichten. Das Wachstumsmodell Lehnarts deckt sich weder mit der oben getroffenen Annahme einer nachdeuteronomistischen Ergänzung der Elisa-Überlieferung[235] noch mit dem hier ermittelten Grundbestand des DtrG im Bereich von 1.Kön 16,29 bis 2.Kön 10,36[236] und fällt als möglicher Anknüpfungspunkt für die weiteren Betrachtungen aus.

Im folgenden wird daher, ausgehend vom Modell H.-Chr.Schmitts,[237] ein relativ einfaches kompositionsgeschichtliches Modell für das Wachstum des DtrG im Bereich der Elisa-Erzählungen (und 1.Kön 20,1-43; 22,1-38) entwickelt. Dabei soll zum einen den vielfältigen Beziehungen zwischen den einzelnen (Gruppen von) Erzählungen Rechnung getragen,

---

[228] Vgl. S.114-117.
[229] Dazu siehe auch S.253-257.
[230] Siehe S.11-25.
[231] H.-Chr.Schmitt, *Elisa*, 137f.; vgl. auch die Variation des Schmittschen Modells durch E.Würthwein, *Bücher II*, 366-368 und oben S15-17 bzw. S.19-21.
[232] H.-J.Stipp, *Elischa*, 463ff.; siehe S.21f.
[233] S.L.McKenzie, *Trouble*, 99 Anm. 24; vgl. S.23.
[234] B.Lehnart, *Prophet*, 314-347; siehe oben S.23f.
[235] Lehnart, a.a.O. 344-347, rechnet mit der Ergänzung der „Elischa-Kompositon" durch „Dtr II".
[236] Nach Lehnart, a.a.O. 344, war 2.Kön 6,24-7,20 bereits Bestandteil der DtrG-Grundschrift.
[237] wie es oben geschildert wurde, ohne jedoch die Schmittsche These von der Jahwe-, Propheten- und Gottesmannbearbeitung zu teilen. Zur Kritik an den genannten Bearbeitungsschichten siehe die S.220 Anm. 294 angegebene Literatur; vgl. auch S.211 Anm. 265.

zum anderen – über Schmitt und die oben vorgestellten Wachstumsmodelle hinausgehend – der jeweils neue Sinn, der dem DtrG durch die Erweiterungen gegeben wird, herausgearbeitet werden.

2.3 Kriege, Könige und Propheten

2.3.1 Die Erweiterung des DtrG um die Kriegserzählungen

Für die These Schmitts einer separaten, durch die Kriegserzählungen (1.Kön 20,1-43; 22,1-38; 2.Kön 3,4-27; 6,24-7,20) gebildeten Erweiterungsschicht[238] spricht zunächst, daß sich die Kriegserzählungen aufgrund ihrer Thematik und Intention sowohl von der DtrG-Grundschicht als auch von den Wunder-, Nachfolge- bzw. Aramäererzählungen (im folgenden um der Kürze willen auch als „Elisaerzählungen" zusammengefaßt) klar abheben lassen:

Den sogenannten „Kriegserzählungen" in ihrer Endgestalt gemeinsam ist zunächst ihre Thematik. Es geht jeweils um das Verhalten des Königs im Krieg, insbesondere um sein Verhältnis zu den Propheten bzw. zur Heils- und Unheilsprophetie.[239] Dabei beschränkt sich das Handeln des Propheten auf die Überbringung von Heils- oder Unheilsbotschaften und – damit verbunden – das politisch-militärische Verhalten des Königs betreffende Handlungsanweisungen. Ob und wie der König, der im Mittelpunkt der Handlung steht, den Anweisungen des wahren Propheten folgt, ist entscheidend für sein Ergehen. In den Elisaerzählungen (1.Kön 19,19-21; 2.Kön 2; 4,1-6,23; 8,1-15; 13,14-21) dagegen steht der Prophet/Gottesmann/Elisa im Vordergrund; dieser verändert Notsituationen direkt durch seine magischen Kräfte oder seine Anweisungen. Eine weitere Differenz zwischen Elisa- und Kriegserzählungen besteht auch im Hinblick auf das Verhältnis zwischen König und dem „wahren" Propheten: Während dieses in den Elisaerzählungen – sofern es thematisiert wird – als gut zu bezeichnen ist,[240] so ist es in den Kriegserzählungen gespannt. Das gestörte Verhältnis zwischen Propheten und König könnte auf den ersten Blick der diesbezüglichen Darstellung des DtrG entsprechen. Dennoch sind gerade auch hier grundlegende Unterschiede zu beachten:

Während im DtrG die Rolle des Propheten gegenüber den Königen aus dem Haus Ahabs ausschließlich durch Unheilsankündigungen (1.Kön 21; 2.Kön 1) und der Herbeiführung

---

[238] H.-Chr.Schmitt, *Elisa*, 32-72.133-136.

[239] Auch in 2.Kön 6,8-23 geht es, wie in 1.Kön 20,1-43; 22,1-38; 2.Kön 6,24ff., um Krieg mit den Aramäern. Diese Erzählung ist aber dennoch nicht zu den Kriegserzählungen zu rechnen, denn hier bildet das Kriegsereignis nur den Hintergrund für das Wunderwirken Elisas. Im Mittelpunkt steht demgemäß auch nicht der König, sondern Elisa. Anders als in den Kriegserzählungen in ihrer Endgestalt ist hier das Verhältnis zwischen König und Prophet gut. Auch die 2.Kön 6,8-23 zugrundeliegende Vorstellung vom Krieg mit den Aramäern unterscheidet sich fundamental von der der Kriegserzählungen: Während es in 2.Kön 6,8-23 um marodierende Streifscharen und Scharmützel im Grenzgebiet geht, wird in den Kriegserzählungen von größeren Schlachten und der Belagerung der Hauptstadt berichtet.

[240] Vgl. 2.Kön 6,21; 13,14, wo der König den Propheten mit „mein Vater" anredet. Väterliche Ratschläge erteilt Elisa dem König auch in 2.Kön 5,8. In 2.Kön 8,1-6 drückt sich die Verbundenheit des Königs mit dem Propheten darin aus, daß der König – auch nach dem Tode Elisas – noch darauf brennt, Geschichten von dessen Wunderwirken zu hören.

ihrer Erfüllung (2.Kön 9/10) bestimmt wird – sogar die von Jahwe beschlossene Verschonung Ahabs wird nur Elia, aber nicht Ahab selbst angekündigt -, so geht es in den Kriegserzählungen um eigentlich dem König hilfreiche Ankündigungen der Propheten und das Aufzeigen der Folgen von deren Beachtung bzw. Nichtbeachtung. Das Verhältnis zwischen Prophet und König wird also als grundsätzlich gut bestimmt. Allein das ständige Fehlverhalten des Königs führt zu Spannungen und Irritationen.

Hinzu kommt, daß im DtrG im Bereich von 1.Kön 16,29 bis 2.Kön 10,36 die prophetische Unheilsankündigung ausnahmslos, auch wenn ihr Anlaß – wie im „Fall Naboth" – eigentlich ein „soziales" Vergehen ist, mit dem Baalskult Ahabs (und seiner Nachfolger) in Verbindung gebracht wird. Dieses Thema spielt jedoch in den Kriegserzählungen keine Rolle. Statt dessen dominiert hier das Thema „wahre und falsche Jahwepropheten" bzw. „Umgang des Königs mit dem Jahwewort".[241] Im Unterschied zu der Erweiterungsschicht des DtrG, die mit 1.Kön 17-18 bestimmt wurde, sind die Gegner der wahren Propheten hier nicht die Baalspropheten, sondern die Jahwepropheten, die im Namen Jahwes das dem König gefällige Heil zu Unrecht verkünden (1.Kön 22,1-38; 2.Kön 3,13): So steht der wahre Jahweprophet nicht einer Masse von Baalspropheten, sondern einem Heer von falschen Heilspropheten gegenüber, in die der König fatalerweise sein Vertrauen setzt.

Betrachtet man die nach Schmitt vor den Wunder-, Nachfolge- und Aramäererzählungen in das DtrG eingefügten Kriegserzählungen in ihrer Endgestalt und im Rahmen des DtrG gemäß der folgenden schematischen Darstellung, dann fällt neben der gemeinsamen Thematik ihre – bisher kaum beachtete – wohldurchdachte Anordnung auf, die für eine planvolle, in einem Schritt erfolgende Einfügung spricht.

[241] Daß das Thema „Prophetie" gegenüber dem DtrG in den Vordergrund rückt, zeigt sich auch daran, daß der Kreis der Propheten in 1.Kön 20,1-43 und 22,1-38 über Elia und Elisa hinaus ausgeweitet wird: Außer ihnen spielen nun auch Micha ben Jimla, Zedekia ben Kenana und einige namenlose Propheten eine Rolle.

DtrG-Grundschrift	**Erweiterung um die Kriegserzählungensammlung**

1.Kön 21 „Naboths Weinberg“

Unheilsankündigung gegen Ahab/das Haus Ahabs (21,19-26)

Ahab = Mörder (רצח)

Prophet = Feind des Königs

Reue des Königs (בגד ... קרע; שק על־בשר) (21,27)

Erbarmen Jahwes: Gerichtsaufschub (21,29)

1.Kön 20 „Zwei Kriege mit den Aramäern“

Ben-Hadad, der König von Aram, belagert Samaria (20,1).

Erfolg im Krieg: Jahwe gibt die Aramäer in die Hand Ahabs (20,13.21.28f.).

Erneute Verfehlung: Ahab entläßt Ben-Hadad aus seiner Hand (20,30b-34).

Unheilsankündigung (20,42):

„Dein Leben für sein Leben,
dein Volk für sein Volk!“

Zorn statt Reue (20,43)

1.Kön 22 „Ahabs Tod“

Gemeinsamer Kriegszug des Königs von Israel mit Josaphat von Juda (כמוני כמוך כעמי כעמך כסוסי כסוסיך) (22,4)

Prophetenbefragung (דרש) (22,5ff.)

Der König haßt und verfolgt den wahren Propheten, weil dieser ihm Unheil ankündigt (22,8.18.26f.).

Bestätigung der Unheilsankündigung (22,17.19-23.28):

Jahwe hat Böses gegen Ahab geplant.

Eintreffen des Unheils – persönlicher Teil (22,29ff.):

Ahabs Trick kann das Unheil nicht verhindern. Er stirbt.

Erfüllungsvermerk bezüglich 21,19[; 22,17.19-23.28] (22,38)

2.Kön 1 „Befragung des Baal von Ekron“ דרש

2.Kön 3 „Kriegszug der drei Könige“

Gemeinsamer Kriegszug des Königs von Israel mit Josaphat von Juda (כמוני כמוך כעמי כעמך כסוסי כסוסיך) (3,7)

Bedrohung: Jahwe gibt die drei Könige in die Hand Moabs (3,10.13b).

Prophetenbefragung (דרש) (3,11ff.)

Hilfe: Bei Elisa ist das Wort Jahwes (3,12). Elisa (Jahwe) hilft nur um Josaphats willen (3,14). Der König von Israel wird auf die falschen Propheten verwiesen, bei denen keine Hilfe ist (3,13a; vgl. 1.Kön 18,19ff.; 22,1-38).

2.Kön 6,24-7,20 „Belagerung Samarias“

Ben-Hadad, der König von Aram, belagert Samaria (6,24).

Bedrohung der Stadt/des Volkes (6,25ff.):

Die Frauen essen ihre Kinder (6,28f.), Israel ist stark dezimiert (7,13).

Erkenntnis des Königs: Jahwe bringt das Unheil (6,33).

Reue des Königs (בגד ... קרע; שק על־בשר) (6,30)

Erneute Verfehlung des Königs:

Bedrohung des wahren Propheten durch den König (6,31)

Joram = „Mörderssohn“ (רצח) (6,32)

Verschonung der Stadt/des Volkes (7,1ff.):

Jahwe vertreibt die Feinde, die Hungernden bekommen zu essen.

2.Kön 9/10 „Jehu-Revolution“

Erfüllung der um eine Generation verschobenen Unheilsankündigungen (1.Kön 21,19ff.)

Zunächst ergibt sich, daß die Kriegserzählungen nach dem Prinzip der Rahmenbildung um 2.Kön 1 herum zwischen 1.Kön 21 und 2.Kön 9/10 eingefügt wurden:

- Der äußere Rahmen wird unter Anknüpfung an die DtrG-Grundschicht gebildet: Die Erzählung von Naboths Weinberg,[242] an die sich die beiden ersten Kriegserzählungen[243] in der – von LXX wiedergegebenen – ursprünglichen Kapitelanordnung[244] anschließen, endet mit der Reue des Königs Ahab.[245] Der letzte Teil des Einschubes in die DtrG-Grundschicht, die Erzählung von der Belagerung Samarias (2.Kön 6,24-7,20), beschreibt eine dem Reuegestus Ahabs exakt entsprechende Bußgeste des Königs Joram (קרע... בגד; שק על־בשר).[246] Zusätzlich wird in 2.Kön 6,24ff. explizit auf 1.Kön 21 zurückverwiesen: Wenn Elisa Ahabs Sohn Joram als „Sohn eines Mörders" (2.Kön 6,32: בן־המרצח) bezeichnet, so spielt er damit auf die Mordanklage Elias gegen Ahab in 1.Kön 21,19 an (Stichwort רצח). Wie Ahab Elia als seinen Feind betrachtet (1.Kön 21,20), so trachtet Joram Elisa, in dem er den Verursacher der Hungersnot sieht,[247] nach dem Leben (2.Kön 6,31): Das feindliche Verhältnis zwischen König und Prophet hat sich vom Vater auf den Sohn vererbt.
- Den mittleren Rahmen bilden die beiden Erzählungen 1.Kön 20 und 2.Kön 6,24ff. Die Situationen zum Auftakt der ersten und der letzten Kriegserzählung gleichen sich und werden mit nahezu identischen Worten geschildert: Ben-Hadad, der König von Aram, zieht herauf und belagert Samaria (vgl. 1.Kön 20,1 mit 2.Kön 6,24). Die Belagerung der Stadt wird in beiden Fällen, wenn auch auf unterschiedliche Weise, durch ein helfendes Eingreifen Jahwes beendet.
- Die beiden mittleren Kriegserzählungen (1.Kön 22,1-38; 2.Kön 3,4ff.), die auch literarisch stark miteinander verbundenen sind (vgl. 1.Kön 22,4 mit 2.Kön 3,7 und 1.Kön 22,5.7 mit 2.Kön 3,11), fügen sich zum inneren Rahmen. Sie berichten von gemeinsamen Feldzügen der Könige von Israel und Juda, wobei der König von Juda den Namen Josaphat trägt. Dieser wird in beiden Erzählungen als der fromme, jahwefürchtige König dargestellt, während das Bild des Königs von Israel vor allem in 1.Kön 22,1-38 wesentlich düsterer gezeichnet wird. In 1.Kön 22,1-38 und 2.Kön 3,4ff. steht – wie in der von den beiden Kriegserzählungen gerahmten Erzählung von der Befragung des Baal von Ekron (2.Kön 1) – eine Gottesbefragung im Mittelpunkt (Stichwortverbindung דרש: 1.Kön 22,5.7.8; 2.Kön 1,2.3.6.16; 3,11). Im Unterschied zu 2.Kön 1 geht es allerdings in 1.Kön 22,5-28 und 2.Kön 3,13f. nicht darum, den richtigen Gott, sondern diesen durch die richtigen Propheten zu befragen.

Neben der Rahmenbildung läßt sich noch ein weiteres Ordnungsprinzip erkennen. Dieses ergibt sich aus der chronologischen Abfolge der Kriegserzählungen:

---

[242] LXX: 3 Bas 20; MT: 1.Kön 21.
[243] LXX: 3 Bas 21; 22; MT: 1.Kön 20; 22.
[244] Siehe dazu S.159f. Anm. 53.
[245] LXX: 3 Bas 20,27-29; MT: 1.Kön 21,27-29.
[246] Diese Wendungen kommen in dieser Kombination nur hier (1.Kön 21,27; 2.Kön 6,30) im Alten Testament vor.
[247] Vgl. 1.Kön 18,17.

In 1.Kön 20 hat der im Rahmen des DtrG als Ahab erkenntliche König[248] nach seiner Reue und Verschonung (1.Kön 21,27-29) zunächst zweimal durch Jahwes Beistand Erfolg bei seinen Kämpfen gegen die Aramäer (20,1-21.22-34). Fatalerweise begeht er dabei jedoch, wie ihm nachträglich von einem Propheten eröffnet wird (20,35-43), eine Verletzung des Banngebotes und läßt Ben-Hadad, den Jahwe in seine Hände gegeben hatte (20,13.28), nach einem Bundesschluß ziehen (20,34). Ahab wird mit einer Unheilsankündigung belegt (20,42; 22,17.19-23). Diese betrifft nach 1.Kön 20,42 auch sein Volk, das die Haftung für das aus dem Bann entlassene Volk der Aramäer übernimmt. Anders als auf die Unheilsankündigung Elias in 1.Kön 21 reagiert Ahab hier nicht mit Reue, sondern mit Zorn auf die Worte des Propheten (20,43; vgl. 22,27). Und so ereilt Ahab im nächsten Kampf gegen die Aramäer trotz seines Verkleidungstricks der Tod (22,1-38).

Durch seinen Umgang mit den wahren Jahwepropheten (20,43; 22,5-28) hat es sich Ahab anscheinend gründlich mit diesen verdorben. Das jetzt schwierige Verhältnis zwischen König und Prophet wird zum Erbe seines Sohnes: So erhält Ahabs Sohn Joram, der ganz in einer Linie mit seinem Vater gesehen wird (2.Kön 3,13; 6,32), in 2.Kön 3 die Hilfe des Propheten Elisa nur um Josaphats willen (3,14). Einen anfänglichen Erfolg gegen Moab kann er aber trotz Jahwes Hilfe nicht in einen endgültigen Sieg umwandeln (3,27). Doch es kommt noch schlimmer: Genau wie unter seinem Vater Ahab (1.Kön 20,1ff.), findet auch unter Joram eine Belagerung Samarias statt (2.Kön 6,24ff.). Das Heer Israels ist zu einem kläglichen Rest zusammengeschmolzen (7,13), in der belagerten Stadt essen die Mütter bereits ihre Kinder (6,25-29). Die Drohung gegen das Volk Ahabs (1.Kön 20,42) scheint sich zu erfüllen (vgl. auch 2.Kön 7,4). Wie vor ihm schon Ahab so zeigt auch Joram Reue (6,30) und erhält Hilfe. Die Aramäer ziehen ab, die Menschen in der Stadt müssen nicht mehr hungern (7,1ff.), die akute Bedrohung der Stadt/des Volkes ist abgewendet. Vorangegangen war allerdings eine Auseinandersetzung zwischen König und Prophet, in welcher der König Elisa – wie in 1.Kön 22,27 Ahab dem Micha ben Jimla – den Tod androhte (6,31) und Elisa Joram als Sohn eines Mörders beschimpfte (6,32). Und so kommt Joram, der Sohn des Mörders Ahab, obwohl Jahwe ihm und seinem Volk wegen seiner Reue in der akuten Notsituation hilft, gemäß 1.Kön 21,19ff. im Verlauf der Jehu-Revolution um (2.Kön 9,24).

Durch die Einfügung der Kriegserzählungen in das DtrG entsteht also gewissermaßen ein Geschichtsentwurf im kleinen, der die Zeit zwischen der Unheilsankündigung gegen das Haus Ahabs und der Jehu-Revolution überbrückt. Dieser Geschichtsentwurf entspricht im wesentlichen dem Geschichtskonzept der Deuteronomisten, denn auch hier wird ein kausaler Zusammenhang zwischen dem Handeln des Königs und seinem Ergehen postuliert. Der Tun-Ergehens-Zusammenhang ist in der Kriegserzählungenschicht allerdings auf den Bereich des Krieges und der damit verbundenen Prophetie beschränkt: Bei Wohlverhalten (1.Kön 21,27-29) kann der König mit Unterstützung Jahwes und militärischem Erfolg auch in ausweglosen Situationen rechnen (1.Kön 20,1-30a); seine Verfehlungen (20,30bff.; 22,5-28) führen jedoch zu Mißerfolg, Bedrohung (2.Kön 3,4ff.; 6,24ff.) und Tod (1.Kön 22,29-38; 2.Kön 9/10). Doch diesem Tun-Ergehens-Zusammenhang ist der König nicht

[248] Zur Identifikation des Königs von Israel mit Ahab (V.2.13f.) siehe S.210 mit Anm. 261.

wehrlos ausgeliefert: Auch nachdem das Unheil schon beschlossen und angekündigt ist (1.Kön 21,19-26; 20,35ff.; 22,17-28), bleibt dem König die Möglichkeit, Reue zu zeigen (21,27-29; 2.Kön 6,30), auf die wahren Propheten zu hören und so – durch die Gnade Jahwes – dem Unheil zu entrinnen. Verläßt er sich jedoch auf seine eigenen Tricks (1.Kön 22,29ff.), hört nicht auf die Worte des wahren Propheten (1.Kön 22,17-28)[249] und überschreitet ein gewisses Maß an Unrecht im Umgang mit den Propheten (1.Kön 22,27; 2.Kön 6,31), so ist das Unheil auch trotz der zuvor gezeigten Reue unausweichlich.

Ein ebenfalls wesentliches Indiz für eine in einem Schritt erfolgte Einfügung der Kriegserzählungen ist die „an beiden Enden" der Erweiterung vorgenommene Verknüpfung mit der bereits im DtrG enthaltenen Naboth-Erzählung (1.Kön 21,1-29), auf die zum Teil schon im Zusammenhang der Darstellung des durch die Kriegserzählungen gebildeten „äußeren Rahmens" eingegangen wurde:

- Wie bereits ausgeführt, folgten die beiden ersten Kriegserzählungen (1.Kön 20,1-43; 22,1-38 [MT]) in der ursprünglichen Kapitelreihenfolge auf die Erzählung von Naboths Weinberg.[250] In 1.Kön 22,38 wird unter Nachahmung der deuteronomistischen Erfüllungsvermerke von der Erfüllung der Unheilsankündigung Elias an Ahab (1.Kön 21,19 [MT]) berichtet.[251] Diese Notiz von der erfolgten Bestrafung Ahabs verträgt sich aber mit dem deuteronomistischen Bericht von der Reue und Verschonung Ahabs (1.Kön 21,27-29 [MT]) nur, wenn man die beiden ersten Kriegserzählungen in ihrer Abfolge „zusammenliest", denn erst durch diese Abfolge werden die beiden Darstellungen miteinander in Einklang gebracht: Nach seiner Reue erhält Ahab in seinen Kämpfen mit den Aramäern zunächst die Hilfe Jahwes, vermittelt durch Anweisungen der Propheten (20,13f.22.28). Er handelt nach ihren Worten und hat Erfolg. Weil er aber seinen Erfolg nicht im Sinne Jahwes vollendet – Jahwe hat ihm Ben-Hadad in die Hände gegeben (vgl. 20,13.28), und er entläßt ihn, statt an ihm den Bann zu vollstrecken (V.34.42) – erfolgt eine erneute Unheilsankündigung (V.35ff.) und das Blatt wendet sich zu Ahabs Ungunsten: Für seinen nächsten Kriegszug verheißen ihm nur die falschen Jahwepropheten Glück, der wahre Prophet dagegen rät von diesem ab (22,5-28). Ahab zieht trotzdem in den Krieg und versucht, durch einen Verkleidungstrick dem angekündigten Unheil zu entgehen (V.29f.), was ihm mißlingt (V.34). Ahab stirbt, wie schon Elia vorhergesagt hatte (V.35-38). Durch Voranstellung der Berichte über die mit einem Sieg Israels endenden Schlachten wird die Reue Ahabs von dem Redaktor, der die Kriegserzählungen in das DtrG einbettete (BK),[252] ernst genommen; nur weil Ahab zuvor bereute, konnte er überhaupt erfolgreich sein. Durch die Einführung einer erneuten Verfehlung wird sein „Schuldenkonto" wieder aufgefüllt, die Ankündigung Elias gewissermaßen wieder in Kraft gesetzt; der Kreis schließt sich. Die Ahab gewährte Vergebung

[249] Eventuell ist in diesem Kontext die zögerliche Reaktion des Königs auf den Bericht der Aussätzigen in 2.Kön 7,12 als Unglaube gegenüber dem vorher durch Elisa an ihn ergangenen Wort Jahwes (7,1) zu werten.

[250] Siehe oben S.205.

[251] So auch E.Würthwein, *Bücher II*, 257; vgl. H.-J.Stipp, *Elischa*, 210f.; H.-Chr.Schmitt, *Elisa*, 43 Anm. 42. Anders O.H.Steck, *Bewahrheitungen*, 88.

[252] BK = Bearbeitung, die die Kriegserzählungensammlung in das DtrG einfügte.

hat sich letztlich als verfrüht erwiesen, da dieser sich der Hilfe Jahwes nicht würdig erweist. Die Reue Ahabs führte nach Darstellung von BK nur zu einer unbeständigen Wandlung Ahabs.

1.Kön 22,38 ist Teil einer sekundären Bearbeitungsschicht (V.35bß.38) der ursprünglichen Kriegserzählung.[253] In dieser wird nicht nur thematisch eine Brücke zu der sich bereits im DtrG vorfindlichen Naboth-Erzählung geschlagen, die Erzählung vom Tode Ahabs wird vielmehr über das mit 22,38 nachahmend vervollständigte deuteronomistische Verheißungs- und Erfüllungsschema[254] mit dem DtrG insgesamt fest verwoben.

Eine weitere explizite Anknüpfung an 1.Kön 21 innerhalb der Kriegserzählungen findet sich, wie oben bereits ausgeführt, in 2.Kön 6,32b, wo Joram als Mörderssohn (vgl. 1.Kön 21,19) bezeichnet wird. Wie 1.Kön 22,38 ist auch 2.Kön 6,32b zusammen mit 6,31.33aα[255] Bestandteil einer gegenüber der ursprünglichen Kriegserzählung sekundä-

---

[253] So für viele H.-J.Stipp, *Elischa*, 210f.229. Diese Bearbeitungsschicht zeichnet sich durch die Bezeichnung des Streitwagens des Königs mit רכב (V.35bß.38), statt des zuvor verwandten מרכבה (V.35a), aus; vgl. H.Weippert, *Ahab*, 465. Zudem kommt die Notiz über das Bluten Ahabs (V.35bß) nach zuvor erwähntem Tod (V.35bα) zu spät. H.-Chr.Schmitt, *Elisa*, 43 Anm. 42, rechnet wegen der zweimaligen Erwähnung des Sterbens Ahabs (V.35bα.37) noch V.37 zu dieser Erweiterungsschicht. Der Vers wäre dann in Anlehnung an die deuteronomistischen Notizen vom Transport toter Könige und ihrem Begräbnis in der Hauptstadt (vgl. 2.Kön 23,30) gebildet worden, was mit der die Erzählung mit dem DtrG verknüpfenden Funktion der Erweiterungsschicht gut übereinstimmen würde. Gegen eine Zusammengehörigkeit von V.37b und V.38a zu einer Bearbeitungsschicht spricht jedoch der zwischen V.37b und V.38a stattfindende Numeruswechsel von der 3.Pers.plur. zur 3.Pers.sing., obwohl es sich beim Subjekt der Sätze um dieselbe Personengruppe (Diener Ahabs) handeln dürfte; vgl. H.-J.Stipp, *Elischa*, 210; M.Rehm, *Das erste Buch*, 215. Zudem bildet V.37 einen sehr guten Abschluß des Konflikts zwischen Ahab und Micha ben Jimla und ist somit im Text verankert (vgl. H.Seebaß, *Micha*, 120): Micha kündigt Ahab an (V.28), er werde nicht mehr in Schalom (nach Samaria, vgl. V.10) zurückkehren und so geschieht es. Ahab kehrt nicht wohlbehalten, sondern als Toter nach Samaria zurück (so der MT, der wegen der Lectio dificilior nicht zugunsten der Lesart von LXX verändert werden sollte; vgl. H.Seebaß, *Micha*, 120 Anm. 27; anders E.Würthwein, *Bücher II*, 255; H.Weippert, *Ahab*, 464 Anm. 16), und es erweist sich, daß Jahwe wirklich durch Micha ben Jimla gesprochen hat (V.28). Wird aber V.37 in Bezug auf das Wort Michas interpretiert, dann entfällt das Problem der doppelten Erwähnung des Todes des Königs (V.35.37): Nachdem in V.36 – in Anspielung auf V.17 – das Ende des Feldzuges und die Auflösung des Heeres verkündet wird, nimmt V.37 den Faden von V.35 wieder auf und faßt das Ergebnis des Feldzuges in Bezug auf V.28 zusammen. „Als der König tot war, kam er nach Samaria." Weiterhin spricht dafür, daß V.37 bei der Ergänzung von V.35bß.38 bereits vorlag, daß sonst die Verlagerung des Erfüllungsortes des Spruchs Elias gegen Ahab von Jesreel (1.Kön 21; 2.Kön 9,25f.) nach Samaria nicht gut zu erklären wäre. Da dem Ergänzer von 1.Kön 22,38 nach der hier vorgenommenen Rekonstruktion sowohl 1.Kön 21 als auch 2.Kön 9,25f. vorlag, hätte er doch leicht einen Transport des toten Königs nach bzw. über Jesreel konstruieren können – an Kreativität hat es ihm, wie V.38 zeigt, jedenfalls nicht gemangelt. Die Verlagerung des Ortes, an dem die Hunde das Blut Ahabs lecken, nach Samaria erklärt sich jedoch leicht, wenn der Transport des Königs nach Samaria dem Ergänzer bereits vorgegeben war.

[254] Vgl. S.41ff.

[255] Die V.31.32b.33aα fallen durch ihre königskritische Haltung aus ihrem Kontext heraus; vgl. auch H.-J.Stipp, *Elischa*, 346ff. Zudem treten Widersprüche auf: Der Plan, Boten und König gewaltsam am Eintritt zu hindern (V.32b), wird nicht ausgeführt; der König (in V.33aß ist – wie allgemein anerkannt – מלך statt מלאך zu lesen) kann ungehindert zu Elisa vordringen. Der in V.32b eingeführte Bote hat im folgenden keinerlei Funktion. Statt seine Mordabsichten (V.31) auszuführen, klagt der König bei Elisa in frommer Manier über das von Jahwe gebrachte Unheil (V.33). Die Einfügung wird außerdem durch einen in V.32 vorliegenden syntaktischen Bruch angezeigt: Während in V.32a Elisa als Subjekt neu eingeführt wird, so ist das in V.32b unbenannte Subjekt nicht Elisa, sondern – wie aus dem Kontext geschlossen

ren Schicht. Wurde durch die Abfolge der beiden ersten Kriegserzählungen ein Ausgleich „nach vorne“, das heißt zwischen der im DtrG bereits festgeschriebenen Reue Ahabs und seinem – nach der Einfügung der Kriegserzählungen – trotzdem erfolgenden gewaltsamen Tod geschaffen, so stellt die an die Naboth-Erzählung anknüpfende Erweiterung der letzten Kriegserzählung um 6,31.32b.33aα einen Ausgleich „nach hinten“ her; das heißt, sie vermittelt zwischen dem „Fall Naboth“ und dem auf die zweite Generation verschobenen Unheil (1.Kön 21,27-29), der trotzdem erfolgenden Erfüllung an Ahab (22,38) und der Jehu-Revolution (2.Kön 9/10): Ahabs Sohn Joram steht nach Ansicht des Verfassers von 6,31-33* – entgegen der günstigeren Beurteilung durch die Deuteronomisten (2.Kön 3,2) – ganz im Gefolge Ahabs. Wie dieser ist auch er ein potentieller Mörder (6,31f.). Die zur ursprünglichen Kriegserzählung gehörende Buß- oder Trauergeste Jorams[256] wird durch den angefügten Schwur, Elisa zu töten, umgedeutet: Nicht aus Trauer um das Schicksal seines unter der Hungersnot leidenden Volkes, sondern aus Zorn über den vermeintlich für diese verantwortlichen Elisa zerreißt der König seine Kleider. Indem Joram als in einer Linie mit Ahab stehend gezeichnet wird, wird verdeutlicht, daß es keinen Anlaß gibt anzunehmen, daß Joram nun, nachdem Ahab die Strafe doch selbst traf (1.Kön 22,38), verschont werde und die Jehu-Revolution nicht stattfinden müsse: Weil Joram genau so mörderisch ist wie Ahab, muß die Jehu-Revolution trotz der Sühnung des Mordes an Naboth durch den Tod Ahabs auf jeden Fall erfolgen.

Darüber hinaus übernimmt die Einfügung von 2.Kön 6,31-33* noch eine weitere Funktion in Bezug auf die Erzählung von der Jehu-Revolution: Die sich in der Mitwirkung Elisas an der Jehu-Revolution ausdrückende Gegnerschaft Elisa–Joram wird hier[257] grundlegend vorbereitet.

Da sowohl 1.Kön 22,35bß.38 als auch 2.Kön 6,31-33* sprachlich und thematisch an 1.Kön 21 anknüpfen, sind beide Ergänzungen dem gleichen Redaktor zuzuordnen. Die Einfügungen stellen jedoch nicht nur eine Verbindung zu 1.Kön 21 her, ihnen kommt – wie oben dargestellt – eine die Kriegserzählungen mit dem DtrG insgesamt verknüpfende bzw. ausgleichende Funktion zu. Dies spricht dafür, obigen Redaktor mit BK gleichzusetzen.[258]

Die durch BK gezogene Verbindungslinie Ahab–Joram findet sich in 2.Kön 3,13 wieder, wo Elisa jegliche prophetische Hilfe mit dem Hinweis auf die Propheten seines Vaters und seiner Mutter (1.Kön 22,22; vgl. 22,53), an die sich Joram wenden solle, zunächst verwei-

werden muß – der König; vgl. M.Rehm, *Das zweite Buch*, 75; H.Schweizer, *Elischa*, 314; H.-J.Stipp, *Elischa*, 347.

[256] So auch E.Würthwein, *Bücher II*, 307.311f.; H.-Chr.Schmitt, *Elisa*, 37-41. H.-J.Stipp, *Elischa*, 356, erwägt, ob die Verse 28-30 eine separate Größe seien, will aber nicht „mit Sicherheit einen Nachtrag ... behaupten“ (a.a.O.356). Wegen der Geringfügigkeit der Indizien, die für diese Annahme sprechen, soll sie hier nicht weiter verfolgt werden.
Vermutlich sah der Verfasser von 6,31-33*, wegen der 1.Kön 21 entsprechenden Bußgeste des Königs, mit 2.Kön 6,30 einen Anknüpfungspunkt zwischen 1.Kön 21 und 2.Kön 6,24ff. gegeben, den er weiter ausbauen konnte.

[257] und in 2.Kön 3,13, siehe unten S.211.

[258] Vgl. auch die übereinstimmende Beurteilung der Reue Ahabs/Jorams durch BK und den Ergänzer von 2.Kön 6,31-33*!

gert. Da 2.Kön 3,13 wie 6,31-33* und 1.Kön 22,38 sekundär gegenüber der ursprünglichen Kriegserzählung ist[259] und – in Bezug auf die Schlechtigkeit Jorams und die Notwendigkeit der Jehu-Revolution – eine ähnliche Funktion innerhalb des neu entstandenen Gesamtgefüges der Königsbücher hat, ist es sinnvoll, auch 2.Kön 3,13 BK zuzuordnen.

Nur durch die Anspielung auf seinen Vater (6,32) und durch die Einordnung der Erzählung in das DtrG wird der in 2.Kön 6,24ff. agierende König von Israel als Joram erkennbar. Hier geht also – nach der oben vorgenommenen Einordnung von 6,31-33* – die Identifizierung des Königs von Israel auf den die Kriegserzählungen in das DtrG einfügenden Redaktor zurück. Auch in 2.Kön 3,4ff. gilt die Ursprünglichkeit der Gleichsetzung des Königs von Israel mit Joram nicht als gesichert.[260] Nach obigen Ausführungen bezüglich der Intention von BK könnte man erwägen, ob nicht auch die Identifikation des gegen Moab kriegführenden Königs als Joram (3,6) auf diesen zurückgeht. Auch 1.Kön 20 handelte ursprünglich von einem anonymen König von Israel;[261] es ist gut möglich, daß die Gleichsetzung dieses Königs mit Ahab ebenfalls erst durch BK hergestellt wurde.[262]

---

[259] Die einzelnen Teile des Dialogs in V.13-14 sind schlecht aufeinander abgestimmt: Joram wiederholt (V.13b) nach seiner Abweisung durch Elisa lediglich seine Klage aus V.10; während Elisa – als hätte Joram nicht gesprochen – in V.14 den Faden wieder da aufnimmt, wo er zuvor geendet hatte (V.13a). Er fährt fort, seine ablehnende Haltung gegenüber Joram zu betonen. Dies deutet darauf hin, daß V.13 unter Wiederaufnahme von V.10 sekundär in die Rede Elisas eingefügt wurde, um die bereits der Erzählung immanente königskritische Tendenz unter Betonung der Verwandtschaft Jorams mit Ahab und in Anspielung auf deren schändlichen Umgang mit den Propheten verstärkt herauszuarbeiten. Vgl. E.Würthwein, *Bücher II*, 280 Anm. 5, der V.13aβγb.14*(„Da sagte Elischa") als späten Zusatz beurteilt. Ähnliche Überlegungen bei H.-Chr.Schmitt, *Elisa*, 37 Anm. 18; anders H.-J.Stipp, *Elischa*, 141f.

[260] Nur in V.6 wird Joram beim Namen genannt, sonst ist in der Erzählung nur von einem anonymen „König von Israel" die Rede. K.-H.Bernhardt, *Feldzug*, 18f. Anm. 27, führt die Erwähnung Jorams und Josaphats auf redaktionelle Eingriffe zurück (vgl. auch M.Noth, *Studien*, 83 Anm. 7; H.Schweizer, *Elischa*, 20f.; anders M.Weippert, *Edom*, 314). Für eine textkritische Elimination der Königsnamen (so E.Würthwein, *Bücher II*, 279ff.) spricht jedoch nichts; vgl. H.-P.Müller, *König*, 389 Anm. 64. Zur historischen Verortung der Erzählung vom Feldzug der drei Könige und deren Verhältnis zur Inschrift des Königs Mescha von Moab (KAI 181) vgl. ebenfalls H.-P.Müller, *König*, 388-390.

[261] Der König von Israel wird bis auf V.2.13 (Ahab, der König von Israel) und V.14 (Ahab) als „König von Israel" bezeichnet. Hinsichtlich der Annahme, daß die Erzählung ursprünglich nicht von Ahab, sondern – wie die V.4.7.11.21.31.32 zeigen – von einem anonymen König von Israel sprach, besteht in der Forschung ein weitgehender Konsens; vgl. nur G.Hentschel, *1 Könige*, 121f.; E.Würthwein, *Bücher II*, 243f.; H.-Chr.Schmitt, *Elisa*, 50.; H.-J.Stipp, *Elischa*, 249; J.B.Knott, *Jehu*, 36ff.; M.Rehm, *Das erste Buch*, 203-205. Die Erzählung könnte, wie I.Kottsieper, *Inschrift*, 492-494, wahrscheinlich macht, dennoch auf Ereignisse zur Zeit Ahabs zurückgehen. Das in V.34 erwähnte Bündnis zwischen dem König von Israel und Ben-Hadad wäre dann als der in Zeile 1f. der Inschrift vom Tel Dan erwähnte Vertrag zwischen Ahab und Bar-Hadad I (a.a.O. 478.485-487) zu deuten. In diesem Fall wäre die Erzählung von BK an der „richtigen Stelle" im DtrG eingeordnet worden. Zur Datierung von 1.Kön 20 in die (Früh-)zeit Ahabs vgl. auch W.Gugler, Jehu, 63-67. Andererseits hätte die Erzählung auch einen Anhalt in der Zeit des Joas von Israel (vgl. nur 2.Kön 13,3.7.17.22ff. und M.Weippert, *Geschichte*, 99ff.; C.F.Whitley, *Presentation*, 144ff.; A.Jepsen, *Israel*, 153-172; H.-J.Stipp, *Elischa*, 249 und die dort Anm. 38 angegebene Literatur). Daß der Erzähler die Zeit, in der die Erzählung gespielt haben soll, bewußt in der Schwebe ließ, könnte seinen Grund in der (unten [S.217] angedeuteten) Funktion der ersten Kriegserzählungensammlung (1.Kön 20,1-34*; 6,24ff.*) haben: Es geht um eine Ermutigung in der durch die Kriege mit Aram bedrohten Gegenwart, nicht so sehr um eine exakte Darstellung der Vergangenheit. Ähnliches gilt in Bezug auf die Anonymität des Königs in 2.Kön 6,24ff.

[262] In der ursprünglich ebenfalls anonymen Erzählung 1.Kön 22 erfolgte diese schon in einem früheren Entwicklungsstadium: Der Name Ahab wird hier nur in dem – nicht auf BK zurückzuführenden – Zusatz 22,20 genannt. (V.20 ist Bestandteil einer Erweiterungsschicht der Kriegserzählung, die V.19-23 umfaßt;

Das kompositorische Wirken von BK, das H.-Chr.Schmitt kaum einer Beachtung für würdig hält,[263] läßt sich wie folgt zusammenfassen:

- Auf ihn geht die oben beschriebene Anordnung der Kriegserzählungen zurück, durch die ein Geschichtsentwurf im kleinen erstellt wird, dessen Grundlage die Reflexion über den Umgang des Königs mit der Prophetie ist.
- Wahrscheinlich identifizierte er die Könige aus den ursprünglich wohl anonymen Kriegserzählungen 1.Kön 20; 2.Kön 3,4ff. mit Ahab bzw. Joram. Die Identifikation des Königs von Israel mit Joram in 2.Kön 6,24ff. geht sicher auf ihn zurück.
- Er schuf die Anknüpfung an das DtrG in 1.Kön 22,35bß.38 und 2.Kön 6,31-33*.
- Durch die Herstellung einer direkten, die Schlechtigkeit der Könige betreffenden Verbindungslinie Ahab-Joram in 2.Kön 3,13 und 2.Kön 6,31-33* zeichnete er ein gegenüber der Darstellung des DtrG negativeres Joram-Bild: Jorams Propheten sind, wie die Propheten Ahabs, die falschen Propheten (1.Kön 22,5-28; 2.Kön 3,13); Joram ist der mordlustige Sohn eines Mörders und im Umgang mit den Propheten auch nicht besser als dieser (vgl. 1.Kön 21,20a; 22,26f. mit 2.Kön 6,31-33*). Durch diese „Verschlechterung" Jorams begründet BK – nach seinem geschichtlichen „Schlenker" über die nach der Verschonung Ahabs erfolgte erneute Verwerfung desselben – die immer noch bestehende Notwendigkeit der Jehu-Revolution.

2.3.2 Die Entstehung der Kriegserzählungensammlung

Nach Schmitt existierten die Kriegserzählungen bereits vor ihrer Einfügung in das DtrG in einer Sammlung, die durch Zusammenfügung der ursprünglichen Einzelerzählungen durch eine Prophetenbearbeitung entstand.[264] Obwohl ich die These Schmitts hinsichtlich der Prophetenbearbeitung nicht teile,[265] so erklärt doch die Annahme einer vor der Einfügung

---

so u.a. H.-Chr.Schmitt, *Elisa*, 43 Anm. 45; E.Würthwein, *Bücher II*, 257; H.-J.Stipp, *Elischa*, 228; G.Hentschel, *1 Könige*, 131; zur Literarkritik siehe S.214f. mit Anm. 270.) In einem früheren Stadium der Erzählung wurde der König von Israel anscheinend mit Joahas identifiziert. So jedenfalls läßt sich der Befehl des Königs von Israel deuten, nach dem Micha ben Jimla zu Joas, dem Sohn des Königs, gebracht werden soll (V.26); vgl. H.-J.Stipp, *Elischa*, 198-201. G.Hentschel, *1 Könige*, 134, gibt allerdings zu bedenken – ohne jedoch Belegstellen anzugeben -, daß die Wendung בן־המלך nicht unbedingt im wörtlichen Sinne als Königssohn aufzufassen sei, sondern auch einen hohen Beamten bezeichnen könne.

263 Das Wirken des Redaktors, der die Kriegserzählungen in die Königsbücher einfügte (bei Schmitt Siglum KB), beschränkt sich nach H.-Chr.Schmitt, *Elisa*, 138 Anm. 18 (siehe auch a.a.O. 133-136), im wesentlichen auf die Verknüpfung von 1.Kön 22 mit 1.Kön 21 über 22,35*.38. Die Verbindung zwischen 1.Kön 21 und 2.Kön 6,31-33* sowie die Ausgleichfunktion des mittels 2.Kön 3,13 und 6,31-33* gezeichneten negativen Joram-Bildes innerhalb des neu entstehenden Gesamtgefüges der Königsbücher werden von Schmitt übergangen.

264 H.-Chr.Schmitt, *Elisa*, 32-51.68-72.

265 Die relativ schematisch erfolgende Zuordnung alles „Prophetischen" in den Kriegserzählungen zu einer Prophetenbearbeitung bzw. einer Abfolge von verwandten Prophetenbearbeitungen scheint von der stillschweigenden Annahme bestimmt zu sein, „Kriegsberichte" und „Prophetisches" seien grundsätzlich verschiedene Kategorien und vertrügen sich nicht (vgl. auch die Literarkritik E.Würthweins, *Bücher II*, 233-244.253-262.279-287.307-316: Alle vier von ihm rekonstruierten ursprünglichen Kriegserzählungen sind rein profan!). Die Zusammengehörigkeit von Kriegszug und Prophetie, zumindest in Form der Orakelbefragung, ist aber in der Umwelt des und auch im Alten Testament selbst so gut belegt, daß eher der Fall

in das DtrG bereits bestehenden Sammlung die zahlreichen Übereinstimmungen und Verbindungen zwischen den Kriegserzählungen, die nicht auf BK zurückzuführen sind, da sie bereits zum Grundbestand der Erzählungen gehören. So zum Beispiel die fast identischen Erzähleinleitungen in 1.Kön 20 und 2.Kön 6,24ff., die auf ein – durch schon vorliegende Erzählungen (1.Kön 20) inspiriertes – Anwachsen einer solchen Sammlung um weitere Erzählungen (2.Kön 6,24ff.) schließen lassen. Ähnliches gilt in Bezug auf die sowohl in 1.Kön 22,1-38 als auch in 2.Kön 3,4ff. thematisierte Mitwirkung Josaphats an den Kriegszügen des Königs von Israel. Der Wachstumsprozeß der Kriegserzählungensammlung soll im folgenden knapp skizziert werden.

In 1.Kön 20,1-34 liegen zwei Kriegserzählungen vor (20,1-21*; 20,26-34*), die durch den Auftritt eines Propheten nachträglich miteinander verknüpft wurden (V.22-25.28).[266] Beide

eines Kriegszuges in Abwesenheit von Propheten etwas Ungewöhnliches wäre. Vgl. nur den Kriegsbericht des Königs Mescha (KAI 181; zu den Textausgaben vgl. H.-P.Müller, *König*, 373 Anm. 1 und die dort angegebene Literatur; eine Übersetzung und Erläuterung bietet auch S.Timm, *Dynastie*, 158-171), nach dem dessen Kriegszüge erst aufgrund eines Orakels (Z.14.32) beginnen, und Ri 18,5f.; 20,23.27-29; 1.Sam 23,2.4; 30,7f.; 2.Sam 2,1; 5,19.23. Siehe zur Selbstverständlichkeit des Auftretens/Mitwirkens von Propheten/Gottesmännern in Kriegen auch 1.Kön 12,22-24; 2.Kön 6,9.

Die Schmittsche Prophetenbearbeitungsschicht setzt sich weiterhin – was nicht gerade für eine einheitliche Bearbeitungsschicht spricht – aus recht disparaten Teilen zusammen: Ihr Spektrum umfaßt sowohl Einfügungen von völlig neutralen, ja dem König hilfreichen Prophetenauftritten (1.Kön 20,22-25.28) als auch judafreundliche, israelfeindliche Uminterpretationen (1.Kön 22,5-9.13-18.26-28a; 2.Kön 3,9b-12. 14-19) und darüber hinaus extrem königs-, im engeren Sinne omridenfeindliche Extrapolationen (6,31-33; 7,1).

[266] Zur Literarkritik vgl. H.-J.Stipp, *Elischa*, 246-267, dessen Überlegungen ich mich weitgehend anschließe: Die Grundschicht der ersten Erzählung umfaßt 1.Kön 20,1-13.15aα*(ויפקד).b*(כל־בני ישראל שבעת אלפים).16.17b.18.21; die der zweiten die Verse 26.27.29-34. In der Grundschicht wird der König von Aram jeweils als „Ben-Hadad" bezeichnet, nur am Erzählbeginn (V.1) wird er als „Ben-Hadad, der König von Aram," vorgestellt. Der König von Israel war in der ursprünglichen Erzählung anonym (siehe S.210 Anm. 261).

Die Verse 14.15*(ab את־נערי).17a.19.20 sind, wegen des durch sie verwirrten Berichts vom Ausrücken Israels, als nachträgliche Erweiterung aufzufassen; vgl. auch G.Hentschel, *1 Könige*, 121. Dafür spricht auch die vom Namenssystem der Grundschicht abweichende Nennung von „Ben-Hadad, der König von Aram," in V.20 und „Ahab" in V.14. Die Ankündigung des Propheten, Ahab werde mit dem Kampf beginnen, steht zudem im Widerspruch zu V.12, denn hier beginnen bereits die Aramäer mit den aktiven Kampfhandlungen bzw. Kampfvorbereitungen.

Das Auftreten des Propheten in V.13 wird oft gemeinsam mit V.14 als Erweiterung angesehen, wofür aber kein literarkritischer Grund gegeben ist: Es liegt weder ein Bruch noch eine Doublette vor. Anders G.Hentschel, *1 Könige*, 121; E.Würthwein, *Bücher II*, 236.243f.; H.-Chr.Schmitt, *Elisa*, 46f.

Die beiden Kriegserzählungen sind sekundär durch die Verse 22-25.28 verbunden (so für viele E.Würthwein, *Bücher II*, 237). V.26 markiert einen neuen Erzählanfang, im folgenden soll es um den zweiten Krieg mit Aram gehen. Dieser wird durch die Voranstellung von V.22-25 unnötig gemacht. In der Erweiterung ist im Unterschied zur Grundschicht vom „König von Aram" und nicht von „Ben-Hadad" die Rede. Abweichend von der Grundschicht der ersten Erzählung ist das Ziel des Propheten/Gottesmannes nicht die Gotteserkenntnis des Königs, sondern die der Aramäer (V.28).

Die V.35-43 sind, wie fast allgemein gesehen, ein sekundärer Anhang, der den positiven Ausgang der Erzählung mit Sieg, Bundesschluß und Rückgewinnung von Städten (V.34) ins Negative verkehrt: Wegen Verletzung des Banngebotes – so kündigt ein Prophetenjünger/Prophet dem König von Israel an – soll Unheil über König und Volk kommen. Da der Spruch des Propheten (V.42) innerhalb der Erzählung nicht erfüllt wird und die zornige Reaktion des Königs (V.43) unbeantwortet bleibt, ist anzunehmen, daß der königskritische Anhang von vornherein im Hinblick auf die für Ahab unglücklich endende Erzählung 1.Kön 22,1-38* verfaßt wurde (vgl. H.-J.Stipp, *Elischa*, 253f.465). Dafür spricht auch die Aufnahme des Verkleidungstricks (Stichwort חפש) aus 22,30 in 20,38 und die mittels 20,43 geschaffene lokale Verbin-

haben eine ähnliche Grundstruktur und gehen von einer ähnlichen politisch-historischen Konstellation aus: Das zahlenmäßig stark unterlegene Israel wird von einem weit überlegenen Aramäerheer bedrängt, die Lage für Israel scheint aussichtslos. In der ersten Erzählung fallen die Aramäer ungehindert ins Land ein, belagern die Hauptstadt und beginnen bereits mit deren Erstürmung. In der zweiten Erzählung liegt das Heer Israels wie zwei Häufchen Ziegen den Aramäern gegenüber, die so zahlreich sind, daß sie das ganze Land ausfüllen (20,27). Trotzdem gelingt es dem König von Israel, die Aramäer zu besiegen. Der unerwartete Sieg wird in der ersten Erzählung schon ursprünglich (V.13), in der zweiten Erzählung erst durch die nachträgliche Verknüpfung mit der ersten (V.22-25.28) auf ein Eingreifen Jahwes zurückgeführt, das die Gotteserkenntnis des Königs/der Aramäer zum Ziel hat.

Ähnlich prekär wie in 1.Kön 20 stellt sich die Situation Israels in 2.Kön 6,24-7,20 dar: Dieses findet sich wiederum einem übermächtigen Aramäerheer gegenüber, das wie in 1.Kön 20,1-21* die Hauptstadt Samaria belagert. Der Zustand des israelitischen Heeres scheint desolat (vgl. 7,13); in der Stadt herrscht Hunger. Doch anders als in den beiden Kriegserzählungen in 1.Kön 20 zieht der König von Israel nicht in die Schlacht, das feindliche Heer wird vielmehr direkt durch das Eingreifen Jahwes vertrieben. Der Erzählung haften, anders als 1.Kön 20,1-21*.26-34*, sagenhafte und humoreske Züge an. Sie wirkt wie aus verschiedenen Traditionen („Vertreibung der Aramäer durch eine Täuschung Jahwes", „Die Aussätzigen und das Aramäerlager", „Die kannibalistischen Mütter und der König") zusammengeschmolzen.[267] Da der Anfang literarisch mit 1.Kön 20 übereinstimmt und auch die Grundtendenz – Jahwes Hilfe in der verfahrenen Situation der Aramäerkriege – dieselbe ist, ist es gut möglich, daß 2.Kön 6,24ff.*[268] unter Aufnahme älterer Traditionen und unter Anlehnung an 1.Kön 20 an die sich bildende (1.Kön 20,1-21* + 1.Kön 20,26-34*) Kriegserzählungensammlung angefügt wurde.[269] Auch hier ist der König von Israel anonym; der König von Aram wird wie in 1.Kön 20 außer bei seiner Einführung als „Ben-Hadad, der König von Aram" (1.Kön 20,1; 2.Kön 6,24), „Ben-Hadad" genannt.

Grundlegend anders wird die Situation Israels in 1.Kön 22,1-38 und 2.Kön 3,4ff. dargestellt: Hier ist Israel der Aggressor; der König von Israel beabsichtigt – mit Hilfe des anscheinend in einem Abhängigkeitsverhältnis stehenden Königs von Juda – verlorene Gebiete (Ramot-Gilead in 1.Kön 22; Moab in 2.Kön 3) zurückzuerobern. Im Unterschied zu

dung: Ahab kehrt nach Samaria zurück, von wo aus der Feldzug der beiden Könige nach Ramoth-Gilead startet (vgl. 22,10).

267 Vgl. E.Würthwein, *Bücher II*, 309; M.Rehm, *Das zweite Buch*, 76; G.Hentschel, *2 Könige*, 30.

268 Der Text selbst ist literarisch weitgehend einheitlich. Lediglich in 2.Kön 6,31.32b.33aα liegt eine königskritische Bearbeitung vor (siehe oben S.208f.). 7,2.17abα bildet eine weitere Bearbeitungsschicht, die sich durch den Gebrauch des Gottesmanntitels und die kritische Haltung gegenüber dem König und seinen Beamten von der übrigen Erzählung abhebt; siehe E.Würthwein, *Bücher II*, 315; anders H.-J.Stipp, *Elischa*, 352-358. 7,17bß.18-20 ist als erläuternde Glosse zu bewerten; vgl. E.Würthwein, *Bücher II*, 309 Anm.11.

269 So daß man sich 1.Kön 20 quasi als „Kristallisationskeim" der Sammlung denken könnte. Diese wäre dann nicht als eine Sammlung im eigentlichen Sinne aufzufassen, das heißt ein Verbund durch einen Sammler zusammengetragener Erzählungen (so H.-Chr.Schmitt, *Elisa*, 68-72), sondern als ein sukzessive, durch Anlagerung ähnlicher Erzählungen an vorhandene anwachsendes Gebilde.

1.Kön 20 und 2.Kön 6,24-7,20 geht hier beidemal die Sache des Königs von Israel schlecht aus.

In 1.Kön 22 ist – so G.Hentschel[270] – noch der Rest einer älteren Tradition zu erkennen, die von einem heldenhaften König von Israel handelt (V.3.34-37*), der seine Sache zu Recht

---

[270] *1 Könige*, 130-135; vgl. auch H.Weippert, *Ahab*, 460-462, die die Grunderzählung, die vom heldenhaften Tod eines Königs von Israel handelt, in V.3.11.29a*.34-35 lokalisiert. Sehr erwägenswert ist die Interpretation Weipperts, a.a.O. 460-462, daß der König (in dieser älteren Tradition; bei Weippert Grunderzählung) in seinem eigenen Lager von einem übenden Bogenschützen getroffen und trotzdem in die Schlacht gefahren wurde. Diese Interpretation beruht auf der Beobachtung, daß in V.34a von einem „Mann", der in „aller Unschuld" seinen Bogen spannt, die Rede ist und daß auf diese Weise der schwer erklärliche Befehl des Königs „Wende, fahre mich aus dem Lager!" (V.34b) verständlich wird.
In Bezug auf die Literarkritik von 1.Kön 22 zeichnet sich in der Forschung kein Konsens ab: Die u.a. von H.-Chr.Schmitt, *Elisa*, 42-45; E.Würthwein, *Bücher II*, 253-262 (auch schon ders., Komposition, 245-254) und V.Fritz, *Das erste Buch*, 193ff., vertretene Auffassung einer rein profanen, 1.Kön 22,(1.)2*-4.29-35bα.36(.37) umfassenden Grundschicht krankt daran, daß innerhalb dieser Grundschicht der Trick des Königs von Israel völlig unmotiviert bleibt: Der König von Israel scheint sich stark und im Recht zu fühlen und zieht von sich aus mit einem Verbündeten in den Kampf (V.3.29), warum sollte er sich da verkleiden und den Siegesruhm, der ihm doch relativ gewiß erscheinen muß, Josaphat überlassen? Erst in Kombination mit dem schlechten Omen für den Kriegszug wird die Verkleidung verständlich, und die Erzählung erhält ihren Witz: Der König will trotz der Unheilsankündigung in den Krieg ziehen, dem Unheil aber durch den Verkleidungstrick entgehen, was ihm gründlich mißlingt. Weitere Argumente gegen die These einer rein profanen Kriegserzählung finden sich in der ausführlichen Erörterung bei H.Seebaß, *Micha*, 114-116. Weitgehende Einheitlichkeit der Erzählung postulieren u.a. H.Cancik, *Grundzüge*, 195 und M.Rehm, *Das erste Buch*, 215f.
Die vollständige „Herauslösung" des Königs von Juda aus dem Grundtext, die von H.Schweizer, *Versuch*, 1-19; O.H.Steck, *Bewahrheitungen*, 88-94; H.-J.Stipp, *Elisa*, 211-229 und, in Anlehnung an Stipp, auch von B.Lehnart, *Prophet*, 390, vorgeschlagen wird, führt zu recht willkürlichen literarkritischen Operationen in V.29-37, wo der König von Juda fest verankert ist (V.30). Der Verkleidungstrick des Königs von Israel ist m.E. literarkritisch nicht von der Anwesenheit Josaphats, die diesem Trick erst seine Wirksamkeit verleiht, zu trennen. Die Zuordnung aller „Josaphat-Stellen" zu einer Schicht (vgl. H.-J.Stipp, *Elischa*, 228 und auch H.Weippert, *Ahab*, 466-477) erweist sich zudem wegen des Widerspruchs zwischen V.4 und V.5f. sowie V.5-8 und V.29 als nicht sinnvoll: In V.4 stimmt Josaphat sofort dem Vorschlag des Königs von Israel, in den Krieg zu ziehen, zu, in V.5 hingegen besteht er auf einer vorherigen Prophetenbefragung; obwohl er hört wie diese ausgeht und sieht wie der von ihm angeforderte zusätzliche Prophet Micha ben Jimla (V.7f.) behandelt wird, zieht er ohne weiteren Widerspruch mit dem König von Israel in den Krieg.
In Anlehnung an die Ausführungen G.Hentschels, *1 Könige*, 130-135, schlage ich die folgende literarkritische Lösung vor: Die Grundschicht der zur Erzählung umgestalteten älteren Tradition (V.3.34-37*) umfaßt 1.Kön 22,2b-3.5-6.9-15a.17.24-28bα.29-35bα.36-37. Hier regt der König von Juda die Prophetenbefragung an, ohne zuvor die Zusage zum Kriegszug gegeben zu haben. Er zieht zwar trotz der Aussage Michas in den Krieg, was aber verständlich ist, wenn er zuvor nicht auf der Hinzuziehung Michas bestanden und damit sein Mißtrauen gegenüber den 400 Propheten ausgedrückt hat: Er vertraut dem Urteil der vielen, das Einzelvotum des quasi zu spät kommenden Micha kann daran nichts ändern. Dieses führt nicht zu einer Besinnung der beiden Könige, sondern nur zu den „Vorsichtsmaßnahmen" des Königs von Israel. Die Aufspaltung von V.17 ist (gegen Hentschel) nicht nötig, der Spruch Jahwes als Kommentar zu der Vision Michas ist durchaus denkbar. Damit kann auch die Versicherung Michas, nur das zu sagen, was Jahwe ihm sagt (V.14), in der Grundschicht verbleiben.
Die Falschaussage Michas und das Insistieren des Königs auf der Wahrheit (V.15b.16) ist nur im Zusammenhang mit dem zweiten, sekundären Visionsbericht (V.19-23) verständlich und ebenfalls gegenüber der Grundschicht sekundär. Weil V.19 wegen des nicht benannten Subjekts besser an V.17 als an V.18 anschließt – Micha ben Jimla setzt hier seine Rede von V.17 fort –, ist die Erweiterung der Grunderzählung um den zweiten Visionsbericht und V.15b.16 vor der Erweiterung um V.4.7-8.18 anzusetzen. Hier wird der König von Israel der Grunderzählung zum ersten Mal mit Ahab gleichgesetzt.

vertritt (V.3), auch noch verwundet die Schlacht in seinem Wagen stehend begleitet und in allen Ehren in Samaria beigesetzt wird (V.36f.). Diese Tradition wurde nachträglich zu einer Erzählung (22,2b-3.5-6.9-15a.17.24-28bα.29-35bα.36-37) umgestaltet, in der der König von Israel durch einen Trick auf Kosten des Königs von Juda (V.29-33) dem vorhergesagten Tod (V.17) entgehen will. Diese Erzählung ist wegen ihrer negativen Beurteilung des Königs von Israel anders als die zugrundeliegende Tradition nicht mehr im Nordreich anzusiedeln. Daß die Beurteilung von Heils- und Unheilsprophetie zur Entstehungszeit der Erzählung noch nicht durch das endgültige Scheitern der Heilsprophetie im Jahr 587 geklärt, der Streit um diese vielmehr virulent zu sein scheint, spricht für eine Datierung von 1.Kön 22* in die Zeit der Auseinandersetzung um Heils- und Unheilsprophetie zwischen 597 und 587, die sich im Jeremiabuch widerspiegelt (Jer 26-29.36-38)[271]: Der König wird mittels eines Beispiels aus der Vergangenheit des schon gescheiterten Nordreiches eindringlich gewarnt, sich auf die vielen Heilspropheten und auf seine zusätzlich verwandten eigenen Tricks zu verlassen und dazu angehalten, auf die Worte des wahren Propheten – auch und gerade wenn dieser Unheil vorhersagt – zu hören, statt ihn zu unterdrükken. Die Grunderzählung ist um den zweiten Visionsbericht (V.15b.16.19-23) erweitert worden. Mit seiner Frage nach den Ursachen falscher, sich auf Jahwe berufender Heilsprophetie, läßt dieser an die frühe Exilszeit und die Verarbeitung der Katastrophe eben dieser Heilsprophetie denken.[272] In einem weiteren Schritt – wegen der Behandlung der gleichen Thematik vermutlich ebenfalls noch in der frühen Exilszeit – wurde 1.Kön 22,1-38* über V.4.7-8.18 mit 2.Kön 3,4ff. verknüpft. Die Erzählung ist nicht viel später mittels 1.Kön 20,35-43; 22,1-2a mit 1.Kön 20 (und der postulierten Kriegserzählungensammlung) verbunden worden.

Ähnlich wie 2.Kön 6,24ff.* scheint 2.Kön 3,4ff. ein Konglomerat aus verschiedenartigen, zum Teil sagenhaften Traditionen aus dem Nordreich zu sein.[273] Dabei wirkt die Notiz über die Schlachtung des Königssohnes und des die Israeliten zum Abzug veranlassenden Zorns (des Gottes Kamosch) in 3,27 sehr alt. Da ab V.24 nur noch von den Israeliten, aber

---

Die Verse 4.7-8.18 bilden die nächste Erweiterungsschicht. Diese ist an 2.Kön 3 orientiert. Daß V.7 und V.5f. nicht auf eine Hand zurückgehen (gegen H.-J.Stipp, a.a.O. 228), zeigt sich daran, daß Josaphat in V.5 dem König von Israel den Rat gibt, vor seinem ehrgeizigen Vorhaben die Propheten zu befragen (vgl. den Singular in V.6 und V.15 [hier ist mit LXX aus Gründen der lectio difficilior der Singular zu lesen, vgl. H.-J.Stipp, *Elischa*, 161]), bei seinem nochmaligen Vorschlag (V.7) jedoch selbst an der Befragung beteiligt werden möchte.

Die Verse 22,1-2a dienen der Verknüpfung mit 1.Kön 20. Da hier – 1.Kön 20,42 entsprechend – von einem Spannungsverhältnis und nicht – gemäß 1.Kön 20,34 – von einem Friedensschluß zwischen Aram und Israel ausgegangen wird, sind die genannten Verse wohl derselben Hand zuzuordnen, die 1.Kön 20,1-34 über 1.Kön 20,35-43 mit 1.Kön 22* verband (siehe oben S.212f. Anm. 266).

V.35bß und V.38 verbinden die Erzählung nachträglich mit dem DtrG.

271 Vgl. die Auseinandersetzung Micha – Zedekia (1.Kön 22,24f.) mit der Auseinandersetzung Jeremia – Hanania (Jer 28) und der brieflichen Maßregelung Jeremias durch Schemaja (Jer 29,26-28); die Behandlung Michas durch Zedekia (1.Kön 22,24) mit der Mißhandlung Jeremias durch Paschur (Jer 20); die Einweisung Michas ins Gefängnis (1.Kön 22,26f.) mit der Gefangenschaft Jeremias (Jer 37-38).

272 Vgl. E.Würthwein, *Bücher II*, 261f. und Ez 12,21-13,23; Klgl 2,14; 4,13.

273 Hier ist neben der Tradition von der Opferung des Königssohnes und dem Zorn des Gottes Kamosch (3,27) und der Täuschung der Moabiter durch Wasser und Morgensonne in 3,21-24 (vgl. die Täuschung der Aramäer durch das Getöse Jahwes in 2.Kön 7,6f.) an das in 3,11 vorausgesetzte Diener-Herr- bzw. Schüler-Meister-Verhältnis Elisas und Elias sowie die Tradition vom „Saitenspieler" (V.15) zu denken.

nicht mehr von den Judäern bzw. den Edomitern die Rede ist und der König von Moab merkwürdigerweise versucht, sich nach Edom durchzuschlagen (V.26),[274] ist es wahrscheinlich, daß hier der Rest einer älteren Erzählung vorliegt, in der Israel allein gegen Moab kämpft, bei der Belagerung der Hauptstadt jedoch unter mysteriösen Umständen scheitert. Unter Einbeziehung einer Tradition von der Täuschung Moabs (V.21-24) wurde diese nachträglich zur Erzählung vom Feldzug der drei Könige samt Prophetenbefragung umgestaltet, die bis auf V.13[275] literarisch einheitlich ist.[276] Für eine Entstehung der Erzählung 2.Kön 3,4-12.14-27 in Juda unter Verwendung ursprünglicher Nordreichstraditionen spricht ihre pro-judäische, anti-israelitische Tendenz: Hier werden die negativen Erfahrungen, welche die Könige von Juda in ihren Bündnissen mit Israel gemacht haben (vgl. nur 2.Kön 9/10), aufgegriffen; der Feldzug der drei Könige führt in eine ausweglose Situation, ja geradewegs in die Hand des Feindes (3,10). Rettung bringt in dieser Situation nicht die militärische Stärke der drei versammelten Heere, sondern allein Jahwe. Die Erzählung ruft dazu auf, sich nicht wie der König von Israel zunächst auf sich selbst und seine Verbündeten zu verlassen und dann in der Not zu klagen, Jahwe habe dieses Unheil herbeigeführt, sondern wie Josaphat an die Befragung Jahwes zu denken und die Hilfe des Herrn zu erwarten. Wegen der inhaltlichen Verwandtschaft mit 1.Kön 22 und der auch hier gegebenen Konstellation „König von Israel – Josaphat" ist eine Entstehung der „Grunderzählung" von 1.Kön 22 und 2.Kön 3,4ff. in denselben judäisch-priesterlichen Kreisen wahrscheinlich.[277]

Sowohl der Auftakt zur Mitwirkung Josaphats an den Feldzügen in 1.Kön 22,2b-37* und 2.Kön 3,4ff. (vgl. 1.Kön 22,4 mit 2.Kön 3,7) als auch seine Initiative zur Prophetenbefragung (vgl. 1.Kön 22,7 mit 2.Kön 3,11) sind nahezu Wort für Wort parallel gestaltet. Die Frage nach dem Abhängigkeitsverhältnis der genannten Textstellen ist in der Forschung bisher ungeklärt.[278] Da jedoch die Verse 22,4.7 oben einer späten Erweiterungsschicht zugeschrieben wurden, während für 2.Kön 3,4ff., wo die fraglichen Verse fest in der Erzählung verankert sind, eine etwa zeitgleiche Entstehung mit der Grunderzählung von 1.Kön 22 angenommen wurde, ist bereits implizit eine Entscheidung bezüglich des Abhängig-

---

[274] Vgl. G.Hentschel, *2 Könige*, 13; H.-J.Stipp, *Elischa*, 150.

[275] Siehe oben S.209f.

[276] Obwohl die durch die verschiedenen eingearbeiteten Traditionen hervorgerufenen Spannungen spürbar sind, kann der Text literarkritisch nicht in seine Teile zerlegt werden, da diese zu einem einheitlichen Ganzen verschmolzen sind; vgl. B.O.Long, *2 Kings III*, 340; M.Rehm, *Das zweite Buch*, 40-42; H.-J.Stipp, *Elischa*, 140-151. Anders H.-Chr.Schmitt, *Elisa*, 32-37; E.Würthwein, *Bücher II*, 279-287; V.Fritz, *Das zweite Buch*, 17ff.

[277] Zur Datierung der „Grunderzählung" von 1.Kön 22 siehe oben S.214f. Vgl. auch H.-Chr.Schmitt, *Elisa*, 45, der eine aus 1.Kön 22* und 2.Kön 3* gebildete, im Südreich beheimatete Doppelerzählung wahrscheinlich macht, deren Grundschichten allerdings einen wesentlich anderen Umfang als den hier vorgeschlagenen haben, und auch B.Lehnart, *Prophet*, 345.

[278] Nach K.A.D.Smelik, *King*, 89, ist 2.Kön 3,4ff. nach dem Vorbild von 1.Kön 22,1-38 (und Num 20) gestaltet worden; nach G.Hentschel, *1 Könige*, 131, hingegen stellen die Verse 1.Kön 22.4.7 sekundäre, in Abhängigkeit von 2.Kön 3,4ff. geschaffene Erweiterungen von 1.Kön 22 dar (vgl. B.Lehnart, *Prophet*, 345). H.-J.Stipp, *Elischa*, 366, erwägt eine Identität des Verfassers der Kriegserzählung 2.Kön 3,4ff. in ihrer jetzigen Form und der „Josaphat-Bearbeitung" in 1.Kön 22, die bei ihm den Textbereich 22,2b.4.5.7-8.10.18.19*.30a-d.32-33 (siehe a.a.O. 228) umfaßt.

keitsverhältnisses im Sinne Hentschels[279] getroffen worden: Die beiden ohnehin schon verwandten Erzählungen wurden – wie oben in Bezug auf 1.Kön 22 erwähnt – in der frühen Exilszeit durch die Ergänzung von 1.Kön 22,4.7-8.18 noch stärker miteinander verbunden.

Während den drei miteinander zu einer ersten Sammlung verbundenen Kriegserzählungen (1.Kön 20,1-21*.22-34*; 2.Kön 6,24ff.*) eine positive Grundtendenz zu eigen ist, so wird in 1.Kön 22,2b-37* und 2.Kön 3,4ff.* der König von Israel negativ dargestellt, insbesondere sein Verhältnis zu den Propheten. Wenn aber beide Erzählungen in den gleichen Kreisen entstanden sind und zusätzlich über 1.Kön 22,4.7-8.18 miteinander verknüpft wurden, so ist anzunehmen, daß nicht nur 1.Kön 22,2b-37*, sondern gleichzeitig auch 2.Kön 3,4ff.* mittels 1.Kön 20,35-43; 22,1.2a[280] mit der aus dem Nordreich kommenden Kriegserzählungensammlung verbunden wurde. Hier wird das feindliche Verhältnis zwischen Propheten und israelitischem König zusätzlich motiviert, der Übergang zwischen dem hilfreichen und freundlichen Verhältnis in 1.Kön 20,1-34 und dem eher feindlichen Verhältnis in 1.Kön 22,2b-37* und 2.Kön 3,4ff.* erklärt. Da sich in 2.Kön 6,24ff.* der König aber reumütig zeigt, kann dieses Verhältnis wieder umschlagen, und der König kann mit der Hilfe Jahwes und seines Propheten rechnen. Aus der ursprünglichen „Kriegserzählungensammlung“, welche die Funktion hatte, Hoffnung auf die Hilfe Jahwes in den ausweglosen Situationen der Aramäerkriege zu erwecken, wird auf diese Weise ein kleines Werk über das rechte Verhalten des Königs gegenüber dem prophetischen Wort: Das Wort Jahwes – vermittelt durch den wahren Propheten – ist geschichtsmächtig und bricht sich sowohl unter Mitwirkung des Königs (1.Kön 20,1-34) als auch ohne ihn (2.Kön 6,24ff.*) und gegen ihn Bahn (1.Kön 22,1-38*). Will der König Erfolg und Bestand haben, so ist es erforderlich, daß er immer wieder nach dem wahren Wort Jahwes fragt (1.Kön 22,1-38*; 2.Kön 3,4ff.*; 6,24ff.*) und sich unter allen Umständen genau nach ihm richtet (1.Kön 20,35-43).

Für die Entstehung der Kriegserzählungensammlung bis zur ihrer vermutlich noch exilischen Einfügung in die nachdeuteronomistischen Königsbücher ist also ein längerer Zeitraum anzusetzen: Die ältesten Traditionen (von 1.Kön 22 und 2.Kön 3) sowie die Erzählungen 1.Kön 20,1-21*.26-34* sind in die Zeit der Omriden bzw. der Jehuiden und der Aramäerkriege zu datieren.[281] Die erste „Sammlung“ (1.Kön 20,1-34; 2.Kön 6,24-30.32a. 33aßb; 7,1.3-16) wird sich sukzessive wohl noch im Nordreich (bis 722) gebildet haben: In der sich unter den Jehuiden und ihren Nachfolgern rapide verschlechternden Lage Israels (Bedrohung durch Aramäer und Assyrer) wird hier an scheinbar ausweglose Situationen der näheren Vergangenheit, in denen Israel durch die Hilfe Jahwes immer wieder gerettet wurde, erzählend erinnert. Die Grunderzählung von 1.Kön 22* (22,2b-3.5-6.9-15a.17.24-28bα.29-35bα.36-37) und 2.Kön 3,4-12.14-27 sind vermutlich nach dem Untergang des Nordreiches kurz vor dem endgültigen Fall des Südreiches entstanden. Die engere Verbindung von 1.Kön 22 und 2.Kön 3,4ff.* über 1.Kön 22,4.7-8.18 und die Entstehung der eigentlichen Kriegserzählungensammlung durch Einfügung dieser Erzählungen in die bereits

[279] a.a.O. 131.
[280] Siehe oben S.214f. Anm. 270.
[281] Siehe oben S.210 Anm. 261.

existierende Teilsammlung ist – nach der oben vorgenommenen Datierung des zweiten Visionsberichts (1.Kön 22,19-23) – in der frühen bis mittleren Exilszeit anzusetzen. Durch die Erweiterung der Teilsammlung um 1.Kön 22* und 2.Kön 3,4ff.* erfährt diese eine entscheidende Umdeutung: Die Sammlung wird zum Paradigma einer Verhältnisbestimmung von König und Prophet und des von diesem repräsentierten Wort Jahwes.

2.3.3 Zur relativen Chronologie des Wachstums des DtrG

Die nachdeuteronomistische Einfügung der Kriegserzählungensammlung in das DtrG ist bereits oben ausführlich behandelt worden. Wie verhält sich diese nun zur ebenfalls nachdeuteronomistisch erfolgenden Erweiterung desselben um die Elisaerzählungen?

Für den Beginn des Wachtums des DtrG im Bereich der Elisa-Überlieferung mit dem Einbau der Kriegserzählungen spricht folgendes:

Wenn 2.Kön 3,4ff.* nach den Elisaerzählungen eingefügt worden wäre, ist die Stellung von 2.Kön 2 außerhalb des Königsrahmens und die damit verbundene Auftrennung von 2.Kön 2 und 2.Kön 4[282] nicht zu erklären. Denn man kann wohl davon ausgehen, daß auch spätere Bearbeiter nicht ohne Zwang Erzählungen außerhalb des Königsrahmens positionierten. Unter dieser Voraussetzung aber hätte sich zunächst die Reihenfolge „Königsrahmen für Joram“ – „Nachfolgeerzählung“ (2.Kön 2,1-18) – „Wundergeschichten“ (2.Kön 2,19-25; 4,1ff.) ergeben, in die die Erzählung vom Feldzug der drei Könige einzufügen gewesen wäre. In diesem Fall hätte aber kein Grund bestanden, den Block der Elisaerzählungen zwischen der Nachfolgeerzählung (samt den beiden Anekdoten über die Wunder Elisas [2,19-25]) und den Wundergeschichten in 2.Kön 4,1ff. aufzutrennen und die Nachfolgeerzählung nachträglich vor den Königsrahmen zu ziehen. Die jetzige Anordnung der Erzählungen erklärt sich jedoch leicht, nimmt man die umgekehrte Einfügungs-Reihenfolge an: In 2.Kön 1 taucht Elia zum letzten Mal handelnd im DtrG auf, in 2.Kön 3,4ff. wird in dem um die Kriegserzählungen erweiterten DtrG Elisa zum ersten Mal erwähnt. Damit ergab sich für den Redaktor, der den Einbau der Elisaerzählungen in das DtrG vornahm, die Notwendigkeit, den Übergang der Epoche Elia zur Epoche Elisas vor 2.Kön 3 zu schildern und damit die ihm vorliegende Sammlung („Elisa-Biographie“)[283] „auseinanderzureißen“. Die Stellung der Nachfolgeerzählung vor dem Einführungsformular für Joram ergab sich aus der relativ starken Anknüpfung von 2.Kön 3,4ff. an den Königsrahmen.

---

[282] Die ursprüngliche Zusammengehörigkeit und nachträgliche Aufsprengung von 2.Kön 2 und 2.Kön 4 um 2.Kön 3,4ff. willen zeigt das in 2.Kön 2,25 vorliegende Itinerar an, das von einem zunächst seltsam anmutenden Weg Elisas vom Jordan über den Karmel nach Samaria berichtet: V.25a „und von dort ging er zum Karmel“ gibt noch die – aus der „Elisa-Biographie“ stammende – Anknüpfung von 2.Kön 2 an 2.Kön 4 wieder, wo Elisa auf dem Berg Karmel anzutreffen ist (siehe S.224). 2.Kön 2,25b „und von dort kehrte er nach Samaria zurück“ stellt dagegen die neu geschaffene Anknüpfung an 2.Kön 3 dar, denn der Feldzug der drei Könige wird wohl – wie in 1.Kön 22 – von Samaria ausgegangen sein; vgl. auch H.-J.Stipp, *Elischa*, 350f.; ders. *Ahabs*, 491f.; H.-Chr.Schmitt, *Elisa*, 76f.; G.Hentschel, *2 Könige*, 11; B.Lehnart, *Prophet*, 345f.

[283] Siehe S.220ff.

Weiterhin wäre im Falle der vorangehenden Einfügung der Elisaerzählungen nach den obigen Ausführungen zur Vorgehensweise von BK zu erwarten, daß dieser insbesondere die königsfreundlichen Erzählungen 2.Kön 5; 6,8-23; 13,14ff.[284] mit königskritischen Anmerkungen versehen hätte.[285] Denn seiner Ansicht nach ist durch das Fehlverhalten der Könige aus dem Hause Ahabs deren Verhältnis zu den Propheten empfindlich getrübt, so daß sich Elisa schließlich in der Jehu-Revolution aktiv gegen diese wendet.

Vor der Eintragung der Elisaerzählungen war das DtrG nach dem hier vorgeschlagenen kompositionsgeschichtlichen Modell bereits um 1.Kön 17-18 erweitert worden. In der Anordnung der Kriegserzählungen zu einem Geschichtsentwurf im kleinen, dessen leitendes Prinzip der Tun-Ergehens-Zusammenhang ist, und in der Anknüpfung an das DtrG drückt sich eine recht große Nähe von BK zu deuteronomistischem Gedankengut aus,[286] während der Erzähler von 1.Kön 17-18 (BE1) das deuteronomistische Geschichtsbild nicht teilt, ja sogar in gewisser Weise zerstört.[287] Von daher gewinnt die Annahme, die Erweiterung des DtrG um die Kriegserzählungensammlung sei noch vor dessen Ergänzung um 1.Kön 17-18, also etwa um die Mitte des 6.Jahrhunderts herum, erfolgt, einige Wahrscheinlichkeit: Der Kreis der Überlieferungsträger des DtrG veränderte sich zunächst nur wenig; in der frühnachexilischen Zeit (1.Kön 17-18.19)[288] kamen andere Probleme auf, und die Kreise der Überlieferungsträger wandelten sich zunehmend.

Die Annahme, 1.Kön 17-18 sei erst nach den Kriegserzählungen in das DtrG eingefügt worden, wird durch folgende Beobachtung gestützt: Sowohl in 1.Kön 17,1; 18,15 als auch 2.Kön 3,14 findet sich die Schwurformel (חי־יהוה ... אשר עמדתי לפניו), diese kommt nur in der Elia- und Elisaüberlieferung vor.[289] Während sie in 2.Kön 3 fest in der Erzählung verankert ist, so wird sie in 1.Kön 17,1; 18,15 von BE1 verwandt.[290] Dies deutet darauf hin, daß diesem die Erzählung 2.Kön 3 bereits innerhalb des DtrG vorlag und er sie von dort – unter Übertragung von Elisa auf Elia – übernahm.[291]

[284] Hier steht Elisa dem König wie ein „Vater“ (2.Kön 6,21; 13,14; vgl. 5,8) zur Seite, siehe dazu auch S.230-233.

[285] Vgl. nur sein Vorgehen in 2.Kön 6,24ff. und dazu S.211.

[286] Anders als die Deuteronomisten scheint BK jedoch entweder nicht mehr um die genauen geschichtlichen Verhältnisse zu wissen (vgl. die Veränderung der Auskünfte über den Tod Ahab von einem tatsächlich friedlichen Tod zu einem Tod in der Schlacht) oder die korrekte Wiedergabe zugunsten seines Paradigmas aufgegeben zu haben.

[287] Siehe oben S.151ff.

[288] Zur Datierung siehe S.178f.195f.

[289] Sie findet sich außer in 1.Kön 17,1; 18,15 und 2.Kön 3,14 noch in 2.Kön 5,16, wobei 2.Kön 5,16 als Teil der „Elisa-Biographie“ erst nach 1.Kön 17-18; 2.Kön 3,4ff. Eingang in das DtrG fand; siehe S.238f.

[290] Siehe oben S.163f.169f.

[291] Auch B.Lehnart, *Prophet*, 326, sieht in 2.Kön 3,14 den ursprünglichen Ort der Schwurformel.

2.4 Elisas große Taten

2.4.1 Die „Elisa-Biographie“

Nach dem kompositionsgeschichtlichen Modell H.-Chr.Schmitts[292] folgte auf die Einfügung der Kriegserzählungensammlung in das DtrG die Erweiterung desselben um die mit der Sukzessorsammlung vereinigte Wundergeschichtensammlung und die als Einzelerzählungen vorliegenden Aramäererzählungen durch den Verfasser der Gottesmannbearbeitung. So verlockend die Schmittsche These eines in einem Schritt erfolgten Einbaus der eigentlichen Elisaerzählungen gegenüber dem komplizierteren Modell H.-J.Stipps[293] auch scheint, ist es notwendig, die Frage nach dem Umfang und der Art der außerhalb der Königsbücher vorliegenden Sammlung(en) von Elisa-Erzählungen und deren Einbau in das DtrG neu zu stellen. Denn mit den berechtigten Zweifeln an den Schmittschen Bearbeitungsschichten, vor allem an der Jahwe- und Gottesmannbearbeitung,[294] wird die These einer gemeinsamen Einfügung der Elisaerzählungen wieder zur Disposition gestellt. Die Existenz dieser Bearbeitungsschichten ist nämlich das wesentliche Argument Schmitts für die Zusammengehörigkeit von 1.Kön 19,19-21; 2.Kön 2*; 4*; 6,1-23*; 8,1-6[295] bzw. für die gemeinsame Einfügung aller Eliaserzählungen[296]. Zudem sind die nach Schmitt vor dem Einbau in die Königsbücher vorliegenden Sammlungen in sich nicht stimmig: So enthält die Sukzessorsammlung mit 2.Kön 2,19-22.23f. zwei Anekdoten, die aus inhaltlichen und terminologischen Gründen eher der Wundergeschichtensammlung zuzurechnen wären.[297] Auch die Erzählung 2.Kön 6,8-23, von Schmitt den Wundergeschichten zugeordnet, müßte wegen ihres Inhalts und ihrer engen Zusammengehörigkeit mit 2.Kön 5 eigentlich zu den Schmittschen Aramäererzählungen gezählt werden.[298]

Ausgangspunkt der folgenden Überlegungen hinsichtlich des „Zustandes“ der Elisa-Erzählungen vor ihrer Einfügung in das DtrG ist die Existenz eines Rahmens, der diese zu einer „prophetischen Biographie“ zusammenbindet.[299] Der Rahmen wird gebildet von der Schilderung des Beginns der „prophetischen Laufbahn“ Elisas in 1.Kön 19,19-21; 2.Kön 2,1-15 auf

---

[292] Siehe S.15-17.

[293] Siehe S.21f.

[294] Zur Kritik der Bearbeitungsschichten vgl. E.Ruprecht, *Entstehung*, 77 Anm. 10; W.Thiel, *Gemeinsamkeiten*, 364 Anm. 18; ders., *Jahwe*, 94f.; H.-J.Stipp, *Elischa*, 61.283.316f.332f.; B.Lehnart, *Prophet*, 311ff.

[295] Die genannten Erzählungen, die zunächst in zwei unabhängigen Sammlungen, der Sukzessorsammlung und der Wundergeschichtensammlung vorlagen, sind nach H.-Chr.Schmitt, *Elisa*, 76f.101.107.126f., von der Jahwebearbeitung zu einer Sammlung zusammengefügt worden.

[296] 1.Kön 19,19-21; 2.Kön 2; 4,1-6,23; 8,1-15; 13,14-21 wurden, so H.-Chr.Schmitt, *Elisa*, 85-89.101.107.127f. 131-133, von der Gottesmannbearbeitung gemeinsam in das DtrG eingefügt.

[297] Siehe S.225-227; vgl. auch E.Würthwein, *Bücher II*, 366.

[298] So auch E.Würthwein, *Bücher II*, 366 und B.Lehnart, *Prophet*, 342f. Vgl. noch H.-J.Stipp, *Elischa*, 368-370, der die Zusammengehörigkeit von 2.Kön 5 mit 6,8-23 betont.

[299] Auch K.Baltzer, *Biographie*, 99-105, verwendet in Bezug auf die Elisa-Überlieferung den Terminus „Biographie“. Er begründet (a.a.O. 20-23) die vom heutigen Gebrauch abweichende Begriffsverwendung, nach dem die Biographie neben der öffentlichen Wirksamkeit auch das private Leben und die Persönlichkeitsentwicklung der jeweiligen Person beleuchtet, mit dem Hinweis auf altorientalische Parallelen (zu den Texten und weiterer Literatur siehe dort; zur ägyptischen Grabinschrift als biographischer Inschrift siehe auch J.Assmann, *Ägypten*, 84-86.109ff.). In Analogie zur Auffassung Baltzers sind nach A.Rofé, *Stories*, 41-51, die Elisa-Erzählungen assoziativ zwischen den Eckpunkten Berufung/Einsetzung und Tod/Begräbnis zur „vita“ arrangiert. Zur Rahmung der Elisa-Überlieferung durch 2.Kön 2 und 13,14-21 vgl. außerdem O.Plöger, *Prophetengeschichten*, 25 und auch B.Lehnart, *Prophet*, 342.

der einen Seite[300] und der Thematisierung des Todes Elisas in 2.Kön 13,14-21[301] auf der anderen Seite. Nach den Modellen H.-Chr.Schmitts und H.-J.Stipps geht die Entstehung dieses Rahmens allein darauf zurück, daß (1.Kön 19,19-21;)[302] 2.Kön 2 und 13,14ff. unabhängig voneinander und nur weil sie Anfangs- bzw. Endpunkt des Wirkens Elisas markieren, um die restlichen Elisa-Erzählungen herum angeordnet wurden.[303] Es spricht jedoch viel für eine bewußte Gestaltung dieses Rahmens:

Der Beginn des Wirkens Elisas ist nach Darstellung von 1.Kön 19,19-21; 2.Kön 2,1-15 mit dem Ende des Wirkens Elias verknüpft; in 2.Kön 13,14-21 geht es um den Tod Elisas. In beiden Teilen des Rahmens wird also das „Ende einer prophetischen Ära" thematisiert und auf diese Weise Ausgangs- und Endsituation des Wirkens Elisas parallelisiert. Zugleich ergibt sich eine Parallelisierung der beiden Propheten: Auf die Entrückung Elias reagiert Elisa in 2.Kön 2,12 mit dem gleichen verzweifelten Aufschrei „Mein Vater, mein Vater, Wagen Israels und seine Gespanne"[304] wie der König von Israel auf den bevorstehenden Tod Elisas in 2.Kön 13,14. Ohne den Entschwindenden droht der vermeintlich Alleingelassene – und mit ihm Israel – schutzlos zurückzubleiben. Die Verzweiflung Elisas bzw. des Königs stößt jedoch nicht auf taube Ohren. Elisa bleibt nicht allein zurück, sondern erhält zwei Drittel des

---

[300] Die beiden Erzählungen 1.Kön 19,19-21 (וילך משם in 19,19aα ist eine redaktionelle Verbindung zu 1.Kön 19,1-18; der ursprüngliche Anfang der Erzählung, in der Subjekt des Satzes, Elia, wohl genannt wurde, ist bei ebendieser Verknüpfung verlorengegangen [vgl. H.-Chr.Schmitt, *Elisa*, 102]) und 2.Kön 2,1-15 (2,16-18 ist, wie fast allgemein gesehen [vgl. B.Lehnart, *Prophet*, 318 und die dort unter Anm. 2 angegebene Literatur], ein Nachtrag) gehören ursprünglich zusammen; so H.-Chr.Schmitt, *Elisa*, 75f.102ff., in Anschluß an A.Alt, *Herkunft*, 124. Dafür spricht nicht nur ihre Sonderstellung innerhalb der Elisa-Tradition – nur hier (außer in 2.Kön 3,11) wird Elisa mit Elia in Verbindung gebracht –, sondern auch die in sich logische Beschreibung des Weges Elisas vom Augenblick seines ersten Kontaktes mit Elia (1.Kön 19,19), über seine bewußte Entscheidung zur Nachfolge (19,21) bis zu seiner Bitte um zwei Drittel des Geistes Elias (2.Kön 2,9) und seinem endgültigen Antreten des Erbes Elias (2.Kön 2,12-15). Hinzu kommt die entscheidende Rolle des Mantels Elias, die nur in diesen beiden Stücken zum Tragen kommt (zu 1.Kön 19,13 siehe oben S.192): Mit dem Mantel ruft Elia Elisa in die Nachfolge (1.Kön 19,19), der Mantel bleibt nach Elias Himmelfahrt bei Elisa zurück, der ihn dann wie zuvor Elia benutzen kann (2.Kön 2,13f.). Anders B.Lehnart, *Prophet*, 223f., der 1.Kön 19,19-21 zur Grundüberlieferung von 1.Kön 19 (19,3aß-4abα.5b-6abα.8*.9a*.11aßγ.13abα.15aß*.18.19-21) rechnet, ohne jedoch die These von der Zusammengehörigkeit von 1.Kön 19,19-21; 2.Kön 2 zu widerlegen. Weiterhin übersieht Lehnart die unten (S.222f.) aufgeführten inhaltlichen und terminologischen Übereinstimmungen von 1.Kön 19,19-21 mit den Elisa-Erzählungen 2.Kön 4,38-41.42-44; 6,1-7, die die These Alts der Zugehörigkeit von 1.Kön 19,19-21 zur Elisa-Tradition bestätigen.
Obwohl die Erzählung 2.Kön 2,1-15, wegen ihrer Funktion, die prophetische Sukzession Elia – Elisa zu begründen, als Elisa-Erzählung aufzufassen ist, so liegt ihr dennoch sicherlich eine ursprüngliche Elia-Himmelfahrts-Tradition zugrunde, die dem Leser/Hörer bekannt war und auf die mit V.1 angespielt wird. Vgl. auch die Reminiszenz an die Himmelfahrtstradition in 1.Kön 18,7-15.

[301] V.18f. gehört vermutlich nicht zur ursprünglichen Anekdote (2.Kön 13,14-17), vgl. H.-Chr.Schmitt, *Elisa*, 81f.; H.-J.Stipp, *Elischa*, 360; E.Würthwein, *Bücher II*, 364-366; A.Rofé, *Stories*, 57; anders B.Lehnart, *Prophet*, 340. Diese ist aber vermutlich noch in der Zeit der Aramäerkriege, das heißt bald nach ihrer Entstehung, um V.18f. erweitert worden, um zu erklären, warum trotz der Hilfe Elisas nur ein dreifacher und kein endgültiger Sieg erreicht wurde, und Elisa auf diese Weise von möglichen Vorwürfen zu entlasten. Wegen der zeitlichen Nähe von Anekdote und Zusatz soll V.18f. hier nicht als gesonderte Schicht behandelt werden.

[302] H.-J.Stipp, *Elischa*, 478 (vgl. B.Lehnart, *Prophet*, 223), bestreitet die ursprüngliche Zusammengehörigkeit von 1.Kön 19,19-21 und 2.Kön 2,1-15.

[303] Vgl. H.-J.Stipp, *Elischa*, 472-477; H.-Chr.Schmitt, *Elisa*, 75-77.80-82.

[304] Sowohl H.-Chr.Schmitt, *Elisa*, als auch H.-J.Stipp, *Elischa*, geben keine Erklärung für die auffällige Verwendung des Ehrennamens „Mein Vater, mein Vater, Wagen Israels und seine Gespanne!" sowohl am Beginn als auch am Ende des Elisa-Zyklus.

Geistes Elias (2,9ff.)[305] und läßt seinerseits den König nicht hilflos zurück; vielmehr verhilft er ihm – durch Übertragung eines Teils seiner magischen Kräfte (13,16) – zum endgültigen Sieg über seine Erzfeinde, die Aramäer (13,17). Eine weitere, im Rahmen aufgezeigte Übereinstimmung zwischen den beiden Propheten besteht darin, daß sowohl in 2.Kön 2 als auch in 2.Kön 13 Vorstellungen von einer das irdische Leben überdauernden Existenz des Propheten entwickelt werden, wenn auch auf sehr unterschiedliche Art: Bei Elisa wird eine Art von Wirksamkeit nach dem Tode nur angedeutet (13,20f.),[306] während in 2.Kön 2 explizit ausgeführt wird, daß Elia nicht stirbt, sondern aus dem Leben heraus entrückt wird (2,11).

Da nur in 1.Kön 19,19-21 und 2.Kön 2,1-15 ein Zusammenhang zwischen Elia und Elisa hergestellt wird,[307] liegt es nahe, die beobachtete, Elia und Elisa parallelisierende Rahmenbildung auf den Autor von 1.Kön 19,19-21; 2.Kön 2,1-15 (Nachfolgegeschichten) zurückzuführen. Sein Ziel, Elia und Elisa als in einer „prophetischen" Linie stehend zu kennzeichnen, verwirklicht er auf zwei unterschiedlichen Wegen: Zum einen schildert er die „Karriere" Elisas vom Diener (1.Kön 19,19-21) bis zum Nachfolger Elias (2.Kön 2,1-15), wobei die Kontinuität des Wirkens Elias und Elisas durch die Geistübertragung von Elia auf Elisa gewährleistet wird, zum anderen überträgt er Züge aus der Elisa-Überlieferung, wie den Ehrennamen Elisas, auf Elia.[308] Diese stammen jedoch nicht nur aus 2.Kön 13, sondern auch aus anderen Elisageschichten, die nun zwischen dem Rahmen stehen und einen Teil der „Biographie" Elisas bilden:

- Ein Teil der Elisa-Wundergeschichten" (2.Kön 4,1-7.38-41; 6,1-7) spielt im Milieu der „Prophetenjünger" und handelt von Elisas Sorge für sie und ihre Angehörigen, während in der vorliegenden Elia-Tradition kein Hinweis auf eine Beziehung zwischen Elia und den Prophetenjüngern zu finden ist. In 2.Kön 2 dagegen werden sowohl Elia als auch Elisa (2,3.7.15) mit den Prophetenjüngern in Verbindung gebracht.
- Wie Elisas Diener (משרת 2.Kön 4,43) die Elisa umgebenden Menschen speist (2.Kön 4,38-41.42-44), so bereitet auch Elisa als Diener Elias (שרת 1.Kön 19,21)[309] seinen ehe-

[305] Zur Bitte um einen Anteil von 2/3 des Geistes als Forderung des Erstgeburtsrechts in der Erbfolge vgl. Dtn 21,17 und H.-Chr.Schmitt, *Elisa*, 201 Anm. 51; A.Schmitt, *Entrückung*, 134ff.; Chr.Schäfer-Lichtenberger, *Josua*, 215.

[306] Die Vorstellung, daß die Berührung der Gebeine Elisas Tote zum Leben erweckt, kann eventuell als Hinweis auf die nicht unerhebliche Bedeutung, die Gräber und damit ein möglicher „Totenkult" oder „Ahnenkult" in Israel gehabt haben, gewertet werden.

[307] Abgesehen von 2.Kön 3,11, wo allerdings nur eine Tradition von Elisa als Diener Elias („der Wasser auf die Hände Elias goß"; zum sonst im Alten Testament nicht mehr belegten Ausdruck vgl. H.Schweizer, *Elischa*, 178; G.Báez-Camargo, *Commentary*, 102), nicht aber von einem Nachfolgeverhältnis Elias und Elisas wie in 2.Kön 2 vorliegt. Auch die Wortwahl אשר־יצק מים על־ידי אליהו statt dem sich von 1.Kön 19,19-21 her nahelegenden משרת אליהו (vgl. V.21) läßt auf literarische Unabhängigkeit der Elisa-Traditionen in 2.Kön 3,11 einerseits und 1.Kön 19,19-21; 2.Kön 2,1-15 andererseits schließen.

[308] Der Titel entstammt, wegen seiner militärisch-politischen Konnotation, die der militärisch-politischen Wirksamkeit Elisas (in den Aramäerkriegen) entspricht (siehe S.230ff.), in der Elia-Überlieferung aber keinen Anhalt findet, ursprünglich der Elisa-Überlieferung; vgl. H.Gunkel, *Elias*, 38f.; ders., *Geschichten*, 12; H.Gressmann, *Geschichtsschreibung*, 269.285.320; O.Eißfeldt, *Das zweite Buch*, 563 Anm. a; K.Galling, *Ehrenname*, 129-131; G.von Rad, *Krieg*, 55; R.A.Carlson, *Élisée*, 387f.; H.-Chr.Schmitt, *Elisa*, 103 Anm. 142; A.Schmitt, *Entrückung*, 144-116; A.Lemaire, *Joas*, 250; E.Würthwein, *Bücher II*, 275.365; B.Lehnart, *Prophet*, 316. Anders Chr.Schäfer-Lichtenberger, *Josua*, 219 Anm. 63.

[309] Auch W.Thiel, *Gemeinsamkeiten*, 373f., macht auf den auffälligen Tatbestand aufmerksam, daß 1.Kön 19,21 und 2.Kön 4,43 die „einzigen gesicherten Belege der Wurzel *šrt* in den Elija- und Elischa-Überlieferungen" enthalten. Der Beleg in 2.Kön 6,15 geht auf einen Textfehler zurück und ist daher nicht zu berücksichtigen.

maligen Leuten ein Mahl. Über die sachliche Parallelität hinaus stimmen 1.Kön 19,19-21 und 2.Kön 4,38-41.42-44 wörtlich überein: In 19,21 heißt es ויתן לעם ויאכלו, in 2.Kön 4,41 צק לעם ויאכלו; in 2.Kön 4,42.43 befiehlt wiederum der Gottesmann תן לעם ויאכלו.[310]

- Ebenfalls aus den Wundergeschichten (2.Kön 4,2; vgl. auch 4,13.14) könnte die Frage Elias: „Was kann ich für dich tun?" (מה אעשה־לך [2.Kön 2,9 vgl. auch 1.Kön 19,20]) entlehnt sein; diese richtet der „Prophet" (Elia/Elisa) jeweils an eine gewissermaßen in seiner Obhut stehende Person.[311]
- Drei der Wunder Elisas erfolgen, indem der Gottesmann/Elisa etwas (Salz: 2.Kön 2,21; Mehl: 4,41; Holz: 6,6) ins Wasser (2,21; 6,6) bzw. in einen Topf (4,41) hineinwirft (שלך). Man vergleiche וישלך־שם in 2,21 mit וישלך־שמה in 6,6 sowie die Abfolge von לקח (Imperativ) und שלך in 2,20.21 und 4,41. Möglicherweise ist die Beschreibung des „Rufs" Elisas in die Nachfolge – Elia wirft (שלך) ihm seinen Mantel über (1.Kön 19,19) – von dieser Darstellungsweise magischer Handlungen inspiriert.[312]

Durch Aufnahme von Elementen aus 2.Kön 13,14ff., wo Elisa als ein in einem Haus lebender, dem König nahestehender Einzelprophet gezeichnet wird,[313] und aus 2.Kön 4,1-7.38ff.; 6,1-7, wo der Prophet im durch Armut gekennzeichneten gruppenprophetischen Milieu beheimatet ist, verknüpft der Autor der Nachfolgeerzählungen zugleich zwei soziologisch voneinander zu unterscheidende Arten nordisraelitischer Prophetie.[314]

Natürlich könnten die oben aufgeführten Übereinstimmungen zwischen 1.Kön 19,19-21; 2.Kön 2,1-15 und den Elisageschichten auch auf eine traditionsgeschichtliche und nicht auf eine literarische Abhängigkeit zurückzuführen sein.[315] Allerdings spricht die oben beschriebene Rahmenbildung eher für ein schriftliches Überlieferungsstadium. Darüber hinaus lassen sich weitere Hinweise auf eine kompositorische, das heißt eine „Biographie" Elisas erstellende Tätigkeit des Autors der Nachfolgeerzählungen innerhalb der Elisageschichten finden:

- Zwei Wundergeschichten (2.Kön 2,19-22.23-24) liegen nicht in selbständiger Form vor. Sie sind vielmehr in die Nachfolgeerzählung integriert worden; hier dienen sie, wie die zuvor geschilderte Teilung des Jordanwassers, zum Erweis der Wirkmacht Elisas, dem

---

Zur Konjektur – statt משרת ist ממחרת zu lesen – siehe H.-Chr.Schmitt, *Elisa*, 217 Anm. 133; A.Klostermann, *Bücher*, 409; H.Schweizer, *Elischa*, 217; G.Fohrer, Prophetenerzählungen, 102; H.-P.Stähli, *Knabe*, 172 Anm. 20; M.Rehm, *Das zweite Buch*, 70; E.Würthwein, *Bücher II*, 304.

310 Vgl. W.Thiel, *Gemeinsamkeiten*, 373.

311 Vgl. aber W.Thiel, *Gemeinsamkeiten*, 372f., der die unterschiedliche Verwendung der Frage und ihr Vorliegen in verschiedenen Zeitsphären betont.

312 Eine weitere Übereinstimmung im Sprachgebrauch von 2.Kön 2 mit 2.Kön 4 liegt mit der Wendung חי־יהוה וחי־נפשך אם־אעזבך (2.Kön 2,2.4.6; 4,30) vor; so auch A.Schmitt, *Entrückung*, 81-83.131; B.Lehnart, *Prophet*, 315. Da aber 4,30 zu einer Ergänzungsschicht der Erzählung von der Sunamitin gehört, die – wie unten noch ausgeführt wird – erst nach der Erstellung der „Elisa-Biographie" entstanden ist, kann diese sprachliche Übereinstimmung an dieser Stelle nicht berücksichtigt werden. Anders B.Lehnart, *Prophet*, 323, der 2.Kön 4,30 (und damit die Erweiterungsschicht in 2.Kön 4,8-37) auf den Autor von 2.Kön 2 zurückführt.

313 Vgl. 2.Kön 5; 6,8-23.

314 Ähnlich Chr.Schäfer-Lichtenberger, *Josua*, 221; vgl. dazu auch S.225ff.

315 W.Thiel, *Gemeinsamkeiten*, 374, steht der Wertung der hier aufgeführten sprachlichen und thematischen Gemeinsamkeiten innerhalb der Elisaüberlieferung als Indiz für literarische Abhängigkeiten äußerst kritisch gegenüber. Seiner Ansicht nach verweisen diese (und weitere in seinem Artikel behandelte Gemeinsamkeiten innerhalb der nordisraelitischen Propheten-Überlieferungen) 'nur' auf ein „überlieferungsgeschichtliches Kontinuum, auf gemeinsame Tradition im Kreis der Gruppenpropheten des Nordreiches".

Nachfolger Elias. Als solcher hatte Elisa sich zuvor nur vor den Prophetenjüngern gezeigt, jetzt folgt die Bestätigung in der Öffentlichkeit. Waren die beiden Wundergeschichten vor dem Anschluß an 2.Kön 2,1-15 selbständig,[316] so haben sie durch die Verbindung mit 2,1-15 ihren Anfang verloren: V.19 schließt sich mit einem Narrativ von אמר direkt an die vorhergehende Episode an, auch muß von V.15 her erschlossen werden, daß es sich bei „der Stadt" (V.19.23) um Jericho handelt. Die Verbindung von 2,23b-24 sowohl zur Nachfolgegeschichte (2,1-15) als auch zur vorangehenden Episode wird durch die überleitende Bemerkung „Und von dort zog er hinauf nach Bethel" (2,23a; vgl. V.2f.) geschaffen.

- Die Stationen, die Elia und Elisa gemeinsam passierten (Gilgal: 2,1; Bethel: 2,2f.; Jericho: 2,4f.; Jordandurchgang: 2,8), werden, nach dem gestalterischen Willen des Autors der Nachfolgegeschichten, anschließend von Elisa in umgekehrter Reihenfolge alleine bewältigt: Er durchquert den Jordan (2,14), heilt in Jericho eine Quelle (2,15.19-22) und zieht von dort nach Bethel (2,23a). Mit der deutlich vom älteren Erzählanfang der Wundergeschichte 2.Kön 4,38-41* (והרעב בארץ) abzuhebenden kompositorischen Verklammerung „Und Elisa kehrte nach Gilgal zurück" (4,38aα*) komplettiert der Autor der Nachfolgegeschichten das symmetrische lokale Schema: Elisa begibt sich zum Ausgangspunkt seiner Reise, nach Gilgal (2,1).[317]

- Auch in 2.Kön 2,25a[318] liegt eine Notiz über eine Wanderung Elisas, diesmal zum Karmel, vor. Da sie das oben beschriebene symmetrische lokale Schema bricht, bestreitet H.-J.Stipp,[319] daß diese Notiz auf den Autor von 2.Kön 2 zurückgeht. Sie sei vielmehr auf denjenigen zurückzuführen, der 2.Kön 2,1-15.19-24; 4,38a („Sukzessionseinheit") mit 2.Kön 4,1-37 („Frauensammlung") verband. Da aber nach dem oben Ausgeführten der Autor von 2.Kön 2 auf die Elisa-Erzählungen hin und nicht unabhängig von diesen wirkte, entfällt die Grundlage der These Stipps. Der Autor der Nachfolgeerzählungen, der so unterschiedliche Erzählungen wie 2.Kön 2,19-22 und 13,14ff. zu einer „Biographie" zusammenstellte, wirkte in einem hohen Maße integrativ. So ist es möglich anzunehmen, daß er sein symmetrisches lokales Schema aufweitete, um die Erzählung von der Sunamitin (4,8-37*), die sich sowohl durch ihr andersartiges Milieu[320] als auch durch die Lokalisierung des „Wohnorts" Elisas auf dem dem Berg Karmel (4,25) von den sie umgebenden Erzählungen abhebt, besser in die „Elisa-Biographie" einzubinden. Dies geschieht zum einen, indem er den Karmel so in das in 2.Kön 2 vorgezeichnete geographische Gefälle „Jordan – Jericho – Bethel – Gilgal" einordnete, daß Elisa von Bethel über den Karmel nach Gilgal zieht. Zum anderen wird die Erzählung von Öl der Witwe (2.Kön 4,1-7), die wie 2.Kön 2,1-15, 4,38ff.; 6,1-7 im Milieu der Prophetenjünger spielt, durch die Voranstellung der Wegenotiz auf den Karmel verlegt, wodurch die auf dem Karmel spielende Sunamitin-Erzählung etwas von ihrer Singularität verliert.

[316] Vgl. H.-Chr.Schmitt, *Elisa*, 106.

[317] Vgl. auch H.-J.Stipp, *Elischa*, 442f.

[318] V.25b stellt die Verbindung zu 2.Kön 3,4ff. her und ist auf denjenigen zurückzuführen, der die „Elisa-Biographie" in das DtrG einfügte. Siehe dazu S.238f. und auch S.218 Anm. 282.

[319] H.-J.Stipp, *Elischa*, 443-445.474.

[320] Siehe S.228f.

- In 2.Kön 6,8-23 wird Elisa in einer sekundären Schicht (V.15b-17) von Feuerwagen und Feuerpferden umgeben geschildert. Hier wird nun Elisa mit Attributen Elias versehen, denn dessen Himmelfahrt war ja von der Erscheinung eines feurigen Wagens mit feurigen Pferden begleitet worden (2.Kön 2,11). Wegen der Elia und Elisa parallelisierenden Intention des Einschubes kann dieser ebenfalls auf den Autor von 1.Kön 19,19-21; 2.Kön 2,1-15 zurückgeführt werden.[321]

Wie oben bereits ausgeführt, stehen beide Teile des beschriebenen „Rahmens" der „Biographie" außerhalb des deuteronomistischen Königsrahmens, was für eine nachdeuteronomistische Einfügung von 1.Kön 19,19-21; 2.Kön 2,1-24; 13,14-21 und der von diesen Stücken zusammengehaltenen Elisa-Erzählungen spricht.[322] Die „Elisa-Biographie" hat also, nachdem sie vom Autor der Nachfolgeerzählungen zusammengestellt wurde, für eine gewisse Zeit eine vom DtrG unabhängige Existenz gehabt.

2.4.2 Der Umfang der „Elisa-Biographie"

Die beiden ersten Elisa-Wundergeschichten (2.Kön 2,19-22.23-24) sind, wie bereits erwähnt, mit den Nachfolgeerzählungen von deren Verfasser zu einer literarischen Einheit verbunden worden. Aus 2.Kön 4,1-7.38-41.42-44; 6,1-7; 13,14ff. hat der Autor der Nachfolgeerzählungen Motive und Formulierungen übernommen, zudem hat er in 2,25a; 4,38aα* und 6,15b-17 verbindend eingegriffen, was auf eine Zugehörigkeit von 2.Kön 4,8-37*.38ff.; 6,8-23 zur „Elisa-Biographie" weist.[323] So ist der Umfang der „Elisa-Biographie" zunächst mit 1.Kön 19,19-21; 2.Kön 2,1-15.19-25a; 2.Kön 4,1-44; 6,1-23; 2.Kön 13,14-21 anzusetzen.

Die „unpolitischen Wundergeschichten"

Mit 2.Kön 2,19-22.23-24; 4,1-7.38-41.42-44; 6,1-7 enthält die postulierte „Elisa-Biographie" alle Elisa-Erzählungen, die sich in das folgende Schema[324] einordnen lassen: Es handelt sich jeweils um kurze Geschichten über Elisa bzw. den Gottesmann,[325] die sein wunderwirkendes Handeln unter dem Volk (2,19-22.23-24) und im Umkreis seiner Prophetenjünger (4,1-7.38-41.42-44; 6,1-7) schildern. Da sie, im Gegensatz zu den noch zu behandelnden Wunderge-

---

321 Auch B.Lehnart, *Prophet*, 329, führt den Einschub von 6,15b-17 auf den Verfasser, „der 2.Kön 2 als Eröffnungserzählung einer Elisa-Komposition verfaßt hat", zurück.

322 Zum Problem des Abschlußformulars für Joas (2.Kön 13,12f. || 14,15f. [LXX nach 13,25]) siehe S.199 Anm. 219. Zu 2.Kön 13,22-25 vgl. S.238f.

323 Siehe oben S.223-225.

324 Zu den formalen und inhaltlichen Gemeinsamkeiten dieser sechs kurzen Elisa-Geschichten („short legenda") vgl. A.Rofé, *Stories*, 13-22 und ders., *Classification*, 430-439.

325 Zur Kritik der schematischen Unterteilung der Elisageschichten nach dem Gebrauch nur des Namens Elisa, des Gottesmann-Titels bzw. des Propheten-Titels durch H.-J.Stipp, *Elischa*, siehe B.Lehnart, *Prophet*, 343. Daß es wohl ursprünglich eine Gattung „reiner" Gottesmanngeschichten gab, zeigt sich in 2.Kön 4,38-41.42-44. Die beiden Anekdoten handeln, abgesehen von ihrer Einleitung „Und Elisa kehrte nach Gilgal zurück" (V.38aα*), von einem anonymen Gottesmann. Diese Einleitung aber wurde – wie oben ausgeführt – erst durch den Autor der Nachfolgegeschichten geschaffen. Offensichtlich war es sein Anliegen, den anonymen Gottesmann aus einigen der ihm vorliegenden Wundergeschichten (2.Kön 4,38-41*.42-44) mit seinem Protagonisten Elisa gleichzusetzen, ohne den Gottesmann-Titel zu tilgen. Vermutlich hat die in diesem Fall nachweisbare Tendenz, „Elisa" und „Gottesmann" gleichzusetzen, schon in früheren Traditionsstufen eingesetzt, so daß Erzählungen, in denen beide Bezeichnungen nebeneinander existieren, entstanden (z.B. 4,1-7; 6,1-7). Eine strikte Trennung von Gottesmann- und Elisa-Erzählungen ist in diesem Fall nicht mehr möglich.

schichten in 2.Kön 5; 6,8-23; 13,14ff., fernab des politischen Raumes spielen, sollen sie als „unpolitische Wundergeschichten“ bezeichnet werden.

In den unpolitischen Wundergeschichten geht es – abgesehen von 2.Kön 2,23-24 – um die existentiellen Bedürfnisse und alltäglichen Sorgen vor allem der Armen: Das Wasser der Stadt-Quelle ist verdorben und führt zu Fehlgeburten (2.Kön 2,19), eine Witwe hat Schulden, und ihren Kindern droht die Schuldknechtschaft (4,1-7), die Prophetenjünger bzw. die Leute in der Umgebung des Gottesmannes leiden Hunger (4,38-44), eine geborgte Axt versinkt im Wasser (6,1-7). All diese Nöte sind dem Gottesmann/Elisa bekannt (4,38) oder werden ihm – mit implizitem Hilferuf – vorgetragen (2,19; 4,1.40.43; 6,5). Und der Gottesmann/Elisa befreit die Menschen durch seine Wundermacht aus ihrer bedrückenden Not: Er heilt die Quelle, indem er Salz hineinwirft (2,19-22), er verhilft der Witwe zu Schuldenfreiheit und einer bescheidenen Existenzgrundlage durch die wunderbare Vermehrung ihres Öls (4,1-7), er macht das einzig vorhandene, aber ungenießbare Essen eßbar (4,38-41), sättigt 100 Mann mit einigen geschenkten Broten (4,42-44) und bringt die versunkene Axt zum Schwimmen (6,1-7). Doch der Gottesmann/Elisa ist nicht allein die ausführende Person des Wundergeschehens, die Menschen, denen er hilft, werden von ihm daran beteiligt. Sie müssen selbst in Aktion treten, damit das Wunder geschehen kann bzw. zu seiner Vollendung kommt: Die Männer der Stadt holen – aufgefordert von Elisa – das Salz herbei, das für das Wunder benötigt wird (2,20). Die Witwe borgt sich die Gefäße und schüttet das Öl selbst um; auch die endgültige Lösung ihres Problems – den Verkauf des Öls und die Bezahlung der Schuld – wird sie selbst vornehmen, wenn auch auf den Rat des Gottesmannes hin (4,1-7). Die Köche des verdorbenen Essens besorgen selbst das „heilende“ Mehl (4,41), der zunächst zweifelnde Diener teilt das Brot aus (4,43f.), und der Prophetenjünger, der die Axt verloren hat, holt sie nach ihrem Auftauchen selbst aus dem Wasser (6,7). Auf diese Weise treten die Hilfesuchenden aus ihrer hilflosen Position heraus. Indem sie zu Mitwirkenden an dem Wunder werden, das ihnen widerfährt, erlangen sie ihre „Würde“ als Menschen zurück: Sie sind selbst an der Gestaltung ihres Schicksals beteiligt.

Die „unpolitischen Wundergeschichten“ stimmen also in ihren Grundelementen – Schilderung der Notsituation, mit der der Gottesmann/Elisa konfrontiert wird, und der wunderbaren Hilfe durch den Gottesmann/Elisa bei Beteiligung der Notleidenden – sowie in ihrer Thematik – der Gottesmann befreit die „kleinen Leute“ aus ihrer Not – miteinander überein. Auch in ihrer Ausgestaltung gleichen sich die Geschichten: Die Situation wird äußerst knapp geschildert und in keiner Weise ausgemalt.[326] Es wird erwartet, daß der Leser/Hörer sich auch ohne Erklärungen in die jeweilige Situation hinein versetzten, daß er die Lage der Witwe, den Verlust des Beils, das verdorbene Essen in der Zeit des Hungers in ihrer Tragweite einordnen kann, daß er die Bedrückung der Menschen spürt – weil er sie vermutlich selbst schon so oder ähnlich erfahren hat. Da die Personen, von denen erzählt wird, nur Stellvertreter für so viele andere, für die Leser/Hörer selbst sind, treten diese in den Geschichten lediglich in ihrer Funktion als Hilfesuchende auf. Ihnen werden keine bestimmten Charaktermerkmale zugewiesen, sie tragen auch keine Namen – was zählt, sind nicht die konkreten Umstände, sondern allein die rettende Tat des Gottesmannes/Elisas. Damit wäre der „Sitz im Leben“ der „unpolitischen Wundergeschichten“ bestimmt: Es sind die Geschichten der „kleinen Leute“

[326] Vgl. A.Rofé, *Stories*, 13ff.

im Volk[327] bzw. der Prophetenjünger, die sich in den geschilderten Notsituationen wiederfinden und die, wie die Hilfesuchenden in den Geschichten, ihre Hoffnung auf den Gottesmann/Elisa setzen, der Leuten wie ihnen hilft.

Über diese allgemeinen Merkmale hinaus existieren noch weitere, motivliche und sprachliche Übereinstimmungen zwischen den Wundergeschichten, die darauf schließen lassen, daß diese ab einem gewissen Zeitpunkt gemeinsam, das heißt in einer Art Sammlung bzw. in den gleichen Tradentenkreisen, überliefert wurden:

- In 2.Kön 4,1.40; 6,5 wird die Anrufung des Gottesmannes/Elisas aus der Not heraus durch צעק ausgedrückt, der Inhalt der Rede wird anschließend nach einer Form von אמר wiedergegeben. Eine derartige Verbindung der Wurzeln צעק und אמר zur Redeeinleitung findet sich in der hebräischen Bibel sonst nur in Ex 5,8.15; 17,4; Nu 12,13; 1.Kön 20,39; 2.Kön 6,26 (vgl. noch Gen 27,34).
- Die Prophetenjünger zeichnen sich nach 2.Kön 4,38 und 6,1 dadurch aus, daß sie „vor“ Elisa/dem Gottesmann „sitzen“.[328]
- Dreimal, in 2.Kön 2,21; 4,41; 6,6, ist die magische Handlung Elisas/des Gottesmannes mit dem „Hineinwerfen eines Gegenstandes“ verbunden.[329]
- Die beiden Anekdoten 4,38-41 und 4,42-44 sind eng miteinander verknüpft. Zum einen durch das Motiv des Hunger-Leidens und Hunger-Stillens, zum anderen durch die bereits oben thematisierten sprachlichen Übereinstimmungen zwischen dem Auftrag des Gottesmannes in 4,41 (צק לעם ויאכלו) mit seiner Anweisung zur Verteilung der Brote in 4,42 und 4,43 (תן לעם ויאכלו).[330]

Vor allem in den Prophetenjüngern, in deren Milieu drei der Wundergeschichten spielen, werden wohl die Tradenten der kurzen Erzählungen über ihren Meister zu sehen sein.[331] Die ersten Erzählungen sind vermutlich schon zu Lebzeiten Elisas entstanden; spätestens aber hat mit seinem Tod[332] die Legendenbildung und Sammlung vorhandener Geschichten und Anekdoten sowie die Übertragung ursprünglich anonymer Erzählungen auf Elisa eingesetzt.

---

[327] Ähnlich auch A.Rofé, *Stories*, 18.

[328] O.Eißfeldt, *Das zweite Buch*, 548-550, interpretiert ישבים לפני im Sinne von „wohnen unter dem Schutze von“. J.A.Montgomery, *Commentary*, 369; G.von Rad, *Theologie II*, 34ff.; R.Rendtorff, *Erwägungen*, 154; K.Baltzer, *Biographie*, 102; E.Würthwein, *Bücher II*, 295.303 (vgl. auch KBL II, 424), deuten ישבים לפני richtiger als „Schüler sein von“ bzw. als „als Schüler vor jemandem sitzen“ (vgl. Ez 8,1; 14,1; 20,1; 33,31; Sach 3,8). Weit über diese Interpretation hinaus geht H.-Chr.Schmitt, *Elisa*, 163ff., wenn er – ausgehend von 1.Sam 19,18-20,1 – zu dem Schluß kommt, daß der Ausdruck sich auf „ekstatische Übungen, die von Elisa geleitet wurden,“ beziehe. Dies ist gewiß eine Überinterpretation und wird in dieser Form von den Texten, die im Milieu der Prophetenjünger spielen, nicht gestützt; ähnlich B.Lehnart, *Prophet*, 425. Ob nun aber ekstatische Züge für die Prophetenjünger überhaupt zu bestreiten sind (so R.Rendtorff, *Art. προφήτης*, 799; B.Lehnart, *Prophet*, 425; C.Westermann, *Art. Propheten*, 1500; R.R.Wilson, *Prophecy*, 141; M.Cogan/H.Tadmor, *II Kings*, 31 Anm. 3), ist unsicher; zumindest 2.Kön 9,11, wo der Prophetenjünger Elisas als „Verrückter“, der „Geschrei“ von sich gibt, bezeichnet wird, gibt einen Hinweis darauf, daß die Prophetenjünger von außerhalb ihrer Kreise stehenden Gruppen durchaus als ekstatisch erlebt werden konnten. Siehe dazu I.Plein, *Erwägungen*, 15f.

[329] Siehe oben S.223.

[330] Siehe S.222f.

[331] So auch A.Rofé, *Stories*, 22.

[332] Zur Datierung des Todes Elisas (um 800) vgl. H.-Chr.Schmitt, *Elisa*, 173f.; A.Rofé, *Stories*, 73.

Die Erzählung von der Sunamitin (2.Kön 4,8-12.16-28.30b.32a.33-34.36-37)[333] fällt aus dem Rahmen der bisher behandelten Wundergeschichten heraus, obwohl es sich ebenfalls um eine Wundergeschichte handelt, die im unpolitischen Raum spielt, und etliche sprachliche und motivliche Gemeinsamkeiten vor allem mit 4,1-7[334] vorliegen. Das Milieu der Erzählung ist nicht – wie in den übrigen Wundergeschichten – das der Prophetenjünger oder der notleidenden Bevölkerung. Hier geht es vielmehr um eine reiche Frau, die Elisa unterstützt, selbst aber keiner Hilfe bedarf. Erst mit dem nicht erbetenen „Geschenk" des Gottesmannes gerät sie in eine Notsituation. Doch auch in der Verzweiflung über den Tod ihres Kindes tritt sie nicht wie die Menschen in den kurzen Wundergeschichten klagend mit ihrer Not an Elisa heran. Statt dessen bringt sie ihre Empörung über das Verhalten des Gottesmannes zum Ausdruck, der ihr trotz ihrer Abwehr das ersehnte Kind schenkt, nur damit es ihr wieder genommen wird. Indem sie ihn für ihre Situation verantwortlich macht, fordert sie seine Hilfe regelrecht ein.

Der Gottesmann,[335] von dem die Erzählung handelt, scheint sich von dem der kurzen Wundergeschichten zu unterscheiden: Er wohnt nicht mit seinen Prophetenjüngern zusammen (2.Kön 4,38; 6,1-7), sein Hauptwohnsitz – wenn er nicht gerade im Land umherzieht (4,8-10) – scheint vielmehr der Karmel zu sein, denn die Sunamitin geht davon aus, ihn dort anzutreffen (V.22.25).[336] Dort „lebt" er allein mit seinem Diener Gehasi, der in den kurzen Wundergeschichten keine Rolle spielt.

Auch in ihrer Form unterscheidet sich 2.Kön 4,8-37* von den oben behandelten Wundergeschichten.[337] Schon allein durch ihre Länge sprengt die Erzählung von der Sunamitin den Rahmen der allesamt kurzen Wundergeschichten. Während dort eine momentane Situation skizziert wird, entfaltet sich in 4,8-37* die Handlung über mehrere Jahre hinweg. Die Erzählung ist temporal und lokal gegliedert, die Exposition ist ausführlich und sehr anschaulich, die Spannung bis zum Höhepunkt – der Erweckung des Knaben – wird sehr geschickt aufgebaut; dies alles hebt die komplexe Erzählung deutlich von den kurzen Wundergeschichten ab. Die Personen treten hier klar hervor, die Beweggründe ihres Handelns werden deutlich gemacht, sie verändern ihr Verhalten im Verlauf der Geschichte. Es wird klar, daß es nicht um

[333] Zur Literarkritik der nicht einheitlichen Erzählung vgl. A.Schmitt, *Totenerweckung in 2 Kön 4,8-37*, 1-25. Nach seiner Analyse wurde die ursprüngliche Erzählung (2.Kön 4,8-12.16-28.30b.32a.33-34.36-37) in einem Schritt um die Verse 13-15.29-30a.31.32b.35 erweitert. W.Thiel, *Jahwe*, 100; B.Lehnart, *Prophet*, 323, folgen A.Schmitt. Ich schließe mich hier ebenfalls A.Schmitt an, allerdings mit der Modifikation, daß ich – aufgrund intentionaler Differenzen zwischen V.13-15 einerseits und V.29-35* andererseits (vgl. S.241ff.) – mit zwei Bearbeitungsschichten rechne: Die erste umfaßt die Verse 29-30a.31.32b.35, die zweite die Verse 13-15; vgl. dazu auch H.-J.Stipp, *Elischa*, 278-298. Anders E.Würthwein, *Bücher II*, 289-294; P.Mommer, *Diener*, 103-106; G.Hentschel, *2 Könige*, 17-21.

[334]
- Sowohl in 2.Kön 4,1-7 als auch in 4,8-37* ist der Mensch, dem Elisa hilft, eine Frau, deren Kind (bzw. Kinder) bedroht ist.
- Diese bezeichnet sich im Gespräch mit Elisa als „deine Sklavin" שפחתך (Vgl. 4,2 mit 4,16).
- In 4,14 wird – wie in 4,2 – gefragt, was man denn für die Frau tun könne.
- In beiden Fällen (4,4; 4,33) findet das Wunder hinter verschlossenen Türen im Haus der Frau statt.

[335] Dieser wird vermutlich schon in der ursprünglichen schriftlichen Form der Erzählung mit Elisa (V.8.17.32) identifiziert. Anders H.-Chr.Schmitt, *Elisa*, 90f.153f., der den Namen Elisa aus der ursprünglichen Erzählung ausscheidet, was zumindest in V.8 rein willkürlich geschieht.

[336] Vgl. H.-Chr.Schmitt, *Elisa*, 154.

[337] Vgl. dazu A.Rofé, *Stories*, 27-33, der die Erzählung von der Sunamitin als „literary elaboration of legenda" charakterisiert.

irgendeine, sondern um eine ganz bestimmte reiche Frau aus Sunem geht. In den kurzen Wundergeschichten hingegen werden die handelnden Figuren nicht näher charakterisiert – dort geht es ja beispielsweise ganz bewußt „nur“ um „einen von den Prophetenjüngern“, also einen Stellvertreter für andere. Auch Elisa wird in den kurzen Wundergeschichten nicht näher charakterisiert – er tritt als helfender/strafender Gottesmann auf, während er in 4,8-37* „menschliche“ Züge erhält: Er begeht gewissermaßen Fehler – er ist sich zumindest der Folgen seiner Sohnesverheißung nicht bewußt – und kann für diese „Fehler“ auch zur Verantwortung gezogen werden. Darüber hinaus wird deutlich, daß auch ein Gottesmann für materielle Unterstützung und ein Dach über dem Kopf dankbar ist. Weiterhin erzählt 2.Kön 4,8-37* nicht nur von einem Wunder. Hier werden gleich zwei Wunder harmonisch miteinander zu einer Geschichte verbunden: Zunächst erfüllt sich die Sohnesverheißung Elisas, anschließend erweckt er den toten Knaben.[338]

Die aufgeführten Unterschiede zu den kurzen Wundergeschichten machen deutlich, daß diese Erzählung vermutlich nicht aus dem Kreise der Prophetenjünger stammt. Zwar dient auch sie letztlich dem Ruhm des Gottesmannes – am Ende verneigt sich die zuvor so rebellische Frau ehrfürchtig vor dem, der die Toten auferwecken kann (4,37). Der Autor kann aber sehr wohl – anders als die vom Gottesmann abhängigen Prophetenjünger – diesen aus einem gewissen Abstand, ja sogar mit einer leisen Kritik[339] betrachten. Seine Perspektive ist die Perspektive der reichen, den Gottesmann verehrenden und unterstützenden Frau (4,8-10.37), die aber der Unterstützung eigentlich nicht bedarf (4,16; vgl. V.13). Vermutlich ist dies auch das Milieu, aus dem die Erzählung stammt.[340] Ihre kunstvolle Form unterscheidet sie von den „Volksgeschichten“ und legt ebenfalls ihre Verortung in einer – auch theologisch[341] – gebildeteren Schicht nahe. Die Komplexität der Erzählung 2.Kön 4,8-37*, die Übereinstimmungen mit 4,1-7 und der nicht selbständige Erzählanfang (4,8) lassen vermuten, daß diese in einem schriftlichen Stadium der Überlieferung an 4,1-7 angefügt und auf diese Weise in die Sammlung der kurzen Wundergeschichten integriert wurde.[342] Hier wird deutlich, wie eine

[338] So auch A.Rofé, *Stories*, 27. Außerbiblische Parallelen zum magischen Ritual der Auferweckung finden sich zusammengestellt bei B.Becking, *Touch*, 38-47 und ders., *Ritueel*, 12-21.

[339] So auch M.E.Shields, *Man*, 66: „A closer reading of 2 Kgs 4.8-37 reveals that the story as a whole presents a subtle critique of the man of God and his wonder-working, evidenced by the surprising power and role reversals between the woman of Shunem and the man of God.“ Zu der bemerkenswerten, vor allem in der Mitte der Erzählung (V.18-30a) zu spürenden Wandlung der traditionellen Rollen von Gottesmann und Verehrerin und deren Wiederherstellung am Ende der Erzählung, wo der Gottesmann seine Wirkmacht erweist und die Frau sich dankbar und demütig vor ihm zur Erde neigt, vgl. auch B.O.Long, *Figure*, 166-175 und ders., *Shunammite*, 13-19.42.

[340] Vgl. A.Schmitt, *Totenerweckung in 2 Kön 4,8-37*, 23f., der den „Sitz im Leben“ der Erzählung im „aristokratischen“ Milieu verortet.

[341] Vgl. V.27 und V.33, wo Elisa/der Gottesmann ausdrücklich mit Jahwe in Verbindung gebracht wird, ein Element, das in den kurzen Wundergeschichten fast völlig fehlt, und auch die Bezeichnung des Gottesmannes als קדוש „heilig“ in V.9.

[342] Zu den Gemeinsamkeiten mit 2.Kön 4,1-7 siehe oben S.228 Anm. 334. H.-J.Stipp, *Elischa*, 367f., nimmt diese – und die unselbständige Erzähleröffnung – zum Anlaß, eine „Frauensammlung“ zu postulieren, die aus 2.Kön 4,1-7 und der daran angefügten Erzählung 4,8-37* besteht. Der Erzählanfang ist in der Tat analog zu den Eröffnungen der Hauptabschnitte der Erzählung – „Ankunft Elisas und Beginn der eigentlichen Erzählung nach dem orientierenden Vorspann“ (V.11) und „Auftakt zur Verletzung und Tod des Knaben“ (V.18) – durch ויהי היום und Narrativ gekennzeichnet (vgl. die Szeneneröffnungen in 1.Sam 14,1; Hiob 1,6; 2,1). 2.Kön 4,8 ist daher eher als Szeneneröffnung statt als Erzählanfang aufzufassen. Mit dieser Einleitung wird verdeutlicht, daß die Erzählung von der Sunamitin als Fortsetzung der vorhergehenden Episode (4,1-7) verstanden werden soll, was auf eine „Anfügung“ der Erzählung an die bereits vorhandene hinweist (anders

Art „Wundergeschichtensammlung“ entstanden sein könnte: Zunächst bilden sich innerhalb des Tradentenkreises der von ihrem Meister erzählenden „Prophetenjünger“ „Ketten“ verwandter Erzählungen, später lagern sich aus anderen Umfeldern stammende, von gemeinsamen Stichworten/Themen angezogene Wundergeschichten an.

Die „politischen Wundergeschichten“

Ebenfalls als Bestandteil der „Elisa-Biographie“ wurden oben 2.Kön 6,8-15a.18-23[343] und 2.Kön 13,14-21[344] ausgewiesen. Nun bilden aber diese Erzählungen gemeinsam mit 2.Kön 5,1-19a*[345] eine eng miteinander verbundene Gruppe von Erzählungen („politische Wundergeschichten“).[346] Es ist also wahrscheinlich, daß auch 2.Kön 5,1-19a* zur „Elisa-Biographie“ gehörte, worauf im folgenden noch genauer eingegangen wird.

Wie in den „unpolitischen Wundergeschichten“ so steht auch in 2.Kön 5,1-19a*; 6,8-23*; 13,14-21 die magisch wunderhafte Komponente des Wirkens Elisas im Vordergrund: Er ist dazu in der Lage, das Menschenunmögliche zu tun (5,7), und heilt Naeman von seinem Aus-

B.Lehnart, *Prophet*, 322f.). Dennoch kann Stipps These nicht ganz überzeugen, denn sie trägt der engeren Zusammengehörigkeit der im gleichen ärmlich-gruppenprophetischen Milieu spielenden Geschichten 2.Kön 4,1-7.38ff.; 6,1-7 einerseits und den größeren, Gattung und Sitz im Leben betreffenden Unterschieden zwischen 2.Kön 4,8-37* und den kurzen Elisa-Geschichten andererseits nicht Rechnung. Wesentlich wahrscheinlicher ist daher, daß die Erzählung von der Sunamitin mittels gezielter Gestaltung des Anfanges und unter Aufnahme von Stichworten und Motiven in die lockere Sammlung von kurzen Elisa-Geschichten (2,19ff.; 4,1-7.38ff.; 6,1-7) eingepaßt wurde, und zwar nach der Geschichte vom Öl der Witwe, weil hier bereits einige motivliche und sprachliche Anknüpfungspunkte vorlagen.

343 Siehe S.225.

344 Vgl. S.220-222.

345 Ich schließe mich hier der Analyse W.Thiels, *Land*, 71-75, an, der die Grundschicht mit 5,1-4.5*(bis einschließlich וילך).6-15a.17aßb-18.19a bestimmt (vgl. H.Schult, *Naemans*, 2-20). H.-Chr.Schmitt, *Elisa*, 78-80; E.Würthwein, *Bücher II*, 296-303; B.Lehnart, *Prophet*, 325-327 und V.Fritz, *Das zweite Buch*, 27ff., rechnen dagegen mit einem Ende der ursprünglichen Erzählung in V.14. Damit läuft aber die bereits in V.1-14 angelegte (V.2-4.8.12) und in V.15-19a* ausgedeutete „Land-(Israel-)Thematik“ (vgl. W.Thiel, *Land*, 71ff.) ins Leere. Es sei jedoch zugestanden, daß die Verse 15-19a* den Anfang der Erzählung theologisch überbieten (vgl. V.8 mit V.15a), was an ein überlieferungsgeschichtliches „Wachstum“ einer ursprünglich einfacheren Grunderzählung, die jetzt in V.1-14 verarbeitet ist, denken läßt; vgl. G.Hentschel, *Heilung*, 11-19. Weitgehende Einheitlichkeit der Erzählung vertreten auf der anderen Seite R.L.Cohn, *Form*, 171-184; M.Cogan/H.Tadmor, *II Kings*, 66-68; B.O.Long, *2 Kings*, 68; R.D.Moore, *God*, 71-84; H.-J.Stipp, *Elischa*, 315-319; A.Rofé, *Stories*, 126-131; K.A.D.Smelik, *Kapitel*, 29-47. N.C.Baumgart, *Gott*, 209-270, legt eine weit kompliziertere Analyse vor, die mit einer Vielzahl von Schichten (Grunderzählung und 5 Erweiterungen) rechnet, die aber kaum zu verifizieren sind.
Die Gehasi-Episode (V.5*[ab ויקח].15b-17aα.19b-27) dürfte wohl im Zuge der Zusammenstellung der „politischen“ Wundergeschichten mit den „unpolitischen“ Wundergeschichten durch den Autor der Nachfolgeerzählungen hinzugewachsen sein. Denn hier dringen sowohl die Gestalt Gehasis, die originär wohl nur im Umfeld des Gottesmannes auf dem Karmel vertreten war (2.Kön 4,8ff.), als auch die Prophetenjünger in das ihnen fremde Milieu der „politischen“ Wundergeschichten ein. Eventuell sahen die Nachfolger der Prophetenjünger, in deren Umkreis der die Traditionen zusammenfügende Autor der Nachfolgeerzählungen wohl zu suchen ist, ihre Position als einzig wahre Nachfolger Elisas durch die in 2.Kön 4,8ff. auftretende Person Gehasis gefährdet (vgl. 5,22, wo sich Gehasi auf Kosten der Prophetenjünger zu bereichern sucht) und schufen aus diesem Grund die Episode über den lügnerischen und habgierigen Gehasi, von dem sich Elisa und die Prophetenjünger in ihrer Armut wohltuend absetzen.

346 Auf die enge, ja literarische Zusammengehörigkeit von 2.Kön 5 und 2.Kön 6,8-23 hat bereits H.-J.Stipp, *Elischa*, 368-370, aufmerksam gemacht, ohne jedoch einen Zusammenhang mit 13,14ff. zu erwägen. Siehe dazu die weiteren Ausführungen.

satz (5,1-19a*)[347]; er führt ein ganzes Heer von Aramäern nach Samaria in die „Höhle des Löwen" (6,8-23) und verhilft schließlich dem König von Israel durch eine magische Handlung in Vorwegnahme zum Sieg über die Aramäer (13,14-19). Selbst nach seinem Tod haben seine Gebeine noch Wundermacht – die Berührung mit ihnen erweckt einen Toten zum Leben (13,20f.). Auch diese Erzählungen sind Wundergeschichten, die dem Ruhme Elisas dienen.

Allerdings unterscheidet sich das Milieu der „politischen Wundergeschichten" von dem der „unpolitischen Wundergeschichten". Elisa wirkt hier nicht als Helfer der Prophetenjünger und der „kleinen Leute", die sich in ihrer Not an ihn wenden, sein Handlungsfeld ist vielmehr die Umgebung des Königs: Ihm hilft er in der Aramäernot (6,8-23*; 13,14-19), über den König verläuft auch sein Kontakt mit Naeman, der ebenfalls nicht als notleidender Armer, sondern als mächtiger Kriegsherr gezeichnet wird. Die politischen Wundergeschichten betonen das gute Verhältnis zwischen dem Propheten und dem König von Israel. Die „Führungsrolle" innerhalb dieses Verhältnisses liegt deutlich beim Propheten, der den König väterlich ermahnt (5,8a), ihm Ratschläge erteilt (5,8b; 6,8-12.21f.) und über dessen Tod der König zutiefst verzweifelt (13,14). Anders als in den „unpolitischen Wundergeschichten", wo der Titel „Prophet" nicht verwandt wird, wird Elisa hier als „der Prophet in Israel" (2.Kön 5,8; 6,12; vgl. 5,3) charakterisiert. Nach 2.Kön 5,1-19a* und 13,14-19 scheint Elisa ein Haus in oder bei der Hauptstadt Samaria zu bewohnen.[348] Diese Milieubeschreibung enträt der Annahme, auch die politischen Wundergeschichten seien im Kreise der Prophetenjünger entstanden.[349] Ihre Entstehung ist eher im königsnahen, städtischen Umkreis anzusiedeln. Wegen der Tendenz, das Primat des Propheten gegenüber dem König zu betonen, ist – vor allem für 2.Kön 5,1-19a* – wohl an eine Entstehung in prophetischen Kreisen in der Umgebung des Königs zu denken.

Den politischen Wundergeschichten – abgesehen von 13,20f.[350] – gemeinsam ist ihr zeitgeschichtlicher Hintergrund, die Auseinandersetzung Israels mit den Aramäern. Dies rückt sie aber nicht – wie bereits oben ausgeführt – in die Nähe der Kriegserzählungen, denn die gravierenden Unterschiede in der Einschätzung der Aramäerkriege, der Beurteilung des Verhältnisses von Prophet und König und dem zugrundeliegenden Prophetenbild, die zwischen den „politischen Wundergeschichten" und den Kriegserzählungen bestehen, überwiegen die rein äußerliche thematische Übereinstimmung bei weitem.[351]

---

[347] Zu Parallelen aus der Umwelt Israels, die ebenfalls von Konsultationen hoher Würdenträger bei Heilern und Wundertätern im Ausland berichten, vgl. H.-Chr.Schmitt, *Elisa*, 173 und N.C.Baumgart, *Gott*, 243.

[348] Vgl. 2.Kön 6,32!

[349] Anders B.Lehnart, *Prophet*, 366f.; vgl. auch E.Würthwein, *Bücher II*, 368.

[350] Die volksnahe Anekdote 2.Kön 13,20f. ist im Laufe der Überlieferung an 13,14-17 angefügt worden und bildet jetzt mit dieser Erzählung eine literarische Einheit (vgl. V.20 mit V.14). Die Anfügung ergab sich zunächst wohl aus der durch das Sterben bzw. den Tod Elisas vorgegebenen Reihenfolge der Geschichten, darüber hinaus führten sicher auch thematische und terminologische Anknüpfungspunkte zum Anwachsen der von 2.Kön 5,1-19a*; 6,8-23*; 13,14-17 gebildeten Sammlung: Auch in 2.Kön 13,20f. ist der Hintergrund der Handlung eine Bedrohung Israels – allerdings durch die Moabiter. Außerdem taucht auch in 2.Kön 13,20f. das in 2.Kön 5,2; 6,23 verwandte Stichwort „Streifscharen" wieder auf. Anders H.-Chr.Schmitt, *Elisa*, 80-82, der zu Unrecht einen über die Tatsache, daß beide Erzählungen vom Tod Elisas berichten, hinausgehenden Zusammenhang bestreitet. Zur Auseinandersetzung mit Schmitt siehe auch H.-J.Stipp, *Elischa*, 360 Anm. 6.

[351] Siehe auch S.202 mit Anm. 239f.

Die aufgeführten Gemeinsamkeiten[352] der Erzählungen – die gute, väterliche Beziehung Elisas zum König von Israel (5,8; 6,21; 13,14), die in allen Texten thematisierte Auseinandersetzungen Israels mit Aram, die das Verhältnis Israel-Aram zwar als gespannt, aber nicht allzu feindlich erscheinen lassen (5,1-3.7; 6,8ff.; 13,17) sowie die Bezeichnung Elisa als „der Prophet in Israel/Samaria" (5,3.8.13; 6,12) – lassen auf eine enge Zusammengehörigkeit der „politischen Wundergeschichten" schließen.

Betrachtet man die Erzählungen im Zusammenhang, ergibt sich folgendes Bild: Nach 2.Kön 5,1 hat Jahwe den Aramäern durch Naeman den Sieg (תשועה) über Israel geschenkt, am Ende aber steht der mit Elisas Hilfe erreichte Sieg Israels über Aram (13,17: חץ־תשועה ליהוה וחץ תשועה בארם). Über den anfänglichen Sieg Arams hinaus dringen anscheinend ständig Streifscharen der Aramäer in israelitisches Gebiet ein, um dort zu plündern und zu rauben (5,2: וארם יצאו גדודים; vgl. 6,8f.) – diese Raubzüge finden nach dem großmütigen Handeln des Königs von Israel, zu dem ihm Elisa geraten hatte, ein Ende (6,23: ולא־יספו עוד גדודי ארם לבוא בארץ ישראל). Sowohl 2.Kön 6,8-23 als auch 2.Kön 13,14-19 sind mit 2.Kön 5 derart verbunden, daß sich ein symmetrischer Aufbau des Gesamtzusammenhanges ergibt:

2.Kön 5,1:	Jahwe schenkt Aram den Sieg über Israel.
2.Kön 5,2:	Die Streifscharen Arams dringen ins Land ein.
2.Kön 6,23:	Die Streifscharen Arams dringen nicht mehr ins Land ein.
2.Kön 13,17:	Elisa schießt einen Siegespfeil für Jahwe/Israel ab, der Sieg gehört Israel.

Da die Verbindungen über 2.Kön 5,1-19a* laufen, die Erzählung von der Heilung Naemans sich zudem durch einen gegenüber 2.Kön 6,8-23* bzw. 13.14ff. höheren theologischen Reflexionsgrad auszeichnet und daher sicherlich jünger als diese ist, geht die Zusammenstellung der Geschichten zu einer Sammlung, die 2.Kön 5,1-19a*; 6,8-23*; 13,14-19(.20f.) umfaßt, wohl auf den Autor von 2.Kön 5,1-19a* zurück. Dieser wirkte – wegen der sich in V.15a. 17aßb ausdrückenden monotheistischen Tendenz[353] – relativ spät, jedoch noch vor der deuteronomischen Reform, da V.17aßb die Vorstellung, daß die Verehrung Jahwes durch Schlacht- und Brandopfer ausschließlich in Jerusalem möglich sei, nicht kennt.[354] Die Bin-

352 Weitere gemeinsame Stichworte sind שבה „gefangen wegführen" in 2.Kön 5,2 und 6,22 sowie ארץ ישראל in 5,2.4 und 6,23, die beide nur an den aufgeführten Stellen innerhalb der Elia- und Elisaüberlieferung vorkommen.

353 Wegen der Begrenzung von Jahwes Gottsein durch seine Bindung an das Land Israel ist hier noch nicht von Monotheismus im strengen Sinne zu sprechen, wohl aber von einer monotheistischen Tendenz (so W.Thiel, *Land*, 75) bzw. Haltung (H.-Chr.Schmitt, *Elisa*, 79; N.C.Baumgart, *Gott*, 247-250; vgl. G.Hentschel, *Heilung*, 15-17). Anders M.Rehm, *Das zweite Buch*, 64; A.Rofé, *Stories*, 127f.; H.Schult, *Naemans*, 9-12; M.Sekine, *Beobachtungen*, 52; E.Würthwein, *Bücher II*, 302, die hier bereits einen Monotheismus im strengen Sinne vorliegen sehen.

354 So auch M.Rehm, *Das zweite Buch*, 65; W.Thiel, *Land*, 75; N.C.Baumgart, *Gott*, 264; G.Hentschel, *2 Könige*, 23; ders., *Heilung*, 17. Anders E.Würthwein, *Bücher II*, 301, der hier an Probleme von Jahweverehrern im Ausland, wie sie auch durch die Exilierung auftraten, denkt; ähnlich H.Schult, *Naemans*, 13f. Zur außerisraelitischen Jahweverehrung in Elephantine, auf dem Garizim und Leontopolis, wo nach 622 Jahwealtäre errichtet wurden, und den biblisch bezeugten Jahweopfern außerhalb Jerusaelms (Jes 19,19-24; Jon 1,16; Mal 1,11) vgl. aber N.C.Baumgart, *Gott*, 263f. Außerdem entstanden in der Exilszeit die potentiellen Schwierigkeiten von Jahweverehrern, ihrem Gott im Ausland angemessen zu dienen, ja nicht wegen dessen Anwesenheit nur in Israel, sondern wegen der deuteronomischen/deuteronomistischen Gesetze, die Schlacht- und

dung Jahwes an das „Land Israel“ (V.15a.17aßb) deutet auf eine Entstehung des Textes noch im Nordreich (vor 722) hin. Dabei ist wohl an die frühe Hosea-Zeit (um 750), die Zeit des aufkeimenden Monotheismus, zu denken.[355]

Die Verbindungslinien zwischen den drei Erzählungen müssen bereits vor der Erstellung der „Elisa-Biographie“ durch den Autor der Nachfolgeerzählungen bestanden haben, denn sonst wäre die heutige Stellung von 2.Kön 5 und damit die Abtrennung der Erzählung von 2.Kön 6,8ff. nicht zu erklären: Wäre die Erzählung von der Heilung Naemans (5,1-19a*) erst nachträglich in die „Elisa-Biographie“ eingefügt worden, dann hätte sie, wegen ihrer Beziehung zu 2.Kön 6,8ff. und 2.Kön 13,14ff., unmittelbar vor diesen Erzählungen zu stehen kommen müssen. Wenn aber der Autor der Nachfolgeerzählungen die enge Verbindung der drei Erzählungen bereits vorfand, dann erklärt sich die Stellung von 2.Kön 5 wie folgt: In seinem Bemühen, die politischen und die unpolitischen Wundergeschichten enger zu verbinden,[356] ordnete er die beiden ersten politischen Wundergeschichten vor bzw. nach der letzten unpolitischen Wundergeschichte (6,1-7) an und „verzahnte“ so die beiden ihm vorgegebenen Sammlungen.

„Die Thronusurpation Hasaels“ (2.Kön 8,7-15)

Wegen des gemeinsamen Themas „Elisa und die Aramäer“ könnte erwogen werden, ob nicht auch 2.Kön 8,7-15 zu der oben beschriebenen Sammlung „politischer Wundergeschichten“ gehört hat.[357] Ein wesentliches Argument gegen eine Zugehörigkeit ist, daß diese Erzählung insofern nicht in das oben beschriebene Schema der „politischen Wundergeschichten“ paßt, als sie nicht als eine Erzählung zum Ruhme Elisas als Wundertäter und Helfer in den Aramäerkriegen aufzufassen ist. Denn die Rolle Elisas ist hier äußerst zwielichtig: Er wird zwar zunächst als Gottesmann geschildert, den man in Situationen der Krankheit befragen kann; tatsächlich aber beschwört er durch sein Verhalten (Auftrag zur falschen Botschaft [V.10] und Mitteilung der Vision an Hasael [V.12.13b]) die für Israel verhängnisvolle Thronusurpation Hasaels herauf (V.11f.), und der Wunsch Ben-Hadads, den Gottesmann zu befragen, führt letztlich zu seinem Tod. Auch die Art der dem Gottesmann zugeschriebenen Wirksamkeit deckt sich weder mit der in den „unpolitischen“ noch mit der in den „politischen“ Wundergeschichten beschriebenen: Während Elisa dort mit magischen Fähigkeiten ausgestattet ist und aktiv Wunder wirkt, so beschränkt sich hier seine Tätigkeit auf das Orakelgeben. Besonders deutlich wird dieser Unterschied im Vergleich mit 2.Kön 5, wo der erkrankte Naeman

---

Brandopfer nur in Jerusalem erlauben; in 2.Kön 5 dagegen geht es um einen territorial „begrenzten“ Gott, dessen außerisraelitische Verehrung aufgrund seiner Gebundenheit an das Land Probleme bereitet.

[355] Vgl. 2.Kön 5,15a mit Hos 13,4! A.Rofé, *Stories*, 131, datiert die Erzählung in das Ende des 8./den Beginn des 7.Jahrhunderts, weil in ihr – mit dem kultischen Problem Naemans – die kultischen Probleme der nach Assur verschleppten Israeliten thematisiert würden.

[356] Zur integrativen Intention des Autors der Nachfolgeerzählungen siehe oben S.223-225.

[357] 2.Kön 8,7-15 teilt mit 2.Kön 5 (vgl. auch 2.Kön 6,8ff.) außerdem die Vorstellung, daß Elisa den Aramäern gegenüber grundsätzlich freundlich eingestellt war. So sieht z.B. B.Lehnart, *Prophet*, 333f., keine Schwierigkeiten hinsichtlich der Vergleichbarkeit von 2.Kön 8,7-15 mit 2.Kön 5; 6,8-32; 13,14-19 und der Zugehörigkeit zu einer „Elisa-Komposition“. Die „Sonderstellung“ von 2.Kön 8,7-15 im Zyklus der Elisa-Erzählungen betont hingegen E.Ruprecht, *Entstehung*, 73f.

nicht wie Ben-Hadad zu wissen begehrt, ob er genesen wird,[358] sondern sich die Heilung von Elisa erhofft (5,3.6f.) und sie auch erfährt (V.14).[359]

Aber auch die Aufnahme als ursprüngliche Einzelerzählung durch den Autor der Nachfolgeerzählungen in die „Elisa-Biographie" ist recht unwahrscheinlich: Elisa wirkt ja hier gerade nicht als „Wagen Israels und seine Gespanne", sondern trägt aktiv zu Israels Verderbnis bei. Damit aber fällt die Erzählung ganz aus dem vom Autor der Nachfolgeerzählungen gebildeten Rahmen heraus, denn dieser betont gerade die Israel unterstützende, wundertätige Rolle Elisas.

Man könnte natürlich damit rechnen, daß 2.Kön 8,7-15 nach Abschluß der „Elisa-Biographie" von dieser „angezogen" und in sie eingefügt wurde, wofür sich allerdings kein Anhalt findet. Wahrscheinlicher ist die Annahme, daß die Erzählung vom Autor von 1.Kön 19,1-18, der in V.15-18 auf den Aufstieg und die Bedeutung Hasaels für Israel Bezug nimmt,[360] gemeinsam mit der „Elisa-Biographie" in das um die Kriegserzählungen erweiterte DtrG eingefügt wurde. Weil dieser Elisa und seinen Auftrag, nach Damaskus zu gehen (19,15), im Blick hatte, schuf er die neue Einleitung (2.Kön 8,7aα); man vergleiche ויבא אלישע דמשק (2.Kön 8,7aα) mit ... דמשק ובאת ומשחת את־חזאל ... in 1.Kön 19,15. Diese wäre sonst nach 2.Kön 6,24-7,16[361] nicht nötig gewesen, denn die ursprüngliche Erzählung beginnt mit ובן־הדד מלך־ארם (2.Kön 8,7aß), was gut zu einer Abfolge zweier Geschichten über Ben-Hadad passen würde (vgl. 2.Kön 6,24: ויהי אחרי־כן ויקבץ בן־הדד מלך־ארם).

„Elisas große Taten" (2.Kön 8,1-6)

Von den Elisa-Erzählungen verbleibt jetzt nur noch 2.Kön 8,1-6, eine Erzählung, die sich weder in das Schema der kurzen unpolitischen Wundergeschichten, noch in das der politischen Wundergeschichten einordnen läßt. Ja es handelt sich im eigentlichen Sinne noch nicht einmal um eine Wundergeschichte, sondern um eine Art „Meta-Geschichte", daß heißt eine Erzählung über das Erzählen von Wundergeschichten.[362] Weil Gehasi dem König von den großen Taten Elisas berichtet und weil die den König anrufende Frau gerade die Frau ist, von der die Erzählung Gehasis handelt, ist der König sofort zur Hilfe bereit. Das Erzählen der Geschichten von Elisa führt also zu gnädigem und großmütigem Verhalten. Insofern würde die Erzählung sich gut als Abschluß einer Sammlung von Elisa-Erzählungen eignen.[363] Wenn 2.Kön 8,1-6 aber Bestandteil und Abschluß der „Elisa-Biographie" gewesen wäre, dann hätte sie nach den Erzählungen von Elisas Tod (13,14ff.) zu stehen kommen müssen.[364] Unter

---

[358] vgl. 2.Kön 1,2ff.!

[359] Ein weiterer Unterschied zu 2.Kön 5 besteht darin, daß nach der Vorstellung von 2.Kön 5 (und 2.Kön 13) die um Hilfe Bittenden zu Elisa kommen, während in 2.Kön 8,7ff. Elisa von sich aus nach Damaskus zieht.

[360] Siehe S.190f.

[361] Zur noch späteren Erweiterung des DtrG um 2.Kön 8,1-6 siehe S.242-254.

[362] Nach H.-Chr.Schmitt, *Elisa*, 73f., soll durch die Betonung des Interesses des Königs an der Elisa-Überlieferung deren Bedeutung besonders herausgestellt werden.

[363] So H.-Chr.Schmitt, *Elisa*, 73f.

[364] Anders B.Lehnart, *Prophet*, 332f., der den Abschlußcharakter der Erzählung mit der Begründung bestreitet, daß diese den Tod Elisas nicht zur Voraussetzung habe. Dem ist wohl zuzustimmen, doch ergibt sich der zusammenfassende und abschließende Charakter der Erzählung nicht daraus, daß Elisa möglicherweise schon tot ist, als Gehasi dem König von seinen großen Taten erzählt, sondern vor allem aus der von ihr eingenommenen Meta-Ebene, von der aus sie über die Wundergeschichten, aber nicht über die Wunder selbst handelt.

dieser Voraussetzung ist aber die heutige Stellung in den Königsbüchern, vor der Erzählung von der Thronusurpation Hasaels und weit vor den Erzählungen von Elisas letzten Taten, nicht zu erklären. Somit gehe ich davon aus, daß 2.Kön 8,1-6 nicht Bestandteil der „Elisa-Biographie“ war und auch nicht mit dieser in das DtrG eingefügt wurde. Im folgenden soll vielmehr aufgezeigt werden,[365] daß die Erzählung von Elisas großen Taten erst nach der Eintragung der „Elisa-Biographie“ in das DtrG in dieses integriert wurde und daß die Plazierung der Erzählung im Rahmen einer Theorie, die eben diese nachträgliche Einfügung annimmt, schlüssig erklärt werden kann.

2.4.3 Die Erstellung der „Biographie“

Der Autor der Nachfolgeerzählungen, der wohl den Nachfahren der Prophetenjünger um Elisa zuzurechnen ist,[366] fand nach dem oben Ausgeführten zwei aus unterschiedlichen Tradentenkreisen stammende „Sammlungen“ vor: Die fest miteinander verbundenen „politischen Wundergeschichten“ (2.Kön 5,1-4.5*.6-15a.17aßb-18.19a; 6,8-15a.18-23; 13,14-17.[18f.]20-21) aus dem höfisch-prophetischen Milieu und ein relativ loses Konglomerat unpolitischer Wundergeschichten (2.Kön 2,19-22.23b-24; 4,1-7.[8-12.16-28.30b.32a.33-34.36-37.]38-41*.42-44; 6,1-7), die von den Prophetenjüngern überliefert wurden. Er fügte die ihm vorliegenden Sammlungen zu einer prophetischen „Biographie“ Elisas zusammen, indem er die zwei ersten Wundergeschichten (2,19-22.23b-24) unter Auslassung des ursprünglichen Anfangs von 2.Kön 2,19-22 direkt an die selbst formulierten Nachfolgegeschichten (1.Kön 19,19-21; 2.Kön 2,1-15) anschloß (+ 2,23a) und die anderen unpolitischen Wundergeschichten assoziativ angeordnet und durch die neu geschaffenen Wanderungsnotizen 2.Kön 2,25a; 4,38aα* mit 2.Kön 2,1-24* verbunden folgen ließ. Diese wiederum verknüpfte er mit den politischen Wundergeschichten, indem er die Großeinheit 2.Kön 5,1-19a*; 6,8-23* auftrennte und mit der letzten unpolitischen Wundergeschichte (6,1-7) verzahnte. Durch die Einführung Gehasis aus der unpolitischen Wundergeschichte 2.Kön 4,8-37* in die im politischen Milieu angesiedelte Erzählung von der Heilung Naemans (+ 2.Kön 5,5b* (ab ויקח).15b-17aα.19b-27) werden beide Arten von Wundergeschichten aneinander angeglichen. Zusätzlich verbindet die Einführung des Feuerwagen-Motivs in 2.Kön 6,8-23* (+ 6,15b-17) die politischen Wundergeschichten mit den Nachfolgegeschichten: Auch das Wirken Elisas im militärisch-politischen Bereich gründet sich letztlich – wie seine Wunder in der natürlichen Lebenswelt der Menschen (vgl. nur 2.Kön 2,13f.19-22) – in der Wirkmacht des zum Himmel aufgefahrenen Elia (2.Kön 2,11f.)!

Der Umfang der „Elisa-Biographie“ beläuft sich nach der obigen Betrachtung auf 1.Kön 19,19-21; 2.Kön 2,1-15.19-25a.; 4,1-6,23*; 13,14-21. Für die Einfügung eines zuvor gesondert überlieferten Komplexes diesen Umfanges sprechen auch die literarischen Erscheinungen an den „Rändern“ der in das DtrG eingefügten „Biographie“: Zum einen die schon erwähnte Stellung von 2.Kön 2 und 13,14ff. außerhalb des Königsrahmens, zum andern die

---

365 Vgl. S.238ff.

366 So auch B.Lehnart, *Prophet*, 367f. 2.Kön 2,1-15 stellt die Bedeutung der Prophetenjünger heraus: Sie können – anders als in 2.Kön 4,1-7; 4,38ff; 6,1-7 – die Zukunft vorhersehen und erben wohl – so kann man jedenfalls aus der Darstellung schließen – das restliche Drittel von Elias Geist; vgl. A.Rofé, *Stories*, 45.

zwischen 2.Kön 2,25a und 2,25b vorliegende literarische Naht,[367] die darauf hinweist, daß nach V.25a[368] die „Biographie" aufgetrennt und mit V.25b eine Überleitung zur sich bereits im DtrG befindlichen Kriegsgeschichte (2.Kön 3,4ff.)[369] geschaffen wurde. Weiterhin existiert am Ende des Einschubes des „mittleren Blocks" von Elisa-Erzählungen (4,1-6,23*) ein eklatanter Widerspruch zur nachfolgenden, zuvor in das DtrG eingefügten Kriegserzählung 6,24-7,16*: Denn nach 2.Kön 6,23 drangen die „Streifscharen der Aramäer" aufgrund der Milde, mit der der König von Israel gegen diese verfuhr, „nicht mehr in das Land Israel ein", in 2.Kön 6,24 wird aber von einem massiven Aufmarsch der Aramäer gegen Samaria berichtet. Dieser Widerspruch wurde anscheinend in Kauf genommen, um die einzufügende Sammlung nicht weiter auseinander reißen zu müssen. Obwohl die Elisageschichten in 2.Kön 4,1-6,23* verschiedenen Genres angehören, ist es also auch von diesem Gesichtspunkt her sehr wahrscheinlich, daß diese – als Teil der postulierten „Biographie" – gemeinsam eingefügt wurden.

Die Entstehung der Nachfolgegeschichten und damit die Erstellung der „Elisa-Biographie" ist wohl relativ spät in der Geschichte des Nordreiches anzusetzen.[370] Zum einen setzt die Entstehung der oben beschriebenen Teilsammlungen der politischen und unpolitischen Wundergeschichten einen längeren Traditionsprozeß voraus.[371] Zum anderen waren die Tradenten der Elisaüberlieferung[372] wohl nicht zu bald nach Elisas Tod dem Problem der Legtimation ihres „Meisters" und damit ihrer selbst ausgesetzt, denn der Ruhm Elisas hielt, wie die Entstehung und Sammlung der Wundergeschichten nach seinem Tod zeigen, längere Zeit ungebrochen an.[373] Zudem setzt die Legitimation Elisas durch den Entwurf einer Sukzession Elia – Elisa sowie die Parallelisierung der beiden Propheten ein Verblassen der Erinnerung an die grundlegende Verschiedenheit der Propheten bzw. des Phänomens der Einzel- und Gruppenprophetie voraus. Ebenfalls vorausgesetzt wird eine allgemeine Höherschätzung Elias,[374] denn sonst würden Sukzessionsentwurf und Parallelisierung ja keinen Prestigegewinn für Elisa und seine Nachfolger erwirken.

---

[367] Siehe dazu S.218 Anm. 282 und S.224 mit Anm. 318.

[368] V.25a verbindet die in Jericho und auf dem Weg nach Bethel spielenden Episoden 2,19-22.23-24 mit der Wundergeschichte 2.Kön 4,8-37*, die von einem Gottesmann auf dem Karmel handelt. Siehe oben S.224.

[369] Mit seinem Marsch nach Samaria begibt sich Elisa zum Ausgangspunkt des Feldzuges der drei Könige (2.Kön 3,4ff.), an welchem er in Form einer Prophetenbefragung beteiligt ist. Anders E.Würthwein, *Bücher II*, 278, der in V.25b eine Verbindung zu 5,3 sieht.

[370] Vgl. auch A.Rofé, *Stories*, 41-48; anders A.Schmitt, *Entrückung*, 132f., der 2.Kön 2 mit der gesamten Elisa-Überlieferung ins 9.Jh. datiert.

[371] Die Entstehung von 2.Kön 5,1-19a* – und damit der Sammlung der politischen Wundergeschichten – ist oben S.232f. bereits in die Zeit um 750 datiert worden.

[372] Dabei sind neben den Prophetenjüngern (vgl. B.Lehnart, *Prophet*, 364-368 und die a.a.O. 364 Anm. 1 angegebene Literatur) auch die höfisch-prophetischen (bzw. volkstümlichen; vgl. 2.Kön 13,20f.) Kreise, die sich um den Kriegshelfer und Wundertäter Elisa sammelten, zu berücksichtigen, siehe S.231. Im Stadium der Erstellung der „Elisa-Biographie" durch den Autor der Nachfolgeerzählungen scheint jedoch die Überlieferung in den Händen der Nachfolger der Prophetenjünger zusammenzufließen.

[373] Vgl. H.-Chr.Schmitt, *Elisa*, 110: Die „'Selbstevidenz' des Nabitums", das sich durch die Wundertaten des Gottesmannes/Elisas legitimierte, ist hier verlorengegangen „und durch den Rückbezug auf den sein Amt weitergebenden Elia" ersetzt worden.

[374] Zur herausragenden Hochschätzung des aus dem Leben heraus entrückten Elia vgl. nur S.Beyerle, *Erwägungen*, 55-71; J.Bonnet, *Prophète*, 122-127; K.Grünwaldt, *Ver-Wandlungen*, 43-54; U.Kellermann, *Elia*, 35-53; ders., *Elia Redivivus*, 72-84; H.Löhr, *Bemerkungen*, 85-95; J.Louvet, *L'enlèvement*, 37-40.57-59; G.Molin, *Elijahu*, 65-94; D.Reitenberger-Hamidi, *Prophet*, 96-101; D.Wanke, *Vorläufer*, 102-114; D.Zeller, *Elija*, 154-160.

Eine Datierung der Nachfolgeerzählungen nach dem Untergang des Nordreiches (722)[375] empfiehlt sich dagegen nicht. 2.Kön 2,1-15 scheint mit ihren genauen Vorstellungen über die Verhältnisse der Gruppen von Prophetenjüngern an den Orten Gilgal, Bethel und Jericho fest im Nordreich verankert zu sein; die Legitimationsabsicht der Erzählung scheint auf eben diese – durch ihre Herkunftsorte charakterisierte – Gruppen zu zielen. Ein gewisser Legitimationsdruck[376] für die mit Elisa verbundenen Prophetenjünger ergab sich möglicherweise aus der Kritik Hoseas an der Jehu-Revolution (Hos 1,4),[377] in die Elisa und die Prophetenjünger nach Aussage von 2.Kön 9,1-14 verwickelt waren. Auch die Ansiedlung der Prophetenjünger an oder bei den Kultorten Bethel und Gilgal, was auf eine wie auch immer geartete Beziehung der Prophetenjünger zu den lokalen Kulten schließen läßt,[378] setzte sie eventuell hoseanischer Kritik (Hos 4,15; 10,5; 12,12; vgl. auch Am 4,4ff.; 5,5f.) aus. Einer Datierung der „Elisa-Biographie" noch in die Zeit Hoseas (750-724) kommt somit zumindest einige Wahrscheinlichkeit zu. Auch unter einem etwas ausgeweiteten Blickwinkel fügt sich die Erstellung der „Elisa-Biographie" gut in die Zeitgeschichte der letzten 25 Jahre des Nordreichs ein: Wenn die Vereinnahmung Elisas und seiner Prophetenjünger von der Jehu-Dynastie[379] diese schon zu Zeiten der Jehu-Könige in frommen Kreisen in ein etwas anrüchiges Licht setzte, so sahen sich die Prophetengruppen um Elisa mit dem Untergang der Jehu-Dynastie sicherlich zusehends ins gesellschaftliche Abseits gedrängt (vgl. 2.Kön 4,1-7.38-41; 6,1-7). Im Ringen um neue Akzeptanz schufen sie mit der „Elisa-Biographie" und dem Verweis auf die vielgestaltige, lebensspendende Wirksamkeit des Propheten einen eindrucksvollen Gegenentwurf zum eindimensionalen, blutbefleckten Elisa-Bild, das ihren Zeitgenossen durch die Erzählung von der Jehu-Revolution vermittelt worden war.

---

[375] So H.-Chr.Schmitt, *Elisa*, 109-119, der die Entstehung von 1.Kön 19,19-21; 2.Kön 2,1-15 im Südreich wie folgt begründet: 1. Die Entrückungsvorstellung von 2.Kön 2,1-15 sei sonst nur noch in Gen 5,24 (P) zu finden, eine Stelle die ebenfalls spät zu datieren sei. 2. Zur Vorstellung von himmlischen Wagen und Rossen finde sich eine Parallele allein im nachexilischen Sacharjabuch (Sach 6,1-8). 3. Die Geistvorstellung von 2.Kön 2,1-15 habe ihre engste Parallele in Num 11,25f., einem ebenfalls späten Text. 4. Die Vorstellung von Elisa als Diener Elias in 1.Kön 19,19-21 finde ebenfalls in Num 11,11ff. einen Vergleichspunkt, denn hier wird Josua als Diener (משרת) Moses gekennzeichnet. Vgl. aber B.Lehnart, *Prophet*, 362f., der die von Schmitt aufgeführten Punkte als Anhalt für eine Datierung von 2.Kön 2 zu Recht zurückweist.

[376] Eventuell kann auch die Distanzierung des Amos von den Prophetenjüngern (Am 7,14) als Anhaltspunkt dafür gewertet werden, daß die Gruppenprophetie gegen Ende des Nordreiches zunehmend kritisiert wurde.

[377] Diese Interpretation von Hos 1,4 ist nicht ganz sicher, vgl. R.Albertz, *Religionsgeschichte*, 266 Anm. 89. Da aber die Blutschuld von Jesreel am „Hause Jehus" heimgesucht werden soll, ist nicht einzusehen, wieso sich die Stelle auf spätere Thronwirren beziehen sollte (vgl. H.Utzschneider, *Hosea*, 76ff.), denn mit Jerobeam II. endet ja die Herrschaft der Jehu-Dynastie.

[378] Vgl. B.Lehnart, *Prophet*, 429.

[379] Wie oben (S.104-111) ausgeführt, entstand die Erzählung von der Jehu-Revolution als Legitimationsschrift der Jehu-Dynastie zur Zeit Jeroebeams II. (787-747).

2.4.4 Die Einfügung der „Elisa-Biographie“ durch den Autor von 1.Kön 19,1-18

Bei der Betrachtung von 1.Kön 19,1-18 wurde bereits darauf verwiesen, daß die literarische Verbindung der Anekdote von der Berufung Elisas (1.Kön 19,19-21) mit 1.Kön 19,1-18, die motivliche Verknüpfung von 1.Kön 19,1-18 mit 1.Kön 19,19-21 und 2.Kön 2,1-15 sowie die Auftrennung der beiden ursprünglich zusammengehörenden Nachfolgeerzählungen (1.Kön 19,19-21 und 2.Kön 2,1-15) in ihrem jetzigen Kontext dafür sprechen, daß der Autor von 1.Kön 19,1-18 (BE2) seinen Text auf die Nachfolgeerzählungen hin konzipiert und mit diesen zusammen in das bereits um die Kriegserzählungen und die Elia-Komposition erweiterte DtrG eingebaut hat.[380] Oben konnte nun gezeigt werden, daß die Nachfolgegeschichten von ihrem Verfasser als Auftakt einer „Elisa-Biographie“, die 1.Kön 19,19-21; 2.Kön 2,1-15.19-25a; 4,1-6,23*; 13,14-21 umfaßte, gestaltet wurden und daß diese „Biographie“ *en bloc* in das erweiterte DtrG aufgenommen wurde.[381] Damit aber ist – wie oben bereits angedeutet[382] – der Einbau nicht nur der Nachfolgegeschichten, sondern der gesamten „Elisa-Biographie“ auf BE2 zurückzuführen.

Bei ihrer Einfügung mußte BE2 – zusätzlich zur Trennung der beiden Nachfolgeepisoden[383] – die „Biographie“ an weiteren Stellen auftrennen und einige Übergänge neu gestalten: Die Erzählung von der Himmelfahrt Elias und der Geistbegabung Elisas (2.Kön 2,1-15) konnte nur nach dem letzten Auftritt Elias (2.Kön 1,2ff.) und vor dem ersten Wirken Elisas (2.Kön 3,4ff.) und damit außerhalb des Königsrahmens zu stehen kommen. Die beiden mit der Erzählung lokal verknüpften Anekdoten von der Heilung der Quelle und den spottenden Knaben (2.Kön 2,19-25a) wurden ihr beigegeben, während das Gros der Wundergeschichten zwischen den beiden Kriegserzählungen 2.Kön 3,4ff. und 6,24ff. und damit innerhalb des Königsrahmens positioniert wurde. Mit 2.Kön 2,25b, der von ihm neu geschaffenen Notiz über die Wanderung Elisas nach Samaria, verknüpfte BE2 die ersten Wundergeschichten mit der ebendort beginnenden Erzählung von Feldzug der drei Könige. Da die Erzählung von der Täuschung der Aramäer (2.Kön 6,8-23) in Samaria endet, bot sich hier ein guter Anschluß an die in Samaria spielende Kriegserzählung 2.Kön 6,24ff. Der dabei entstehende sachliche Bruch, man vergleiche 6,23 mit 6,24,[384] wurde vermutlich in Kauf genommen, um die „Biographie“ nicht noch weiter zertrennen zu müssen. Da 2.Kön 13,14-19 von Joas von Israel handelt, konnte das Ende der „Biographie“ (2.Kön 13,14-19.20f.) erst nach der Einführung dieses Königs im DtrG (2.Kön 13,10-11) eingeschoben werden. Unter Verwendung der wohl ursprünglich auf das Einführungsformular für Joas folgenden militärisch-politischen Notiz (13,24.25a)[385] und in Anlehnung an 2.Kön 13,3-5 (V.22f.)[386] wurden die Anekdoten mit dem DtrG verknüpft. Die neu geschaffene Notiz V.25b verstärkt die Übereinstimmung mit der Wundergeschichte 13,14-19, indem auf die Dreizahl der Siege über Aram (13,18f.) verwiesen wird. Mit dem Einbaus von 2.Kön 13,14-21 und der Neuerstellung bzw. Neuanordnung von

---

380 Siehe S.191-193.
381 Siehe S.220-225.
382 Vgl. S.192f.
383 Siehe S.192f.
384 Siehe S.236.
385 Vgl. E.Würthwein, *Bücher II*, 369 und auch G.Hentschel, *2 Könige*, 62.
386 Man vergleiche 2.Kön 13,22 mit 13,3 und 13,23 mit 13,4f.; siehe auch E.Würthwein, *Bücher II*, 369; G.Hentschel, *2 Könige*, 62.

13,22-25 wurde wohl die Abschlußnotiz für Joas (2.Kön 14,15f.) dupliziert und nach vorne (2.Kön 13,12f.) gezogen.[387]

Im Zuge des Einbaus der „Elisa-Biographie" wurde auch die Erzählung von der Thronusurpation Hasaels (2.Kön 8,7-15) mittels der auf 1.Kön 19,15 zurückverweisenden Überleitung 2.Kön 8,7aα von BE2 in den bestehenden Textzusammenhang des Geschichtswerks integriert.[388]

Mit der Einfügung der „Elisa-Biographie" unterstreicht BE2 zum einen die Legitimität des Propheten Elisa, denn in der „Biographie" wird nicht nur ein direktes Nachfolgeverhältnis der beiden Propheten, sondern darüber hinaus eine weitgehende Parallelität Elias und Elisas postuliert. Zum andern erhöht er das Prestige Elisas durch Demonstration seiner Wundertätigkeit und seiner für Israel essentiellen Rolle als Kriegshelfer in den Aramäerkriegen. Damit stellt er der von ihm gerechtfertigten „dunklen", das heißt Vernichtung bringenden Seite Elisas dessen „helle", Hilfe und Leben spendende Seite gegenüber. Dennoch kommt es zu keinem Widerspruch in seiner Darstellung, denn die beiden Seiten Elisas, die den beiden Seiten Jahwes entsprechen, können durchaus nebeneinander bestehen: Wie Elia sich in seinem Jahweeifer um die für das Überleben Israels notwendige Bekehrung Israels bemüht hat (1.Kön 17-19), so hat auch Elisa sowohl zugunsten Israels als Ganzes (2.Kön 6,8-23; 13,14-19) als auch für die einzelnen Menschen (2.Kön 2,19-22; 4,1-6,7*; 13,20f.) lebensspendend gewirkt. Weil aber trotz der Hinwendung Jahwes/Elias/Elisas zu Israel, die sich in den Mahnungen und Bekehrungsversuchen Elias und Elisas Taten zeigt, Israel nicht umgekehrt ist, muß es – so BE2 – zu einer von Jahwe selbst ausgehenden Vernichtung Israels kommen (19,15-18). Und obwohl Elisa, wie Jahwe selbst, eigentlich als Helfer Israels zu sehen ist, wird er zum Werkzeug dieser Vernichtung.

Doch das letzte Wort von BE2 ist recht versöhnlich: Mit der Übernahme auch der beiden letzten Elisa-Anekdoten der „Biographie" betont er nochmals die Rettung gewährende Seite Eisas/Jahwes. Elisa ist bereit – trotz seines Vernichtungsauftrages – Israel beizustehen, wobei allerdings deutlich wird, daß dieser Beistand vom rechten Verhalten des um Hilfe Bittenden abhängig ist (2.Kön 13,14-19). Die letzte Anekdote (13,20f.) überstrahlt jedoch das Vernichtung bringende Werk des Elisa: Ein Toter wird durch die Berührung seiner Gebeine wieder lebendig.

---

[387] Vgl. E.Würtwein, *Bücher II*, 362ff.; G.Hentschel, *2 Könige*, 59ff. Dafür ist allerdings noch keine befriedigende Erklärung gefunden worden. Möglicherweise sollte die Erzählung von der Hilfe Elisas für Joas und dem göttlichen Erbarmen nicht unmittelbar nach der negativen Beurteilung des Joas (2.Kön 13,11) zu stehen kommen. Zum Problem des mehrfach überlieferten Abschlußformulars für Joas siehe auch S.199 Anm. 219.

[388] Siehe S.234.

2.4.5 Der Einbau von 1.Kön 17,17-24

In 1.Kön 17,17-24 wird sowohl der Gottesmann-Titel als auch ein Wunder Elisas, die Erwekkung eines toten Kindes (2.Kön 4,8-37*), auf Elia übertragen. Da 1.Kön 17,17-24 literarisch von 2.Kön 4,8-37* abhängig ist, kann die Erweiterung der Elia-Komposition um die Erzählung von der Auferweckung des Kindes frühestens mit der Einfügung der „Elisa-Biographie" in das DtrG stattgefunden haben.[389] Auch der Ort der Einfügung der Erweckungsgeschichte in die Elia-Erzählungen ist durch die Anordnung der Elisa-Erzählungen beeinflußt: Das Wunder von der Auferweckung des Knaben der Sunamitin folgt im Elisa-Zyklus auf ein Ölvermehrungswunder (2.Kön 4,1-7). Der Autor von 1.Kön 17,17-24, der die Übereinstimmungen zwischen beiden Propheten zu betonen suchte, ahmte die Abfolge „Vermehrungswunder" – „Totenauferweckung" nach, indem er für seine Elia-Version des Wunders den Platz nach der Erzählung von der Öl- und Mehlvermehrung Elias wählte (17,8-16).

Da sowohl 1.Kön 19,1-18 als auch 1.Kön 17,17-24 die Funktion haben, Elia- und Elisa-Überlieferung miteinander zu verzahnen, ist die These erwägenswert, daß der Autor von 1.Kön 17,17-24 mit BE2 gleichzusetzen ist.[390]

Für diese These spricht, daß dem Autor von 1.Kön 17,17-24 wie auch BE2 an einer Apologie der Prophetie gelegen ist: Durch das aus der schuldaufdeckenden Gegenwart des Propheten[391] resultierende Leid der Mutter (V.18) wird die Existenz desselben ebenso in Frage gestellt (V.20) wie durch das „Morden" von Propheten im Zuge des göttlichen Gerichts an Israel (19,17).[392] Die dunkle, unheilverheißende Seite des Propheten wird jedoch nicht verneint, hier wie dort wird vielmehr auf die – neben dieser existierende – lebensspendene Seite des Gottesmannes verwiesen:[393] Der Knabe wird durch ein Wunder Elias wieder lebendig (17,21f.); die mit 1.Kön 19,1-18 verbundene „Elisa-Biographie" zeigt Elisa als Nothelfer Israels im Krieg (2.Kön 13,14) und als Retter der „kleinen Leute" in deren Alltag. Die Behandlung der in 1.Kön 19,15-18 aufgeworfenen Frage nach dem Anteil der Propheten am Gerichtshandeln Jahwes auf der Ebene persönlicher Frömmigkeit (1.Kön 17,17-24) bildet somit das Pendant zur Verknüpfung der hochtheologischen Abhandung 1.Kön 19,1-18 mit der ganz in der alltäglichen Lebenswelt verankerten „Elisa-Biographie" durch BE2. Gleichzeitig wird durch den Einbau gerade einer Totenerweckungsgeschichte am Beginn der Elia-Überlieferung ein Rahmen um die Elia-Elisa-Erzählungen gelegt: Nun findet sich an deren Anfang (1.Kön 17,17-24), Mitte (2.Kön 4,8-37*) und Schluß (2.Kön 13,20f.) jeweils eine Erzählung über eine Totenauferweckung, die damit zum Kontinuum des Elia-Elisa-Zyklus wird.

---

389 Zu 1.Kön 17,17-24 und dem Verhältnis der Erzählung zu 2.Kön 4,8-37* siehe oben S.179-183.

390 Vgl. B.Lehnart, *Prophet*, 248-253.

391 Zu זכר עון vgl. Ez 21,28f.; 29,16 und B.Lehnart, *Prophet*, 248f.

392 Vgl. E.Blum, *Prophet*, 282ff.

393 Die Verwendung des Gottesmann-Titels in 1.Kön 17,17-24 statt des Propheten-Titels in 1.Kön 19,1-18 scheint zunächst der These einer gemeinsamen Autorenschaft zu widerraten. Dieser ist jedoch zum einen in der als literarisches Vorbild dienenden Erzählung von der Sunamitin vorgegeben, zum anderen dient die Verwendung des bis dato nur für Elisa gebrauchten Gottesmann-Titels für Elia der angestrebten Verknüpfung von Elia- und Elisaüberlieferung.

2.4.6 Ergänzungen innerhalb des DtrG nach Einfügung der „Elisa-Biographie“

Die ersten, wohl noch im Umkreis des Verfassers von 1.Kön 19,1-18 (BE2) vorgenommenen Ergänzungen sind mit der Episode von der vergeblichen Suche der Prophetenjünger nach Elia (2.Kön 2,16-18) und der Erweitung von 2.Kön 4,8ff. um 4,29-30a.31.32b.35 gegeben:

Der Episode von der vergeblichen Suche der Prophetenjünger nach Elia (2.Kön 2,16-18) ist mit der Elia-Obadja-Episode (1.Kön 18,2b-16) nicht nur die Vorstellung vom plötzlichen Verschwinden Elias gemein; die Übereinstimmungen reichen vielmehr bis ins Detail, was auf eine literarische Abhängigkeit zwischen beiden Episoden hindeutet: Man vergleiche die Sorge der Prophetenjünger, Elia könne durch den Geist Jahwes aufgehoben und weggetragen worden sein (נשא רוח יהוה), in 2.Kön 2,16 mit der Befürchtung Obadjas in 1.Kön 18,12 (רוח יהוה נשא) und die vergebliche Suche der Prophetenjünger (2.Kön 2,17: שלח; בקש; לא מצא) mit Ahabs Suche nach Elia (1.Kön 18,10: שלח; בקש; לא מצא). Da die Elia-Obadja-Epidode beim Einbau der „Elisa-Biographie“ bereits Bestandteil des (erweiterten) DtrG war,[394] ist anzunehmen, daß 2.Kön 2,16-18 nach ebendiesem Einbau in Abhängigkeit von 1.Kön 18,2b-16 an die Erzählung von der Himmelfahrt Elias (2.Kön 2,1-15) angefügt wurde.[395]

Auch die Erweiterung von 2.Kön 4,8ff. um 4,29-30a.31.32b.35 läßt einen Bezug zu 1.Kön 18 erkennen: Die Wendung ואין קול ואין קשב in 2.Kön 4,31 findet sich im Alten Testament nur noch in 1.Kön 18,(26.)28 (ואין קול [ואין ענה] ואין קשב) und ist, da sie in 1.Kön 18 im Unterschied zu 2.Kön 4,8ff. fest verankert ist, wohl von dort übernommen worden.[396] Wie in 1.Kön 18,42, so wird auch in 2.Kön 4,35 das Verb גהר[397] zur Beschreibung des magischen Aktes verwandt.[398]

Beide Ergänzungen lassen neben ihrer Verbindung mit 1.Kön 18 eine Tendenz zur Abwertung der Prophetenanhänger gegenüber ihrem Meister erkennen, was dafür spricht, 2.Kön 2,16-18 und 2.Kön 4,29-30a.31.32b.35 derselben Redaktionsstufe zuzuordnen: Nach 2.Kön 2,16-18 weiß nur Elisa um die wahre Bedeutung des Verschwinden Elias; die Prophetenjünger, die offenbar an der Entrückung Elias zweifeln und dem Wort Elisas kein Vertrauen entgegenbringen, unterliegen einem schweren Irrtum. Nach 2.Kön 4,29-30a.31.32b.35 kann nur Elisa, aber nicht Gehasi, auch wenn dieser mit dem Stab Elisas ausgestattet ist, den toten Knaben wiedererwecken. Durch Aufnahme der Formulierung ואין קול ואין קשב aus 1.Kön 18,(26.)28 und die damit verbundene Anspielung auf die Erfolglosigkeit der Baalspropheten

---

[394] Siehe oben S.169f.

[395] Ein umgekehrtes Abhängigkeitsverhältnis zwischen 1.Kön 18,2b-16 und 2.Kön 2,16-18 nimmt H.-J.Stipp, *Elischa*, 460, an, da 2.Kön 2,16-18 im Kontext von 2.Kön 2 „vollauf verständlich“ sei, 1.Kön 18,12 hingegen erst im Vergleich mit 2.Kön 2 „in seiner ganzen Tragweite und hinsichtlich der leitenden Assoziationen voll geklärt“ werde. Eine literarische Verbindung von 1.Kön 18,2b-16 mit 2.Kön 2,1-15 läßt sich aber gerade nicht nachweisen: Hier ist es ein Feuerwagen mit Feuerpferden bzw. ein Sturm (2.Kön 2,1.11) und nicht der Geist Jahwes (1.Kön 18,12), der Elia in den Himmel aufhebt. Da der Verfasser der Elia-Komposition – wie oben gezeigt – Elia-Traditionen verarbeitete, ist es gleichwohl möglich, daß er mit 18,12 auf eine Himmelfahrtstradition anspielte. Diese muß aber nicht mit der 2.Kön 2,1-15 zugrundeliegenden identisch sein. Die Angst Obadjas, Elia könne plötzlich verschwinden, ist überdies im Kontext von 1.Kön 17-18 durch sein spurloses Verschwinden nach der Dürreankündigung (17,2-16; vgl. 18,10) ausreichend geklärt.

[396] Der Schwur der Frau „Beim Leben Jahwes und bei deinem Leben, ich verlasse dich nicht!“ (2.Kön 4,30a) läßt darüber hinaus auf eine Beziehung des Bearbeiters von 2.Kön 4,8ff. zu 2.Kön 2 (vgl. 2.Kön 2,2.4.6) schließen.

[397] Siehe S.171f. Anm. 104.

[398] גהר findet sich jedoch auch schon in der Grundschicht der Erzählung von der Sunamitin (V.34).

und den großen Erfolg Elias beim Regenmachen, wird der erfolglose Gehasi gar in die Nähe der Baalspropheten gerückt, während der Triumph Elisas umso strahlender hervortritt.

Mit dem Aufruf zum Vertrauen auf die Autorität des ausgewiesenen Propheten und die originär prophetische Überlieferung[399] rückt der Redaktor, der die hier beschriebenen Ergänzungen vornahm, in die Nähe des Autors von 1.Kön 19,1-18, der ebenfalls für die legitime, sich auf dem Jahwewort gründende Prophetie Elias und Elisas wirbt.[400] Wegen des Fehlens direkter Bezüge ist jedoch keine Identität der Verfasser von 1.Kön 19,1-18 einerseits und 2.Kön 2,16-18 und 2.Kön 4,29-30a.31.32b.35 andererseits, sondern nur eine Entstehung in den gleichen prophetischen Kreisen in nicht allzu großem zeitlichen Abstand anzunehmen.

Nach den oben beschriebenen Erweiterungen kam es – in Kreisen die nicht mehr dem direkten Umfeld von BE2 zuzurechnen sind[401] – zu einer Fortsetzung der bereits vom Verfasser der Nachfolgeerzählungen verfolgten Bestrebungen, die Elia- und Elisa-Überlieferung zu parallelisieren, bzw. eine Kontinuität zwischen den beiden Propheten aufzuzeigen:

Die Erzählung von Elisas großen Taten (2.Kön 8,1-6) ist eng mit der um 1.Kön 17,17-24 erweiterten Elia-Komposition verknüpft. Hier wird, ähnlich wie in 1.Kön 17,17-24 die Auffassung vertreten, daß unter allen Taten Elias und Elisas die Totenerweckung besonders hervorzuheben ist: Erst die Erweckung des toten Knaben erweist Elia nach 1.Kön 17,24 als wahren Gottesmann, nach 2.Kön 8,1-6 ist es die Geschichte von Totenerweckung, die erzählt wird, wenn es darum geht, von Elisas großen Taten zu berichten.[402] Außerdem existieren weitere motivliche und terminologische Übereinstimmungen zwischen 1.Kön 17,1-16.17-24 und 2.Kön 8,1-6:

- Nur in 1.Kön 17,22f. und 2.Kön 8,1.5 heißt es explizit, daß der Knabe wieder lebendig wurde (חיה בן), nicht aber in 2.Kön 4,8ff., der ursprünglichen Version der Totenerwekkungstradition.[403]
- Elia wohnt als Fremdling bei der Frau (1.Kön 17,20), die Frau als Fremde bei den Philistern (2.Kön 8,2). Beidemal ist mit diesem „als Fremdling wohnen“ (גור hitp.) eine negative Entwicklung verbunden.
- Obwohl im Gesamtkontext der Elia-Elisa-Erzählungen „die Frau, deren Sohn Elisa lebendig gemacht hat,“ (8,1.5) mit der Frau aus Sunem (2.Kön 4,8-37*) identifiziert wird, so scheint doch der Autor von 2.Kön 8,1-6 eher die arme Witwe in 1.Kön 17,8-24 im Blickfeld zu haben[404] als die selbstbewußte, wohlhabende und verheiratete Frau aus Sunem, die

---

399 2.Kön 2,16-18 hat die Aufgabe, den Leser/Hörer – wie die ungläubigen Prophetenjünger – von der Wahrhaftigkeit der Erzählung von Elias Himmelfahrt zu überzeugen.

400 Siehe oben S.195f..238f.

401 Siehe unten S.245f.

402 Siehe oben S.234f.

403 Siehe S.181f.

404 Die Frau ist völlig auf sich allein gestellt; sie trifft die Entscheidung, vor der Hungersnot ins Ausland zu fliehen (8,1f.), und muß sich bei ihrer Rückkehr allein um die Wiedererlangung ihres Besitzes kümmern (8,3-6). Dieses – anscheinend aus der Not der Witwenschaft (vgl. 4,14: „ihr Mann ist alt“ und S.243f.) geborene – Handeln, in dem die Frau eigentlich „männliche“ Aufgaben (Sicherung des Überlebens und des Besitzes) übernimmt, ist nun nicht mit dem selbständigen Handeln der Sunamitin zu vergleichen, denn deren Aktivitäten beschränken sich auf die „typisch weiblichen“ Sphären der Gastfreundschaft (4,8-10) und der Sorge um ihr Kind (4,18ff.), wobei sie den Umbau des Hauses mit ihrem Mann besprechen muß (4,9f.).

vermutlich nicht auf die Hilfe Elisas/Gehasis in wirtschaftlichen Dingen angewiesen wäre.[405]

- Wie Jahwe Elia beauftragt, sich während der Zeit der Dürre am Bach Kerit zu verbergen bzw. bei der Witwe zu wohnen (1.Kön 17,3.9), so empfiehlt Elisa der Frau, deren Sohn er lebendig gemacht hat, das Land wegen einer drohenden Hungersnot zu verlassen (2.Kön 8,1).[406]
- Wie die Frau aus Sarepta „nach dem Wort Elias“ (1.Kön 17,15), so „handelt“ die Frau in 2.Kön 8,2 „nach dem Wort des Gottesmannes“.
- Auch die Formulierung aus 1.Kön 17,15 „sie und ihr Haus“ findet sich in 2.Kön 8,1-6 wieder (8,1f.).

Wenn aber 2.Kön 8,1-6 zugleich auf die um 1.Kön 17,17-24 erweiterte Elia-Komposition und auf die „Elisa-Biographie“[407] verweist, dann kann die Erzählung frühestens im Zuge der Arbeit von BE2 entstanden sein. Trotz der aufgezeigten Übereinstimmungen zwischen 1.Kön 17,17-24 und 2.Kön 8,1-6 empfiehlt es sich aber nicht, 2.Kön 8,1-6 wie zuvor 1.Kön 17,17-24 BE2 zuzuordnen. Denn die für BE2 charakteristische Apologie der Unheilsprophetie findet sich in 2.Kön 8,1-6 nicht, hier ist nur die helle, helfende Seite Elisas zu sehen: In die Herbeirufung der Hungersnot durch Jahwe ist Elisa nicht verstrickt, er hilft vielmehr der Frau, deren Sohn er erweckt hatte, dieser zu entgehen (8,1). Anders als in 1.Kön 17,17-24 und 19,1-18 wird das unheilbringende Handeln Jahwes in 2.Kön 8,1-6 lediglich beiläufig konstatiert, aber in keiner Weise theologisch reflektiert. Daher ist anzunehmen, daß die Erzählung von Elisas großen Taten erst nach dem Einbau von 1.Kön 17,17-24; 19,1-18 und der „Elisa-Biographie“ in das DtrG eingefügt wurde.[408]

Für den Autor von 2.Kön 8,1-6 sind „die großen Taten, die Elisa vollbracht hat,“ nicht seine Anstiftung zur Jehu-Revolution, nicht sein Eingreifen in die Politik (2.Kön 8,7-15; 9,1-14), sondern seine Wunder und insbesondere das Wunder der Totenerweckung, das auch Elia als wahren Gottesmann auswies. Daher hält er vor der Mitwirkung Elisas an den Revolutionen Hasaels und Jehus, als Abschluß der zuvor erzählten Wunder Elisas (2.Kön 4,1-6,23), zu denen auch die Beendigung der Hungersnot in Samaria (6,24-7,16) zu rechnen ist, das für ihn Entscheidende in 2.Kön 8,1-6 nochmals fest: Unter all den großen Taten Elisas ist es vor allem die Totenerweckung, der erzählend gedacht werden soll. Aus dieser kompositorischen

[405] Vermutlich aus diesem Grund verwendete der Autor von 2.Kön 8,1-6 nicht die Bezeichnung „die Sunamitin“, sondern bezeichnet die Mutter des wiedererweckten Knaben – wie in 1.Kön 17,17-24 – als „die Frau“.

[406] Vgl. 1.Kön 17,9.10 (קם לך צרפתה ... ויקם וילך צרפתה) mit 2.Kön 8,1.2 (קומי ולכי ... ותקם ... ותלך).

[407] Die Geschichte setzt eine Erzählung von einer Totenerweckung Elisas (2.Kön 4,8ff.) voraus; sie spielt ja ständig auf eine solche an (8,1.5). 2.Kön 8,1-6 ist daher kaum als unabhängige Erzählung denkbar (gegen A.Rofé, *Stories*, 33). Die Erwähnung all der großen Taten Elisas weist auf eine Sammlung von Erzählungen über ebendiese, also die „Elisa-Biographie“, hin.

[408] Diese Auffassung steht im Widerspruch zu der These, 2.Kön 8,1-6 sei der ursprüngliche Abschluß (so R.Kittel, *Bücher*, 219f.; A.Šanda, *Bücher II*, 79; O.Eißfeldt, *Das zweite Buch*, 546f.; J.A.Montgomery, *Commentary*, 391) bzw. ein redaktioneller Anhang (H.Gressmann, *Geschichtsschreibung*, 294f.; H.Gunkel, *Geschichten*, 30) der Erzählung von der Sunamitin gewesen. Dagegen führt H.-Chr.Schmitt, *Elisa*, 73f., jedoch zu Recht an, daß die in 2.Kön 8,1-6 verwendeten Motive nicht allein aus 2.Kön 4,8-37* stammen (vgl. beispielsweise zum Hungersnotmotiv 2.Kön 4,38ff.).

Absicht des Redaktors erklärt sich die zuvor problematisch erscheinende Stellung und der „Abschlußcharakter“ der Erzählung von Elisas großen Taten.[409]

2.Kön 8,1-6 wird vorbereitet durch 2.Kön 4,13-15:[410] In diesen Versen, die sich gegenüber der Erzählung von der Sunamitin als sekundär erwiesen haben,[411] wird – über den Erzählhorizont hinausgehend – ein gutes Verhältnis zwischen König und Elisa/Gehasi postuliert, das Elisa/Gehasi die Möglichkeit eröffnen würde, sich beim König für die Frau zu verwenden. Diese Möglichkeit wird jedoch in 4,13 von der Frau ausgeschlagen, während sie in 8,1-6 wegen ihrer veränderten Lebensumstände von der zuvor abgelehnten Fürsprache Gehasis beim König profitiert. Die 2.Kön 8,1-6 geschickt vorbereitende Funktion von 4,13-15 spricht dafür, auch die Ergänzung von 2.Kön 4,8-37* um V.13-15 der hier beschriebenen Redaktionsschicht zuzuordnen.[412] Durch die Darstellung einer gewissen Überheblichkeit der Sunamitin deutet der Redaktor an, daß diese ihre gesicherte Position (V.13) einmal verlieren und auf Hilfe angewiesen sein könnte. Der Leser/Hörer soll hier schon auf die „Wandlung“ von der reichen zur armen, hilfsbedürftigen Frau eingestimmt werden.

Die durch die Positionierung von 2.Kön 8,1-6 zwischen den Erzählungen von der Wundermacht Elisas und den Erzählungen von seinem Eingreifen in die Politik vorgenommene Verhältnisbestimmung von Wundertätigkeit und politischer Prophetie ergibt sich ebenfalls durch die Einfügung der Begebenheit vom Gottesmann auf dem Berg (2.Kön 1,9-14.15b-16)[413] in die Elia-Anekdote von der Befragung des Baal von Ekron (2.Kön 1,2.5-8.17$a\alpha_1$): Das Schwergewicht der Erzählung liegt nun nicht mehr auf dem Kampf Elias gegen den Baalskult der Omriden, sondern auf dem Erweis seiner großen, sich hier allerdings im Bereich der schädlichen Magie bewegenden Wundermacht.

Für die Zuordnung von 2.Kön 1,9-16* zu der 2.Kön 4,13-15; 8,1-6 umfassenden Redaktionsschicht spricht weiterhin, daß 2.Kön 1,9-16* wie 2.Kön 8,1-6 Bezüge zu 1.Kön 17,17-24 und 2.Kön 4,8ff. und – damit einhergehend – die Tendenz, Elia und Elisa weiter aneinander anzugleichen, erkennen läßt: Elia wird wie in 1.Kön 17,17-24 als Gottesmann bezeichnet (2.Kön 1,9.10.11.12.13); der Gottesmann Elia hält sich anscheinend – wie der auf dem Berg Karmel anzutreffende Gottesmann Elisa in 2.Kön 4,8-37* – bevorzugt auf einem Berg auf (1,9). Wie in 1.Kön 17,24 und 2.Kön 4,9 geht es hier um den Erweis bzw. die Erkenntnis, daß Elia bzw. Elisa *ein* Gottesmann ist (כי איש אלהים אתה: 17,24; אם־איש אלהים אני: 2.Kön 1,10.12[414]; כי איש אלהים קדוש הוא: 4,9), während sonst von Elisa ganz selbstverständlich als von *dem* Gottesmann (איש האלהים)[415] gesprochen wird. In 2.Kön 1,9-16* wird – wie in der Geschichte von der Auferweckung des Knaben (1.Kön 17,17-24) – verdeutlicht, daß der Umgang mit dem Gottesmann äußerst brisant ist: Er kann ohne weiteres zwei Fünfzigschaften, die sich ihm auf bedrohliche Weise nähern, vernichten (2.Kön 1,9-12). Andererseits kann er

---

[409] Vgl. dazu auch A.G.van Daalen, *Onderzoek*, 51-61; dies., *Compositie*, 41-49; dies., *Elisa*, 49-61; dies., *Zalving*, 37-48; dies., *Samenhangen*, 118-134!

[410] So für viele H.-J.Stipp, *Elischa*, 295f.

[411] Siehe S.228 Anm. 333.

[412] Zur Zugehörigkeit von 2.Kön 4,13-15 und 2.Kön 8,1-6 zu einer Redaktionsstufe vgl. auch H.-J.Stipp, *Elischa*, 476.

[413] Siehe S.147f.

[414] Siehe BHS.

[415] Vgl. z.B. 2.Kön 4,21.22.25.27.40.42; 5,14f.; 6,6.9.15.

sich auch als gnädig erweisen und den Hauptmann der dritten Fünfzigschaft, der um sein Leben und das seiner Leute bittet, verschonen (2.Kön 1,13f.). Dennoch erreicht 2.Kön 1,9-16* – ebenso wie 2.Kön 8,1-6 – nicht das theologische Niveau von 1.Kön 17,17-24:[416] Zum einen resultiert die Brisanz im Umgang mit dem Gottesmann hier nicht aus der Rolle des Propheten im Gerichtshandeln Jahwes (vgl. 1.Kön 17,18.20; 19,15-18), sondern aus seiner Wundermacht als Gottesmann, der Feuer vom Himmel herabrufen kann (2.Kön 1,10.12). Zum anderen wird das Handeln des „mordenden" Gottesmannes in keiner Weise hinterfragt: Wer sich dem Gottesmann in unangemessener Weise nähert, bekommt seine magischen Fähigkeiten auf negative Weise zu spüren (vgl. 2.Kön 2,23f.).

Vermutlich kann man 2.Kön 7,2.17abα[417] ebenfalls auf den Verfasser der hier beschriebenen Bearbeitungsschicht zurückführen. Auch in 2.Kön 7,2.17abα wird der Gottesmann-Titel verwandt; er dringt hier wie in 2.Kön 1 durch die Ergänzung in eine Erzählungen ein, in der er sonst keine Rolle spielt. Wie in 2.Kön 1,9-16* geht es auch in 7,2.17abα um Furcht und Respekt, die man dem Gottesmann entgegenbringen sollte: Der ungläubige Adjutant des Königs (2.Kön 7,2.17abα)[418] wird für seinen Unglauben gegenüber dem Wort des Gottesmannes mit dem Tode bestraft. Weiterhin ist 2.Kön 1,9-16* und 2.Kön 7,2.17abα die Vorstellung gemein, daß etwas von Jahwe Geschicktes, sei es Brot oder Feuer, vom Himmel herabkommt. Durch die Bearbeitung von 2.Kön 6,24ff. schafft der Redaktor der Ergänzungsschicht einen Übergang von der Kriegserzählung zu seiner Zusammenfassung der „großen Taten" Elisas (8,1-6): Denn alles, was in Samaria geschah, geschah „nach dem Wort des Gottesmannes" (7,17bα, vgl. 8,2).

Die hier ermittelte, 2.Kön 1,9-14.15b.16; 4,13-15; 7,2.17abα; 8,1-6 umfassende Bearbeitungsschicht zeichnet sich neben den oben aufgezeigten inhaltlichen Charakteristika durch ihre sprachlichen Merkmale aus. Zunächst fällt die Verwendung vielfältiger, zum Teil seltener Beamtentitel auf: So tritt in 2.Kön 1,9.10.11.13.14 ein שר־חמשים[419], in 2. Kön 4,13 ein שר הצבא[420], in 2.Kön 7,2.17abα ein שליש אשר־למלך נשען על־ידו[421] und in 2.Kön 8,6 ein סרים[422] in Erscheinung. Zum anderen wird in 2.Kön 1,9.10.11.12.13.16[423] und 2.Kön 8,1.4 דבר־אל synonym zu אמר־אל verwandt.[424]

Mit ihrer Betonung der Wundertätigkeit Elias und Elisas, vor allem der sich in 2.Kön 8,1-6 ausdrückenden Bewertung, daß diese und nicht das Eingreifen in die Politik den Wesenskern

---

416 Gegen B.Lehnart, *Prophet*, 234, der 1.Kön 17,17-24 und 2.Kön 1,9-16* derselben Textschicht zuordnet.

417 Siehe dazu S.213 Anm. 268.

418 Die Bezeichnung des Adjutanten als „auf dessen Arm sich der König stützt" (7,2.17) – die Wendung נשען על יד ist nur in 2.Kön 5,18; 7,2.17 im AT belegt (vgl. H.-Chr.Schmitt, *Elisa*, 86; H.-J.Stipp, *Elischa*, 371) – könnte aus 2.Kön 5,18 übernommen worden sein. Dazu trug möglicherweise die negative Assoziation von נשען על יד mit Rimmon-Verehrung in 2.Kön 5,18 bei: Der ungläubige Adjutant wird durch die Übertragung eines etwas anrüchigen Titels noch zusätzlich diskreditiert.

419 Sonst nur in Ex 18,21.25; Dtn 1,15; 1.Sam 8,12; Jes 3,3 belegt.

420 Vgl. 1.Sam 17,55; 1.Kön 1,19.25; 11,15.21; 2.Kön 25,19; Jer 52,25; Dan 8,11; 1.Chr 19,18; 25,1; 26,26; 27,3.5; 2.Chr 33,11.

421 Siehe oben Anm. 418.

422 Der in 2.Kön 8,6 genannte Titel סרים kommt häufiger im Alten Testament vor, vgl. nur Gen 37,36; 40,2.7; 1.Sam 8,15; 1.Kön 22,9; 2.Kön 9,32; 18,17; 20,18; 23,11; 24,12.15; 25,19; Jes 39,7.

423 Vgl. aber auch V.3.6.7!

424 Die direkte Ersetzung von אמר־אל durch דבר־אל findet sich im Bereich von 1.Kön 17 – 2.Kön 13 sonst nur noch in 1.Kön 21,5.6; vgl. auch A.Rofé, *Stories*, 37.

Elias und Elisas ausmacht, setzt sich die hier beschriebene Bearbeitungsschicht stärker von BE2 ab.[425] Hinzu treten der dezidierte Gebrauch des Gottesmann- statt des Propheten-Titels und die Spracheigentümlichkeiten der Bearbeitung. Daher ist anzunehmen, daß diese erst nach der noch im Umkreis von BE2 erfolgten Bearbeitung (2.Kön 2,16-18; 4,29-30a.31.32b. 35) stattfand. Sie ist möglicherweise als Reaktion auf das Scheitern der von BE2 angestrebten Rechtfertigung der politisch-eingreifenden Prophetie zu verstehen: Durch ein gezieltes Herausarbeiten der wundermächtigen Gottesmann-Seite Elias und Elisas wird die Bewahrung der Überlieferung sichergestellt, denn die Antwort auf die Frage nach den großen Taten, die Elisa vollbracht hat, ist, daß er die Toten lebendig gemacht hat (2.Kön 8,5).

Daran anschließend erfolgte eine weitere Bearbeitung der Anekdote von der Befragung des Baal von Ekron (2.Kön 1,3f.15a), die mittels Aufnahme der Motive von der Furcht Elias und von dem Elia leitenden Engel auf 1.Kön 19 zurückweist.[426]

---

[425] Dieser hat zwar – nach dem hier (vgl. S.238-240) vorgestellten Modell – die „Elisa-Biographie" und 1.Kön 17,17-24 in das DtrG integriert und damit neben der politischen Wirksamkeit Elisas auch dessen wundertätige Seite zur Geltung gebracht. Er stellt aber die beiden Wirkungsweisen nebeneinander, ohne eine Priorität zu setzen, und sucht – mittels seiner Darstellung der an Israel gescheiterten Prophetie Elias – zu erklären, warum die Tod und Vernichtung bringende Seite Elisas zum Tragen kommen mußte.

[426] Siehe dazu S.147f.

V Zusammenfassende Darstellung der Überlieferungs- und Redaktionsgeschichte der Elia-Elisa-Erzählungen

1 Überblick

Die sich in der Forschung abzeichnende Tendenz, gegenüber der bis Anfang der 70er Jahre fast ausnahmslos vertretenen Position, die Elia- und Elisa-Überlieferung sei noch zur Zeit des Nordreichs abgeschlossen und *en bloc* vom Verfasser der Königsbücher in dieses aufgenommen worden,[1] mit einem längeren Wachstum der Überlieferung außerhalb der Königsbücher sowie mit einem nachdeuteronomistischen Wachstum des DtrG im Bereich der Elia- und Elisaüberlieferung zu rechnen,[2] hat sich in der vorgelegten Untersuchung bestätigt. Das hier entwickelte überlieferungs- und redaktionsgeschichtliche Wachstumsmodell unterscheidet sich jedoch grundlegend von den neueren kompositionsgeschichtlichen Modellen: Ein wesentlicher Erkenntnisgewinn hinsichtlich Funktion und Entstehung von 1.Kön 19,1-18 ergab sich aus der Überwindung des den meisten Untersuchungen innewohnenden Nachteils einer getrennten Betrachtung von Elia- und Elisa-Erzählungen. Die Gewinnung eines Fixpunktes innerhalb der deuteronomistischen Geschichtsschreibung im Bereich von 1.Kön 16,29 bis 2.Kön 10,36 durch die vorangehende Analyse der Erzählung von der Jehu-Revolution führte außerdem zu schlüssigen Ergebnissen hinsichtlich der Grundstruktur des Deuteronomistischen Geschichtswerks und ihren nachträglichen Erweiterungen. Gegenüber H.-J.Stipps reichlich komplizierter, rein literarischer Entstehungsgeschichte des Elisa-Zyklus,[3] dem an der Annahme einer Vielzahl von Bearbeitungen krankenden kompositionsgeschichtlichen Modell H.-Chr.Schmitts,[4] den zu sehr vereinfachenden Überlegungen S.L.McKenzies[5] und der den Einbau der Elia- und Elisaüberlieferung in das DtrG nicht hinreichend beschreibenden Untersuchung B.Lehnarts[6] konnte ein relativ einfaches, überlieferungsgeschichtliche und konzeptionelle Differenzen jedoch nicht einebnendes Entstehungsmodell des gesamten Elia- und Elisa-Zyklus vorgelegt werden.

Die wohl noch zu Lebzeiten Elisas im 9. Jahrhundert einsetzende Herausbildung der Elisa-Tradition war zwar mit der Entstehung der Erzählung von der Jehu-Revolution zur Zeit Jerobeams II. und der Erstellung der „Elisa-Biographie" gegen Ende der Nordreichsgeschichte relativ früh weitgehend abgeschlossen, die Kriegserzählungensammlung entstand jedoch in einem vom 9./8. Jh. bis in die Exilszeit andauernden Prozeß. Für die Entstehung der Elia-Tradition muß sogar ein vom 9. bis ins 6 Jahrhundert reichender Zeitraum veranschlagt werden: Während die ersten Elia-Traditionen noch zu dessen Lebzeiten gebildet wurden, so entstand die letzte eigenständige Elia-Erzählung, die Erzählung vom Götterwettstreit auf dem Karmel, erst gegen Ende der Exilszeit.

---

[1] Siehe S.11-15.
[2] Siehe S.15-25.
[3] H.-J.Stipp, *Elischa*, siehe oben S.21f.
[4] H.-Chr.Schmitt, *Elisa*, vgl. S.15-17.
[5] S.L.McKenzie, *Trouble*, 81ff., siehe S.23.
[6] B.Lehnart, *Prophet*, 162-373; siehe dazu S.23f.

Der Wachstumsprozeß der Königsbücher im Bereich von 1.Kön 16,29 bis 2.Kön 10,36 hielt schließlich noch bis in das 5. Jh. v. Chr. an. Er ist im wesentlichen durch vier Strata zu charakterisieren:

- Um 560 erstellten die Deuteronomisten die Grundschrift des DtrG. Anhand der Epoche von Ahab bis Jehu demonstrierten sie die Geschichtsmächtigkeit des durch Elia ergangenen Jahwewortes. Gleichzeit verankerten sie die Thematik „Kultische Verirrung/ Baalskult – Kultreform" in der Geschichte des Nordreichs.
- Nicht lange danach wurde von den Deuteronomisten noch nahestehenden, prophetischen Bearbeitern (BK) die Kriegserzählungensammlung in die DtrG-Grundschrift eingefügt: Der Umgang des Königs mit der (Gerichts-)prophetie wird zum geschichtsbestimmenden Moment.
- Die beiden nachfolgenden Bearbeitungsschichten (BE1 und BE2) sind ebenfalls prophetischen Kreisen zuzuweisen, diese stehen ihrer Intention nach den Deuteronomisten jedoch fern: Mit dem Einbau der Elia-Komposition in der Zeit des Neubeginns nach dem Exil (BE1) wurde das deuteronomistische Geschichtskonzept von der Verworfenheit der Omriden zugunsten einer optimistischen Auffassung von der Wirksamkeit der „didaktischen" Gerichtsprophetie, die durch die Kombination von Läuterungsgericht und Demonstration der alleinigen Göttlichkeit Jahwes zur Umkehr führt, und der grundsätzlichen Wandlungsfähigkeit des notorischen Sünders Ahab zerstört.
- Wohl erst im 5. Jh. wurde die Elia-Komposition um die Erzählung „Elia am Horeb" (1.Kön 19,1-18) ergänzt; gleichzeitig wurden die „Elisa-Biographie" und die Erzählung von der Thronusurpation Hasaels in das erweiterte DtrG eingefügt (BE2). Durch die Rückführung der politisch eingreifenden Unheilsprophetie auf einen am Horeb im Verlauf einer Theophanie ergangenen Auftrag Jahwes an Elia und die Demonstration des vielfältigen, lebensbejahenden Wirkens Elisas wurde der Prophetie im Elia-Elisa-Zyklus eine gesicherte Basis in der Geschichte Israels geschaffen.

2 Das Werden der Elia- und Elisa-Überlieferung außerhalb der Königsbücher

2.1 Die ersten Elia-Traditionen

Zu den ältesten Bestandteilen der Elia-Überlieferung gehört die wohl noch zu Lebzeiten Elias entstandene Regenmacher-Tradition (1.Kön 18,42b.45a) bzw. die nicht mehr rekonstruierbare Erzählung vom Regenmachen Ahabs und Elias (18,19*.20*.41-46*). Sie geht auf eine Phase der Wirksamkeit Elias zurück, die noch nicht von der Konfrontation mit den Omriden geprägt war. Auch der Dürrespruch (1.Kön 17,1*: „Diese Jahre wird es weder Tau noch Regen geben, es sei denn, ich sage es!") verknüpft die Wirksamkeit Elias mit dessen Fähigkeit, Regen zu machen bzw. diesen zu verweigern. Elia tritt zunächst als ein mit magischen und mantischen Fähigkeiten ausgestatteter Regenmacher in Erscheinung.[7]

---

[7] Ähnlich H.-Chr.Schmitt, *Elisa*, 186f.; W.Thiel, *Ursprung*, 28-32; siehe auch S.171-173.

Ein Beleg für den Kampf Elias gegen den Synkretismus der Omriden und für die alleinige Jahweverehrung findet sich in 2.Kön 1,2ff.: Die wohl erst in der Mitte des 8. Jahrhunderts entstandene Anekdote von der Befragung des Baal von Ekron hat ihre Wurzeln (V.2.6*) sicherlich noch in der Zeit Elias.[8] Das auf die Zeit Ahabs und Elias zurückgehende Überlieferungselement 1.Kön 18,17b.18a, der Streit um den Verderber Israels,[9] verweist ebenfalls auf eine nun von der Auseinandersetzung mit den Omriden geprägte Periode in der Tätigkeit Elias.

Die 1.Kön 18,12; 2.Kön 2,1-15 zugrundeliegende Überlieferung von der Himmelfahrt Elias[10] kann frühestens im Zuge der Legendenbildung nach dem Tode Elias in Kreisen von Schülern desselben entstanden sein. Da der Autor der Nachfolgeerzählungen in der zweiten Hälfte des 8. Jahrhunderts bereits relativ frei mit der Himmelfahrtstradition umging,[11] dürfte sie aber wohl noch auf das Ende des 9. bzw. den Anfang des 8. Jahrhunderts zurückgehen. Von Schülern Elias stammt wohl auch die Tradition „Elia in der Ödnis“ (vgl. 1.Kön 17,5b-6; 19,3aß-6).[12]

2.2 Die Sammlung der unpolitischen Elisa-Wundergeschichten

Im frühen 8. Jh. entstand in den Kreisen der Prophetenjünger Elisas sukzessive die Sammlung der unpolitischen Wundergeschichten (2.Kön 2,19-22.23b-24; 4,1-7.[8-37*.]38-41*. 42-44; 6,1-7): Nach dem Tod ihres Meisters (um 800) hielten seine Schüler Erzählungen über das Wirken Elisas unter ihresgleichen und den „kleinen Leuten“ fest, übertrugen andere, wohl von einem anonymen Gottesmann handelnde Wundergeschichten auf Elisa und vereinigten sie zu einer dem Ruhme des mit magischen Kräften begabten Gottesmannes Elisa dienenden Sammlung. Im Zuge der Zusammenstellung der Elisa-Geschichten wuchs auch die aus dem Milieu der Oberschicht stammende Erzählung von der Sunamitin (2.Kön 4,8-12.16-28.30b.32a.33-34.36-37) der Sammlung zu.[13]

2.3 Die Erzählung von der Jehu-Revolution

Die Erzählung von der Jehu-Revolution (2.Kön 9,1-5.6*.10b.11-21a.21b*.22-24.27.30-35; 10,1-5.6a.7-9.12-17aα.18-19a.20.21aßb.22-25a) entstand in Anbetracht ihrer projehuidischen und antiomridischen Tendenz sicherlich noch zu Zeiten der Jehu-Dynastie. Vermutlich im Zusammenhang mit den Restaurationsbestrebungen Jerobeams II. (787-747) verfaßten die „Hoftheologen“ der Jehu-Dynastie die Propagandaschrift zur Legitimation der Jehu-Revolution, um der nach dem Schwung der ersten Begeisterung zunehmend ins Kreuzfeuer prophetischer Kritik und machthungriger Beamtencliquen geratenden Dynastie

---

8 Vgl. W.Thiel, *Ursprung*, 32f.; G.Hentschel, *2 Könige*, 5 und S.148f.

9 Siehe S.Timm, *Dynastie*, 62f.; R.Albertz, *Religionsgeschichte*, 238 und oben S.163-165.

10 Vgl. G.Hentschel, *2 Könige*, 8 und auch S.170 Anm. 97 sowie S.221 Anm. 300.

11 Siehe oben S.221 Anm. 300.

12 Zu 1.Kön 17,5b-6; 1.Kön 19,3aß-6 vgl. E.Würthwein, *Bücher II*, 212.227; zu 1.Kön 19,3aß-6 auch O.H.Steck, *Überlieferung*, 27.

13 Vgl. E.Würthwein, *Bücher II*, 366 und auch H.-Chr.Schmitt, *Elisa*, 109. Zum Ganzen siehe oben S.224-230.

wieder zu Ansehen und Unterstützung unter der Bevölkerung zu verhelfen. Ein wesentlicher Punkt der Argumentation der Verfasser der Jehu-Erzählung ist dabei die Berufung auf die Salbung Jehus im Namen Jahwes durch einen Prophetenjünger Elisas. Elisa tritt hier zum ersten Mal als Vertreter der antiomridischen Protestbewegung, die sich für eine exklusive Jahweverehrung einsetzte, in Erscheinung.[14]

Wohl gegen Ende der Regierungszeit der Jehuiden[15] kam es, möglicherweise vor dem Hintergrund hoseanischer Kritik am Blutbad von Jesreel (Hos 1,4) bzw. der aramäischen Beurteilung der Ermordung Jorams[16], zu einer „Nachbesserung" der Verteidigungslinie der Erzählung von der Jehu-Revolution in Bezug auf den Tod des zweiten Sohnes Ahabs: Unter Verwendung eines aus der Zeit Ahabs stammenden, anonymen Prophetenspruchs (2.Kön 9,26a) wird durch die Naboth-Bearbeitung (+ 2.Kön 9,21b*.25f.) klargestellt, daß mit dem Tode Jorams das Verbrechen Ahabs an Naboth gesühnt wurde, Jehu also als Vollstrecker des Willen Jahwes völlig korrekt handelte.[17]

2.4 Die Sammlung der politischen Elisa-Wundergeschichten und die „Elisa-Biographie"

Wie die Sammlung der unpolitischen Wundergeschichten, so dient auch die Sammlung der politischen Wundergeschichten (2.Kön 5,1-4.5*.6-15a.17aßb-18.19a; 6,8-15a.18-23; 13,14-21) dem Ruhm Elisas. Sie enthält aber gleichzeitig eine klare Bestimmung des Verhältnisses zwischen König und Prophet: Dieser wird als väterlicher Berater, als für das außenpolitische Wohl und Wehe Israels unverzichtbarer Helfer des Königs geschildert.[18] Daher legt es sich nahe, die Sammlung der politischen Wundergeschichten dem Milieu der nordisraelitischen Hofprophetie zuzuweisen, wo um die Mitte des 8. Jahrhunderts die älteren, der Zeit Elisas näheren Erzählungen 2.Kön 6,8-23* und 2.Kön 13,14-17.20f. über die theologisch tiefgründigere Erzählung von der Heilung Naemans (2.Kön 5,1-19a*) miteinander verbunden wurden.[19]

Die Sammlung der politischen Wundergeschichten wurde wohl noch im Nordreich, das heißt zwischen 750 und 722, mit der Sammlung unpolitischer Wundergeschichten zur „Elisa-Biographie" vereinigt (1.Kön 19,19-21; 2.Kön 2,1-15.19-25a; 4,1-6,23*; 13,14-21),[20] deren Auftakt vom „Autor" der „Biographie" neu geschaffen wurde. Unter Verwendung

---

[14] Vgl. S.104-111.

[15] Siehe S.113.

[16] In der Tell-Dan-Inschrift (siehe S.101f.) reklamiert Hasael, der König von Aram, die Ermordung Jorams von Israel für sich. Die Revolution des Jehu fand also, aus aramäischer Sicht, auf Initiative und unter dem Schutz der Aramäer statt; anders ausgedrückt: Jehu war eine aramäische Marionette!

[17] Vgl. S.111-113.

[18] Siehe S.230-233. Dem Milieu der nordisraelitischen Hofprophetie könnte auch die Erzählung von der Thronusurpation Hasaels (2.Kön 8,7-15) entstammen, welche die mögliche Verstrickung Elisas in die aramäischen Thronwirren und seine „Schuld" an der Bedrohung Israels in der Zeit der Aramäerkriege literarisch verarbeitet. 2.Kön 8,7-15 wurde jedoch als Einzelerzählung überliefert und weder in die Sammlung politischer Wundergeschichten noch in die „Elisa-Biographie" integriert. Siehe dazu S.233f.

[19] Die Erzählung von der Heilung Naemans ist wegen der ihr innewohnenden monotheistischen Tendenz wohl nicht vor der frühen Hoseazeit (um 750), aufgrund der Bindung Jahwes an das „Land Israel" aber auch nicht nach dem Untergang des Nordreichs (722) entstanden. Siehe S.232f.

[20] Siehe S.235-237; vgl. auch B.Lehnart, *Prophet*, 314-343.362f.364-368.

einer älteren Elia-Himmelfahrtstradition schilderte er in den Nachfolgeerzählungen den Aufstieg Elisas vom reichen Bauernsohn zum Diener und schließlich zum Nachfolger des berühmten Elia (1.Kön 19,19-21; 2.Kön 2,1-15).[21] Durch Aufnahme des Ehrentitels Elisas aus der Anekdote von der Kriegshilfe des todkranken Elisa (2.Kön 13,14-17; vgl. 2.Kön 2,12 mit 13,14), die ihren natürlichen Ort am Ende der „Biographie" hatte, gab er der „Biographie" einen programmatischen Rahmen: Elia und Elisa stehen in einer prophetischen Linie, sie sind Träger desselben Geistes und desselben Titels „Wagen Israels und seine Gespanne". Der „Autor" der „Biographie" verknüpfte die beiden ersten Anekdoten der Sammlung der unpolitischen Wundergeschichten (2.Kön 2,19-22.23b-24) unmittelbar mit den Nachfolgeerzählungen und ließ die übrigen unpolitischen Wundergeschichten, lose mit 2.Kön 2,1-24* über die Wanderungsnotizen 2.Kön 2,25a; 4,38aα* verbunden, folgen. Die erste politische Wundergeschichte (2.Kön 5,1-19a*) wiederum verzahnte er mit der letzten unpolitischen (2.Kön 6,1-7) und führte – als Ausgleich zwischen beiden Arten von Wundergeschichten – die Person Gehasis aus 2.Kön 4,8-37* in die Erzählung von der Heilung Naemans ein (2.Kön 5,5b*.15b-17aα.19b-27). Die politischen Wundergeschichten wurden zusätzlich durch die Erweiterung von 2.Kön 6,8-23* um V.15b-17 mit den Nachfolgeerzählungen verknüpft: Das Feuerwagenmotiv deutet an, daß auch Elisas politisch-militärische Wunder mit der Himmelfahrt Elias im Zusammenhang stehen. Die entstandene „Biographie" Elisas, die sein Leben von der Berufung bis zum Tode schildert, dient der Legitimation Elisas und seiner im Umfeld der Gruppenprophetie (Gilgal/Jericho/Bethel) beheimateten Nachfolger, unter denen auch der „Autor" der „Biographie" zu suchen ist. Anlaß zur Rechtfertigung gab vermutlich die sich an der Verstrickung Elisas in die Jehu-Revolution und der lokalen Anbindung seiner Jünger an die genannten Kultorte entzündende Kritik aus den Kreisen um Hosea (vgl. Hos 1,4; 4,15; 10,5; 12,12). Gleichzeitig aber wird mit der Erstellung der „Biographie" und ihrem Verweis auf das vielgestaltige, heilvolle Werk des Elisa der engführenden Vereinnahmung Elisas durch die Propagandisten der Jehu-Dynastie entgegengewirkt.

2.5 Die Elia-Erzählungen

Einige Zeit nach der Erweiterung der Erzählung von der Jehu-Revolution durch die Naboth-Bearbeitung,[22] wegen der antiomridischen Tendenz möglicherweise noch zu Zeiten der Dynastie Jehu,[23] entstanden in prophetischen Kreisen, die sich um das Erbe Elias sam-

---

[21] Die Lokalisierung der Prophetenjüngergruppen an den Orten Gilgal, Jericho und Bethel in 2.Kön 2,1-15 macht eine Entstehung der Erzählung – und damit der gesamten „Elisa-Biographie" – noch im Nordreich wahrscheinlich: Eben diese sich auf Elia und Elisa berufenden Gruppen aus Gilgal, Bethel und Jericho sollen durch die „Biographie" legitimiert werden, was nach einer Zerstreuung derselben in Folge der Eroberung des Nordreichs wenig Sinn machen würde.

[22] Da die Naboth-Bearbeitung der Jehu-Erzählung (2.Kön 9,21b*.25f.) die Verknüpfung des „Falles Naboth" mit Elia noch nicht kannte, ist anzunehmen, daß diese vor der Komposition der Erzählung von Naboths Weinberg (1.Kön 21,1aß-20aα), durch die ebendiese Verbindung geschaffen wird, erfolgte. Da die Erzählung von der Befragung des Baal von Ekron (2.Kön 1,2.5-8.17aα_1) aufgrund inhaltlicher und struktureller Gemeinsamkeiten den Überlieferungsträgern der Naboth-Erzählung zugeordnet worden war (S.148f.), gelten obige Überlegungen zur relativen Chronologie auch für diese.

[23] Die nordisraelitische Perspektive der beiden Erzählungen widerrät auf jeden Fall, eine Entstehung im Südreich bzw. nach 722 anzunehmen.

melten, die Erzählung von Naboths Weinberg (1.Kön 21,1aß-20bα)[24] und die Anekdote von der Befragung des Baal von Ekron (2.Kön 1,2.5-8.17aα_1)[25]: Elia, der Thisbiter, wird hier als ein Unrecht aufdeckender Antagonist der omridischen Könige, vor allem aber als ein vom Jahwewort geleiteter Prophet gezeigt, dessen im Namen Jahwes überbrachte Worte sich im Laufe der Geschichte erfüllt haben (vgl. 2.Kön 1,17aα_1). Beiden Erzählungen liegen ältere Traditionen zugrunde: Die Erzählung von Naboths Weinberg – und damit die Verbindung des „Falles Naboth" mit Elia[26] – entstand durch Verschmelzung der wohl aus der Zeit Jerobeams II. stammenden Naboth-Tradition (1.Kön 21,1-16)[27] mit dem auf die Zeit Ahabs zurückgehenden, anonymen Spruch vom Blut Naboths (1.Kön 21,19b). Die Anekdote 2.Kön 1,2.5-8.17aα_1 geht auf eine noch aus der Zeit Elias stammende Überlieferung von der Befragung des Baal von Ekron zurück.[28]

2.6 Die israelitische Kriegserzählungensammlung

In der Zeit der Aramäerkriege bzw. unter dem Eindruck der drohend heraufziehenden assyrischen Gefahr entstand im Nordreich sukzessive eine erste Sammlung von Kriegserzählungen (1.Kön 20,1-34; 2.Kön 6,24-30.32a.33aßb; 7,1.3-16), die an Jahwes wunderbare Hilfe in noch nicht allzu lange vergangenen Zeiten der Bedrängnis erinnert.[29] Der Auftritt Elisas als Mantiker und Berater des Königs in 2.Kön 6,24ff. setzt vermutlich dessen Charakterisierung als Prophet und Nothelfer Israels in den politischen Wundergeschichten (vgl. 2.Kön 5,8; 6,9.12.21-23; 13,14ff.) voraus.

2.7 Die exilische Kriegserzählungensammlung

Die projudäische, antiisraelitische Tendenz der Kriegserzählungen 1.Kön 22,2b-3.5-6.9-15a.17.24-28bα.29-35bα.36-37 und 2.Kön 3,4-12.14-27 macht, obwohl diesen sicherlich ältere, aus dem Norden stammende Traditionen zugrunde liegen,[30] eine Entstehung in Juda wahrscheinlich. Die Erzählungen fügen sich zwanglos in den Kontext der Auseinandersetzung zwischen Heils- und Unheilsprophetie im letzten Jahrzehnt des Südreichs (597-587) ein und sind aufgrund ihrer Thematik – im Unterschied zu den israelitischen Kriegserzählungen – prophetischen Kreisen zuzurechnen.

Die Erzählung vom Feldzug Ahabs gegen Aram (1.Kön 22*) wurde wohl in der frühen Exilszeit um den die Frage nach den Ursachen der gescheiterten Heilsprophetie behandelnden, zweiten Visionsbericht (22,15b.16.19-23) ergänzt[31] und wenig später über 1.Kön

---

[24] Siehe S.138-143.
[25] Vgl. S.144-149.
[26] Siehe S.138-143; anders W.Thiel, *Ursprung*, 35.
[27] Die den omridischen Absolutismus anprangernde Erzählung paßt ihrer Intention nach gut in die Zeit der Restaurationsbestrebungen Jerobeams II. (siehe dazu S.139 Anm. 92): Zum Zwecke der innenpolitischen Konsolidierung wird hier auf die Auswirkungen der Herrschaft der voraufgehenden Dynastie auf die Rechte des freien Bürgers verwiesen.
[28] Siehe oben S.148.249.
[29] Siehe S.217.
[30] Siehe S.213-216 mit Anm. 273.
[31] Siehe oben S.215.

22,4.7-8.18 mit 2.Kön 3,4ff. verknüpft. Die beiden judäischen Kriegserzählungen wurden anschließend mittels 1.Kön 20,35-43; 22,1.2a in die israelitische Kriegserzählungensammlung eingefügt, so daß ein kleines Werk über das rechte Verhalten des Königs gegenüber dem prophetischen Wort entstand (1.Kön 20,1-43; 22,1-35abα.36-37; 2.Kön 3,4-12.14-27; 6,24-30.32a.33aßb; 7,1.3-16).[32]

2.8 Die Erzählung vom Götterwettstreit

Die Erzählung vom Götterwettstreit (1.Kön 18,21-30a.31-36aα*(bis ויאמר).37-39) ist aufgrund ihrer unbestreitbar monotheistischen Prägung[33] wohl erst gegen Ende der Exilszeit anzusetzen. Anhand einer in der Vergangenheit spielenden Episode mit dem weithin als Kämpfer gegen den Synkretismus der Omriden bekannten Protagonisten Elia wird die Nichtigkeit Baals demonstriert bzw. der Erweis der alleinigen Göttlichkeit Jahwes erbracht. Der politisch-militärische Sieg der Jahwe-Allein-Partei in der Jehu-Revolution wird hier auf theologischer Ebene als Sieg Jahwes im Wettstreit der Götter Baal und Jahwe ausgedeutet.[34]

Wenig später wurde die Verbindung zwischen der Erzählung von der Jehu-Revolution und der Erzählung vom Götterwettstreit auch auf literarischer Ebene ausgebaut und die Erzählung vom Regenmachen Ahabs und Elias (18,19*.20*.41-46*) mit der Erzählung vom Götterwettstreit zur Baal-Regen-Erfolgsgeschichte (18,19-46*) verknüpft. Der Aufruf zur Bekehrung zum einzigen Gott Jahwe erhielt durch die optimistische Einschätzung der Umkehrmöglichkeit des als notorischer Sünder bekannten Ahabs und das Aufzeigen der positiven Folgen der Hinwendung zu Jahwe eine noch größere appellative Kraft: Auch dem Frevler steht der Weg ins Leben offen, wenn er nur die alleinige Göttlichkeit Jahwes erkennt und sich mit ganzem Herzen den Göttern ab- und Jahwe zuwendet.[35]

3 Die Komposition von 1.Kön 16,29 bis 2.Kön 10,36

3.1 Die Grundschrift des Deuteronomistischen Geschichtswerks

Die Deuteronomisten wählten um 560[36] aus der ihnen überkommenen Elia- und Elisaüberlieferung nur drei Erzählungen aus: Die Erzählung von der Jehu-Revolution als Beispiel für einen radikalen Kampf gegen einen Israels Bestand gefährdenden Fremdgötterkult,[37] die Anekdote von der Befragung des Baal von Ekron als knappe und konkrete Illustration des Schemas „Baalsverehrung – Strafe Jahwes“[38] und die Erzählung von Naboths Weinberg als

---

[32] Siehe S.217f. Mit der Frage nach dem rechten Verhalten des Königs, das über das Wohl und Wehe seines Volkes entscheidet, und dem Entwurf eines kausalen Tun-Ergehenszusammenhanges scheint die Kriegserzählungensammlung von „deuteronomistischem Zeitgeist“ durchdrungen, was eine Datierung um 560 nahelegen würde.

[33] Vgl. S.174f.

[34] Siehe S.175-178.

[35] Siehe oben S.177f.

[36] Zur Datierung siehe S.26.

[37] Siehe S.114-117.

[38] Siehe S.144-147.

Gegenstück zur Erzählung von der Jehu-Revolution, da der Zusammenhang zwischen der Schuld Ahabs am Tode Naboths und dem Untergang des Hauses Ahabs als Strafe für dieses Vergehen in der ihnen vorliegenden Fassung der Erzählung von der Jehu-Revolution bereits vorgegeben war (2.Kön 9,25f.).[39] Die Auswahl und Bearbeitung dieser Erzählungen spiegelt das deuteronomistische Interesse wider, den Zusammenhang zwischen kultischer Verirrung und dem Ergehen des Königs und seines Geschlechts[40] sowie die Geschichtsmächtigkeit des prophetischen Jahwewortes[41] zu erweisen. Die „Elisa-Biographie" mit ihrer Betonung der magischen Komponente der Prophetie Elisas, ihren zum Teil im Milieu der kleinen Leute und ihrer alltäglichen Sorgen spielenden Anekdoten und der königsfreundlichen Grundhaltung der politischen Wundergeschichten entsprach dagegen nicht der Thematik des Deuteronomistischen Geschichtswerks. Sie wurde folglich von den Deuteronomisten nicht aufgegriffen.[42] Die Kriegserzählungensammlung und 1.Kön 17-18.19 entstanden etwa zeitgleich bzw. später als das DtrG und wurden erst nachträglich in dieses aufgenommen.[43] Damit gelangt man für den Bereich von 1.Kön 16,29 bis 2.Kön 10,36 zu folgendem Bild der DtrG-Grundschrift:[44]

---

[39] Siehe dazu S.119-137.

[40] 2.Kön 1,2ff.; 9/10.

[41] 1.Kön 21 – 2.Kön 9/10.

[42] Vgl. S.197f. mit Anm. 213 und S.220ff.

[43] Siehe S.218 bzw. S.171f.196.

[44] Vgl. hier H.-J.Stipp, *Elischa*, 463f., der zu einer ähnlichen Beurteilung des Umfanges der DtrG-Grundschrift gelangt.

1.Kön 16,29-33: Einführungsformular des Königsrahmens für Ahab, Beurteilung Ahabs, Kultnotizen
Ahab tat mehr Böses und erzürnte Jahwe mehr als alle, die vor ihm waren: Zur Sünde Jerobeams kommt seine Baalsverehrung, zu der er von seiner sidonischen Frau Isebel verführt wurde. Er errichtete einen Baalstempel mit Altar und eine Aschere in Samaria.

1.Kön 21,1aß-20bα: Aufgenommene Naboth-Erzählung
Soziales Vergehen Ahabs – soziale Anklage
Gerichtsankündigung Elias gegen Ahab

1.Kön 21,20bß-24: Gerichtsrede Elias an Ahab
Verlagerung der Anklage in den religiösen Bereich:
Ahab hat Böses getan, Jahwe erzürnt, Israel zur Sünde verführt.
Ausweitung der Unheilsankündigung auf die gesamte Dynastie Ahab (V.22)
Gesonderte Anklage gegen Isebel (V.23)

1.Kön 21,27-29: Reue und Verschonung Ahabs
Ausgleich zwischen der Gerichtsankündigung gegen Ahab und seinem natürlichen Tod durch Verschiebung des Gerichts in die Zeit seines Sohnes

1.Kön 22,39-40: Schlußformular des Königsrahmens für Ahab
Natürlicher Tod des Königs

1.Kön 22,41-51: Josaphat von Juda

1.Kön 22,52-2.Kön 1,1: Einführungsformular des Königsrahmens für Ahasja, Beurteilung, Kultnotiz, Bericht über Gebietsverluste
Ahasja wandelte auf den Wegen seiner Eltern und auf den Wegen Jerobeams. Er erzürnte Jahwe ebenso wie Ahab, denn auch er diente dem Baal.

2.Kön 1,2.5-8.17aα$_1$: Aufgenommene Anekdote „Befragung des Baal von Ekron"
Elia klagt Ahasja im Namen Jahwes seines kultischen Vergehens an.
Unmittelbare Erfüllung der Unheilsankündigung Elias.

2.Kön 1,18: (Unvollständiges) Schlußformular des Königsrahmens für Ahasja

2.Kön 3,1-3: Einführungsformular des Königsrahmens für Joram von Israel, Beurteilung, Kultnotiz
Joram sündigte nicht so sehr wie sein Vater Ahab und seine Mutter Isebel.
Er entfernte eine Baalsmazzebe.

2.Kön 8,16-24: Joram von Juda

2.Kön 8,25-29: Einführungsformular für Ahasja von Juda, dem Sohn Ataljas, der Tochter Omris, Beurteilung, militärischer Kurzbericht
Ahasja wandelte auf den Wegen des Hauses Ahabs und tat Böses in den Augen Jahwes.

2.Kön 9,1-10,25a*: Aufgenommene Jehu-Erzählung
Elisa setzt durch seine prophetische Salbung die Jehu-Revolution in Gang.
Jehu rottet das Haus Ahabs und die judäischen Verwandten Omris aus.
Er tötet die verhaßte Königsmutter Isebel und führt einen vernichtenden Schlag gegen den Baalskult in Samaria.

Deuteronomistische Bearbeitung:
9,7a.8-10a: Erweiterung der Prophetenrede
Jehu erhält explizit den Auftrag, das in 1.Kön 21,21-24 angekündigte Gericht am Haus Ahabs und an Isebel zu vollstrecken.

2.Kön 9,28: (Unvollständiges) Schlußformular des Königsrahmens für Ahasja von Juda
9,36: Erfüllungsvermerk für den Tod Isebels
(→ 1.Kön 21,23; 2.Kön 9,10a)
10,10f.17aßb: Erfüllungsvermerke für die Ausrottung der Dynastie Ahab
(→ 1.Kön 21,21b.22; 2.Kön 9,7a.8f.)

2.Kön 10,25b-27: Entwurf einer „Kultreform Jehus"
Vollständige Zerstörung des Baalsheiligtums

2.Kön 10,28-31a.32-36: Beurteilung Jehus, begrenzte Dynastieverheißung, militärischer Kurzbericht, Abschlußformular des Königsrahmens
Ausrottung des Baalskultes aus Israel
Vollstreckung des Gerichts am Hause Ahabs nach dem Willen Jahwes
Verharren in der Sünde Jerobeams

In der ermittelten Grundschicht des Deuteronomistischen Geschichtswerks läßt sich eine durchgehende kompositorische Linie feststellen: Der gesamte Komplex wurde von den Deuteronomisten durch Bildung eines Rahmens unter das Thema „Baalsanbetung" gestellt. Ahab führte, verführt durch seine ausländische Frau Isebel, den Baalskult in Israel ein (1.Kön 16,31), und erst Jehu rottete ihn wieder aus (2.Kön 10,28). In diesem Spannungsgefälle fügen sich die aufgenommenen Einzelerzählungen und die von den Deuteronomisten erstellten Königsrahmen zu einem Drama zusammen: Ahab begeht, tatkräftig unterstützt von Isebel, ein tödliches Unrecht an Naboth, dem Jesreeliter (1.Kön 21). Anläßlich dieser Tat, aber in der deuteronomistisch überformten Fassung bezogen auf die im Königsrahmen aufgelisteten kultischen Sünden,[45] wird Ahab, seinem Haus und Isebel von Elia im Namen Jahwes Unheil angekündigt. Ahab bereut daraufhin sein Verhalten, das Unheil wird bis in die „Tage seines Sohnes" verschoben (21,27-29), und er stirbt eines natürlichen Todes (1.Kön 22,40). Ahabs erster Sohn, Ahasja, setzt den Baalskult Ahabs und Isebels fort und handelt damit ebenso schlecht wie sein Vater und seine Mutter (1.Kön 22,52-54). Doch die Strafe folgt auf dem Fuße: Israel muß Gebietsverluste hinnehmen (2.Kön 1,1); der König erkrankt infolge eines Sturzes (2.Kön 1,2). Als Ahasja sich in seiner Not nicht an Jahwe, sondern an den Baal von Ekron wendet, ist das Maß voll: Elia kündigt ihm im Namen Jahwes den Tod an, der dann auch ohne Verzögerung eintritt (2.Kön 1,2.5-8.17aα_1). Obwohl der zweite Sohn Ahabs, Joram, sich vom Baalskult distanziert (2.Kön 3,1-3), kommt es – wegen der Fortdauer des Einflusses Isebels auf die Religionspolitik (2.Kön 9,22) – unter seiner Regierung zur Jehu-Revolution und damit zum Vollzug des von Elia angekündigten Unheils gegen das Haus Ahabs (2.Kön 9,24; 10,1-11.17) und die verhaßte Isebel (2.Kön 9,30-36). Auch die judäische Verwandtschaft Ahabs wird nicht von der Vollstreckung des Gerichts ausgenommen (2.Kön 9,27; 10,12-14).[46] Mit der völligen Zerstörung des Baalstempels von Samaria samt seines Inventars (2.Kön 10,25-27), der Vernichtung des Kultpersonals und aller Baalsanbeter (2.Kön 10,18ff.) beseitigt Jehu im Zuge seiner Revolution darüber hinaus ein für alle Mal den Baalskult in Israel (10,28).

Es geht also im Textbereich von 1.Kön 16,29 bis 2.Kön 10,36 um die kultischen Verfehlungen des Hauses Ahabs, die noch zur „üblichen" Sünde des Nordens, der „Sünde Jerobeams", hinzukommen, und somit eine besonders dunkle Epoche in der Geschichte des Nordreiches markieren. Daher ist es auch erklärlich, warum die Ära von Ahab bis Jehu einen so ungewöhnlich großen Raum in der Geschichtsschreibung der Deuteronomisten einnimmt: Nach dem Aufstieg und Fall Jerobeams (1.Kön 11,26-14,20) ist hier der zweite und absolute Höhepunkt auf der Negativskala der Nordreichsgeschichte erreicht. Mit der Jehu-Revolution wird die Sündhaftigkeit des Nordens quasi wieder auf ihr „normales" Maß reduziert, denn auch Jehu verharrt in der „Sünde Jerobeams" (2.Kön 10,29).

Am Beispiel der Epoche der Baalsverehrung können die Deuteronomisten bereits im kleinen verdeutlichen, was sie anhand ihres Gesamtentwurfs der Geschichte Israels und Judas demonstrieren wollen: Die Aufweichung der konsequenten Alleinverehrung Jahwes durch Einführung eines Fremdgötterkultes führt unweigerlich ins Verderben, sei es – auf die Epoche von Ahab bis Jehu bezogen – in den Niedergang eines Geschlechts oder – ge-

[45] Vgl. 1.Kön 21,20bß-24 mit 1.Kön 16,29-33 und dazu S.133-135.
[46] Vgl. auch 2.Kön 11!

samtgeschichtlich betrachtet – in den Untergang eines ganzen Staates (vgl. 2.Kön 17,7-23; 21,10-15).

Die dunkle Zeit des Nordens im deuteronomistischen Geschichtsentwurf ist untrennbar mit der Person Isebels verknüpft: Nach Darstellung der Deuteronomisten, die sich allerdings aus der Erzählung von der Jehu-Revolution speist (vgl. 2.Kön 9,22.30-35), war die Einführung des Baalskultes nach Israel eine unmittelbare Folge der Heirat Ahabs mit der fremden Frau, der sidonischen Prinzessin Isebel (1.Kön 16,31; vgl. 21,25f.). Die enorme Bedeutung, die die Deuteronomisten, auch aufgrund ihrer Charakterisierung in der Naboth-Erzählung, dem Einfluß Isebels auf die Geschicke Israels zumessen, spiegelt sich auch in der Erweiterung der Naboth-Erzählung wider: Hier erhält Isebel eine gesonderte, sie vom Schicksal des Hauses Ahabs separierende Unheilsankündigung (1.Kön 21,23). Isebels Macht überdauerte Ahabs Tod und beeinflußte die Regierungszeit ihrer Söhne: Ahasja setzte die Baalsverehrung seines Vaters und seiner Mutter fort. Der frömmere Joram konnte sich gegen seine Mutter nicht behaupten (2.Kön 9,22), so daß der Baalskult in Samaria anscheinend (fast) ungebremst fortgeführt wurde (2.Kön 10,18ff.). Erst mit dem Tod Isebels, als die Macht der fremden Frau gebrochen und selbst ihr Körper aus Israel getilgt war (2.Kön 9,36; vgl. V.37), konnte dem Baalskult in Israel ein Ende gesetzt werden.

Die deuteronomistische Zusammenstellung und Überarbeitung der vorgegebenen Einzelerzählungen zu einem Gesamtablauf führt zu einer ersten Verhältnisbestimmung der Propheten Elia und Elisa. Denn beide kämpfen auf jeweils spezifische Art gegen die Verfehlungen des Hauses Ahabs an: Während Elia die Sünden Ahabs und seiner Nachkommen anprangert und ihnen ihr Urteil verkündet (1.Kön 21,17ff.; 2.Kön 1,2ff.), stiftet Elisa den Offizier Jehu zur Revolte gegen Joram, Ahabs Sohn, an und führt so den Untergang des Hauses Ahabs aktiv mit herbei. Da aber die in 1.Kön 21,17-20bα und 2.Kön 1,2ff. vorgezeichnete Rolle Elias als Verkündiger des Wortes Jahwes dem Prophetenbild der Deuteronomisten weit mehr entspricht als die des aktiv in die Geschehnisse eingreifenden Elisa,[47] wird diese von den Deuteronomisten weiter ausgebaut (1.Kön 21,20bßff.; 2.Kön 9,36; 10,10.17): Das durch Elia ergehende Wort Jahwes ist das geschichtsbestimmende Moment der Epoche von Ahab bis Jehu.

3.2 Die Erweiterung der DtrG-Grundschrift um die Kriegserzählungen

Nicht lange nach Abschluß der Arbeit der Deuteronomisten, also etwa in der Mitte des 6. Jahrhunderts,[48] wurde die Kriegserzählungensammlung (1.Kön 20,1-43; 22,1-38*; 2.Kön 3,4-27*; 6,24-7,16*) so in das DtrG eingebaut, daß die beiden ersten Kriegserzählungen zwischen 1.Kön 21,1-29 und 1.Kön 22,39, die beiden letzten zwischen 2.Kön 3,1-3 und 2.Kön

---

47 Vgl. nur die deuteronomistischen Schemata von Verheißung und Erfüllung in 1.Kön 11,29ff. – 12,15; 1.Kön 14,7.8a.9f.14 – 15,29; 1.Kön 16,2-4 – 16,11f. und die deuteronomistische „Funktionsbestimmung" der Prophetie in 2.Kön 17,13. Siehe auch E.Würthwein, *Bücher II*, 496f. und R.Albertz, *Religionsgeschichte*, 397ff.

48 Dafür spricht vor allem die Nähe des die Kriegserzählungen einfügenden Bearbeiters zu deuteronomistischem Gedankengut und seine gleichsinnige Anknüpfung an das ihm vorliegende Textmaterial. Siehe dazu auch S.205-211.

8,16ff. zu stehen kamen.[49] Die Eingriffe des Bearbeiters, der die Kriegserzählungen in die DtrG-Grundschrift einfügte (BK), belaufen sich auf die Verknüpfung von 1.Kön 22,1-38* und 2.Kön 6,24-7,16* mit der bereits in der DtrG-Grundschrift vorliegenden Erzählung von Naboths Weinberg über 1.Kön 22,35bß.38 bzw. 2.Kön 6,31.32b.33aα und die Erweiterung der Erzählung vom Feldzug der drei Könige um 2.Kön 3,13. Darüber hinaus identifizierte er den König von Israel der ursprünglich anonymen Kriegserzählung 2.Kön 6,24ff. mit Joram von Israel (2.Kön 6,31.32b.33aα); möglicherweise geht auch die Gleichsetzung der Könige in 1.Kön 20; 2.Kön 3,4ff. mit Ahab bzw. Joram auf ihn zurück.

Durch Betonung der Verbindung zwischen Ahab und Joram (2.Kön 3,13; 6,31.32b.33aα) wird das Bild Jorams gegenüber der Darstellung der DtrG-Grundschrift (vgl. 2.Kön 3,1-3), nach der Joram eben nicht so schuldbeladen wie sein Vater und seine Mutter war,[50] verdüstert: Wie Ahab so hat sich auch Joram durch sein Fehlverhalten im Umgang mit wahren und falschen Propheten die Gunst der wahren Jahwepropheten verscherzt (2.Kön 3,13; vgl. 1.Kön 22,1ff.). Außerdem scheint Joram, der dem Propheten Elisa nach dem Leben trachtet, neben seiner Feindschaft mit den Propheten auch die Mordgier seines Vaters geerbt zu haben (2.Kön 6,32; vgl. 1.Kön 21,19; 22,26f.). BK bessert hier die in seinen Augen offensichtlich unzureichende Begründung der DtrG-Grundschrift für den gewaltsamen Tod Jorams im Verlauf der Jehu-Revolution nach: Joram stirbt nicht (ausschließlich) um der Sünden seines Vaters willen, sondern weil er sich diese Sünden zu eigen gemacht hat! Durch den „Schlenker" über das – nach Reue und Verschonung (1.Kön 21,27-29) – erneut erfolgende Vergehen Ahabs (1.Kön 20,35-43) kann BK zudem aufzeigen, daß auch Ahab – im Gegensatz zur Darstellung der Deuteronomisten – seine Strafe ereilte (1.Kön 22,35bß.38). So sühnt ein jeder letztlich die eigene Schuld, nicht jedoch die Sünden des Vaters.[51]

Als wesentlich für die Arbeit von BK muß weiterhin die planvolle Anordnung der Kriegserzählungen innerhalb ihres neuen Kontextes erkannt werden: Durch diese Anordnung ergibt sich ein „Geschichtsentwurf im kleinen", der nicht in Konkurrenz zu dem der DtrG-Grundschrift treten, sondern diesen auf sinnstiftende Weise ergänzen will: Die Zeit zwischen den Unheilsankündigungen Elias (1.Kön 21,20ff.) und ihrem Eintreffen (2.Kön 9/10) wird durch einen Ablauf von Ereignissen überbrückt, anhand derer der bereits von den Deuteronomisten postulierte Zusammenhang von Tun und Ergehen als geschichtsbestimmendes Movens beispielhaft entfaltet wird.[52]

Allerdings findet hier eine Themenverlagerung gegenüber der DtrG-Grundschicht statt: Ging es dort darum, zu zeigen, daß der Baalskult Ahabs und Isebels ein gefährlicher Irrweg war, der das Haus Ahabs in den Untergang führte, während die alleinige Jahweverehrung unbedingte Voraussetzung zum Heil ist, so scheint die Frage, wer der wahre Gott ist – Baal oder Jahwe – für BK bereits geklärt zu sein. Es geht nunmehr um den Umgang des Königs mit dem ihm durch die Propheten überbrachten Jahwewort, insbesondere um seinen Umgang mit der Unheilsprophetie. In Aufnahme der Vorstellung von der Reue und Verschonung Ahabs

[49] Vgl. die schematische Darstellung des um die Kriegserzählungen erweiterten DtrG im Bereich von 1.Kön 16,29 bis 2.Kön 10,36 auf S.204.
[50] Vgl. demgegenüber die Beurteilung Ahasjas in 1.Kön 22,53.
[51] Vgl. Dtn 24,16; 2.Kön 14,6.
[52] Siehe S.206f.

aus der DtrG-Grundschrift werden zwei prinzipielle Reaktionen des Königs auf die prophetische Anklage und Unheilsankündigung aufgezeigt: Einsicht und Reue des Königs (1.Kön 21,27; 2.Kön 6,30) werden mit Verschonung, ja mit der Unterstützung desselben durch Jahwe gekrönt (1.Kön 21,29; 20,1-34; 2.Kön 7,1ff.). Eine Verhärtung des Herzens gegenüber der Anklage (1.Kön 20,43) bzw. die Kombination aus Anfeindung des Unheilspropheten (1.Kön 22,1-28; 2.Kön 6,30-33*) und Vertrauen auf die falschen Heilspropheten (1.Kön 22,20-23) führt den König unweigerlich in den Tod (1.Kön 22,1-38; 2.Kön 9,24). Das Thema „Prophetie" gewinnt durch den Einbau der Kriegserzählungen gegenüber der DtrG-Grundschrift deutlich an Raum.

Ganz im Sinne der Deuteronomisten wird auch in der Ergänzungsschicht auf die verfehlte Außenpolitik der Omriden Bezug genommen (vgl. 1.Kön 16,29-33; 2.Kön 9-10): Das Bündnis Ahabs mit Ben-Hadad stellt eine Verletzung des Banngebotes dar und zieht die Bestrafung des Königs (1.Kön 20,42; 22,1-38) und eine tödliche Bedrohung des Volkes (2.Kön 6,24ff.) nach sich. Die Problematik der Ehe Ahabs mit einer fremden Frau (1.Kön 16,31; 21; 2.Kön 9-10) wird im Unterschied zur DtrG-Grundschrift jedoch nicht aufgenommen.

Der erste Bearbeiter der DtrG-Grundschrift stand den Deuteronomisten sicherlich sehr nahe, er ist jedoch nicht mit diesen gleichzusetzen: Die mit der Einfügung der Kriegserzählungen vorgenommene Charakterisierung Jorams, vor allem aber die Darstellung des Todes Ahabs, steht im Widerspruch zur DtrG-Grundschrift. Die stärkere Gewichtung des prophetischen Elements gegenüber der DtrG-Grundschrift weist auf eine Erstellung der Ergänzungsschicht in prophetischen Kreisen hin.

3.3 Der Einbau der Elia-Komposition (1.Kön 17-18)

In einem nächsten Schritt wurde die Elia-Komposition für den Kontext des DtrG verfaßt und in diesen eingefügt. Dabei konnte der erste Bearbeiter der um die Kriegserzählungen erweiterten Grundschrift des DtrG (BE1) auf eine Vielzahl älterer Traditionen zurückgreifen: Zunächst verknüpfte er den wohl noch aus der Zeit Ahabs stammenden „Dürrespruch" (1.Kön 17,1*) mit dem deuteronomistischen Königsrahmen für Ahab, so daß sich die Unheilsankündigung Elias an Ahab als direkte Konsequenz des Abfalls Ahabs zum Baalskult (1.Kön 16,30-33) verstehen läßt. Anschließend verfaßte er unter Verwendung des der Elia-Tradition entstammenden Motivs „Elia in der Ödnis" (1.Kön 17,5b-6; vgl. 19,3aß-6) und einer Wundergeschichte aus der Elisa-Überlieferung (17,10-14a.15f.; vgl. 2.Kön 4,1-7) einen Exkurs über die Fürsorge Jahwes für Elia zur Zeit der Dürre (1.Kön 17,2-5a.7-9. 14b). Hier macht der Erzähler der Elia-Komposition dem Leser/Hörer deutlich, daß demjenigen, der sich wie Elia streng nach dem Wort Jahwes richtet, der göttliche Beistand auch in der Zeit der Not gewiß ist, da die Wirkmacht Jahwes wahrhaft unbegrenzt ist. Sie besteht sowohl in den Zeiten der Dürre als auch auf ausländischem Gebiet, das vermeintlich anderen Göttern zuzurechnen ist.[53]

---

[53] Siehe oben S.170. In diesem Zusammenhang ist auch die Erweiterung des Gebets Elias um 1.Kön 18,36* (vgl. S.173f. Anm. 111) zu sehen.

Mittels der parallel zu 1.Kön 17,2f.8f. gestalteten Szeneneröffnung 1.Kön 18,1aß-2a. leitet BE1 über zur erwarteten Wiederbegegnung der Kontrahenten und zur Auflösung des Konflikts, der Wiedergewährung des Regens. Die Begegnung zwischen Ahab und Elia wird jedoch in spannungssteigernder Weise hinausgezögert durch die Elia-Obadja-Episode (18,2b-3a.5-12a.15f.), die der Erzähler der Elia-Komposition unter Verwendung der älteren Traditionen von der Grassuche des Königs (18,2b-6*) und der Himmelfahrt Elias (18,10) gestaltete. Sie führt, mit dem Motiv der verzweifelten Suche Ahabs nach dem in seinen Augen für die Dürrekatastrophe verantwortlichen Elia, hin auf den Streit zwischen Ahab und Elia um die Schuld am Verderben Israels, welcher den Dreh- und Angelpunkt der Erzählkomposition bildet. Der wohl aus der Zeit Ahabs überlieferte Schlagabtausch (18,17b. 18a) wurde von BE1 mittels V.17a.18b in die Erzählung eingebunden. Die durch den Anschluß von 1.Kön 17,1 an 1.Kön 16,29-33 bereits implizit hergestellte logische Verknüpfung der von Elia heraufbeschworenen Dürre mit dem Baalskult Ahabs wird zudem durch 18,18b expliziert: Nicht Elia, der die Dürre ankündigte, sondern Ahab, der die Gebote Jahwes verließ und den Baalen nachlief, trägt die Schuld am Verderben Israels.[54]

Die angeschlossene Erzählkomposition 1.Kön 18,19-46* führt den Streit zwischen Ahab und Elia jedoch zu einem versöhnlichen Ende, ja zu einem Triumph des didaktischen Vorgehens des Propheten: In Einsicht des in 18,17f. vermittelten Zusammenhanges von Abfall und Verderben wirkt Ahab an der Bekehrung des ganzen Volkes durch Elia mit; das zwischen Jahwe und Baal schwankende Volk erkennt die Allmacht des alleinigen Gottes Jahwe und die Nichtigkeit Baals; die Baalspriester werden getötet. Nach der Bekehrung Ahabs und des ganzen Volkes kommt es zur Wiedergewährung des Regens.[55] Durch Übermalung von 1.Kön 18,45b.46 paßte der Erzähler die Elia-Komposition an die Erzählung von Naboths Weinberg an: Ahab und Elia fahren nach ihrem Erfolg gemeinsam nach Jesreel, wo der Weinberg Naboths, des Jesreeliters, zu finden ist.[56]

Der Einbau der Elia-Komposition in das um die Kriegserzählungensammlung erweiterte DtrG fügt sich gut in den zeitgeschichtlichen Kontext des späten 6. Jahrhunderts (539-518) ein:[57] Voll Hoffnung auf einen Neubeginn nach der nationalen Katastrophe der Exilierung zeigt der aus prophetischen Kreisen stammende Erzähler anhand des in der „düsteren" Vergangenheit des Nordreichs spielenden Beispiels auf, daß nicht die Gerichtsprophetie die Schuld am Verderben Israels trug, sondern allein die Abkehr Israels von den Wegen Jahwes. Die Gerichtsprophetie zielte nicht auf den Untergang, sondern auf die aus der Einsicht in die alleinige Göttlichkeit Jahwes resultierende Umkehr und damit auf die Rettung Israels. Er ruft seine Zeitgenossen auf, wie Ahab die Zusammenhänge zwischen Gericht und eigener Schuld zu erkennen, sich von jeglichem Fremdgötterkult ab- und der alleinigen Jahweverehrung zuzuwenden und so nach der Zeit des Unheils den Weg in eine heilvolle

[54] Vgl. S.163-165.

[55] Siehe S.178.

[56] Siehe oben S.161.178.

[57] Der Einbau der Elia-Komposition setzt die öffentliche Anerkennung der Gerichtsprophetie in der Exilszeit sowie die Vorstellung eines möglichen Neuanfangs Israels nach 539 voraus. Die unangefochtene Hochschätzung der Prophetie in 1.Kön 17-18 spricht andererseits für eine Datierung desselben vor dem Scheitern der von Haggai und Sacharja geweckten Heilshoffnungen mit der Etablierung der Herrschaft des Darius um 518. Vgl. auch S.179.

Zukunft zu ebnen (vgl. Jes 40). Denn nach der Bekehrung steht der Weg ins Leben jedem offen, selbst dem sündenbeladenen Ahab. Mit dieser überaus optimistischen Einschätzung der Wirksamkeit einer „didaktischen" Prophetie bietet die Elia-Komposition einen bewußten Gegenentwurf zur pessimistischen Darstellung prophetischen Handelns der Deuteronomisten (vgl. 2.Kön 17,13f.). Nach Ansicht der Deuteronomisten gibt es für das verworfene Geschlecht Ahabs, sei es auch nicht mehr zu dessen Lebzeiten, nur Untergang und Tod. Die Aufgabe des Propheten Elia beläuft sich auf die Benennung der Übel und die Ankündigung des Untergangs (1.Kön 21,17-26; 2.Kön 1,6.17aα_1). Möglicherweise ist in dieser unterschiedlichen Bewertung von Aufgabe und Möglichkeit der Prophetie auch der Grund für die „Zerstörung" des deuteronomistischen Geschichtskonzepts durch BE1 zu suchen: Der unerbittliche Tun-Ergehens-Zusammenhang der Deuteronomisten, den zwar die Reue Ahabs etwas aufzuweiten, aber nicht zu durchbrechen vermag, wird durch das in 1.Kön 17-18 aufgezeigte Modell von Erkenntnis und Bekehrung auch auf kompositioneller Ebene aufgebrochen.

3.4 Die Einfügung von 1.Kön 19 und der „Elisa-Biographie"

Als maßgeblich für die heutige Gestalt des Elia-Elisa-Zyklus hat sich die Arbeit des Autors (BE2) erwiesen, der 1.Kön 19,1-18 als Fortsetzung der Elia-Komposition verfaßt und gemeinsam mit der „Elisa-Biographie" und der Erzählung von der Thronusurpation Hasaels in das ihm vorliegende Geschichtswerk eingefügt hat.[58] Er knüpfte zwar an das Werk des Erzählers der Elia-Komposition an (19,1-3aα), gab diesem jedoch durch seine Fortschreibung eine gänzlich andere Wendung: Der Sieg Elias über den Baalskult wird in eine bittere Niederlage verwandelt, an die Stelle der Bekehrung des Volkes tritt dessen vollständiger Abfall (vgl. 18,36-40* mit 19,1-4.10.14). Nicht nur die Prophetie Elias, der lebensmüde in die Wüste flieht, sondern auch die Beziehung zwischen Jahwe und Israel scheint an einem toten Punkt angelangt zu sein. Doch Jahwe setzt die Geschichte mit seinem Volk vom Horeb aus wieder in Gang: Er erteilt Elia den Auftrag zur Salbung Hasaels, Jehus und seines Nachfolgers Elisa, die das Läuterungsgericht an Israel vollstrecken sollen: Aramäerkriege, Jehu-Revolution und der zumindest in die Jehu-Revolution nicht unmaßgeblich verstrickte Prophet Elisa werden der Baalsverehrung ein – blutiges – Ende bereiten und so die Voraussetzung schaffen für die Fortexistenz der Gottesbeziehung mit dem aus dem Gericht hervorgehenden jahwetreuen Rest des Volkes (19,15-18).

BE2 schuf mit der Erzählung „Elia am Horeb" nicht nur einen inhaltlichen Ausgleich zwischen der Elia-Komposition, die den Triumph Elias über den Baalskult feiert, und der sich auf die Ausrottung Baals durch Jehu berufenden Erzählung von der Jehu-Revolution, sondern zugleich das entscheidende Gelenk zwischen der Elia- und Elisa-Überlieferung, die geschichtstheologische Verhältnisbestimmung des Wirkens der beiden Propheten. Durch die Charakterisierung der Rolle Elisas im Kampf gegen den Synkretismus der Omriden (1.Kön 19,15-18) und nicht zuletzt durch die Einfügung des Gros der Elisa-Erzählungen verlieh BE2 dem Bild Elisas eine gegenüber der Darstellung des bisher vorliegenden Geschichtswerks wesentlich deutlichere Kontur:

---

[58] Siehe S.184-196.238-240.

Elia und Elisa stehen in einer, vom Horeb her legitimierten prophetischen Linie und verkörpern dennoch einen je unterschiedlichen Typus von Prophetie in verschiedenen Phasen des Ringens Jahwes um die Treue seines Volkes. Während Elia für die mahnende und bekehrende Wortverkündigung steht (1.Kön 17/18), so wirkt Elisa – nachdem die Bekehrung Israels gescheitert, der Bundesbruch vollzogen und das Läuterungsgericht unausweichlich ist (19,4.10.14) – als Gerichtswerkzeug Gottes direkt auf die Politik ein (1.Kön 19,17; 2.Kön 8,7ff.; 9/10). Den Gegenpol zum grausamen Wirken Elisas bildet jedoch seine in der „Elisa-Biographie" geschilderte, lebensbejahende Wundertätigkeit als Retter des Einzelnen sowie des ganzen Volkes (vgl. nur 2.Kön 13,14ff.).

Bei der Formulierung der Erzählung „Elia am Horeb" konnte BE2, ähnlich wie der Erzähler der Elia-Komposition, auf ältere Traditionen, das Motiv von der Versorgung Elias in der Ödnis (1.Kön 19,3aß-6; vgl. 17,5b-6), die 1.Kön 19,9-14 zugrundeliegende Überlieferung von der Theophanie Elias und den noch aus der Zeit Elisas stammenden Spruch vom Morden Hasaels, Jehus und Elisas (V.17), zurückgreifen. Er knüpfte jedoch in weit stärkerem Maße als BE1 an seinen Kontext an,[59] den er seinerseits redaktionell mit 1.Kön 19,1-18 abstimmte:

Mit der Einfügung der Notizen über die großangelegte Prophetenverfolgung Isebels, ihre Unterstützung der Baals- und Ascherapropheten und die Zerstörung des Jahwealtars auf dem Karmel (1.Kön 18,3b.4.12b-14.19b*.30b und 2.Kön 9,7b) gab BE2 dem von ihm entworfenen Szenario der Verworfenheit Israels (1.Kön 19,1-3aα.4.10.14) einen zusätzlichen Anhalt in der Geschichte der Dynastie Omri.

Durch die Erweiterung der Elia-Komposition um 1.Kön 17,17-24 verstärkte der Autor von 1.Kön 19,1-18 die Verzahnung der Elia- und Elisa-Überlieferung: Die Erzählung von der Auferweckung des Knaben durch Elia bildet das Pendant zum Wunder Elisas in 2.Kön 4,8-37; gleichzeitig erhält die Epoche Elias und Elisas einen Rahmen, der von den an ihrem Anfang und Ende erzählten Auferweckungswundern geformt wird (1.Kön 17,17-24; 2.Kön 13,20f.). Aus theologischer Sicht stellt 1.Kön 17,17-24 das Gegenstück zur Problematisierung des „Mordens Elisas" in 1.Kön 19,1-18 dar: Die Frage nach der Rolle der Propheten im Gerichtshandeln Jahwes wird hier auf der Ebene der persönlichen Frömmigkeit aufgeworfen und mit dem Hinweis auf die Heil und Leben wollende Seite des Propheten (17,21f.), welche die Kehrseite seines schuldaufdeckenden, die Strafe Jahwes herbeiführenden Wirkens bildet (17,18.20), beantwortet.

Um die „Elisa-Biographie" in das ihm vorliegende Geschichtswerk einzufügen, verknüpfte der Autor von 1.Kön 19,1-18 deren Auftakt, die Anekdote von der Berufung Elisas (1.Kön 19,19-21), unter Auslassung ihres ursprünglichen Anfangs direkt mit der Erzählung „Elia am Horeb", so daß der Auftrag Jahwes an Elia, Elisa zum Propheten an seiner Statt zu machen (19,16), und seine Ausführung, jedenfalls deren erster Teil, unmittelbar aufeinander folgten. Die endgültige Ersetzung Elias durch Elisa konnte erst nach dem letzten Auftritt Elias stattfinden. Die Erzählung von der Himmelfahrt Elias (2.Kön 2,1-15) und die mit ihr

---

[59] Vgl. 1.Kön 19,1-3aα mit 1.Kön 18,40; 1.Kön 19,10.14 mit 1.Kön 18,18b.22 und 2.Kön 8,7ff.; 1.Kön 19,13 mit 1.Kön 19,19-21 und 2.Kön 2,1-15 sowie 1.Kön 19,15-18 mit 1.Kön 19,19-21; 2.Kön 2,1-15; 8,7ff.; 2.Kön 9/10.

verbundenen Anekdoten (2.Kön 2,19-22.23-25a) wurden zwischen der Erzählung von der Befragung des Baal von Ekron (2.Kön 1,2ff.) und dem ersten Auftritt Elisas als Prophet (2.Kön 3,4ff.) plaziert. Die Wanderungsnotiz 2.Kön 2,25b stellt die Verbindung zur nachfolgenden Erzählung vom Feldzug der drei Könige (2.Kön 3,4ff.) her. Das Gros der „Elisa-Biographie" (2.Kön 4,1-6,23) fügte BE2 zwischen den beiden letzten Kriegserzählungen (2.Kön 3,4ff.; 6,24ff.) ein, während er die ihm gesondert überkommene Erzählung von der Thronusurpation Hasaels (2.Kön 8,7aß-15) zwischen der Erzählung von der Errettung Samarias (2.Kön 6,24ff.), in der Ben-Hadad zum letzten Mal als König von Aram auftritt, und der ersten Notiz über dessen Nachfolger Hasael (2.Kön 8,28) einsetzte und durch die neu geschaffene, auf 1.Kön 19,15-18 zurückweisende Überleitung (2.Kön 8,7aα) mit ihrem Kontext verknüpfte. Durch die Plazierung der Erzählung verdeutlicht BE2, daß die Epoche der Wunder, die Jahwe durch Elisa an Israel vollbracht hat, mit der Errettung Samarias (2.Kön 6,24ff.) zunächst beendet ist. Der Aufstieg Hasaels und die nachfolgende Jehu-Revolution leiten das von Jahwe in 1.Kön 19,15-18 angekündigte Läuterungsgericht ein. Die beiden letzten Anekdoten der „Elisa-Biographie" (2.Kön 13,14-19.20f.) konnte BE2 erst nach dem Rahmenschema des in 2.Kön 13,14-19 auftretenden Königs Joas von Israel (13,10f.) in das Geschichtswerk einbauen. Sie wurden durch die Notizen über die Andauer der Aramäerbedrohung und die Kriege des Königs Joas gegen Benhadad (2.Kön 13,22-25) fester mit ihrem historischen Kontext verbunden.[60] Hier, am Ende der Epoche Elisas, expliziert BE2 seine mit dem Einbau der „Elisa-Biographie" verfolgte Intention: Das um der Sünden Israels willen notwendige Gericht war nicht das letzte Wort Jahwes in der Geschichte mit seinem Volk. Er wird dem kläglichen Rest – mit Hilfe seiner Propheten – beistehen (2.Kön 13,14-17.23) und die zugrunde Gerichteten ins Leben zurückführen (2.Kön 13,20f.; vgl. 1.Kön 19,18; Ez 37,1-14).

[60] Siehe dazu S.238f. Zu den wohl durch die Einfügung der „Biographie" hervorgerufenen textlichen Problemen in 2.Kön 13/14, der Verdopplung (MT) bzw. Verdreifachung (LXX) des Abschlußformulars für Joas von Israel, siehe S.199 Anm. 219.

Zur Verdeutlichung der Vorgehensweise des Autors von 1.Kön 19,1-18 dient nachstehendes Schema:

DtrG, erweitert um die Kriegserzählungen und die Elia-Komposition	**Einbau durch BE2** **- *aufgenommen*/selbst verfaßt**
Anfang Ahab: 1.Kön 16,29-33 **Baalskult Ahabs**	(+ 1.Kön 16,34 ?)
Elia-Komposition: 1.Kön 17,1-16; 18,1aß-3a.5-12a.15-19*.20-30a. 31-36aα*.37-46 **Sieg Elias über den Baalskult** **Bekehrung von Volk und König**	+ 1.Kön 17,17-24; 18,1aα **Totenerweckung Elias** + 18,3b-4.12b-14.19b*.30b **Verfolgung der Jahwepropheten, Unterstützung der Baalspropheten durch Isebel, Zerstörung des Jahwealtars auf dem Karmel** + 19,1-18 **Scheitern Elias, Bundesbruch, Prophetenverfolgung, Altarzerstörung von Seiten Israels** **Beauftragung zur Initiierung des Läuterungsgerichts an Israel durch die Salbung Hasaels (Damaskus), Jehus und Elisas** *19,*19-21* ***Elisa als Diener Elias***
„Naboths Weinberg“: 1.Kön 21,1-27 **Elia als Unheilsprophet und Feind Ahabs** „Ahabs Kriege mit den Aramäern“: 1.Kön 20,1-43; 22,1-38; Ende Ahab – Josaphat von Juda – Anfang Ahasja: 1.Kön 22,39-2.Kön 1,1 „Befragung des Baal von Ekron“: 2.Kön 1,2.5-8.17aα_1 **Elia als Unheilsprophet**	
Ende Ahasja von Israel: 2.Kön 1,18	(+ 2.Kön 1,17a$\alpha_2\beta\gamma$b ?) *2.Kön 2,1-15.19-25a* ***Elisa wird zum Propheten an Elias Statt, erste Wunder*** +2.Kön 2,25b (Samaria)
Anfang Joram von Israel: 2.Kön 3,1-3 „Der Feldzug der drei Könige“ (Samaria): 2.Kön 3,4-27	
	2.Kön 4,1-12.16-28.30b.32a.33-34.36-44; 5,1-6,23 ***Wunder Elisas (4,8-37: Totenerweckung)***
„Die Belagerung Samarias“: 2.Kön 6,24-33; 7,1.3-16 **Elisa kündigt Rettung an**	
	+8,7aα (Damaskus) *8,7aß-15* ***Elisa stiftet Hasael zur Thronusurpation an, deren Folge die Vernichtung Israels sein wird.***
Joram von Juda: 2.Kön 8,16-24 Anfang Ahasja von Juda: 2.Kön 8,25-29	
„Die Jehu-Revolution“: 2.Kön 9,1-10,27 **Elisa salbt Jehu zum König über Israel: Jehu rottet den Baalskult aus. Baalsverehrer und alle Angehörigen des Haus Ahabs kommen um.** Ende Jehu: 2.Kön 10,28-36 [...] Anfang Joas: 2.Kön 13,10f.	+ 2.Kön 9,7b **Prophetenmorde Isebels**
	(+13,12f. ?) *13,14-21* ***Elisas Hilfe in der Aramäernot; Totenerweckung durch die Gebeine Elisas*** + 13,22-25 **Erbarmen Jahwes**

Mit der Abfassung von 1.Kön 19,1-18 als Gründungs- bzw. Rechtfertigungsschrift der politischen Prophetie und der gleichzeitigen Aufnahme der „Elisa-Biographie“ in die Geschichtsüberlieferung Israels versuchte der prophetischen Kreisen zuzurechnende Erzähler der Marginalisierung der Prophetie entgegenzuwirken, die mit dem Scheitern der nationalen Heilsprophetie Haggais und Sacharjas einsetzte und sich wohl zu seiner Zeit bei der Erstellung des Pentateuchs (5. Jh.) manifestierte.[61] In der Erzählung „Elia am Horeb“ legte er dezidiert dar, daß die umstrittene Rolle der Propheten im Gerichtshandeln Jahwes auf eine göttliche Offenbarung am Horeb zurückgeht, ja daß die in der Nachfolge Elias und Elisas stehenden Propheten sich auf die der Theophanie des Mose gleichkommende Gotteserscheinung ihres „Gründungsvaters“ Elia berufen können. Zugleich verwies er mit der „Elisa-Biographie“ auf die rettenden, lebensspendenden Wunder, die Jahwe durch seine Propheten an Israel vollbracht hat.

3.5 Weitere Ergänzungen

Ein Bearbeiter aus dem Umfeld des Autors von 1.Kön 19,1-18 ergänzte das nun entstandene Geschichtswerk um die Episode von der vergeblichen Suche der Prophetenjünger nach Elia (2.Kön 2,16-18) und den Exkurs über die Unfähigkeit Gehasis (2.Kön 4,29-30a.31. 32b.35). Unter Abwertung der Prophetenjünger gegenüber ihrem Meister hob er die Wahrhaftigkeit der Himmelfahrt Elias und der Geistbegabung Elisas sowie die Einzigartigkeit der nur diesen beiden innewohnenden Fähigkeit zur Totenerweckung hervor und rief so zum Vertrauen auf die wahren, durch Jahwe allein legitimierten Propheten auf.[62]

Die darauf folgende Bearbeitung, auf die 2.Kön 1,9-14.15b.16; 4,13-15; 7,2.17abα; 8,1-6 zurückgeht,[63] verstärkte die bereits von BE2 vorgenommene Parallelisierung Elias und Elisas (vgl. 2.Kön 1,9ff. mit 2.Kön 4,8ff.). Im Unterschied zu BE2, der in Wundertätigkeit und Beteiligung am Gottesgericht zwei sich ergänzende Stränge des Handelns Elisas sah, rückte diese jedoch die magische Gottesmann-Komponente des Wirkens Elias und Elisas gegenüber deren politisch-prophetischen Tätigkeit in den Vordergrund: Das Schwergewicht der Anekdote von der Befragung des Baal von Ekron liegt nach der Ergänzung von 2.Kön 1,9-14.15b.16 nicht mehr auf dem Kampf Elias gegen den omridischen Baalskult, sondern auf seiner wunderbaren Wehrhaftigkeit. Die Erzählung von Elisas großen Taten (2.Kön 8,1-6), als Abschluß der „Wundergeschichten“ (2.Kön 4,1-7,17)[64] vor den Erzählungen von seinem Eingreifen in die Politik plaziert (2.Kön 8,7ff.; 9/10), verdeutlicht, daß in den Wundern Elisas, insbesondere in dem die Krönung seines Werks bildenden Auferweckungswunder und nicht in der Anstiftung zur Thronusurpation Hasaels und zur Jehu-Revolution, Elisas große Taten zu sehen sind (vgl. Sir 48,13f.). Durch den eindringlichen Verweis auf die Großtaten Elisas versuchte der Bearbeiter, die Überlieferung der Elisa-Erzählungen gegenüber den auch nach der Rechtfertigung der politischen Prophetie durch

---

[61] Siehe S.196.

[62] Siehe oben S.241f.

[63] Vgl. S.242-246.

[64] Unter dem Gesichtspunkt, daß sich in der Erzählung von der Rettung Samarias das Wort Elisas erfüllt (7,16) und der ungläubige Adjutant des Königs die Wundermacht des Gottesmannes zu spüren bekommt (7,2.17), kann auch 2.Kön 6,24-7,17 als Wundergeschichte aufgefaßt werden. Siehe auch oben S.245.

BE2 noch bestehenden Zweifeln an der Rolle Elisas abzusichern: Wenn es gilt, von Elisa zu erzählen, dann von seiner Auferweckung der Toten (2.Kön 8,4f.)!

Anschließend wurde die Anekdote von der Befragung des Baal von Ekron (2.Kön 1,2ff.) in Anspielung auf 1.Kön 19,1-18 um 2.Kön 1,3f.15a ergänzt: Der Prophet steht in Verbindung mit den Engeln Jahwes, diese stehen ihm in Notsituationen auch gegen die Boten der Herrschenden bei.[65]

3.6 Schlußbemerkungen

Die Traditionswege der Elia- und Elisa-Überlieferung haben sich gekreuzt: Wo sich zu Beginn der Überlieferungsgeschichte der als Regenmacher und Kämpfer gegen den omridischen Baalskult bekannte Einzelprophet Elia und der wundertätige, aber auch zugunsten einer exklusiven Jahweverehrung aktiv in die Politik eingreifende Gruppenprophet Elisa gegenüberstanden, da bereiteten die Prophetenjünger Elisas als Verfasser der „Elisa-Biographie" durch ihren Entwurf eines zwischen Elia und Elisa bestehenden Nachfolgeverhältnisses, dem Zusammenfließen der Traditionen den Boden. Dabei entwickelte die damals schon höhergeschätzte Elia-Gestalt, auf die sich die Prophetenjünger Elisas beriefen, um das Prestige ihres Meisters zu erhöhen, einen ungeahnten „Traditionssog": Elia wird in der Folge wie Elisa zum wundermächtigen Gottesmann, der Feuer vom Himmel herabrufen und Tote auferwecken kann. Er wird aber auch zum Wegbereiter der politisch eingreifenden Prophetie, ja – in der Rückschau – zum „Gründungsvater" der Gerichtsprophetie schlechthin. Doch Elia bleibt keine Gestalt der Vergangenheit; die Himmelfahrtstradition, nach der Elia nicht gestorben, sondern lebend in den Himmel entrückt worden ist, eröffnet die Perspektive zur Weiterentwicklung der Elia-Tradition:[66] Er wird zu einer Figur der Zukunft, die vor dem Tag des Herrn wiederkehren wird, um das „Herz der Väter wieder den Söhnen und das Herz der Söhne ihren Vätern" zuzuwenden, damit das Land Israel nicht mit dem Bann geschlagen wird (Mal 3,23f.)[67], und um die „Stämme Jakobs" wieder herzustellen (Sir 48,10). Elisa jedoch, dessen Wundertaten im Mittelpunkt des kurzen Lebensrückblicks des Sirach-Buches stehen (Sir 48,12-14), bleibt in der Vergangenheit Israels verhaftet.

---

[65] Vgl. S.246.

[66] Vgl. W.Thiel, *Ursprung*, 39.

[67] Vgl. „das Herz zuwenden" in Mal 3,23 mit 1.Kön 18,37!

Literaturverzeichnis

ACKERMANN, S., *The Queen Mother and the Cult in Ancient Israel*: JBL 112 (1993) 385-401.

AHLSTRÖM, G.W., *The Battle at Ramoth-Gilead in 841 BC*, in: M.Augustin/K.-D.Schunck (Hg.), *»Wünschet Jerusalem Frieden«. Collected Communications to the XIIth Congress of the International Organisation for the Study of the Old Testament, Jerusalem 1986*, Beiträge zur Erforschung des Alten Testaments und des antiken Judentums 13, Frankfurt (Main) u.a. 1988, 157-166.

AHLSTRÖM, G.W., *The History of Ancient Palestine from the Palaeolithic Period to Alexander's Conquest, with a contribution by G.O.Rollefson, edited by Diana Edelman*, JSOT.S 146, Sheffield 1993.

AHLSTRÖM, G.W., *King Jehu – A Prophet's Mistake*, in: A.L.Merrill/T.W.Overholt (Hg.), *Scripture in History & Theology: Essays in Honor of J.Coert Rylaarsdam*, Pittsburgh (Pennsylvania) 1977, 47-69.

ALBERTZ, R., *Art. Magie II. Altes Testament*, TRE 21 (1991) 691-695.

ALBERTZ, R., *Wer waren die Deuteronomisten? Das historische Rätsel einer literarischen Hypothese*: EvTh 57 (1997) 319-338.

ALBERTZ, R., *Die Intentionen und die Träger des Deuteronomistischen Geschichtswerks*, in: ders./F.W.Golka/J.Kegler (Hg.), *Schöpfung und Befreiung. Für Claus Westermann zum 80. Geburtstag*, Stuttgart 1989, 37-53.

ALBERTZ, R., *Macht und Recht – der Kampf Nabots gegen den König 1.Könige 21*, in: ders., *Der Mensch als Hüter seiner Welt. Alttestamentliche Bibelarbeiten zu den Themen des konziliaren Prozesses*, Stuttgart 1990, 25-39.

ALBERTZ, R., *Le Milieu des Deutéronomistes*, in: A.de Pury/T.Römer/J.-D.Macchi (Hg.), *Israël construit son histoire. L'historiographie deutéronomiste à la lumière des recherches récentes*, Le Monde de la Bible 34, Genf 1996, 377-407.

ALBERTZ, R., *Religionsgeschichte Israels in alttestamentlicher Zeit, Teil 1: Von den Anfängen bis zum Ende der Königszeit*, GAT 8/1, Göttingen 1992.

ALBERTZ, R., *Religionsgeschichte Israels in alttestamentlicher Zeit, Teil 2: Vom Exil bis zu den Makkabäern*, GAT 8/2, Göttingen 1992.

ALT, A., *Das Gottesurteil auf dem Karmel* (1935), in: ders., *Kleine Schriften zur Geschichte des Volkes Israel II*, München [3]1964, 135-149.

ALT, A., *Die literarische Herkunft von 1 Reg 19,19-21*: ZAW 32 (1912) 123-125.

ALT, A., *Der Stadtstaat Samaria* (1954), in: ders., *Kleine Schriften zur Geschichte des Volkes Israel III*, München 1959, 258-302.

AP-THOMAS, D.R., *Elijah on Mount Carmel*: PEQ 92 (1960) 146-155.

ASSMANN, J., *Ägypten. Eine Sinngeschichte*, München/Wien 1996.

ASTOUR, M.C., *841 B.C.: The First Assyrian Invasion of Israel*: JAOS 91 (1971) 383-389.

ATHMANN, P.-J., *Die religionspolitischen Ziele der Jehu-Revolution*: ZThG 2 (1997) 59-82.

BÁEZ-CAMARGO, G., *Archaeological Commentary on the Bible*, Garden City (N.Y.) 1984.

BALTZER, K., *Die Biographie der Propheten*, Neukirchen-Vluyn 1975.

BALTZER, K., *Naboths Weinberg (1 Kön 21). Der Konflikt zwischen israelitischem und kanaanäischem Bodenrecht*: WuD 8 (1965) 73-88.

BARRÉ, L.M., *The Rhetoric of Political Persuasion. The Narrative Artistry and Political Intentions of II Kings 9-11*, CBQ.MS 20, Washington (D.C.) 1988.

BARTHÉLEMY, D., *Critique textuelle de l'Ancient Testament, Bd.1: Josué, Juges, Ruth, Samuel, Rois, Chroniques, Esdras, Néhémie, Ester*, OBO 50/1, Fribourg/Göttingen 1982.

BAUMGART, N.C., *Gott, Prophet und Israel. Eine synchronische und diachrone Auslegung der Naamanerzählung und ihrer Gehasiepisode (2 Kön 5)*, EThSt 68, Leipzig 1994.

BAUMGARTNER, W., *Ein Kapitel vom hebräischen Erzählstil*, in: H.Schmidt (Hg.), *Εὐχαριστήριον, Studien zur Religion und Literatur des Alten und Neuen Testaments I. Hermann Gunkel zum 60. Geburtstage, dem 23. Mai 1922, dargebracht von seinen Schülern und Freunden*, FRLANT 36/1, Göttingen 1923, 145-157.

BEACH, E.F., *The Samaria Ivories, Marzeah, and Biblical Text*: Biblical Archaeologist 56 (1993) 94-104.

BECK, M., *Elia und die Monolatrie. Ein Beitrag zur religionsgeschichtlichen Rückfrage nach dem vorschriftprophetischen Jahwe-Glauben*, BZAW 281, Berlin/New York 1999.

BECKING, B., *Een magisch ritueel in jahwistisch perspectief. Literaire structuur en godsdienst-historische achtergronden van 2 Koningen 4,31-38*, Utrechtse theologische reeks 17, Utrecht 1992.

BECKING, B., *»Touch for Health ...«. Magic in II Reg 4,31-37 with a Remark on the History of Yahwism*: ZAW 108 (1996) 34-54.

BEGG, CHR.T., *Unifying Factors in 2 Kings 1.2-17a*: JSOT 32 (1985) 75-86.

BENZINGER, I., *Die Bücher der Könige*, KHC 9, Freiburg/Leipzig/Tübingen 1899.

BERNHARDT, K.-H., *Der Feldzug der drei Könige*, in: ders. (Hg.), *Schalom. Studien zu Glaube und Geschichte Israels, A.Jepsen zum 70. Geburtstag dargebracht von Freunden, Schülern und Kollegen*, Arbeiten zur Theologie, 1.Reihe, Heft 46, Stuttgart 1971, 11-22.

BEYERLE, S., *Erwägungen zu »Utopie« und »Restauration« als Aspekte der Elia-Haggada – Elia im Judentum*, in: K.Grünwaldt/H.Schroeter (Hg.), *Was suchst du hier, Elia? Ein hermeneutisches Arbeitsbuch*, Hermeneutica Bd. 4: Biblica, Rheinbach-Merzbach 1995, 55-71.

BIRAN, A./NAVEH, J., *The Tel Dan Inscription. A New Fragment*: IEJ 45 (1995) 1-18.

BLENKINSOPP, J., *A History of Prophecy in Israel*, Philadelphia 1983.

BLUM, E., *Der Prophet und das Verderben Israels: Eine ganzheitliche, historisch-kritische Lektüre von 1 Regum XVII-XIX*: VT 47 (1997) 277-292.

BLUM, E., *Studien zur Komposition des Pentateuch*, BZAW 189, Berlin/New York 1990.

BOHLEN, R., *Der Fall Nabot. Form, Hintergrund und Werdegang einer alttestamentlichen Erzählung (1 Kön 21)*, TThSt 35, Trier 1978.

BONNET, J., *Le prophète Elie et la conception du Retour*: Terre Sainte 7-8 (1978) 122-127.

BORGER, R., *Historische Texte in akkadischer Sprache aus Babylonien und Assyrien*, in: O.Kaiser u.a. (Hg.), *Rechts- und Wirtschaftsurkunden. Historisch-chronologische Texte*, TUAT I, Gütersloh 1982-1985, 354-410.

BRENNER, A., *Jezebel* (hebr.): Shnaton 5-6/1978-79 (1982) 27-39.

BRONNER, L., *The Stories of Elijah and Elisha as Polemics against Baal Worship*, POS 6, Leiden 1968.

BURNEY, C.F., *Notes on the Hebrew Text of the Book of Kings with an Introduction and Appendix*, LBS, Oxford 1903, ND New York 1970.

CAMPBELL, A.F., *Of Prophets and Kings. A Late Ninth-Century Document (1 Samuel 1-2 Kings 10)*, CBQ.MS 17, Washington (D.C.) 1986.

CANCIK, H., *Grundzüge der hethitischen und alttestamentlichen Geschichtsschreibung*: ADPV, Wiesbaden 1976.

CARLSON, R.A., *Élie à l'Horeb*: VT 19 (1969) 416-439.

CARLSON, R.A., *Élisée – le successeur d'Élie*: VT 20 (1970) 385-405.

CARROLL, R.P., *The Elijah-Elisha Sagas: Some Remarks on Prophetic Succession in Ancient Israel*: VT 19 (1969) 400-415.

CHILDS, B.S., *On Reading the Elijah Narratives*: Interpretation 34 (1980) 128-137.

COGAN, M./TADMOR, H., *II Kings. A New Translation with Introduction and Commentary*, AncB 11, Garden City (N.Y.) 1988.

COHN, R.L., *Form and Perspective in 2 Kings V*: VT 33 (1983) 171-184.

COHN, R.L., *The Literary Logic of 1 Kings 17-19*: JBL 101 (1982) 333-350.

CONROY, CH., *Hiel between Ahab and Elijah-Elisha: 1 Kgs 16,34 in Its Immediate Literary Context*: Bib 77 (1996) 210-218.

CORTESE, E., *Theories concerning Dtr: A possible Rapprochement*, in: C.Brekelmans/ J.Lust (Hg.), *Pentateuchal and Deuteronomistic Studies. Papers read at the XIIIth IOSOT Congress Leuven 1989*, BEThL 94, Leuven 1990, 179-190.

CROSS, F.M., *The Themes of the Book of Kings and the Structure of the Deuteronomistic History*, in ders., *Canaanite Myth and Hebrew Epic. Essays in the History of the Religion of Israel*, Cambridge (MA) 1973, 274-289.

CRÜSEMANN, F., *Elia – die Entdeckung der Einheit Gottes. Eine Lektüre der Erzählungen über Elia und seine Zeit*, Gütersloh 1997.

CRÜSEMANN, F., *Der Widerstand gegen das Königtum. Die antiköniglichen Texte des Alten Testaments und der Kampf um den frühen israelitischen Staat*, WMANT 49, Neukirchen-Vluyn 1978.

CUMMINGS, J.T., *The House of the Sons of the Prophets and the Tents of the Rechabites*, in: E.A.Livingstone (Hg.), *Studia Biblica I. Papers on Old Testament and Related Themes. Sixth International Congress on Biblical Studies Oxford 3-7 April 1978*, JSOT.S 11, Sheffield 1979, 119-126.

DAALEN, A.G.VAN, *„Vertel mij toch al het grote dat Elisa gedaan heeft". Onderzoek naar de compositie van II Kon. 8:1-6 en 4:8-37*: ACEBT 1 (1980) 51-61.

DAALEN, A.G.VAN, *„Vertel mij toch al het grote dat Elisa gedaan heeft". De compositie van de verhalen over Elisa en de Sunamitische, en hun samenhang, 2. De opbouw van II Koningen 4:12-17 en 25-28 en hun onderlinge samenhang*: ACEBT 2 (1981) 41-49.

DAALEN, A.G.VAN, *„Vertel mij toch al het grote dat Elisa gedaan heeft". 3. „Elisa en de Sunamitische" en II Kon. 8:7-15*: ACEBT 3 (1982) 49-61.

DAALEN, A.G.van, *„Vertel mij toch al het grote dat Elisa gedaan heeft". 4. Elisa en de Sunamitische, en de zalving van Jehu. Samenhangen binnen de Elia-Elisa verhalen*: ACEBT 4 (1983) 37-48.

DAALEN, A.G.VAN, *„Vertel mij toch al het grote dat Elisa gedaan heeft". 5. Samenhangen binnen de verhalen I Kon. 17 – II Kon. 13*: ACEBT 5 (1984) 118-134.

DE VRIES, S.J., *Prophet against Prophet. The Role of the Micaiah Narrative (1 Kings 22) in the Development of Early Prophetic Tradition*, Grand Rapids 1978.

DIETRICH, W., *dāwīd, dôd und bytdwd*: ThZ 53 (1997) 17-32.

DIETRICH, W., *Israel und Kanaan. Vom Ringen zweier Gesellschaftssysteme*, SBS 94, Stuttgart 1979.

DIETRICH, W., *Niedergang und Neuanfang: Die Haltung der Schlussredaktion des deuteronomistischen Geschichtswerkes zu den wichtigsten Fragen ihrer Zeit*, in: B.Becking/M.C.A.Korpel, *The Crisis of Israelite Religion. Transformation of religious Tradition in exilic and post-exilic Times*, OTS 42, Leiden 1999, 45-70.

DIETRICH, W., *Prophetie und Geschichte. Eine redaktionsgeschichtliche Untersuchung zum deuteronomistischen Geschichtswerk*, FRLANT 108, Göttingen 1972.

DONNER, H., *Geschichte des Volkes Israel und seiner Nachbarn in Grundzügen, Teil 2: Von der Königszeit bis zu Alexander dem Großen. Mit einem Ausblick auf die Geschichte des Judentums bis Bar Kochba*, GAT 4/2, Göttingen 1986.

DOZEMAN, T.B., *The "Troubler" of Israel: 'kr in 1 Kings 18:17-18*: Studia Biblica et Theologica 20 (1979) 81-93.

EHRLICH, A.B., *Randglossen zur hebräischen Bibel. Textkritisches, Sprachliches und Sachliches*, Bd. 7, Leipzig 1914, ND Hildesheim 1968.

EISENBEIS, W., *Die Wurzel שלם im Alten Testament*, BZAW 113, Berlin 1969.

EIßFELDT, O., *Das erste Buch der Könige*, HSAT(K) 1, Tübingen [4]1922.

EIßFELDT, O., *Das zweite Buch der Könige*, HSAT(K) 1, Tübingen [4]1922.

EIßFELDT, O., *Der Gott Karmel*, Sitzungsberichte der Deutschen Akademie der Wissenschaften zu Berlin, Klasse für Sprachen, Literatur und Kunst, Jahrgang 1953, Nr. 1, Berlin 1954, 25-42.

EIßFELDT, O., *Die Komposition von I Reg 16,29-II Reg 13,25*, in: F.Maass (Hg.), *Das ferne und nahe Wort, Festschrift Leonhard Rost zur Vollendung seines 70. Lebensjahres am 30.November 1966 gewidmet*, BZAW 105, Berlin 1967, 49-58.

EMERTON, J.A., *The House of Baal in 1 Kings XVI 32*: VT 47 (1997) 293-300.

ERLANDSSON, S., *Art. זנה*, ThWAT 2 (1977) 612-619.

ESKHULT, M., *Studies in Verbal Aspect and Narrative Technique in Biblical Hebrew Prose*, Uppsala 1990.

EWALD, H., *Geschichte des Volkes Israel bis Christus*, Bd. 3,1, Göttingen 1847.

FENSHAM, F.C., *The Numeral Seventy in the Old Testament and the Family of Jerubaal, Ahab, Panammuwa and Athirat*: PEQ 109 (1977) 113-115.

FENSHAM, F.C., *A few Oberservations on the Polarisation between Yahweh and Baal in I Kings 17-19*: ZAW 92 (1980) 227-236.

FISCHER, B./ULRICH, E./SANDERSON, J.E., *Palimpsestus Vindobonensis. A Revised Edition of £ 115 for Samuel-Kings*: BIOSCS 16 (1983) 13-87.

FOHRER, G., *Art. Elia*, RGG 2 ([3]1958) 424-427.

FOHRER, G., *Art. Elisa*, RGG 2 ([3]1958) 429-431.

FOHRER, G., *Elia*, AThANT 53, Zürich [2]1968.

FOHRER, G., *Die Propheten des Alten Testaments, Bd. 7: Prophetenerzählungen*, Gütersloh 1977.

FOHRER, G., *Studien zu Alttestamentlichen Texten und Themen (1966-1972)*, BZAW 155, Berlin/New York 1981.

FRANK, R.M., *A Note on 3 Kings 19,10.14*: CBQ 25 (1963) 410-414.

FRICK, F.S., *The Rechabites Reconsidered*: JBL 90 (1971) 279-287.

FRITZ, V., *Das erste Buch der Könige*, Zürcher Bibelkommentare AT 10.1, Zürich 1996.

FRITZ, V., *Das zweite Buch der Könige*, Zürcher Bibelkommentare AT 10.2, Zürich 1998.

GALLING, K., *Der Ehrenname Elisas und die Entrückung Elias*: ZThK 53 (1956) 129-148.

GRAY, J., *I & II Kings. A Commentary*, OTL, London [3]1977.

GREGORY, R., *Irony and the Unmasking of Elijah*, in: A.J.Hauser/ders. (Hg.), *From Carmel to Horeb. Elijah in Crisis*, JSOT.S 85, Sheffield 1990, 91-169.

GRESSMANN, H., *Die älteste Geschichtsschreibung und Prophetie Israels*, SAT II/1, Göttingen [2]1921.

GROSS, W., *Syntaktische Erscheinungen am Anfang althebräischer Erzählungen: Hintergrund und Vordergrund*, in: J.A.Emerton (Hg.), *Congress Volume Vienna 1980*, VT.S 32, Leiden 1981, 131-145.

GROSS, W., *Otto Rössler und die Diskussion um das althebräische Verbalsystem*: BN 18 (1982) 28-78.

GRÜNWALDT, K., *Von den Ver-Wandlungen des Propheten. Die Elia-Rezeption im Alten Testament*, in: ders./H.Schroeter (Hg.), *Was suchst du hier, Elia? Ein hermeneutisches Arbeitsbuch*, Hermeneutica Bd. 4: Biblica, Rheinbach-Merzbach 1995, 43-54.

GUGLER, W., *Jehu und seine Revolution. Voraussetzungen, Verlauf, Folgen*, Kampen 1996.

GUNKEL, H., *Elias, Jahve und Baal*, Religionsgeschichtliche Volksbücher II,8, Tübingen 1906.

GUNKEL, H., *Geschichten von Elisa*, Meisterwerke hebräischer Erzählkunst I, Berlin 1922.

GUNKEL, H., *Die Revolution des Jehu*: Deutsche Rundschau 40 (1913) 209-228 = ders., *Geschichten von Elisa*, Meisterwerke hebräischer Erzählkunst I, Berlin 1922, 67-94.

GUNNEWEG, A.H.J., *Geschichte Israels. Von den Anfängen bis Bar Kochba und von Theodor Herzl bis zur Gegenwart*, TW 2, Stuttgart/Berlin/Köln [6]1989.

HALPERN, B., *Yaua, Son of Omri, Yet Again*: BASOR 265 (1987) 81-85.

HARDMEIER, CHR., *Prophetie im Streit vor dem Untergang Judas. Erzählkommunikative Studien zur Entstehungssituation der Jesaja- und Jeremiaerzählungen in II Reg 18-20 und Jer 37-40*, BZAW 187, Berlin/New York 1990.

HAUSER, A.J., *Yahweh versus death. The real Struggle in 1 Kings 17-19*, in: ders./ R.Gregory, (Hg.), *From Carmel to Horeb. Elijah in Crisis*, JSOT.S 85, Sheffield 1990, 9-89.

HAUSMANN, J., *Israels Rest. Studien zum Selbstverständnis der nachexilischen Gemeinde*, BWANT 124, Stuttgart u.a. 1987.

HENTSCHEL, G., *Elija und der Kult des Baal*, in: E.Haag (Hg.), *Gott, der einzige. Zur Entstehung des Monotheismus in Israel*, QD 104, Freiburg/Basel/Wien 1985, 54-90.

HENTSCHEL, G., *Die Elijaerzählungen. Zum Verhältnis von historischem Geschehen und geschichtlicher Erfahrung*, EThSt 33, Leipzig 1977.

HENTSCHEL, G., *Die Heilung Naamans durch das Wort des Gottesmannes (2 Kön 5)*, in: L.Ruppert/P.Weimar/E.Zenger (Hg.), *Künder des Wortes. Beiträge zur Theologie der Propheten. Josef Schreiner zum 60. Geburtstag*, Würzburg 1982, 11-21.

HENTSCHEL, G., *1 Könige*, NEB.AT 10, Würzburg 1984.

HENTSCHEL, G., *2 Könige*, NEB.AT 11, Würzburg 1985.

HERBIG, R., *Aphrodite Parakyptusa. (Die Frau im Fenster)*: OLZ 30 (1927) 917-922.

HERR, D.D., *Variations of a Pattern: 1 Kings 19*: JBL 104 (1985) 292-294.

HERRMANN, W., *Art. Baal Zebub* בעל זבוב, DDD (1995) 293-296.

HOFFMANN, H.-D., *Reform und Reformen. Untersuchungen zu einem Grundthema der deuteronomistischen Geschichtsschreibung*, AThANT 66, Zürich 1980.

HÖLSCHER, G., *Das Buch der Könige, seine Quellen und seine Redaktion*, in: H.Schmidt (Hg.), *Εὐχαριστήριον, Studien zur Religion und Literatur des Alten und Neuen Testaments I. Hermann Gunkel zum 60. Geburtstage, dem 23. Mai 1922, dargebracht von seinen Schülern und Freunden*, FRLANT 36/1, Göttingen 1923, 158-213.

HÖLSCHER, G., *Die Profeten. Untersuchungen zur Religionsgeschichte Israels*, Leipzig 1914.

HOSSFELD, F.-L., *Die Sinaiwallfahrt des Propheten Elija. Gedanken zu 1 Kön 19,1-18 anläßlich der Sinaiexkursion des Studienjahres der Dormition Abbey 1978/79*: EuA 54 (1978) 432-437.

JEPSEN, A., *Ahabs Buße. Ein kleiner Beitrag zur Methode literarhistorischer Einordnung*, in: A.Kuschke/E.Kutsch (Hg.), *Archäologie und Altes Testament, Festschrift für Kurt Galling zum 8.Januar 1970*, Tübingen 1970, 145-155.

JEPSEN, A., *Elia und das Gottesurteil*, in: H.Goedicke (Hg.), *Near Eastern Studies in Honor of William Foxwell Albright*, Baltimore/London 1971, 291-306.

JEPSEN, A., *Israel und Damaskus*: AfO 14 (1941-1944) 153-172.

JEPSEN, A., *Nabi. Soziologische Studien zur alttestamentlichen Literatur und Religionsgeschichte*, München 1934.

JEPSEN, A., *Die Quellen des Königbuches*, Halle (Saale) 1953.

JEREMIAS, J., *Die Anfänge der Schriftprophetie*: ZThK 93 (1996) 481-499.

JIRKU, A., *Altorientalischer Kommentar zum Alten Testament*, Leipzig/Erlangen 1923.

JONES, G.H., *1 and 2 Kings*, NCBC, Grand Rapids 1984.

KAISER, O., *Grundriß der Einleitung in die kanonischen und deuterokanonischen Schriften des Alten Testaments, Bd. 2: Die prophetischen Werke*, Gütersloh 1994.

KATZENSTEIN, H.J., *Who Were the Parents of Athaliah?*: IEJ 5 (1955) 194-197.

KEDAR-KOPFSTEIN, B., *Art.* סריס, ThWAT 5 (1986) 948-954.

KEEL, O./UEHLINGER, CHR., *Der Assyrerkönig Salmanasser III. und Jehu von Israel auf dem Schwarzen Obelisken aus Nimrud*: ZKTh 116 (1994) 391-420.

KEEL, O./UEHLINGER, CHR., *Göttinnen, Götter und Gottessymbole. Neue Erkenntnisse zur Religionsgeschichte Kanaans und Israels aufgrund bislang unerschlossener ikonographischer Quellen*, QD 134, Freiburg/Basel/Wien [3]1995.

KEIL, C.F., *Die Bücher der Könige*, Biblischer Kommentar über das Alte Testament II,3, Leipzig [2]1876.

KELLERMANN, U., *Elia Redivivus und die heilszeitliche Auferweckung der Toten. Erwägungen zur ältesten Bezeugung einer Erwartung*, in: K.Grünwaldt/ H.Schroeter (Hg.), *Was suchst du hier, Elia? Ein hermeneutisches Arbeitsbuch*, Hermeneutica Bd. 4: Biblica, Rheinbach-Merzbach 1995, 72-84.

KELLERMANN, U., *Elia als Seelenführer der Verstorbenen oder Elia-Typologie in Lk 23,43 „Heute wirst du mit mir im Paradies sein“*: BN 83 (1996) 35-53.

KEUKENS, K.H., *Die rekabitischen Haussklaven in Jeremia 35*: BZ N.F. 27 (1983) 228-235.

KILIAN, R., *Die Totenerweckungen Elias und Elisas – eine Motivwanderung?*: BZ N.F. 10 (1966) 44-56.

KITTEL, R., *Die Bücher der Könige*, HK I,5, Göttingen 1900.

KIUCHI, N., *Elijah's Self-Offering: 1 Kings 17,21*: Bib 75 (1994) 74-79.

KLOSTERMANN, A., *Die Bücher Samuelis und der Könige*. Kurzgefaßter Kommentar zu den Heiligen Schriften des Alten und Neuen Testaments 3, Nördlingen 1887.

KNOTT, J.B., *The Jehu Dynastie: An Assessment based upon Ancient Near Eastern Literature and Archaeology*, Diss. Emory University, Atlanta (Georgia) 1971.

KOCH, K., *Die Propheten I. Assyrische Zeit*, Stuttgart u.a. 1978.

KOPP, C., *Il sacrificio di Elia sul Carmelo*: BeO 2 (1960) 11-13.

KOTTSIEPER, I., *Die Inschrift vom Tell Dan und die politischen Beziehungen zwischen Aram-Damaskus und Israel in der 1. Hälfte des 1. Jahrtausends vor Christus*, in: M.Dietrich/I.Kottsieper (Hg.), *„Und Moses schrieb dieses Lied auf ...“. Festschrift O.Loretz zum 70. Geburtstag*, AOAT 250, Münster 1998.

KUTSCH, E., *Die Wurzel עצר im Hebräischen*: VT 2 (1952) 57-69.

KUYT, A./WESSELIUS J.W., *A Ugaritic Parallel for the Feast for Ba'al in 2 Kings X 18-25*: VT 35 (1985) 109-111.

LEHNART, B., *Prophet und König im Nordreich. Studien zur sogenannten vorklassischen Prophetie im Nordreich Israel anhand der Samuel-, Elija- und Elischa-Überlieferung*, Diss. Frankfurt (Main) 1996.

LEMAIRE, A., *Joas, roi d'Israël et la première rédaction du cycle d'Élisée*, in: C.Brekelmans/J.Lust (Hg.), *Pentateuchal and Deuteronomistic Studies. Papers read at the XIIIth IOSOT Congress Leuven 1989*, BEThL 94, Leuven 1990, 245-254.

LEMAIRE, A., *The Tel Dan Stela as a Piece of Royal Historiographie*: JSOT 81 (1998) 3-14.

LEVIN, CHR., *Die Entstehung der Rechabiter*, in I.Kottsieper u.a. (Hg.), *„Wer ist wie du, Herr, unter den Göttern?“ Studien zur Theologie und Religionsgeschichte Israels für Otto Kaiser zum 70. Geburtstag*, Göttingen 1994, 301-317.

LEVIN, CHR., *Erkenntnis Gottes durch Elija*: ThZ 48 (1992) 329-342.

LEVIN, CHR., *Der Sturz der Königin Atalja. Ein Kapitel zur Geschichte Judas im 9. Jahrhundert v.Chr.*, SBS 105, Stuttgart 1982.

LEWY, J., *Lexicographical Notes*: HUCA 12/13 (1937-38) 97-101.

LOHFINK, N., *Gab es eine deuteronomistische Bewegung?*, in: W.Groß (Hg.), *Jeremia und die „deuteronomistische Bewegung"*, BBB 98, Weinheim 1995, 313-382.

LOHFINK, N., *Rückblick im Zorn auf den Staat*, Frankfurt 1984.

LÖHR, H., *Bemerkungen zur Elia-Erwartung in den Evangelien. Ausgehend von Mk 9,11-13*, in: K.Grünwaldt/H.Schroeter (Hg.), *Was suchst du hier, Elia? Ein hermeneutisches Arbeitsbuch*, Hermeneutica Bd. 4: Biblica, Rheinbach-Merzbach 1995, 85-95.

LONG, B.O., *A Figure at the Gate: Readers, Reading and Biblical Theologians*, in: G.M.Tucker/D.L.Petersen/R.R.Wilson (Hg.), *Canon, Theology, and Old Testament Interpretation. Essays in honor of Brevard S.Childs*, Philadelphia 1988, 166-186.

LONG, B.O., *1 Kings with an Introduction to Historical Literature*, FOTL 9, Grand Rapids (Michigan) 1984.

LONG, B.O., *2 Kings*, FOTL 10, Grand Rapids (Michigan) 1991.

LONG, B.O., *2 Kings III and Genres of Prophetic Narrative*: VT 23 (1973) 337-348.

LONG, B.O., *The Shunammite Women. In the Shadow of the Prophet?*: Bible Review 7 (1991) 12-19.42.

LORETZ, O., *Ugarit und die Bibel. Kanaanäische Götter und Religion im Alten Testament*, Darmstadt 1990.

LOUVET, J., *L'enlèvement du prophète Elie et son retour au «Jour du Seigneur»*: RHMH 29/118 (1976) 37-40.

LOUVET, J., *L'enlèvement du prophète Elie et son retour au «Jour du Seigneur»*: RHMH 29/119 (1976) 57-59.

LUNDBOM, J.R., *Elijah's Chariot Ride*: JJS 24 (1973) 39-50.

LUST, J., *Elijah and the theophany on Mount Horeb*, in: J.Coppens (Hg.), La notion biblique de Dieu, BEThL 41, Leuven 1976, 91-100.

MARTIN-ACHARD, R., *La vigne de Naboth (1 Rois 21) d'après des études récentes*: ETR 66 (1991) 1-16.

MAYER, W., *Politik und Kriegskunst der Assyrer*. Abhandlungen zur Literatur Alt-Syriens-Palästinas und Mesopotamiens 9, Münster 1995.

MAYES, A.D.H., *The Story of Israel between Settlement and Exile. A Redactional Study of the Deuteronomistic History*, London 1983.

MCKENZIE, S.L., *The Trouble with Kings. The Composition of the Book of Kings in the Deuteronomistic History*, VT.S 42, Leiden u.a. 1991.

MEYER, R., *Hebräische Grammatik: Satzlehre*, Bd. 3, Berlin/New York [3]1972.

MILLER, J.M., *The Elisha Cycle and the Accounts of the Omride Wars*: JBL 85 (1966) 441-454.

MILLER, J.M., *The Fall of the House of Ahab*: VT 17 (1967) 307-324.

MINOKAMI, Y., *Die Revolution des Jehu*, GTA 38, Göttingen 1989.

MOENIKES, A., *Zur Redaktionsgeschichte des sogenannten Deuteronomistischen Geschichtswerkes*: ZAW 104 (1992) 333-348.

MOLIN, G., *Elijahu. Der Prophet und sein Weiterleben in den Hoffnungen des Judentums und der Christenheit*: Judaica 8 (1952) 65-94.

MOMMER, P., *Der Diener des Propheten. Die Rolle Gehasis in der Elisa-Überlieferung*, in: ders./W.H.Schmidt/H.Strauß (Hg.), *Gottes Recht als Lebensraum. Festschrift für Hans-Jochen Boecker*, Neukirchen-Vluyn 1993, 101-115.

MONTGOMERY, J.A., *A Critical and Exegetical Commentary on the Books of Kings, ed. by H.S.Gehman*, ICC 17, Edinburgh 1951.

MOORE, R.D., *God Saves. Lessons from the Elisha Stories*, JSOT.S 95, Sheffield 1990.

MULLEN, E.T., *The Royal Dynastic Grant to Jehu and the Structure of the Books of the Kings*: JBL 107 (1988) 193-206.

MÜLLER, H.-P., *Die aramäische Inschrift von Tel Dan*: ZAH 8 (1995) 121-139.

MÜLLER, H.-P., *Moabitische historische Inschriften*, in: O.Kaiser u.a. (Hg.), *Rechts- und Wirtschaftsurkunden. Historisch-chronologische Texte*, TUAT I, Gütersloh 1982-1985, 646-650.

MÜLLER, H.-P., *König Mêša' von Moab und der Gott der Geschichte*: UF 26 (1994) 373-395.

MÜLLER, H.-P., *Die hebräische Wurzel שיח*: VT 19 (1969) 361-371.

MÜLLER, W.W., *Altsüdarabische Rituale und Beschwörungen*, in: O.Kaiser u.a. (Hg.), *Orakel, Rituale. Bau- und Votivinschriften. Lieder und Gebete*, TUAT II, Gütersloh 1986-1991, 438-452.

MULZER, M., *Jehu schlägt Joram. Text-, literar- und strukturkritische Untersuchung zu 2 Kön 8,25-10,36*, ATSAT 37, St.Ottilien 1992.

NA'AMAN, N., *Prophetic Stories as Sources for the Histories of Jehoshaphat and the Omrides*: Bib 78 (1997) 153-173.

NAPIER, B.D., *The Omrides of Jezreel*: VT 9 (1959) 366-378.

NEGEV, A. (Hg.), *Archäologisches Bibellexikon*, Neuhausen-Stuttgart 1991.

NELSON, R.D., *The Double Redaction of the Deuteronomistic History*, JSOT.S. 18, Sheffield 1981.

NICOL, G.G., *What are you doing here, Elijah?*: HeyJ 28 (1987) 192-194.

NORDHEIM, E.VON, *Ein Prophet kündigt sein Amt auf (Elia am Horeb)*: Bib 59 (1978) 153-173.

NORDHEIM, E.VON, *Die Selbstbehauptung Israels in der Welt des Alten Orients. Religionsgeschichtlicher Vergleich anhand von Gen 15/22/28, dem Aufenthalt Israels in Ägypten, 2 Sam 7, 1 Kön 19 und Psalm 104*, OBO 115, Freiburg/Göttingen 1992.

NOTH, M., *Könige*, BK 9/1, Neukirchen-Vluyn 1968.

NOTH, M., *Überlieferungsgeschichtliche Studien. Die sammelnden und bearbeitenden Geschichtswerke im Alten Testament*, Darmstadt [3]1967.

O'BRIEN, M.A., *The Deuteronomistic History Hypothesis: A Reassessment*, OBO 92, Göttingen 1989.

OEMING, M., *Naboth, der Jesreeliter. Untersuchungen zu den theologischen Motiven der Überlieferungsgeschichte von I Reg 21*: ZAW 98 (1986) 363-382.

OEMING, M., *Das Alte Testament als Buch der Kirche? Exegetische und hermeneutische Erwägungen am Beispiel der Erzählung von Elija am Horeb (I Kön 19), alttestamentlicher Predigttext am Sonntag Okuli*: ThZ 52 (1996) 299-325.

OLYAN, S., *Hăšālôm: Some Literary Considerations of 2 Kings 9*: CBQ 46 (1984) 652-668.

OLYAN, S.M., *2 Kings 9:31 – Jehu as Zimri*: HThR 78 (1985) 203-207.

OTTOSSON, M., *The Prophet Elijah's Visit to Zarephath*, in: W.B.Barrick/J.R.Spencer (Hg.), *In the Shelter of Elyon. Essays on Ancient Palestinian Life and Literature in Honor of G.W.Ahlström*, JSOT.S 31, Sheffield 1984, 185-198.

PAKKALA, J., *Intolerant Monolatry in the Deuteronomistic History*, Publications of the Finnish Exegetical Society 76, Göttingen 1999.

PARKER, S.B., *Jezebel's Reception of Jehu*: Maarav 1 (1978) 67-78.

PARKER, S.B., *Possession Trance and Prophecy in Pre-Exilic Israel*: VT 28 (1978) 271-285.

PLEIN, I., *Erwägungen zur Überlieferung von I Reg 11,26-14,20*: ZAW 78 (1966) 8-24.

PLÖGER, O., *Die Prophetengeschichten der Samuel- und Königsbücher*, Diss. Greifswald 1937.

PORTER, J.R., בְּנֵי־הַנְּבִיאִים: JThS 32 (1981) 423-429.

PREUß, H.D., *Zum deuteronomistischen Geschichtswerk*: ThR 58 (1993) 229-264.341-395.

PREUß, H.D., *Verspottung fremder Religionen im Alten Testament*, BWANT 92, Stuttgart u.a. 1971.

RAD, G.VON, *Die deuteronomistische Geschichtstheologie in den Königsbüchern*, in: ders, *Gesammelte Studien zum Alten Testament (1)*, Theologische Bücherei 8, München 1958, 189-204.

RAD, G.VON, *Der Heilige Krieg im Alten Israel*, AThANT 20, Zürich 1951, Göttingen [4]1965.

RAD, G.VON, *Theologie des Alten Testaments, Bd 1: Die Theologie der geschichtlichen Überlieferungen Israels*, München [10]1992.

RAD, G.VON, *Theologie des Alten Testaments, Bd 2: Die prophetischen Überlieferungen*, München [10]1992.

REHM, M., *Das erste Buch der Könige. Ein Kommentar*, Würzburg 1979.

REHM, M., *Das zweite Buch der Könige. Ein Kommentar*, Würzburg 1982.

REITENBERGER-HAMIDI, D., *Der Prophet Elia im Islam – Ein Mahner und Bote Gottes*, in: K.Grünwaldt/H.Schroeter (Hg.), *Was suchst du hier, Elia? Ein hermeneutisches Arbeitsbuch*, Hermeneutica Bd. 4: Biblica, Rheinbach-Merzbach 1995, 96-101.

RENDSBURG, G.A., *The Mock of Baal in 1 Kings 18,27*: CBQ 50 (1988) 414-417.

RENDTORFF, R., *Art. προφήτης*, ThWNT 6 (1959) 796-813.

RENDTORFF, R., *Erwägungen zur Frühgeschichte des Prophetentums in Israel*: ZThK 59 (1962/63) 145-167.

RENTERÍA, T.H., *The Elijah/Elisha Stories: A Socio-cultural Analysis of Prophets and People in Ninth-Century B.C.E. Israel*, in: R.B.COOTE (Hg.), *Elijah and Elisha in Socioliterary Perspective*, Atlanta (Georgia) 1992, 75-126.

RENTROP, J., *Elija aus Tischbe. Eine literarkritische und redaktionskritische Untersuchung von 1 Kön 17-19*, Diss. Bonn 1995.

RIESENER, I., *Der Stamm* עבד *im Alten Testament. Eine Wortuntersuchung unter Berücksichtigung neuerer sprachwissenschaftlicher Methoden*, BZAW 149, Berlin/New York 1979.

ROBINSON, B.P., *Elijah at Horeb, 1 Kings 19:1-18: A Coherent Narrative?*: RB 98 (1991) 513-536.

ROBINSON, J., *The Second Book of Kings*. The Cambridge Bible Commentary, Cambridge 1976.

ROFÉ, A., *The Classification of the Prophetical Stories*: JBL 89 (1970) 427-440.

ROFÉ, A., *The Prophetical Stories. The Narratives about the Prophets in the Hebrew Bible. Their Literary Types and History*, Jerusalem 1988.

ROFÉ, A., *The Vineyard of Naboth: The Origin and Message of the Story*: VT 38 (1988) 89-104.

ROST, L., *Erwägungen zum Begriff šalôm*, in: K.-H.Bernhardt (Hg.), *Schalom. Studien zu Glaube und Geschichte Israels. Alfred Jepsen zum 70. Geburtstag dargebracht von Freunden, Schülern und Kollegen*, Arbeiten zur Theologie 1.Reihe, Heft 46, Stuttgart 1971, 41-44.

ROWLEY, H.H., *Elijah on Mount Carmel*: BJRL 43 (1960) 190-219.

RUPRECHT, E., *Entstehung und zeitgeschichtlicher Bezug der Erzählung von der Designation Hasaels durch Elisa (2.Kön. viii 7-15)*: VT 28 (1978) 73-82.

RÜTERSWÖRDEN, U., *Die Beamten der israelitischen Königszeit. Eine Studie zu śr und vergleichbaren Begriffen*, BWANT 117, Stuttgart u.a. 1985.

ŠANDA, A., *Die Bücher der Könige I*, EHAT 9/1, Münster 1911.

ŠANDA, A., *Die Bücher der Könige II*, EHAT 9/2, Münster 1912.

SAYDON, P.P., *The Meaning of the Expression* עָצוּר וְעָזוּב: VT 2 (1952) 371-374.

SCHÄFER-LICHTENBERGER, CHR., *›Josua‹ und ›Elisa‹ – eine biblische Argumentation zur Begründung der Autorität und Legitimität eines Nachfolgers*: ZAW 101 (1989) 198-222.

SCHMIDT, A., *Udviklingen i Israel og Juda 841-35 f. Kr. Som 2 Kong. 9-11 ser den.*: DTT 46 (1983) 1-21.

SCHMITT, A., *Entrückung – Aufnahme – Himmelfahrt. Untersuchungen zu einem Vorstellungsbereich im Alten Testament*, FzB 10, Stuttgart 1973.

SCHMITT, A., *Die Totenerweckung in 1 Kön XVII 17-24. Eine form- und gattungskritische Untersuchung*: VT 27 (1977) 454-474.

SCHMITT, A., *Die Totenerweckung in 2 Kön 4,8-37. Eine literaturwissenschaftliche Untersuchung*: BZ N.F. 19 (1975) 1-25.

SCHMITT, H.-CHR., *Elisa. Traditionsgeschichtliche Untersuchungen zur vorklassischen nordisraelitischen Prophetie*, Gütersloh 1972.

SCHMITT, H.-CHR., *Das spätdeuteronomistische Geschichtswerk Genesis I – 2 Regum XXV und seine theologische Intention*, in: J.A.Emerton (Hg.), *Congress Volume Cambridge 1995*, VT.S 66, Leiden u.a. 1997, 261-279.

SCHMOLDT, H., *Elijas Begegnung mit Jahwä (1 Kön 19,9-14)*: BN 43 (1988) 19-26.

SCHMOLDT, H., *Elijas Botschaft an Ahab. Überlegungen zum Werdegang von 1 Kön 21*: BN 28 (1985) 39-52.

SCHMOLDT, H., *Zwei „Wiederaufnahmen" in I Reg 17*: ZAW 97 (1985) 423-426.

SCHNEIDER, T.J., *Rethinking Jehu*: Bib 77 (1996) 100-107.

SCHNEIDER, T., *Did King Jehu kill his own family. New Interpretation Reconciles Biblical Text with Famous Assyrian Inscription*: Biblical Archaeology Review 21 (1995) 26-33.80.82.

SCHNIEDEWIND, W.M., *History and Interpretation: The Religion of Ahab and Manasseh in the Book of Kings*: CBQ 55 (1993) 649-661.

SCHNIEDEWIND, W.M., *Tel Dan Stela: New Light on Aramaic and Jehu's Revolt*: BASOR 302 (1996) 75-90.

SCHULT, H., *Naemans Übertritt zum Yahwismus (2 Könige 5,1-19a) und die biblischen Bekehrungsgeschichten*: DBAT 9 (1975) 2-20.

SCHÜTZ, E., *Formgeschichte des vorklassischen Prophetenspruchs*, Diss. Bonn 1958.

SCHWAB, E., *Das Dürremotiv in I Regum 17,8-16*: ZAW 99 (1987) 329-339.

SCHWEIZER, H., *Elischa in den Kriegen. Literaturwissenschaftliche Untersuchung von 2 Kön 3; 6,8-23; 6,24-7,20*; StANT 37, München 1974.

SCHWEIZER, H., *Literarkritischer Versuch zur Erzählung von Micha ben Jimla (1 Kön 22)*: BZ N.F. 23 (1979) 1-19.

SEEBAß, H., *Art. Elia, I. Altes Testament*, TRE 9 (1982) 498-502.

SEEBAß, H., *Art. Elisa*, TRE 9 (1982) 506-509.

SEEBASS, H., (sic!), *Art. נפש*, ThWAT 5 (1986) 531-555.

SEEBASS, H., *Elia und Ahab auf dem Karmel*: ZThK 70 (1973) 121-136.

SEEBASS, H., *Der Fall Naboth in 1 Reg. XXI*: VT 24 (1974) 474-488.

SEEBAß, H., *Micha ben Jimla*: KuD 19 (1973) 109-124.

SEIDL, Th., *Mose und Elija am Gottesberg. Überlieferungen zu Krise und Konversion der Propheten*: BZ N.F. 37 (1993) 1-25.

SEKINE, M., *Literatursoziologische Beobachtungen zu den Elisaerzählungen*: AJBI 1 (1975) 39-62.

SEKINE, M., *Elias Verzweiflung. Erwägungen zu 1.Kö XIX*: AJBI 3 (1977) 52-68.

SEYBOLD, K., *Elia am Gottesberg. Vorstellungen prophetischen Wirkens nach 1.Könige 19*: EvTh 33 (1973) 3-18.

SHIELDS, M.E., *Subverting a Man of God, Elevating a Woman: Role and Power Reversals in 2 Kings 4*: JSOT 58 (1993) 59-69.

SIMON, U., *Elijah's War on Baal-worship: unity and structure of the story (1 K 17-18) (hebr.)*, in: ders./M.Goshen-Gottstein (Hg.), *Studies in Bible and Exegesis. Arie Toeg in memoriam*, Ramat-Gan 1980, 51-118.

SMELIK, K.A.D., *Das Kapitel 2. Könige 5 als literarische Einheit*: DBAT 25 (1988) 29-47.

SMELIK, K.A.D., *King Mesha's Inscription. Between History and Fiction*, in: ders., *Converting the Past. Studies in Ancient Israelite and Moabite Historiographie*, OTS 28, Leiden 1992, 59-92.

SMEND, R., *The Deuteronomistic Elijah. A Contribution to the Old Testament Portrayal of the Prophets*, in: J.J.Burden/J.H.le Roux (Hg.), *Old Testament Essays*, Bd. 4, Pretoria 1986, 28-45.

SMEND, R., *Die Entstehung des Alten Testaments*, Stuttgart u.a. 1978.

SMEND, R., *Essen und Trinken – ein Stück Weltlichkeit des Alten Testaments*, in: H.Donner/R.Hanhart/ders. (Hg.), *Beiträge zur Alttestamentlichen Theologie. Festschrift für Walther Zimmerli zum 70. Geburtstag*, Göttingen 1977, 446-459.

SMEND, R., *Das Gesetz und die Völker. Ein Beitrag zur deuteronomistischen Redaktionsgeschichte*, in: H.W.Wolff (Hg.), *Probleme biblischer Theologie. Gerhard von Rad zum 70. Geburtstag*, München 1971, 494-509.

SMEND, R., *Das Wort Jahwes an Elia. Erwägungen zur Komposition von 1 Reg. XVII-XIX*: VT 25 (1975) 525-543.

SMITH, C.C., *Jehu and the black Obelisk of Shalmaneser III*, in: A.L.Merrill/T.W.Overholt (Hg.), *Scripture in History & Theology: Essays in Honor of J.Coert Rylaarsdam*, Pittsburgh (Pennsylvania) 1977, 71-105.

STADE, B., *Anmerkungen zu 2.Kön 10-14*, in: ders., *Ausgewählte akademische Reden und Abhandlungen*, Gießen [2]1907, 181-199.

STADE, B./SCHWALLY, F., *The Books of Kings. Critical Edition of the Hebrew Text*, SBOT 9, Leipzig u.a. 1904.

STÄHLI, H.-P., *Knabe – Jüngling – Knecht. Untersuchungen zum Begriff* נער *im Alten Testament*, BET 7, Frankfurt u.a. 1978.

STECK, O.H., *Bewahrheitungen des Prophetenworts. Überlieferungsgeschichtliche Skizze zu 1.Könige 22,1-38*, in: H.-G.Geyer/J.M.Schmidt/W.Schneider/M.Weinrich (Hg.), *Wenn nicht jetzt, wann dann? Aufsätze für Hans-Joachim Kraus zum 65. Geburtstag*, Neukirchen-Vluyn 1983, 87-96.

STECK, O.H., *Die Erzählung von Jahwes Einschreiten gegen die Orakelbefragung Ahasjas (2 Kön 1,2-8.*17)*: EvTh 27 (1967) 546-556.

STECK, O.H., *Überlieferung und Zeitgeschichte in den Elia-Erzählungen*, WMANT 26, Neukirchen-Vluyn 1968.

STIPP, H.-J., *Ahabs Buße und die Komposition des deuteronomistischen Geschichtswerks*: Bib 76 (1995) 471-497.

STIPP, H.-J., *Elischa – Propheten – Gottesmänner. Die Kompositionsgeschichte des Elischazyklus und verwandter Texte, rekonstruiert auf der Basis von Text- und Literarkritik zu 1 Kön 20.22 und 2 Kön 2-7*, ATSAT 24, St.Ottilien 1987.

STOLZ, F., *Rausch, Religion und Realität in Israel und seiner Umwelt*: VT 26 (1976) 170-186.

TÅNGBERG, K.A., *A Note on Ba'al Zebub in 2 Kgs 1,2.3.6.16*: SJOT 6 (1992) 293-296.

THENIUS, O., *Die Bücher der Könige*, KEH 9, Leipzig [2]1873.

THIEL, W., *Sprachliche und thematische Gemeinsamkeiten nordisraelitischer Propheten-Überlieferungen*, in: J.Zmijewski (Hg.), *Die alttestamentliche Botschaft als Wegweisung. Festschrift für Heinz Reinelt*, Stuttgart 1990, 359-376.

THIEL, W., *Jahwe und Prophet in der Elisa-Tradition*, in: J.Hausmann/H.-J.Zobel (Hg.), *Alttestamentlicher Glaube und Biblische Theologie. Festschrift für Horst Dietrich Preuß zum 65. Geburtstag*, Stuttgart u.a. 1992, 93-103.

THIEL, W., *Zur Komposition von 1 Könige 18. Versuch einer kontextuellen Auslegung*, in: E.Blum/Chr.Macholz/E.W.Stegemann (Hg.), *Die Hebräische Bibel und ihre zweifache Nachgeschichte. Festschrift für Rolf Rendtorff zum 65. Geburtstag*, Neukirchen-Vluyn 1990, 215-223.

THIEL, W., *Das „Land" in den Elia- und Elisa-Überlieferungen*, in: M.Pradký (Hg.), *Landgabe. Festschrift für Jan Heller zum 70. Geburtstag*, Praha/Kampen 1995, 64-75.

THIEL, W., *Deuteronomistische Redaktionsarbeit in den Elia-Erzählungen*, in: J.A.Emerton (Hg.), *Proceedings of the 13th Congress of the IOSOT, held in Louvain, Belgium, Aug. 27.-Sept. 1., 1989*, VT.S 43, Leiden 1991, 148-171.

THIEL, W., *Rezension zu Hermann-Josef Stipp, Elischa – Propheten – Gottesmänner*, BZ N.F. 34 (1990) 304-306.

THIEL, W., *Der Todesrechtsprozeß Nabots in 1 Kön 21*, in: S.Beyerle/G.Mayer/H.Strauß (Hg.), *Recht und Ethos im Alten Testament – Gestalt und Wirkung. Festschrift für Horst Seebass zum 65. Geburtstag*, Neukirchen-Vluyn 1999, 73-81.

THIEL, W., *Zu Ursprung und Entfaltung der Elia-Tradition*, in: K.Grünwaldt/H.Schroeter (Hg.), *Was suchst du hier, Elia? Ein hermeneutisches Arbeitsbuch*, Hermeneutika Bd. 4: Biblica, Rheinbach-Merzbach 1995, 27-39.

TIMM, S., *Die Dynastie Omri. Quellen und Untersuchungen zur Geschichte Israels im 9. Jahrhundert vor Christus*, FRLANT 124, Göttingen 1982.

TODD, J.A., *The Pre-Deuteronomistic Elijah Cycle*, in: R.B.COOTE (Hg.), *Elijah and Elisha in Socioliterary Perspective*, Atlanta (Georgia) 1992, 1-35.

TREBOLLE-BARRERA, J.C., *Jehú y Joás. Texto y composición literaria de 2 Reyes 9-11*, Institución San Jerónimo 17, Valencia 1984.

TREBOLLE, J., *From the "Old Latin" through the "Old Greek" to the "Old Hebrew" (2 Kings 10:23-25)*: Textus 11 (1984) 17-36.

TROMP, N.J., *Water and Fire on Mount Carmel. A Conciliatory Suggestion*: Bib 56 (1975) 480-502.

TROPPER, J., *Eine altaramäische Steleninschrift aus Dan*: UF 25 (1993) 395-406.

UFFENHEIMER, B., *Ancient Prophecy in Israel (hebr.)*, Jerusalem 1973.

UNGNAD, A., *Jaúa mar Humri*: OLZ 9 (1906) 224-226.

UTZSCHNEIDER, H., *Hosea. Prophet vor dem Ende. Zum Verhältnis von Geschichte und Institution in der alttestamentlichen Prophetie*, OBO 31, Göttingen 1980.

VAN SETERS, J., *In Search of History. Historiography in the Ancient World and the Origins of Biblical History*, New Haven/London 1983.

VAUX, R. DE, *Das Alte Testament und seine Lebensordnungen*, Bd. 1, Freiburg/Basel/Wien ^{2}1964.

WAGNER, S., *Elia am Horeb: Methodologische und theologische Überlegungen zu I Reg 19*, in: R.Liwak/ders. (Hg.), *Prophetie und geschichtliche Wirklichkeit im alten Israel. Festschrift für Siegfried Herrmann zum 65. Geburtstag*, Stuttgart 1991, 415-424.

WAHL, O., *Gott erteilt Nachhilfeunterricht. Zur Botschaft von 1 Kön 19,1-18 für uns heute*, in: Katholisches Bibelwerk (Hg.), *Dynamik im Wort. Lehre von der Bibel, Leben aus der Bibel, Festschrift aus Anlaß des 50jährigen Bestehens des Katholischen Bibelwerkes in Deutschland*, Stuttgart 1983, 55-83.

WALTKE, B.K./O'CONNOR, M., *An Introduction to Biblical Hebrew Syntax*, Winona Lake (Indiana) 1990.

WANKE, D., *Vorläufer, Typus und Asket. Bemerkungen zur Gestalt des Elia in der altchristlichen Literatur*, in: K.Grünwaldt/H.Schroeter (Hg.), *Was suchst du hier, Elia? Ein hermeneutisches Arbeitsbuch*, Hermeneutica Bd. 4: Biblica, Rheinbach-Merzbach 1995, 102-114.

WEIMAR, P., *Art. Elija*, NBL 1 (1991) 516-520.

WEIPPERT, H., *Ahab el campeador? Redaktionsgeschichtliche Untersuchungen zu 1 Kön 22*: Bib 69 (1988) 457-479.

WEIPPERT, H., *Die "deuteronomistischen" Beurteilungen der Könige von Israel und Juda und das Problem der Redaktion der Königsbücher*: Bib 53 (1972) 301-339.

WEIPPERT, H., *Das deuteronomistische Geschichtswerk. Sein Ziel und Ende in der neueren Forschung*: ThR 50 (1985) 213-249.

WEIPPERT, H., *Palästina in vorhellenistischer Zeit.* Handbuch der Archäologie, Vorderasien II/1, München 1988.

WEIPPERT, M., *Edom. Studien und Materialien zur Geschichte der Edomiter auf Grund schriftlicher und archäologischer Quellen*, Diss. Tübingen 1971.

WEIPPERT, M., *Geschichte Israels am Scheideweg*: ThR 58 (1993) 71-103.

WEIPPERT, M., *Ecce non dormitabit neque dormiet qui custodit Israhel. Zur Erklärung von Psalm 121,4*: DBAT.B 3 (1984) 75-87.

WEIPPERT, M., *JAU(A) MAR HUMRÎ – Joram oder Jehu von Israel?*: VT 28 (1978) 113-118.

WEIPPERT, M., *Synkretismus und Monotheismus. Religionsinterne Konfliktbewältigung im alten Israel*, in: J.Assmann/D.Harth (Hg.), *Kultur und Konflikt*, Frankfurt (Main) 1990, 143-179.

WELLHAUSEN, J., *Die Composition des Hexateuchs und der historischen Bücher des Alten Testaments*, Berlin ³1899.

WELTEN, P., *Naboths Weinberg (1.Könige 21)*: EvTh 33 (1973) 18-32.

WESTERMANN, C., *Art.* נפש, THAT 2 (1976) 71-96.

WESTERMANN, C., *Art. Propheten*, BHH 3 (1966) 1496-1512.

WHITE, M., *Naboth's Vineyard and Jehu's Coup: The Legitimation of a Dynastic Extermination*: VT 44 (1994) 66-76.

WHITLEY, C.F., *The Deuteronomistic Presentation of the House of Omri*: VT 2 (1952) 137-152.

WILDBERGER, H., *Art. Elisa 2.*, BHH 1 (1962) 399-401.

WILLI, T., *Die Freiheit Israels. Philologische Notizen zu den Wurzeln hpš, 'zb und drr*, in: H.Donner/R.Hanhart/R.Smend (Hg.), *Beiträge zur Alttestamentlichen Theologie. Festschrift für Walther Zimmerli zum 70. Geburtstag*, Göttingen 1977, 531-546.

WILSON, R.R., *Prophecy and Society in Ancient Israel*, Philadelphia 1980.

WÜRTHWEIN, E., *Die Bücher der Könige. Das erste Buch der Könige: Kapitel 1-16*, ATD 11,1, Göttingen ²1985.

WÜRTHWEIN, E., *Die Bücher der Könige. 1.Kön 17-2.Kön 25*, ATD 11,2, Göttingen 1984.

WÜRTHWEIN, E., *Die Erzählung vom Gottesurteil auf dem Karmel*: ZThK 59 (1962) 131-144.

WÜRTHWEIN, E., *Zur Komposition von I Reg 22,1-38*, in: F.Maass (Hg.), *Das ferne und nahe Wort, Festschrift Leonhard Rost zur Vollendung seines 70. Lebensjahres am 30.November 1966 gewidmet*, BZAW 105, Berlin 1967, 245-254.

WÜRTHWEIN, E., *Naboth-Novelle und Elia-Wort*: ZThK 75 (1978) 375-397.

WÜRTHWEIN, E., *Zur Opferprobe Elias I Reg 18,21-39*, in: V.Fritz/K.-F.Pohlmann/H.-Chr.Schmitt (Hg.), *Prophet und Prophetenbuch. Festschrift für Otto Kaiser zum 65. Geburtstag*, BZAW 185, Berlin und New York 1989, 277-284.

YADIN, Y., *The 'House of Ba'al' of Ahab and Jezebel in Samaria, and that of Athalia in Judah*, in: R.Moore/P.Parr (Hg.), *Archaeology in the Levant, Festschrift K.M.Kenyon*, Warminster 1978, 127-135.

YAMADA, S., *Aram-Israel Relations as Reflected in the Aramaic Inscription from Tel Dan*: UF 27 (1995) 611-625.

ZELLER, D., *Elija und Elischa im Frühjudentum*: Bibel und Kirche 41 (1986) 154-160.

ZENGER, E., *Die deuteronomistische Interpretation der Rehabilitierung Jojachins*: BZ N.F. 12 (1968) 16-30.

ZIMHONI, O., *The Iron Age Pottery from Tel Jezreel – An Interim Report*: Tel Aviv 19 (1992) 57-70.

ZIMMERN, H., *Die babylonische Göttin im Fenster*: OLZ 31 (1928) 1-3.

Bibelstellen